Studio Graphique

Quark XPress™ 6

Loïc Fieux

CAMPUSPRESS

CampusPress a apporté le plus grand soin à la réalisation de ce livre afin de vous fournir une information complète et fiable. Cependant, CampusPress n'assume de responsabilités, ni pour son utilisation, ni pour les contrefaçons de brevets ou atteintes aux droits de tierces personnes qui pourraient résulter de cette utilisation.

Les exemples ou les programmes présents dans cet ouvrage sont fournis pour illustrer les descriptions théoriques. Ils ne sont en aucun cas destinés à une utilisation commerciale ou professionnelle.

CampusPress ne pourra en aucun cas être tenu pour responsable des préjudices ou dommages de quelque nature que ce soit pouvant résulter de l'utilisation de ces exemples ou programmes.

Tous les noms de produits ou autres marques cités dans ce livre sont des marques déposées par leurs propriétaires respectifs.

Publié par CampusPress
47 bis, rue des Vinaigriers
75010 PARIS
Tél : 01 72 74 90 00

Auteur : Loïc Fieux

Mise en pages : TyPAO

ISBN : 2-7440-1665-9

Table des matières

Introduction

Apparu en 1987, XPress trouve en 1990 avec sa version 3.0 un équilibre entre puissance et souplesse qui explique son succès durable dans le monde de la presse et à chaque étape de la chaîne éditoriale. De 1990 à 1997, après une série d'évolutions mineures, la version 4.0 intègre en 1997 les courbes de Bézier à tous les niveaux (bloc, chemin de texte, détourage, etc.) et propose la réunion de documents en un même livre qui peuvent ainsi profiter d'une gestion commune de leur feuille de style, de leur index, etc. Cinq ans après la version 4.0, la version 5.0 multiplie les apports. Il est dès lors facile de créer un tableau dont chaque cellule peut contenir un texte ou une image, plusieurs cellules pouvant fusionner. Avec sa version 5, XPress s'ouvre aux documents électroniques. Outre l'exportation en PDF et la création d'ancres ou d'hyperliens à l'intérieur d'un document, le programme dispose désormais d'un nouveau type de document dédié au Web. XPress devient ainsi un logiciel de composition Web capable d'exporter en HTML. A cela s'ajoute une gestion de l'XML et une multitude de petites nouveautés telles que l'outil Ciseaux qui coupe un tracé et transforme un contour de bloc en chemin, le vérificateur de lignes, la possibilité d'annuler le **Tout remplacer**, celle d'ancrer des groupes, etc.

Le document devient projet avec la version 6

Sortie en 2003, la version 6 offre enfin une mouture de XPress optimisée pour Mac OS X et Windows XP. D'un point de vue fonctionnel, cette version marque une évolution de la notion de document. Avec la version 4, plusieurs documents pouvaient être réunis en un livre tandis que la version 5 introduisait les documents Web. Avec la version 6, il n'est plus question de distinguer un document "papier" d'un document "Web". Il ne s'agit d'ailleurs plus vraiment de documents, puisque le logiciel manipule désormais des "projets", chaque projet étant constitué d'une ou plusieurs "mises en page". Chacune de ces mises en page est assimilable aux anciens documents XPress (jusqu'à la version 5) avec, cependant, la possibilité de convertir une mise en page papier en mise en page Web par changement du type de plan de montage depuis la zone de dialogue **Propriétés de la mise en page**. Il n'y a pas là de réel apport, puisque la récupération de tous les blocs d'un document par un copier-coller précédé d'un **Tout sélectionner** avec l'outil Déplacement permettait depuis la version 5 de faire passer tous les blocs d'un document vers un document d'un autre type. En fait, la principale nouveauté de la version 6 est le partage d'un même texte par plusieurs mises en page d'un même projet. Une fonction de synchronisation permet en effet d'utiliser le même texte dans une mise en page Web et dans sa déclinaison papier, voire dans la vingtaine de mises en page que peut contenir un projet. Si la modification du texte dans l'un des blocs synchronisés est immédiatement reportée sur toutes les autres occurrences de ce texte, chaque bloc synchronisé reste cependant indépendant de ses homologues quant à sa mise en forme. On actualisera ainsi facilement une page Web et une plaquette publicitaire en profitant de la mise à jour automatique des textes sur les différents supports synchronisés. C'est donc le texte synchronisé qui donne son sens au nouveau concept de projet intégrant des mises en page. Parallèlement, XPress 6 améliore ses outils de création de pages Web en proposant désormais des menus en cascade ou des rollovers à deux positions. En termes de productivité, on appréciera le nouvel historique d'annulation qui, en bas à gauche de la fenêtre, présente les dernières actions réalisées et permet de revenir plusieurs étapes en arrière (voir Figure i.1).

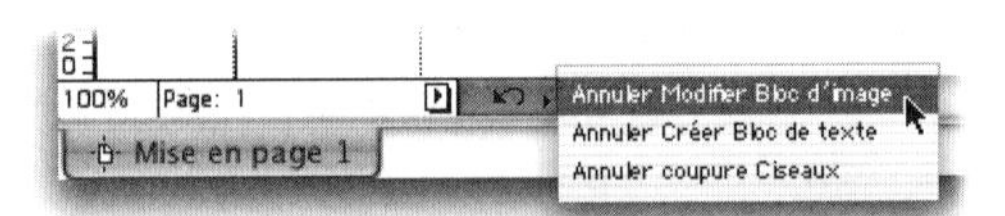

Figure i.1
L'historique d'annulation.

Après une telle annulation, il est possible de rétablir les étapes annulées grâce au menu local **Recommencer** (voir Figure i.2). Le nombre de niveaux d'annulation est déterminé depuis les **Préférences** (accès par le menu **Edition**, ou par le menu **QuarkXPress** sous Mac OS X) à la rubrique **Annulation**.

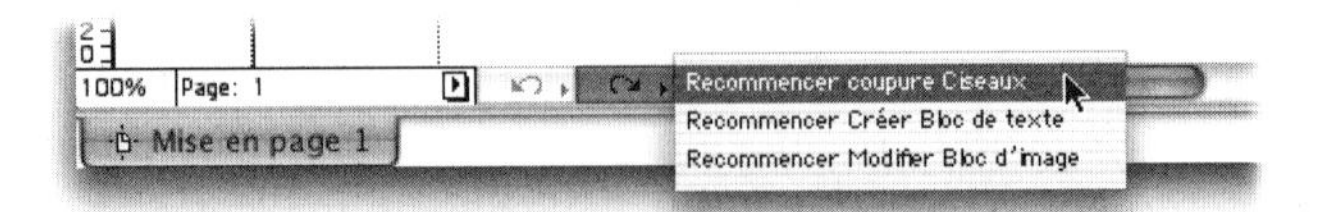

Figure i.2
Le menu Recommencer.

XPress au quotidien depuis 1990

Utilisateur quotidien de XPress depuis 1990, j'ai eu la chance ou la malchance – comme on voudra – de devoir me former seul à XPress. Pour l'anecdote, je raconte volontiers qu'en 1990 l'un des éditeurs à qui j'avais remis le texte de l'un de mes ouvrages m'a assis devant un Mac en me disant de le mettre en page avec XPress. Il me fit une démonstration en cinq minutes dont je n'ai rien retenu puis, l'éditeur disparu dans son bureau, j'ai dû mettre mon livre en page. J'ai bien sûr pataugé… et j'ai appris XPress, comme on dit, sur le tas. Très rapidement, j'ai pris goût à XPress et m'en suis fait un complice de travail. Par la suite et en plus d'une décennie, j'ai eu l'occasion de mettre en page avec XPress tous les types de documents en usant des versions 2.11, 3, 3.1, 3.11, 3.2, 3.3, 3.31, 3.32, 4.0, 4.01, 4.02, 4.04, 4.1, 5.0 et maintenant 6.0. Devenu peu à peu spécialiste de XPress, je lui ai consacré plusieurs ouvrages à partir de 1997 et c'est presque naturellement que des instituts de formation m'ont demandé de jouer les formateurs dans des entreprises qui développaient des départements de PAO. De cette expérience et des problèmes rencontrés résulte l'approche résolument pragmatique de cet ouvrage conçu à la fois comme un outil de formation et comme un référent pour le maquettiste.

Structure du livre

Après avoir présenté les principes de mise en page puis le système des blocs (logique dite "table de montage") de XPress, nous réaliserons dès le Chapitre 2 notre premier document XPress. Ce chapitre est extrêmement important car il permet au débutant de prendre en main l'application et d'en percevoir les grands principes : bloc, maquette, bloc de maquette, insertion du folio, etc. Le Chapitre 3 présente ensuite l'environnement de travail (interface utilisateur) de XPress où l'on remarquera les menus **Ecran** et **Mise en page** introduits par la version 6.

Les applications de traitement de texte étant les plus communément utilisées, le débutant trouvera facilement ses repères dans XPress en commençant par exploiter les capacités de traitement de texte de l'application, c'est d'ailleurs l'objet des Chapitres 4 à 7 consacrés à la manipulation du texte dans XPress.

Tout n'étant que blocs avec XPress, les Chapitres 8 à 13 traitent de la notion de maquette, de la manipulation des blocs puis des caractéristiques propres à chacun des types de blocs, qu'il s'agisse des blocs de texte, des blocs images, des filets, des chemins de texte ou des tableaux.

Les Chapitres 14 à 17 apportent des notions complémentaires telles que la gestion des pages, la réunion de documents sous la forme d'un livre, l'édition des couleurs et la manipulation des bibliothèques. Jusque-là, notre propos s'appuie sur la manipulation d'un document destiné à l'impression, mais au Chapitre 18, nous présentons les fonctions spécifiques des documents Web destinés à l'exportation en HTML. Ces documents profitent de tout ce qui a été dit aux Chapitres 1 à 17 au sujet des documents "papier". En outre, ce chapitre présente la synchronisation du texte entre différents blocs d'un projet, ces derniers étant éventuellement ventilés entre plusieurs mises en page. Enfin, le Chapitre 19 mêle de façon inattendue XPress à Excel et à FileMaker afin de montrer comment fusionner dans un document XPress des données issues d'une base de données ou d'une liste Excel.

Cet ouvrage a été conçu avec la volonté de vous donner goût à XPress tout en présentant ses mille facettes. J'espère que, à vos yeux, il remplira sa mission.

Loïc Fieux

CHAPITRE 1

Découvrir XPress

Au sommaire de ce chapitre

- Petit historique de la PAO
- Principes de mise en page
- Rôle de XPress
- Blocs et empilement
- Nouveautés introduites par XPress 6.0
- Versions PC et Mac de XPress

Pour commencer, voici quelques points de repères sur l'histoire de la PAO et les grands principes de la mise en page avec XPress. Nous préciserons ensuite les différences entre les versions 3, 4, 5 et 6 de XPress ainsi qu'entre ses déclinaisons PC et Mac.

Petit historique de la PAO

La PAO (*Publication assistée par ordinateur*) a aujourd'hui conquis le monde des arts graphiques et de l'imprimerie, au grand dam de certains professionnels qui, à partir de 1985, n'ont pas voulu voir en elle une authentique révolution. L'année 1981 voit la naissance de la société Quark, suivie par Adobe en 1982 et par le Macintosh d'Apple en 1984. Le 28 janvier 1985, trois éléments sont réunis pour que la PAO devienne une réalité. Au niveau matériel, on trouve le Macintosh, naturellement prédisposé à la manipulation de documents en WYSIWYG (*What You See Is What You Get*, ce que vous voyez est ce que vous obtiendrez) ; au niveau logiciel, on dispose non seulement de l'application de mise en page PageMaker d'Aldus (commercialisée ensuite sous la marque Adobe qui propose aujourd'hui InDesign), mais aussi le langage PostScript d'Adobe, chargé de la description vectorielle des pages. Désormais, on peut créer sur un écran d'ordinateur un document mêlant texte et images tout en profitant, grâce au langage vectoriel PostScript, de la résolution maximale du périphérique d'impression.

En 1985, un Macintosh associé à son imprimante laser PostScript LaserWriter se négocie environ 100 000 francs (soit 15 250 euros) ! L'année suivante apparaissent la première flasheuse PostScript (Linotype) et le premier scanner à plat destiné à la PAO (Microtek). La mise en page sur micro-ordinateur va très rapidement remplacer les techniques traditionnelles.

Par la suite, on assiste à une montée en puissance de tous les outils de la chaîne graphique, qu'il s'agisse du matériel ou des logiciels. L'année 1987 voit non seulement l'arrivée du magnifique Macintosh II – c'est le premier Mac en couleurs, un luxe ! –, mais aussi celle de XPress, qui trouve immédiatement sa place sur le marché grâce à ses possibilités perçues comme plus professionnelles que celles de PageMaker. Parmi les autres acteurs logiciels de la PAO, signalons la sortie d'Adobe Illustrator en 1987 et celle d'Adobe Photoshop en 1990. Aujourd'hui, PageMaker a été remplacé dans le catalogue Adobe par InDesign, mais Photoshop, Illustrator et XPress sont, depuis leur apparition, les standards d'un marché qu'ils ont largement contribué à créer. Aujourd'hui, le marché français de la PAO professionnelle s'appuie sur ces trois standards que sont XPress de Quark pour la mise en page ainsi que Photoshop et Illustrator d'Adobe chargés respectivement du traitement des images bitmap et des illustrations vectorielles.

Entre 1992 et 1993 arrivent les versions Windows du trio XPress-Illustrator-Photoshop, mais la plate-forme Apple continue aujourd'hui encore à faire valoir ses prédispositions dans tous les domaines relatifs à l'intégration de documents. Aujourd'hui, XPress demeure le logiciel de mise en page le plus utilisé sur Macintosh.

Repères :

- 1987 : sortie de XPress 1.0 ;
- 1989 : version 2.1 ;
- 1990 : version 3.0 ;
- 1992 : version 3.1 et version Windows ;
- 1997 : version 4.0 ;

- 1999 : version 4.1 ;
- 2002 : version 5.0 ;
- 2003 : version 6.0 optimisée pour Mac OS X et Windows XP.

Principes de mise en page

Avant toute chose, il faut se poser les bonnes questions ! Une même mise en page peut être parfaitement adaptée à un document, mais désastreuse pour un autre. Chargée de mettre en valeur les informations en les organisant, celle-ci doit inciter à la lecture du document sans pour autant occulter le sens du message.

En matière de mise en page, il apparaît souvent que le contenu du document importe beaucoup moins que d'autres facteurs. En effet, on s'intéresse prioritairement à :

- **La cible.** Le public visé détermine l'esthétique du document. Des enfants seront sensibles à des caractères de grande taille, alors que des financiers voudront accéder directement au graphique qui les intéresse. Comparez, par exemple, les livres de lecture pour jeunes enfants et un quotidien comme *les Echos*.
- **L'objectif.** S'agit-il de distraire ? De vendre ? D'informer ? Un document destiné à une consultation dans le cadre professionnel devra sembler plus sérieux que celui destiné à un thème familial. Demandez-vous si le bulletin d'information interne d'une entreprise saurait se contenter de la présentation utilisée pour le catalogue de promotions d'un hypermarché.
- **La forme.** Les impératifs économiques et maints autres facteurs déterminent le nombre de pages du document, ses dimensions, son orientation, etc. Comparez la présentation d'un annuaire à celle d'une plaquette publicitaire vantant les mérites d'une automobile.
- **L'espérance de vie.** Document du type "consommable", un journal peut se permettre de modifier très fréquemment sa maquette afin de suivre les "tendances" du moment. C'est, par exemple, le cas du magazine *SVM Mac*. Inversement, un ouvrage de référence doit être traité dans un style intemporel. Il en va de même pour tous les documents dont le sérieux réclame une certaine austérité (grand quotidien financier, par exemple). La mise en page contribue donc à déterminer la "qualité perçue" d'un document.
- **La typographie.** Le choix des caractères compte autant que celui des illustrations et du mode de fabrication. Certains caractères ont un aspect sérieux, d'autres sont plus agréables à l'œil, mais moins lisibles, etc.

astuce

Avant de commencer une mise en page, demandez-vous donc : Pour qui ? Pour quoi ? Pour combien de temps ? Avec quels moyens ? Bien sûr, cette liste n'est pas exhaustive. Mais il est toujours intéressant de remettre en cause un choix déterminé par l'habitude plutôt que par la cible visée par le document. Gardez à l'esprit que la mise en page doit s'adapter au public visé, et non uniquement plaire à celui assis face à l'écran...

Choix du format

Il existe une infinité de formats, mais le rapport entre la hauteur et la largeur permet néanmoins de dégager quatre catégories illustrées à la Figure 1.1 :

- Le format carré correspond à des documents aussi hauts que larges.
- Le format étroit est celui de documents à peu près deux fois plus hauts que larges.
- Un format est dit "à la française" si les pages sont plus hautes que larges. Inversement, il s'agit d'un format "à l'italienne" si les pages sont plus larges que hautes.

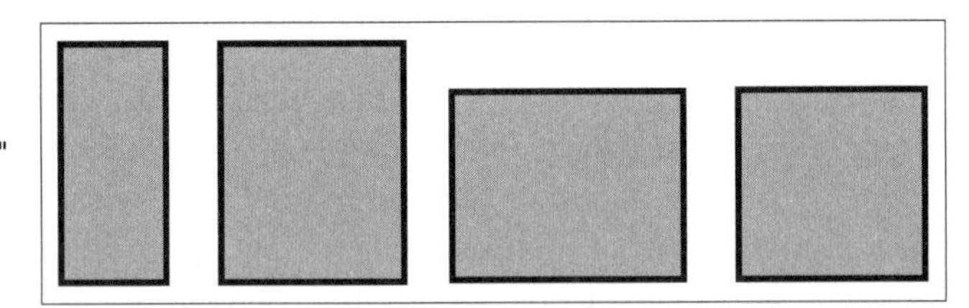

Figure 1.1

De gauche à droite, on distingue le format étroit, le format dit "à la française" (orientation portrait), le format dit "à l'italienne" (orientation paysage), le format carré.

Construction d'un document

Le format étant choisi, vous devez encore préciser l'espace alloué à chacune des quatre marges. Initialement destinées à la prise en main de l'ouvrage, les marges n'ont fait que rétrécir entre la fabrication des premiers livres, à l'époque médiévale, et l'apparition des éditions au format poche. Pour déterminer l'espace alloué aux marges, souvenez-vous que plus un document relié est luxueux, plus ses marges sont importantes. La Figure 1.2 illustre les différents blancs et marges qui déterminent la hauteur et la largeur utiles sur la page. Mieux qu'un long discours, cette image définit la justification, les petit et grand fonds, les blancs de tête et de pied, etc.

attention

Quand un document est imprimé en mode ***Pages en regard*** *(anciennement mode* ***Recto verso*** *de XPress 5), on parle de marges intérieure et extérieure, et non de marges gauche et droite.*

Figure 1.2

Un exemple de gabarit appliqué à un document imprimé en mode Recto verso.

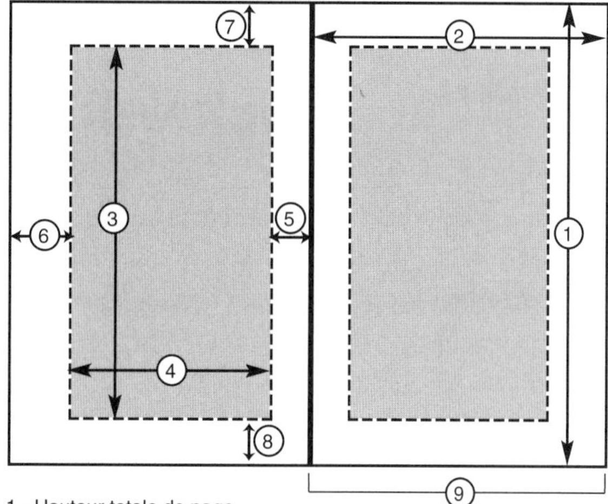

Familles de caractères

La classification des caractères la plus répandue est celle du typographe Francis Thibaudeau. Elle se fonde sur la nature des empattements, et distingue quatre familles :

- les **antiques**, dépourvues d'empattement ;
- les **égyptiennes**, à empattement rectangulaire ;
- les **didot**, à empattement filiforme ;
- les **elzévir**, à empattement triangulaire.

Les polices de caractères inclassables sont rassemblées dans une famille dite "fantaisie", véritable fourre-tout de la typographie !

A la Figure 1.3, on trouve de gauche à droite et de haut en bas : des caractères *elzévir* (ici, du Times, police spécialement créée pour le journal éponyme), des caractères *didot* (ici, du Bodoni, du nom de son créateur italien), des caractères *égyptiens* (ici, du Rockwell) et des caractères *antiques* (ici, de l'Helvetica).

Figure 1.3
Les quatre familles du typographe Francis Thibaudeau.

Times Bodoni
Rockwell Helvetica

La classification de Thibaudeau est la plus communément admise. Signalons cependant l'existence de la classification de Maximilien Vox, qui distingue les manuaires, les humanes, les linéales, les mécanes, les didones, les réales, les garaldes, les incises et les scriptes. Vox fonde sa classification sur les empattements, mais aussi sur les liaisons entre les lettres et l'allure générale du tracé.

Rôle de XPress

XPress est une application de mise en page. En d'autres termes, il s'agit du logiciel intégrateur de la chaîne graphique en vue de l'impression du document. En amont, on pourra trouver :

- un traitement de texte pour la saisie et la mise au point du texte (AppleWorks, Word, WordPerfect, etc.) ;
- une application de traitement des images en mode point (*bitmap*) afin de retoucher les photos et les illustrations bitmap (Photoshop, Paint Shop Pro, PhotoPaint, etc.) ;
- une application de dessin vectoriel pour la création de logos ou l'illustration technique (Illustrator, FreeHand, etc.) ;
- une application de dessin en trois dimensions pour la création d'images de synthèse ou l'illustration technique (Amapi, Dimensions, Ray Dream, etc.).

XPress importe dans ses propres documents les textes et les illustrations préparés avec d'autres logiciels. Il permet ensuite d'organiser le tout de façon à produire un document destiné à l'impression, à la publication sur le Web ou à tenir lieu de document électronique (PDF, *Portable Document Format*). Une fois la mise en page effectuée, des XTensions (voir Annexe B pour plus de détails sur les XTensions) spécialisées permettent de réaliser l'imposition sans quitter XPress. Ce dernier couvre donc l'intégralité de la chaîne graphique jusqu'au flashage ou jusqu'à la gravure directe des plaques, selon la technique d'impression choisie.

Blocs et empilement

Bien qu'il puisse manipuler aisément le texte, XPress n'est pas à proprement parler un traitement de texte. En effet, une application de traitement de texte manipule un document dont la page accueille automatiquement le texte. Ce dernier est alors l'élément principal et prioritaire. Tout se passe comme si le texte occupait en permanence l'arrière-plan, bien qu'il soit généralement possible de placer des images sur le document. Si un document créé à l'aide d'un traitement de texte n'est qu'un long rouleau de texte, un document créé avec XPress fait appel à une logique dite de "table de montage".

Avec XPress, le texte est un élément de la page, comme peuvent l'être une image ou un filet. Un document XPress doit être envisagé comme un support vierge dont seules les dimensions sont connues. C'est l'utilisateur qui doit organiser sur ce support les différents éléments (texte, images, filets). Contrairement à un traitement de texte, aucune priorité n'est ici accordée au texte et ce afin d'offrir une grande liberté d'organisation du contenu de la page.

Sur une page XPress, tout n'est que **blocs** :

- Un pavé de texte est un bloc de texte.
- Une image est un bloc image.
- Un filet est un élément particulier, mais constitue quand même un bloc.

En se détachant de la logique des traitements de texte, XPress a fait preuve de puissance et de souplesse, facteurs qui expliquent son succès dès son apparition.

En donnant à chacun des éléments d'une page le statut de bloc, XPress facilite grandement le déplacement des éléments et leur agencement au sein du document. Les deux principaux "outils" de XPress sont d'ailleurs l'outil Déplacement et l'outil d'édition de blocs (outil Modification).

La logique des blocs a ses avantages, mais elle requiert l'assimilation d'un principe très simple : chaque bloc se trouve dans un plan qui lui est propre, le dernier bloc créé venant se placer au-dessus de tous les autres (on retrouve ici la logique des logiciels de dessin vectoriel).

Ayez à l'esprit la superposition des plans, même lorsqu'elle n'apparaît pas (cas de blocs ne se chevauchant pas). Bien entendu, il est possible de faire passer un bloc au premier plan ou à l'arrière-plan. De même, un bloc peut avancer ou reculer d'un plan par permutation des niveaux avec le bloc suivant ou précédent. Sachez que ces plans sont "virtuels" ;

ainsi, il n'existe pas de plan vide, puisqu'un plan n'existe qu'à travers le bloc qu'il accueille. A la Figure 1.4, un bloc de texte est placé au-dessus d'un bloc image. Le texte disparaîtrait si l'on faisait passer le bloc de texte à l'arrière-plan car, alors, l'image du premier plan viendrait le masquer.

Figure 1.4

Le texte (ici sélectionné) ne serait plus visible si le bloc qui le contient était déplacé derrière celui où se trouve l'image de premier plan.

Deux blocs ne peuvent en aucun cas se trouver sur le même plan. Lorsque des blocs sont groupés, ils conservent leur ordre d'empilement relatif, mais peuvent être déplacés ensemble de l'arrière-plan au premier plan.

Tous les éléments se résumant à des blocs empilés les uns sur les autres, les blocs peuvent être :

- **Groupés** afin de pouvoir être déplacés ensemble tout en conservant leurs positions relatives (positions horizontales et profondeur).
- **Chaînés** pour permettre à un texte de s'étendre de bloc en bloc (le texte est une chaîne de caractères).
- **Ancrés** dans le texte (dans la chaîne de caractères). Un bloc ancré est assimilé à un caractère ; il se déplace avec le texte au gré des modifications apportées à celui-ci.

Les Figures 1.5 à 1.8 montrent les différents aspects des blocs, l'aspect étant lié aux caractéristiques des blocs. A la Figure 1.5, tous les blocs sont sélectionnés. Remarquez qu'un bloc sélectionné se dote de poignées. Celles-ci sont des petits carrés noirs à faire glisser pour modifier les dimensions du bloc. Plusieurs blocs étant groupés, la sélection du groupe se traduit par un cadre de pointillés, comme à la Figure 1.6. Lorsqu'un même texte s'étend entre plusieurs blocs chaînés, l'activation de l'outil Chaînage entraîne la mise en évidence des liens entre les blocs (voir Figure 1.7). Enfin, un bloc peut être ancré dans un autre, comme c'est le cas à la Figure 1.8.

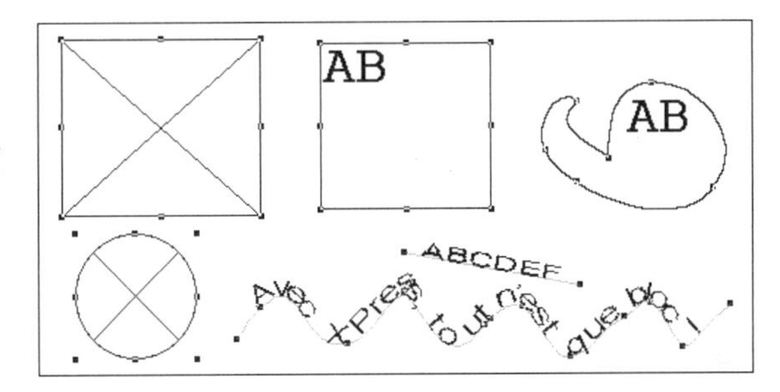

Figure 1.5

Avec XPress, tous les éléments ont le statut de bloc. Sélectionné, un bloc s'entoure de petits carrés noirs appelés poignées.

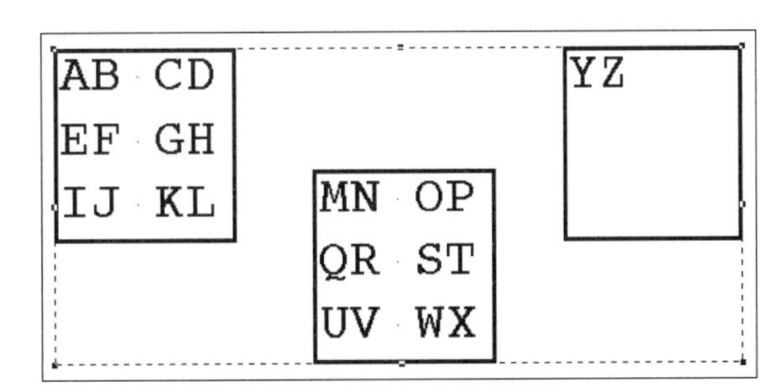

Figure 1.6

Plusieurs blocs peuvent être groupés (puis dégroupés) afin d'être déplacés ensemble.

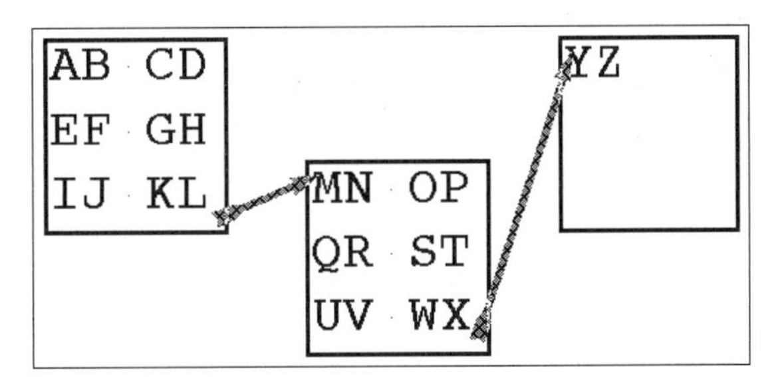

Figure 1.7

Plusieurs blocs peuvent être chaînés afin d'autoriser la répartition d'une même chaîne de caractères entre eux.

Figure 1.8

Ici, un bloc image est ancré dans la chaîne de caractères.

Nouveautés introduites par XPress 6

Comparé à XPress 3, XPress 4 avait en son temps (1997) introduit de nombreuses fonctions majeures. Au niveau du texte, il s'agissait notamment de feuilles de style indépendantes pour les caractères et les paragraphes, de l'extension à ces feuilles de style des fonctions de recherche-remplacement et d'un dictionnaire de césures. Avec XPress 4, il est devenu possible, grâce aux courbes de Bézier, de donner aux blocs les formes les plus diverses sans user de l'artifice consistant à recourir à l'habillage de l'arrière-plan par le premier plan. Dès lors intégrées à XPress, les courbes de Bézier s'appliquent non seulement à la définition du contour d'un bloc, mais aussi à la fusion et à la division de formes géométriques, aux chemins de texte, à la conversion de texte en bloc ainsi qu'à la création de chemins de détourage. A ces fonctions s'ajoute une nouvelle gestion des couleurs : les couleurs multi-ink s'obtiennent par mélange de couleurs en quadrichromie, la séparation devient hexachrome tandis que la gestion des couleurs ICC laisse le choix entre les systèmes Kodak Digital Science, Apple Colorsync, etc. Parmi les autres nouveautés remarquées de XPress 4, la notion de livre permet à plusieurs documents de partager leurs feuilles de style, table des matières, index, etc.

Cinq ans après XPress 4, XPress 5.0 se charge à son tour d'apporter son lot de nouveautés. Au niveau des fonctions "classiques", on note l'arrivée d'un gestionnaire de repères, d'une nouvelle gestion des styles de soulignement, d'un contrôle des lignes chargé de la détection des veuves et des orphelines, etc. Quant aux blocs, ils profitent du "Super Dupliquer et déplacer" et, surtout, d'un nouveau type de bloc : le tableau. Voilà une grande lacune de XPress ainsi comblée ! Réputé malhabile avec les tableaux, XPress prend de la sorte sa revanche et offre une gestion souple des tableaux doublée d'une possibilité de convertir le texte en tableau. Enfin, la nouveauté majeure réside dans l'extension du champ d'application de XPress. Né outil de mise en page destiné à produire un document imprimé, XPress étend désormais son champ d'action aux documents électroniques ainsi qu'aux contenus du Web. Depuis sa version 5, il est capable de produire directement des documents HTML, PDF et XML. Pour le Web, XPress se substitue dans une certaine mesure à un logiciel de composition de page Web.

Aujourd'hui, la version 6 est marquée par la carbonisation du logiciel, c'est-à-dire sa capacité à s'exécuter sous Mac OS X sans recourir à l'environnement Classic. Le logiciel est également complété par diverses fonctions :

- Les espaces de mise en page permettent de placer dans un même fichier une mise en page destinée à l'impression et une autre destinée au Web.
- La fonction **Annuler** accepte des activations répétées afin de retrouver plusieurs états antérieurs du document. D'autre part, il est désormais possible d'annuler l'importation de texte et d'image, le chaînage de texte et la modification des feuilles de style.

- Les tableaux (apparus avec XPress 5) sont améliorés et permettent le chaînage des cellules et la définition d'un ordre de tabulation tout en proposant de nouvelles options de formatage.
- Les calques voient leur impression et leur verrouillage améliorés.
- L'impression des documents papier profite désormais des dégradés lisses, des couleurs composites, etc.
- Les documents Web bénéficient à présent de menus en cascade, d'hyperliens améliorés, de rollovers, de polices CSS, d'un aperçu avant exportation des documents HTML, etc.

Versions PC et Mac de XPress

Régnant sur le microcosme de la chaîne éditoriale et des arts graphiques, le Macintosh a eu quelques sueurs froides en 1992. Cette année-là, XPress 3.1 apparaît sur les PC sous Windows (à l'époque, Windows 3.1), tandis qu'Adobe annonce le portage sur PC de son offre graphique (Photoshop, Illustrator, etc.). Bien que certains se soient tournés vers le PC, le gros de la troupe des infographistes est resté fidèle au Macintosh. Toutefois, on constate depuis 1992 que les produits phares de la PAO sortent simultanément sur les plates-formes PC et Mac. Cette situation renforce la position des applications standard et assure une certaine pérennité aux documents créés avec lesdites applications.

La seule différence notable entre XPress pour Mac OS et XPress pour Windows se situe au niveau des zones de dialogue de catalogue. Par ailleurs, certaines facilités offertes par le Macintosh lors des échanges de documents entre applications sont indisponibles sous Windows.

Une zone de dialogue de catalogue donne accès aux fichiers et permet la navigation dans l'arborescence des volumes. Enregistrer sous et Ouvrir sont deux exemples de zones de dialogue de catalogue. Ce type de zone de dialogue étant "sous-traité" au système par l'application, on trouve quelques différences entre les versions Mac et PC. Pour faciliter les échanges entre les plates-formes Mac et PC, n'oubliez pas sous Mac OS d'ajouter les extensions aux noms, qui contribuent sous Windows à identifier le type d'un document (voir Tableau 1.1).

Avec Mac OS X, certaines fonctions disponibles depuis le menu **Fichier** sous Mac OS (jusqu'à sa version 9) et sous Windows sont reportées dans le menu **QuarkXPress**. Il s'agit notamment de la fonction **Quitter** et de l'accès aux **Préférences** (voir Figure 1.9). L'optimisation de XPress 6 pour Windows XP a des effets moins visibles qui concernent surtout le comportement du logiciel en fonction de l'état de l'ordinateur, XPress n'effectuant aucune opération pendant l'état de veille de l'ordinateur.

XPress 6 ouvre les documents XPress créés avec les versions 3.3 et ultérieures. Pour utiliser un document antérieur à la version 3.3, ouvrez-le avec la version 3.3 et réengistrez-le avec cette version.

Tableau 1.1 : Extensions aux noms des fichiers XPress

Extension du nom	Nature du document correspondant
.qpf	Fichier projet XPress
.qxd	Document XPress destiné à l'impression
.qxt	Gabarit XPress (modèle de document) destiné à l'impression
.qwd	Document XPress destiné au Web (document XPress 5)
.qwt	Gabarit Web (modèle d'un document Web)
.qxl	Bibliothèque XPress
.qxp	Projet XPress
.qrc	Composant requis (*Required Components*)
.asv	Document issu de la sauvegarde automatique
.xtg	XPress Tags

Figure 1.9

Sous Mac OS X, un menu porte le nom de l'application de premier plan et permet notamment de quitter celle-ci, de masquer les autres applications ou d'accéder aux Préférences.

Les XTensions étant des programmes qui se greffent sur XPress pour ajouter leurs propres fonctions à ce dernier, les XTensions écrites pour XPress Mac sont totalement incompatibles avec celles créées pour XPress Windows. Sous Mac OS, on distingue les XTensions Classic (XPress 5) et les XTensions pour Mac OS X (XPress 6).

CHAPITRE 2

Réaliser un premier document

Au sommaire de ce chapitre

Plutôt destiné aux débutants, ce chapitre rassemble toutes les manipulations élémentaires et les met en œuvre à travers un exemple développé tout au long de ce chapitre.

Afin de respecter la progression pédagogique que nous vous proposons, il est conseillé de mettre en œuvre l'exemple décrit pas à pas tout au long de ce chapitre. De la sorte, vous vous familiariserez avec les manipulations élémentaires de XPress.

Créer un document

*Contrairement à XPress 5, XPress 6 ne distingue plus les documents destinés à l'impression de ceux destinés au Web. Les articles **Document** et **Document Web** du menu **Fichier** de XPress 5 sont donc confondus dans l'article **Projet** du menu **Fichier** de XPress 6.*

Pour créer un nouveau document :

1. Déroulez le menu **Fichier** et son sous-menu **Nouveau** où vous activerez **Projet** (voir Figure 2.1).

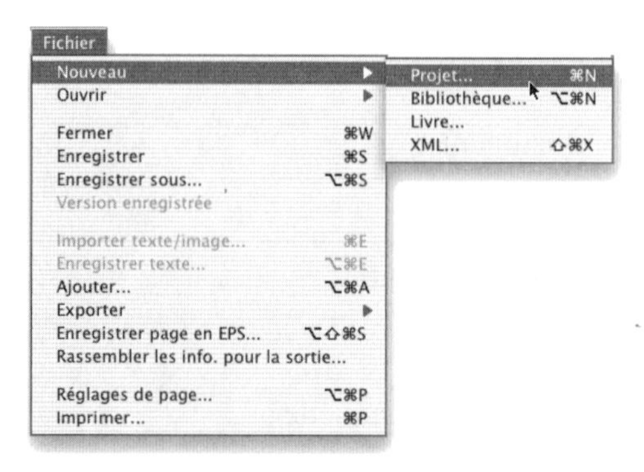

Figure 2.1
Le sous-menu Nouveau permet la création d'un document, d'une bibliothèque, d'un livre, voire d'un document Web ou XML.

2. La zone de dialogue **Nouveau projet** (voir Figure 2.2) définit notamment les dimensions du document et y crée éventuellement un bloc de texte automatique.

*Le menu local **Type de plan de montage** permet de favoriser la mise en page destinée à l'impression ou celle destinée au Web (voir Figure 2.2).*

Si vous choisissez **Web** dans le menu local **Plan de montage**, la zone de dialogue **Nouveau projet** propose le paramétrage d'un nouveau document Web (voir Figure 2.3).

Il s'agit notamment de définir :

- les couleurs de fond des liens, des liens visités, du lien actif ;
- la largeur de la page ;
- l'image de fond de la page et son mode de répétition.

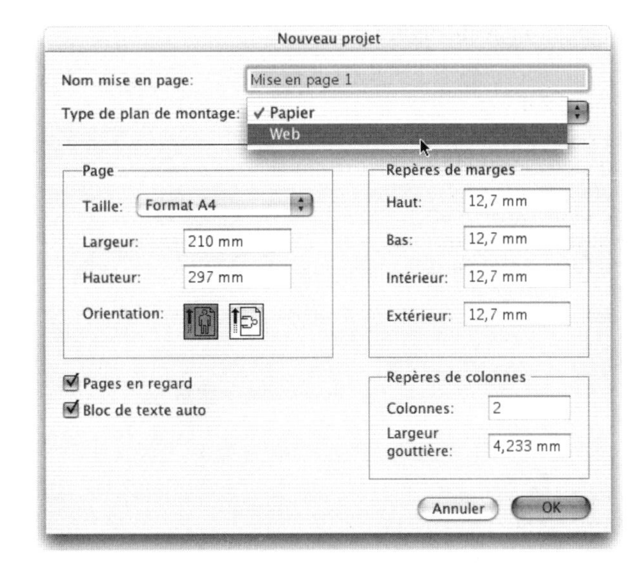

Figure 2.2

La zone de dialogue Nouveau projet définit le format du document, ses marges, son orientation et le nombre de colonnes du bloc de texte automatique.

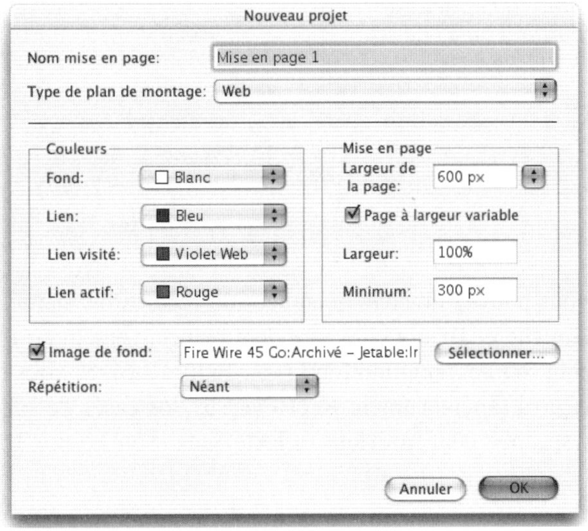

Figure 2.3

Les options d'un nouveau document avec un plan de montage type Web.

Par défaut, XPress propose un document au format A4 (recto seul), orienté à la française, avec des marges (blanc tournant) d'un demi-pouce (12,7 mm) et un bloc de texte automatique comprenant une unique colonne.

Détaillons les différents champs de la zone de dialogue **Nouveau projet** (voir Figure 2.2). XPress propose dans son menu local **Taille** les formats standard : A4, *legal* US, etc. Des formats personnalisés peuvent être définis à l'aide des cases de saisie **Largeur** et **Hauteur** (voir Figure 2.4). Notez également que l'orientation du document est déterminée dès sa création (voir Figure 2.5).

Figure 2.4
Le choix d'un article du menu local Taille applique aux cases de saisie Largeur et Hauteur les dimensions du format standard choisi dans ce menu local.

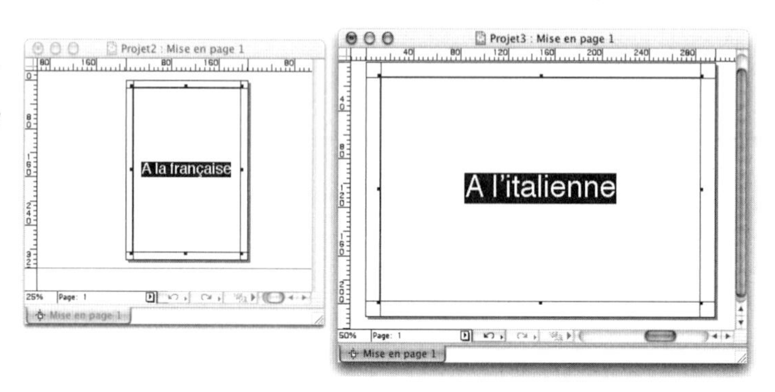

Figure 2.5
Un format étant choisi, les icônes Orientation permettent l'emploi du format à la française (portrait) ou à l'italienne (paysage).

Vous pouvez doter le document de repères de marges. Les cases de saisie **Haut**, **Bas**, **Gauche** et **Droite** correspondent respectivement au blanc de tête, au blanc de pied, au petit fond et au grand fond (voir Figure 2.6). Si vous cochez la case d'option **Pages en regard** (anciennement **Recto verso**), les cases de saisie **Gauche** et **Droite** deviennent respectivement **Intérieur** et **Extérieur** (voir Figure 2.7).

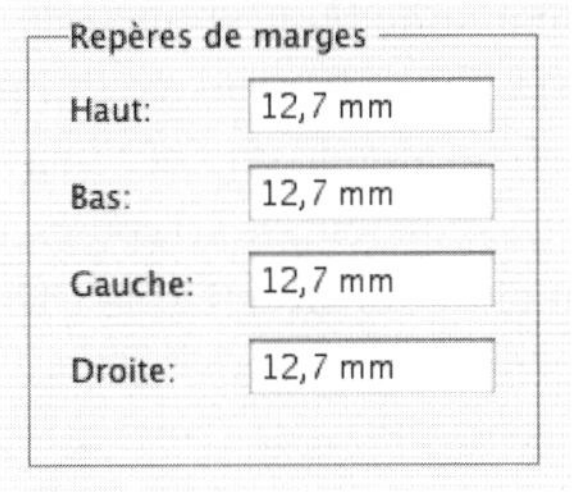

Figure 2.6

Vous pouvez employer l'unité de votre choix pour la saisie des dimensions des marges. Elles seront ensuite converties en millimètres.

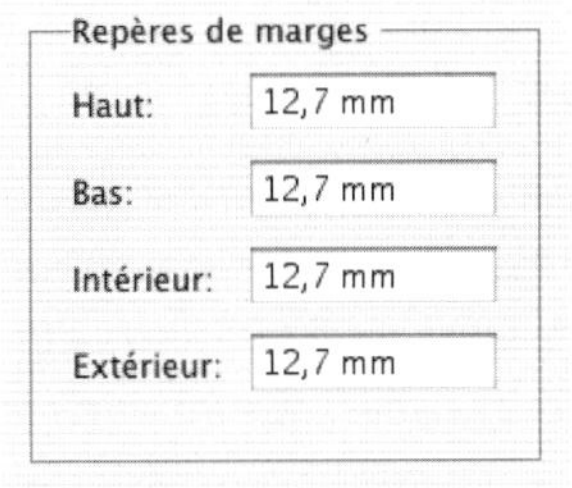

Repères de marges

Haut: 12,7 mm

Bas: 12,7 mm

Gauche: 12,7 mm

Droite: 12,7 mm

Figure 2.7

Les cases Gauche et Droite deviennent les cases Intérieur et Extérieur lorsque la case Pages en regard est cochée.

Repères de marges

Haut: 12,7 mm

Bas: 12,7 mm

Intérieur: 12,7 mm

Extérieur: 12,7 mm

Par défaut, le millimètre est l'unité employée dans les cases de saisie relatives à des dimensions du document, mais rien ne vous empêche d'utiliser le point en faisant suivre le nombre de "pt", voire le centimètre ("cm") ou le pixel ("px").

Toujours avec un plan de montage de type papier, la zone de dialogue **Nouveau projet** propose également la mise en place d'un bloc de texte dit automatique (voir Figures 2.8 et 2.9). Ce bloc est très important et permet à XPress de cumuler les avantages d'un traitement de texte classique et ceux d'une application de PAO orientée vers la logique table de montage.

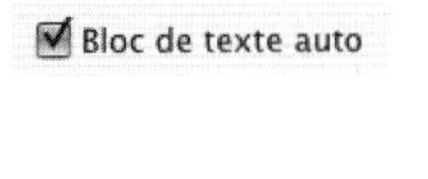

Figure 2.8

Cette case d'option active la création sur chaque page d'un bloc de texte automatique dont les dimensions sont définies par les marges spécifiées dans la même zone de dialogue.

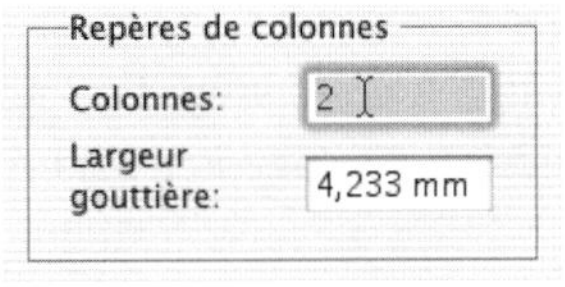

Figure 2.9

Toujours dans la zone de dialogue Nouveau projet, le nombre de colonnes du "bloc de texte auto" et l'intervalle entre celles-ci (gouttière) sont définis.

Repères de colonnes

Colonnes: 2

Largeur gouttière: 4,233 mm

Le bloc de texte automatique est un bloc de maquette, autrement dit il se place automatiquement sur toutes les pages fondées sur la maquette concernée.

Le bloc de texte automatique d'une page est automatiquement chaîné au bloc de texte automatique de la page suivante, ce qui permet au texte de se répandre de page en page sans qu'il soit nécessaire de chaîner manuellement les blocs. Les bords du bloc de texte automatique correspondent aux repères de marges définis à l'aide des cases de saisie **Haut**, **Bas**, **Gauche** (ou **Intérieur**) et **Droite** (ou **Extérieur**). La définition des dimensions du bloc de texte automatique est donc implicite à travers l'épaisseur des marges précisée dans la zone de dialogue **Nouveau projet**. Le bloc de texte automatique comprend un nombre de colonnes également défini depuis la zone de dialogue **Nouveau projet**. Ces colonnes sont séparées par un espace (appelé gouttière), lui aussi défini depuis cette zone de dialogue.

Le bloc de texte automatique facilite la mise en page d'un texte réparti sur de nombreuses pages (cas d'un livre, d'un rapport, etc.), mais il est mal adapté à un document où le texte est éclaté entre différents petits pavés disposés de façon irrégulière (cas des magazines, des plaquettes publicitaires, des affiches, des cartes de visite, etc.). Dans ce cas, on préférera employer plusieurs blocs de texte indépendants que l'on chaînera entre eux si nécessaire.

Dans le cadre de l'exemple que nous développerons tout au long de ce chapitre, nous optons pour :

- le format A4 orienté à la française ;
- un blanc tournant de 20 mm (toutes les marges sont égales à 20 mm) ;
- un document en recto seul ;
- un bloc de texte automatique à deux colonnes séparées par une gouttière de 5 mm.

Dans le cadre de l'exemple que nous développons, ne cochez pas la case d'option **Pages en regard**, mais cochez la case **Bloc de texte auto** (voir Figure 2.10). Les paramètres étant introduits, validez la zone de dialogue **Nouveau projet** en cliquant sur **OK**.

Affichage et repères

Vous venez de valider la création d'un nouveau document. Celui-ci s'affiche donc dans une nouvelle fenêtre présentée à la Figure 2.11.

A retenir :

- Il est important de choisir le type de plan de montage (Web ou papier) depuis la zone de dialogue **Nouveau projet** afin d'accéder aux options relatives au type de document à réaliser.

- Par défaut, l'affichage des repères (repères personnalisés affichés en vert) est activé.
- Par défaut, les repères de marges (qui correspondent aux bords du bloc de texte automatique si celui-ci existe) sont affichés en bleu.
- Le bord droit et le bord inférieur du document sont mis en évidence par leur ombre.

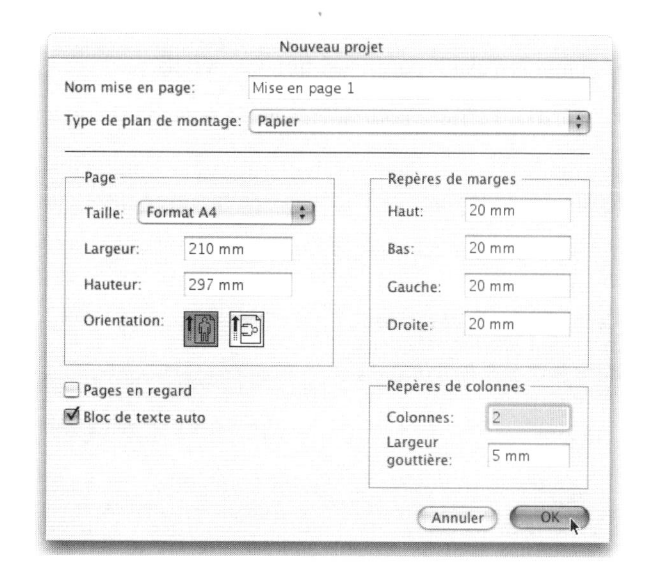

Figure 2.10

Voici la zone de dialogue Nouveau projet telle qu'elle doit se présenter après l'introduction des différents paramètres que nous avons précisés.

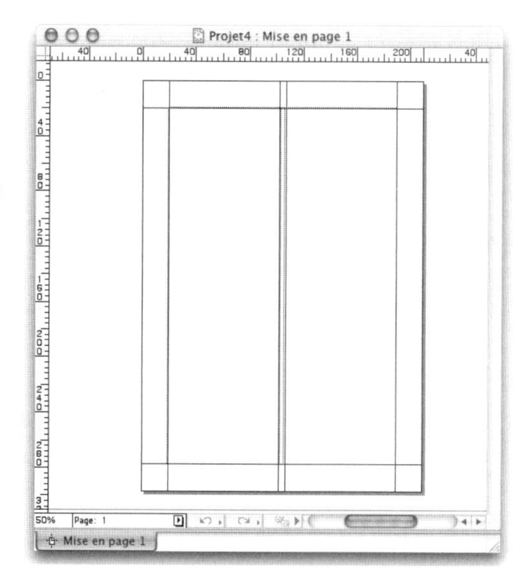

Figure 2.11

Voici le document créé dans le cadre de cet exemple. Remarquez les ombres (en bas et à droite) et les repères. Un repère ne s'imprime jamais et peut être masqué. Les repères de marges et ceux signalant les bords des colonnes du bloc de texte automatique sont mis en place automatiquement et affichés en bleu.

Echelle de visualisation

Par défaut, un nouveau document est affiché avec sa taille réelle qui correspond à un taux d'agrandissement égal à 100 %. Remarquons en passant que ce même taux ne correspond pas à la taille réelle avec toutes les applications. Par exemple, le taux 100 % de Photoshop correspond à l'affichage d'un pixel d'image sur un pixel d'écran, indépendamment de la taille réelle de l'image imprimée. Le plus souvent, cette échelle de visualisation par défaut est mal adaptée au travail de mise en page. Selon le cas, il convient d'effectuer :

- un zoom avant pour modifier des détails ;
- un zoom arrière pour envisager la page dans son ensemble.

L'échelle de visualisation est affichée dans l'angle inférieur gauche de la fenêtre, comme le montre la Figure 2.12. Le taux peut varier entre 10 % et 800 %.

Figure 2.12

L'échelle de visualisation du document est affichée dans le coin inférieur gauche de la fenêtre.

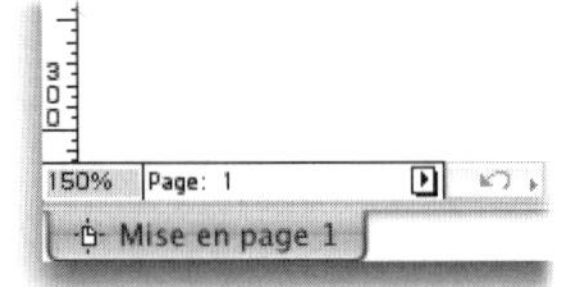

L'échelle de visualisation peut être modifiée de différentes manières :

- Saisissez directement une valeur dans la case présentant l'échelle de visualisation dans l'angle inférieur gauche de la fenêtre.
- Sélectionnez l'un des cinq premiers articles du menu **Affichage** (voir Figure 2.13).

Figure 2.13

L'article Taille écran du menu Affichage ajuste l'échelle afin de présenter intégralement la page courante à l'intérieur de la fenêtre.

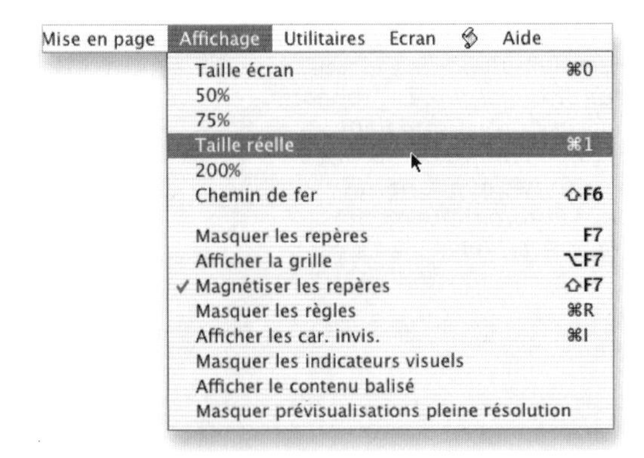

- Cliquez sur l'outil Loupe puis faites-le glisser, le rectangle ainsi tracé devenant le contenu affiché de la fenêtre (voir Figure 2.14).

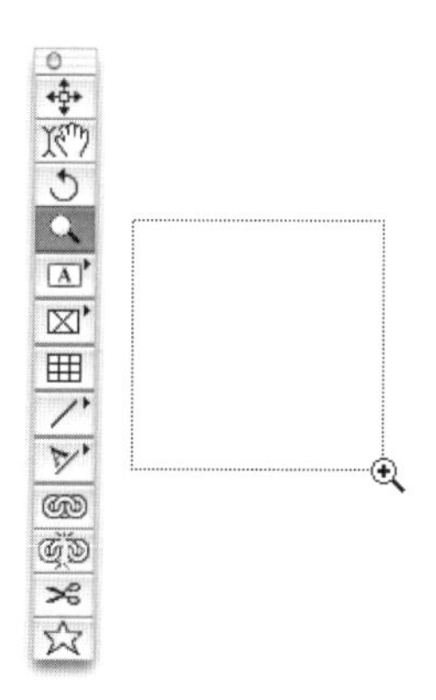

Figure 2.14

L'outil Loupe est ici sélectionné dans la palette d'outils. Faire glisser l'outil Loupe crée un cadre qui détermine les bords de la fenêtre dans laquelle le document sera affiché dès le relâchement du bouton de la souris.

- Cliquez sur l'outil Loupe, puis cliquez pour agrandir (zoom avant) ou cliquez en maintenant la touche Alt enfoncée pour réduire (zoom arrière). Chaque clic applique alors un incrément paramétrable à l'échelle de visualisation. Cet incrément est défini par le contenu de la case **Incrément** accessible en déroulant le menu **Edition** (ou le menu **QuarkXPress** sous Mac OS X) puis en sélectionnant **Préférences** avant de cliquer sur **Outils**, puis sur l'outil Loupe et sur le bouton **Modifier**. Vous accédez ainsi à la zone de dialogue **Affichage** (voir Figure 2.15) où est déterminé l'incrément appliqué à l'échelle de visualisation lors de chaque clic avec l'outil Loupe.

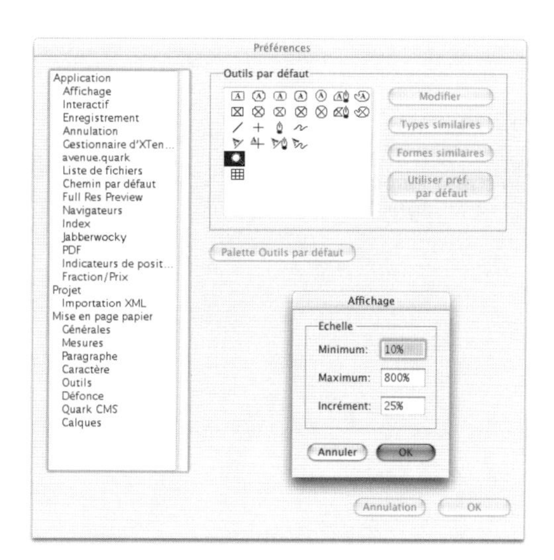

Figure 2.15

La zone de dialogue Affichage permet de limiter les taux extrêmes d'affichage et d'ajuster l'incrément produit par chaque clic avec l'outil Loupe.

Prenez l'habitude d'employer les équivalents clavier Cmd+0 *(Mac OS) ou* Ctrl+0 *(Windows) pour obtenir la taille écran, et* Cmd+1 *(Mac OS) ou* Ctrl+& *(Windows) pour la taille réelle ; vous accédez ainsi instantanément aux deux échelles de visualisation les plus employées.*

Repères personnalisés

Comme nous l'avons vu, les marges et les gouttières du bloc de texte automatique sont mises en évidence par des repères bleus. Cependant, l'utilisateur a la possibilité de placer ses propres repères. Ceux-ci sont très utiles pour un ajustement précis des blocs mis en place puisque les repères peuvent être magnétiques.

Pour mettre en place un repère personnalisé, faites glisser le pointeur depuis la règle horizontale ou verticale, l'affichage des règles devant, bien sûr, être activé. A la différence des repères de marges et de gouttières, les repères personnalisés sont verts et non bleus (ces couleurs sont susceptibles d'être modifiées à travers les zones de dialogue **Préférences**, volet **Affichage**).

L'article **Afficher les règles** du menu **Affichage** contrôle l'affichage des règles. Il est remplacé par **Masquer les règles** quand l'affichage des règles est activé. Quel que soit l'outil sélectionné, il suffit de faire glisser le pointeur depuis l'une des règles pour mettre en place un repère qui, bien entendu, n'est pas imprimable (voir Figure 2.16). Après avoir été mis en place, un repère peut être déplacé avec l'outil Déplacement. A l'aide de cet outil, vous pouvez ramener un repère jusqu'à sa règle d'origine afin de le faire disparaître. Sans supprimer les repères, il est possible de les masquer en sélectionnant **Masquer les repères** dans le menu **Affichage**. Cet article est remplacé par **Afficher les repères** lorsque le masquage est actif.

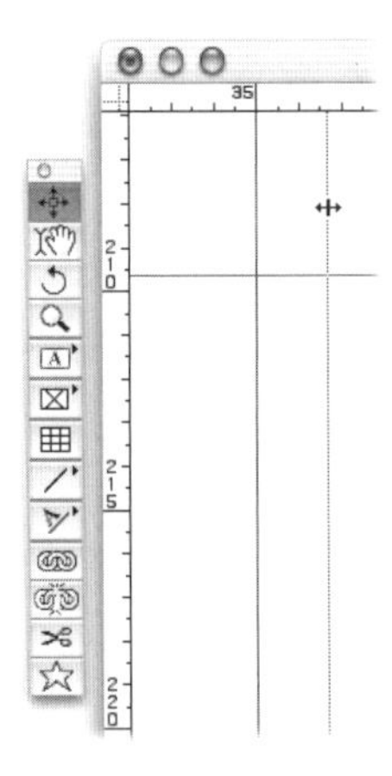

Figure 2.16

Faire glisser le pointeur depuis une règle met en place un repère parallèle à la règle dont il est issu.

Pour connaître la position exacte d'un repère que vous faites glisser, consultez la palette des spécifications pendant le déplacement du repère (avant le relâchement du bouton de la souris).

Un repère peut être limité à la page ou déborder sur la table de montage et couvrir les deux pages d'une maquette en regard. En relâchant le bouton de la souris alors que le pointeur est au-dessus de la page, vous limitez les dimensions du repère à la page. En revanche, si le pointeur est hors de la page lorsque vous relâchez le bouton, le repère déborde sur la table de montage et occupe toute la planche.

Un repère est magnétique, autrement dit il attire vers lui le pointeur ou les bords des blocs afin de faciliter l'ajustement des blocs sur les repères. Ce magnétisme peut être activé ou désactivé à l'aide de l'article **Magnétiser les repères** du menu **Affichage**. Cet article est coché lorsque le magnétisme est actif.

Les couleurs employées par les repères (marges et gouttières, règles et grille de lignes de base) peuvent être modifiées en déroulant le menu **Edition** (ou le menu **QuarkXPress** sous Mac OS X), puis en sélectionnant **Préférences** avant de cliquer sur **Affichage**. Cliquez ensuite sur l'un des trois carrés de couleur de la rubrique **Couleurs des repères** (voir Figure 2.17). Toujours dans la zone de dialogue **Préférences**, le volet **Générales** propose une case **Dist. magnétisme** où vous pourrez ajuster la portée du magnétisme exprimée en pixels (voir Figure 2.18) ainsi qu'un choix de position des repères. En effet, ceux-ci peuvent rester à l'arrière-plan et donc être masqués par les blocs ou, au contraire, se trouver au premier plan.

Figure 2.17

Un clic sur l'une de ces cases permet de choisir la couleur de l'une des catégories de repères.

Figure 2.18

Le magnétisme et le positionnement des repères.

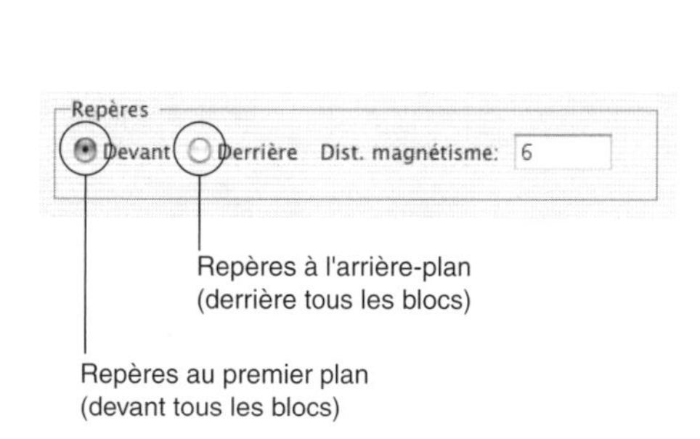

Gestionnaire des repères

Pour ouvrir le gestionnaire de repères, sélectionnez **Gestionnaire des repères** dans le menu **Utilitaires**. Depuis l'onglet **Ajouter des repères** (voir Figure 2.19), un clic sur le bouton **Ajouter des repères** créera les repères conformes aux réglages :

- **Direction.** Les repères créés peuvent être horizontaux, verticaux ou les deux.
- **Repères verrouillés.** Les repères peuvent être verrouillés à l'issue de leur mise en place, ce qui interdit leur déplacement par l'outil Déplacement.
- **Emplacement.** La création des repères peut avoir lieu sur la page courante (celle dont le numéro est affiché en bas à gauche de la fenêtre), sur la planche courante (c'est-à-dire sur la page courante et sur sa page en regard).
- **Espacement.** Détermine les intervalles vertical et horizontal entre deux repères consécutifs.
- **Nombre de repères.** Si cette option est cochée, vous pouvez déterminer directement (et non implicitement) le nombre de repères à créer.
- **Origine/Limite.** Après avoir choisi de vous référer à la page (ou à la planche), au retrait ou aux positions absolues (origines des règles), quatre cases de saisie déterminent l'origine et la limite de la zone concernée par la création des repères.

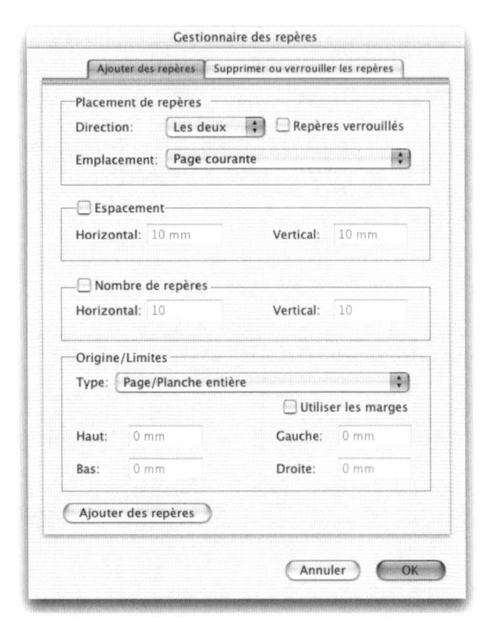

Figure 2.19

L'onglet Ajouter des repères du gestionnaire de repères.

Sur l'onglet **Supprimer ou verrouiller des repères** (voir Figure 2.20), les cases **Supprimer les repères**, **Verrouiller les repères** et **Déverrouiller les repères** concernent les repères dont vous avez choisi l'emplacement et la direction (voir ces notions au sujet de l'ajout des repères). En outre, la suppression des repères peut se fonder sur leur verrouillage.

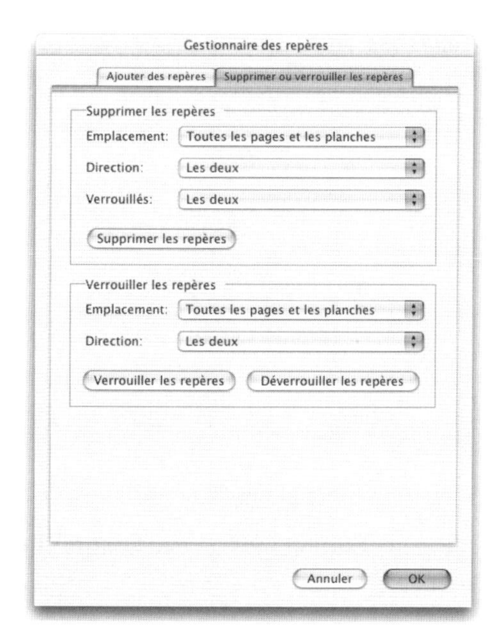

Figure 2.20

L'onglet Supprimer ou verrouiller des repères du gestionnaire de repères.

Grille des lignes de base

Pour clore notre tour d'horizon des repères, signalons la possibilité d'afficher l'ensemble des lignes de base (grille des lignes de base) à l'aide de l'article **Afficher la grille** (remplacé par **Masquer la grille** si cet affichage est actif) du menu **Affichage**. Rappelons qu'une ligne de base est celle sur laquelle doivent reposer tous les caractères d'une ligne, l'affichage de la grille trouvant son intérêt lors de la mise en page d'un texte réparti sur plusieurs colonnes, les lignes des différentes colonnes devant respecter une même grille pour des raisons esthétiques. Par défaut, le texte n'est pas calé sur la grille des lignes de base (voir Figure 2.21). Pour forcer le calage des lignes d'un paragraphe sur la grille des lignes de base :

1. Sélectionnez le texte concerné.
2. Déroulez le menu **Style** et choisissez-y **Format**.
3. Dans l'onglet **Format**, cochez l'option **Verrouiller sur la grille** (voir Figure 2.22).

Si l'incrément des lignes de base est inférieur à l'interligne, l'interligne effectif devient un multiple de l'incrément des lignes de base en cas de verrouillage du texte sur la grille.

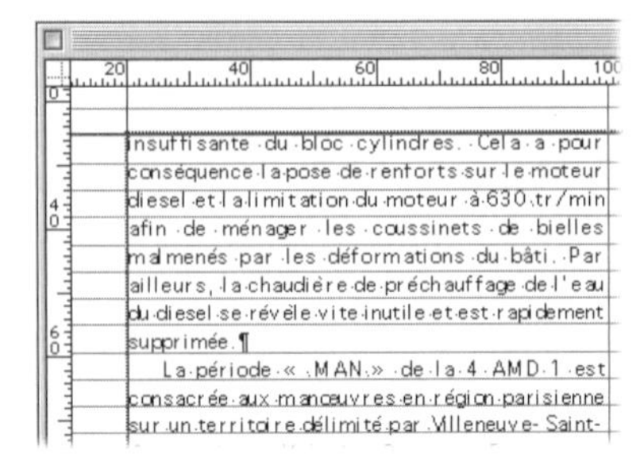

Figure 2.21

Ici, l'affichage de la grille est activé. La grille "n'attire" pas les caractères et se contente de tenir lieu de repère.

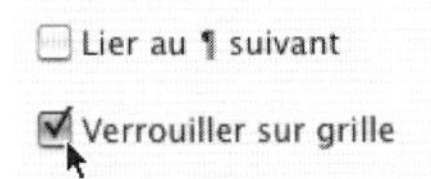

Figure 2.22

L'option Verrouiller sur grille.

Pour fixer l'origine et l'incrément de la grille :

1. Déroulez le menu **Edition** (ou le menu **QuarkXPress** sous Mac OS X) et cliquez sur **Préférences**.
2. Cliquez sur **Paragraphe**.
3. Fixez le début des lignes de base par rapport à l'origine de la règle verticale, puis indiquez l'intervalle (ou incrément) entre deux lignes de base consécutives (voir Figure 2.23).

Enregistrer le document

Associer un fichier à un document

Lors de sa création, un document n'est pas associé à un fichier en mémoire de masse, il convient donc de l'enregistrer. Rappelons les rôles de deux articles essentiels du menu **Fichier** :

- **Enregistrer sous...** Ouvre une zone de dialogue de catalogue qui permet de nommer le fichier associé au document courant (document placé dans la fenêtre de premier plan). Vous pouvez également définir l'emplacement dudit fichier dans l'arborescence des volumes et fixer différents paramètres d'enregistrement (format d'enregistrement).

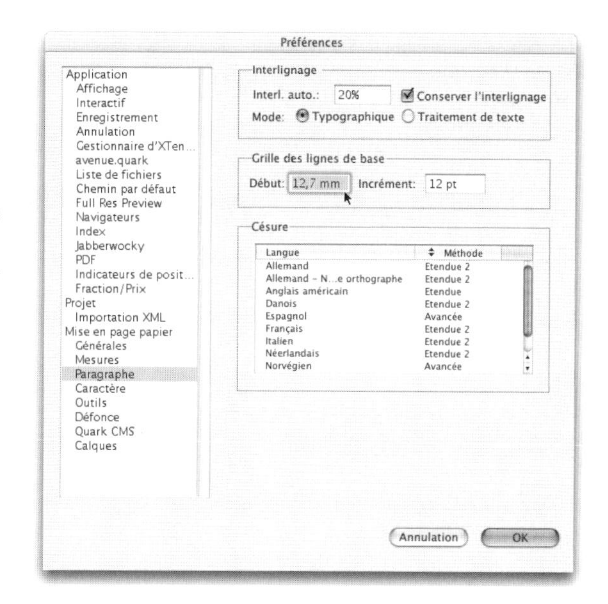

Figure 2.23

Le début de la grille est une distance exprimée en millimètres par rapport à l'origine de la règle verticale. Quant à l'incrément, il est exprimé en points typographiques pour correspondre facilement à une valeur d'interligne habituellement exprimée en points typo. D'autres unités sont utilisables si elles sont précisées à l'aide de leurs suffixes.

- **Enregistrer.** Ne crée pas de fichier en mémoire de masse. Cette commande se contente de mettre à jour le fichier associé au document courant en enregistrant les modifications effectuées depuis le précédent enregistrement.

La zone de dialogue **Enregistrer sous…** propose différentes options :

- l'enregistrement en tant que gabarit ou en tant que document usuel (appelé "Projet" à partir de XPress 6) ;
- l'enregistrement au format XPress 5.0 ou au format XPress 6.0 ;
- l'enregistrement monolingue ou multilingue ;
- l'incorporation, ou non, d'une prévisualisation (Mac OS).

Comme avec la plupart des logiciels, la compatibilité est ascendante. Autrement dit, les documents produits avec d'anciennes versions du logiciel sont lisibles avec des versions plus récentes. Ainsi, un document au format XPress 3 est accessible depuis XPress 3, 3.1, 3.2, 3.3, 3.31, 3.32, 4.0, 4.1, 5.0, 6.0 et le sera également avec les versions ultérieures.

*Un gabarit XPress est un modèle de document. Ouvrir un gabarit crée un nouveau document sans titre, identique au gabarit, mais non lié au fichier du gabarit. Ainsi, la commande **Enregistrer** exécutée depuis le document créé par l'ouverture du gabarit ne provoque pas la mise à jour du fichier conservant le gabarit.*

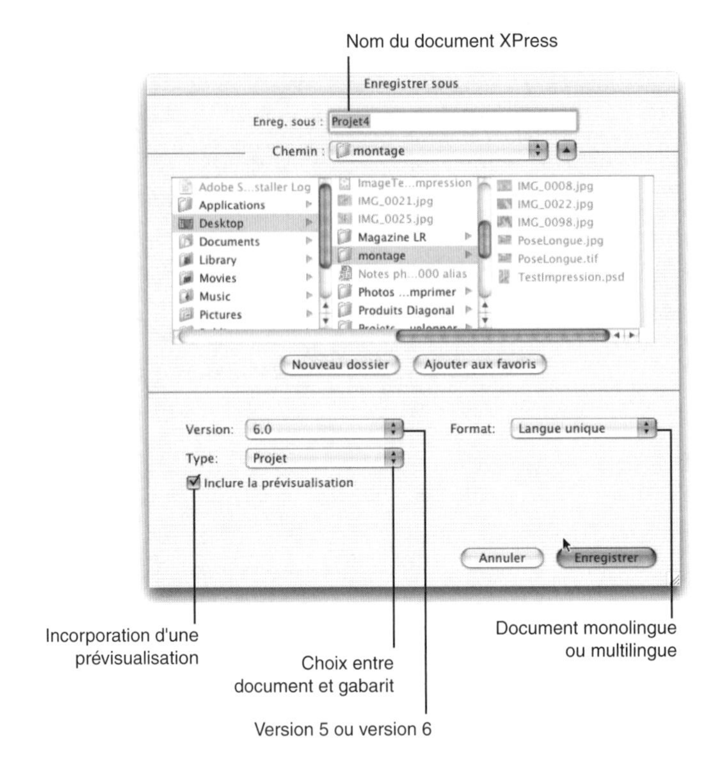

Figure 2.24

La zone de dialogue Enregistrer sous (Mac OS X 10.2.8).

Ne confondez pas l'enregistrement et l'exportation. Alors que la commande **Enregistrer** peut être exécutée autant que nécessaire pour mettre à jour le fichier associé au document, la commande **Exporter** crée chaque fois un nouveau fichier. Le but de la commande **Exporter** est la création d'un document profitant d'un format particulier. Ainsi, il est possible avec la commande **Exporter** de créer un document HTML ou PDF à partir d'un document XPress. Le menu **Fichier** propose également la commande **Enregistrer page en EPS** qui crée à partir de la page courante (celle dont le numéro est affiché en bas à gauche de la fenêtre) un fichier EPS qui pourra, par exemple, être ouvert par Illustrator.

Créer un gabarit

Un document peut être enregistré en tant que gabarit à l'aide du menu local **Type** de la zone de dialogue **Enregistrer sous** (voir Figure 2.24). XPress appelle gabarit ce que beaucoup d'autres applications nomment modèle. Enregistré en tant que gabarit, un document produit un fichier particulier qui, lors de son ouverture, engendre un nouveau document ayant tous les attributs du premier, mais étant dépourvu de titre. En fait, ce nouveau document n'est attaché à aucun fichier et doit à son tour être nommé à l'aide de la zone de dialogue **Enregistrer sous**.

Figure 2.25
Les icônes d'un gabarit et d'un document.

L'ouverture d'un gabarit produit un document particulier détaché du fichier gabarit. Le gabarit n'est donc pas mis à jour lors de l'enregistrement du document fondé sur lui.

Considérons par exemple la mise en page d'un ouvrage contenant plusieurs chapitres fondés sur les mêmes principes de mise en page. Il convient dans ce cas de créer un premier document auquel on affecte tous les attributs de mise en page communs aux différents chapitres. Ce premier document étant enregistré en tant que gabarit, on l'ouvrira chaque fois que l'on souhaitera mettre en page un nouveau chapitre, l'ouverture du gabarit créant un document auquel aucun fichier n'est encore attribué.

La première chose à faire à la suite de l'ouverture d'un gabarit est l'enregistrement de celui-ci en tant que "vrai" document à travers la zone de dialogue ***Enregistrer sous****.*

Un gabarit peut être ouvert autant de fois que vous le souhaitez. Chaque fois que vous l'ouvrez, vous créez un nouveau document identique au gabarit, mais dépourvu de nom et non associé à un fichier en mémoire de masse.

Version enregistrée

A la suite d'une erreur impossible à annuler à l'aide de l'article **Annuler** du menu **Edition**, vous avez la possibilité de revenir à la version enregistrée du document en sélectionnant l'article **Version enregistrée** du menu **Fichier**. Vous retrouvez alors le document tel qu'il se présentait immédiatement avant la dernière sélection de l'article **Enregistrer** du menu **Fichier**.

Avec XPress 6, le nombre de niveaux d'annulation est paramétrable depuis le volet ***Annulation*** *des Préférences, accessible par l'article* ***Préférences*** *du menu* ***Edition*** *(ou du menu* ***QuarkXPress*** *sous Mac OS X). Vous pouvez donc activer plusieurs fois l'article* ***Annuler*** *du menu* ***Edition*** *pour retrouver les différents états antérieurs du document.*

L'article ***Annuler*** *est associé à un article* ***Recommencer*** *chargé de rétablir les états annulés du document.*

Ajouter les feuilles de style, les couleurs et les méthodes de C&J d'un autre document

Un document peut profiter des feuilles de style, des méthodes de césure et de justification (C&J) ou des couleurs définies pour d'autres documents. Pour ajouter à un document les attributs d'un autre document :

1. Sélectionnez **Ajouter** dans le menu **Fichier**.
2. Dans la zone de dialogue de catalogue, sélectionnez le document XPress dont vous voulez importer les attributs dans le document courant.
3. Le document source étant sélectionné, cliquez sur **Ouvrir**.
4. Depuis la zone de dialogue **Ajouter**, cliquez sur l'article de la liste **Ajouter** (**Feuilles de style**, **Couleurs**, **C&J**, etc.) correspondant à la catégorie des données que vous souhaitez importer.
5. Deux listes sont séparées par deux boutons fléchés : celle de gauche présente les attributs dont dispose le document que vous venez de sélectionner tandis que celle de droite comprend les éléments qui vont être effectivement importés. Pour faire passer un article de la liste de gauche à la liste de droite, sélectionnez-le dans la liste de gauche et cliquez sur la flèche dirigée vers la droite.
6. Les éléments à importer étant affichés dans la liste de droite, cliquez sur **OK**.

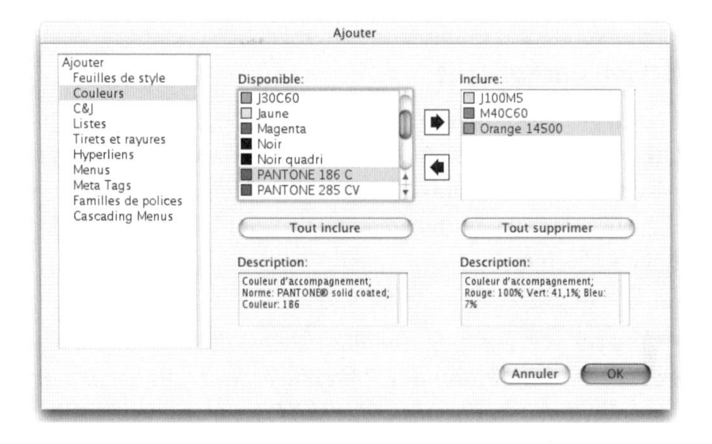

Figure 2.26

La zone de dialogue d'ajout d'attributs issus d'autres documents.

Travailler la maquette

Nous reprenons ici le cours du "pas à pas" commencé au début de ce chapitre.

Les pages d'un document peuvent être perçues à deux niveaux :

- Au niveau document, on donne à chaque page sa spécificité (son texte, ses images, etc.).
- Au niveau maquette, on traite tous les éléments communs aux différentes pages (folio, fond de page, etc.).

La maquette est chargée de réunir toutes les caractéristiques communes à l'ensemble des pages fondées sur elle. Il peut s'agir des dimensions du bloc de texte automatique, d'un logo repris sur chaque page, etc.

On distingue deux types de blocs : ceux qui ont été créés au niveau de la maquette et ceux qui l'ont été au niveau des pages du document. Par nature, les blocs de maquette sont reconduits à l'identique sur toutes les pages fondées sur ladite maquette, alors que les blocs mis en place sur l'une des pages du document sont, bien sûr, propres à ladite page. Remarquez que le bloc de texte automatique est un bloc de maquette.

Au cours de la vie du document, une modification d'un bloc de maquette au niveau de la maquette provoque une modification de tous les blocs correspondants sur toutes les pages du document fondées sur cette maquette. Toutefois, cette mise à jour automatique des blocs de maquette ne concerne pas ceux qui ont fait l'objet d'une modification depuis l'une des pages du document (modification d'un bloc de maquette en mode **Mise en page**, anciennement mode **Document**). Pour passer du mode **Mise en page** au mode **Maquette**, sélectionnez **Maquette** dans le sous-menu **Afficher** (anciennement **Visualiser**) du menu **Page** (voir Figure 2.27).

A partir de XPress 6, le sous-menu ***Visualiser*** *est rebaptisé* ***Afficher*** *et son article* ***Document*** *devient* ***Mise en page****.*

La fenêtre présentant l'exemple développé depuis le début de ce chapitre étant au premier plan, activez l'affichage de sa maquette à l'aide du sous-menu **Afficher** du menu **Page** (voir Figure 2.27). L'affichage de notre exemple en mode **Maquette** (voir Figure 2.28) est mis en évidence par l'angle inférieur gauche de la fenêtre (voir Figure 2.29).

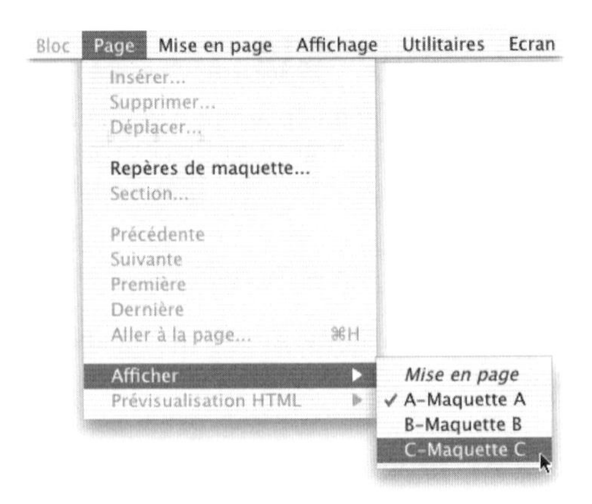

Figure 2.27

Ce sous-menu présente toutes les maquettes associées au document. Par défaut, le document ne compte qu'une seule maquette.

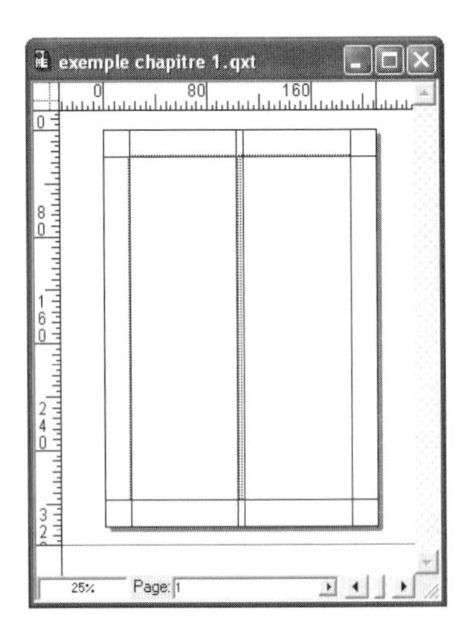

Figure 2.28

Notre exemple de document en mode Maquette.

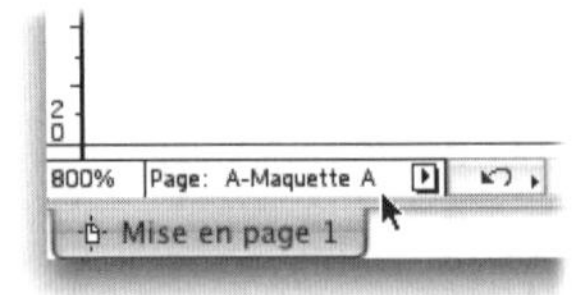

Figure 2.29

L'angle inférieur gauche de la fenêtre indique le mode d'affichage.

Ajouter un folio à la maquette

Restons en mode **Maquette** afin de mettre en place un nouveau bloc – qui sera donc un bloc de maquette – chargé de contenir le folio (numéro de la page).

Redimensionner un bloc

Afin de poursuivre le développement de notre exemple (voir Figure 2.30), visualisez la partie inférieure de la page au moyen des cases de défilement, en ajustant s'il y a lieu l'échelle de visualisation. Cliquez ensuite sur l'outil Déplacement, puis sur le bloc de texte automatique qui doit s'entourer de poignées (ce sont des petits carrés noirs).

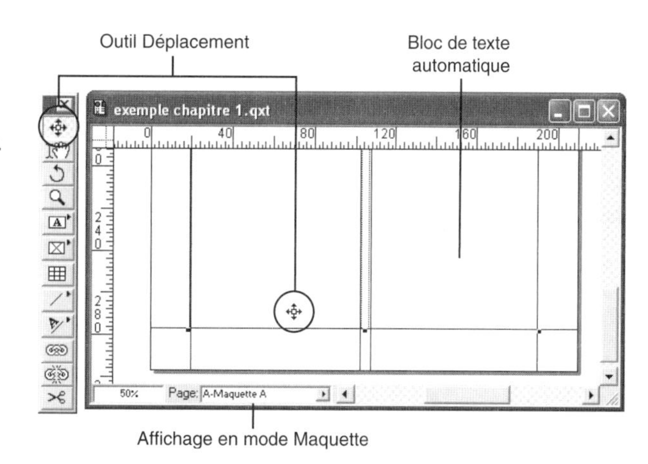

Figure 2.30

Un clic sur le bloc de texte automatique entraîne la sélection de ce dernier, et donc l'apparition de poignées.

Dégagez un peu d'espace en bas de la page. Pour cela, placez le pointeur sur la poignée située au centre du côté inférieur du bloc de texte automatique. Le pointeur ayant pris la forme d'un doigt pointé, faites-le glisser vers le haut de façon à réduire la hauteur du bloc de texte automatique d'environ 1 centimètre (voir Figure 2.31).

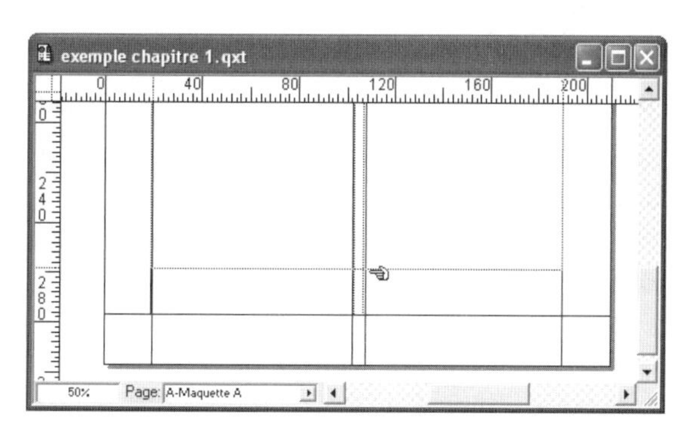

Figure 2.31

La position du pointeur est représentée dans les règles.

Ajouter un bloc de texte

Pour ajouter un bloc de texte, cliquez sur l'outil Bloc de texte de la palette d'outils, puis sélectionnez le bloc rectangulaire (voir Figure 2.32). La maquette étant affichée, faites glisser le pointeur en diagonale pour mettre en place le nouveau bloc de texte (voir Figure 2.33).

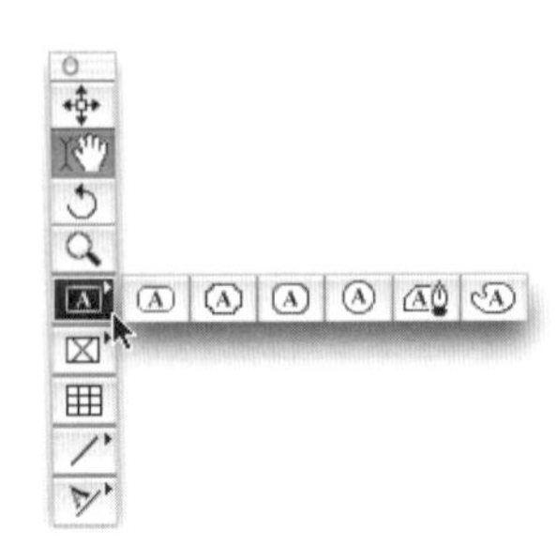

Figure 2.32
La sélection de l'outil Bloc de texte rectangulaire.

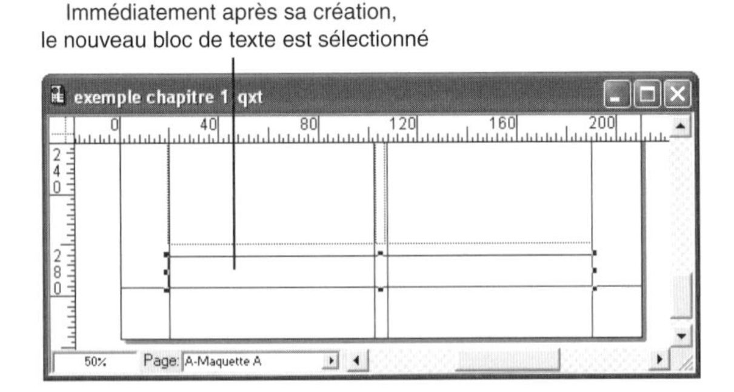

Figure 2.33
Pour simplifier, placez le nouveau bloc sous le bloc de texte automatique en le calant sur les repères de marges.

Si nécessaire, ajustez la position du bloc de texte en le faisant glisser à l'aide de l'outil Déplacement. Rappelons qu'un clic sur un bloc avec l'outil Déplacement sélectionne ledit bloc et entraîne l'affichage de ses poignées (petits carrés noirs) que vous pourrez faire glisser afin de modifier les dimensions du bloc.

Centrer le texte

Nous disposons maintenant d'un nouveau bloc de texte ayant le statut de bloc de maquette, puisque nous l'avons créé dans une maquette et non dans une page du document. Nous souhaitons centrer le folio que doit accueillir ce nouveau bloc. Nous commencerons donc par centrer le texte horizontalement avant de le centrer verticalement. Pour centrer le texte horizontalement, cliquez sur l'outil Modification, puis sur le nouveau bloc de texte avant de cliquer sur le bouton de centrage de la palette des spécifications. Le point d'insertion se place alors au milieu de la première ligne.

Figure 2.34

Le curseur vient d'être centré horizontalement dans le bloc de texte.

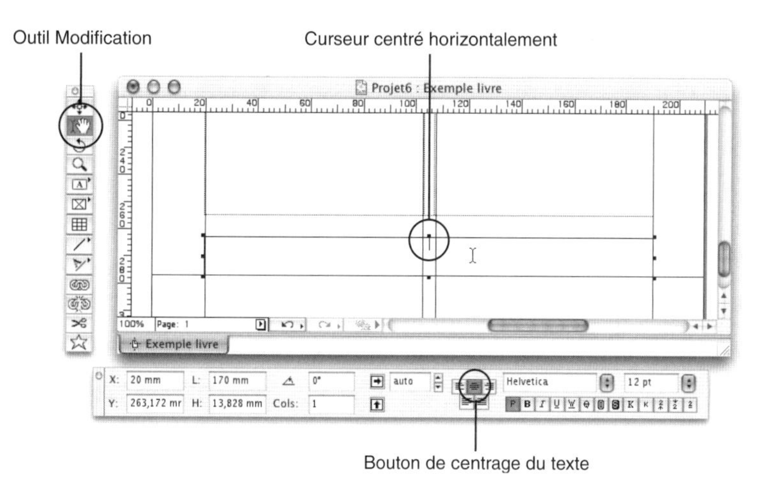

Le centrage horizontal étant effectué, passons au centrage vertical :

1. Le nouveau bloc de texte doit toujours être sélectionné (il doit être entouré par ses huit poignées).
2. Sélectionnez l'article **Modifier** du menu **Bloc**.
3. Cliquez sur l'onglet **Texte** de la zone de dialogue, puis sélectionnez l'article **Centré** du menu local **Type** dans la rubrique **Alignement vertical** (voir Figure 2.35).
4. Quittez la zone de dialogue en cliquant sur **OK**.

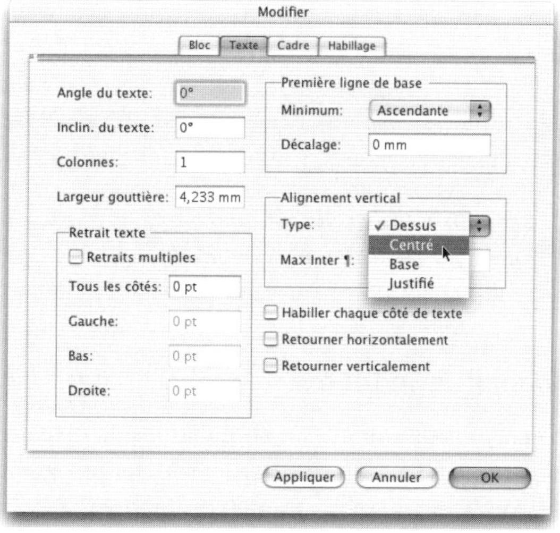

Figure 2.35

L'alignement vertical d'un bloc s'ajuste depuis l'onglet Texte de la zone de dialogue Modifier.

A l'issue de cette manipulation, le curseur – qui représente le point d'insertion – doit clignoter au centre du nouveau bloc (voir Figure 2.36).

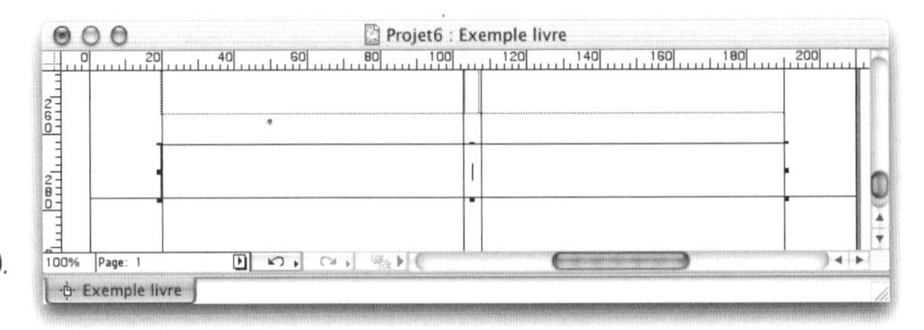

Figure 2.36
Le texte fait ici l'objet d'un centrage horizontal (attribut de paragraphe) et vertical (attribut de bloc).

Insérer le folio

Le folio est matérialisé par un caractère spécial : <#>. Le curseur clignotant au centre du nouveau bloc de maquette, tapez Cmd+3 (Mac OS) ou Ctrl+3 (Windows). Sous Windows, utilisez la touche 3 du clavier alphabétique et non celle du pavé numérique. Vous insérez ainsi le folio de la page courante.

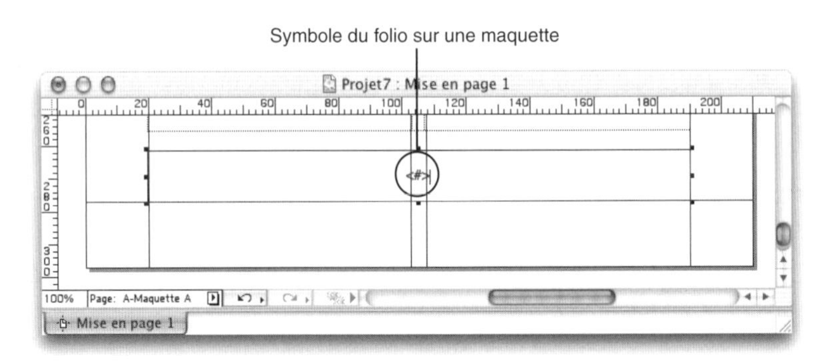

Figure 2.37
Le symbole du folio apparaît maintenant au centre du nouveau bloc.

a attention

Les attributs de style (police, corps, graisse, chasse, etc.) devant être repris par les folios sur les différentes pages doivent être appliqués au niveau de la maquette au symbole <#>.

Personnaliser le folio

Nous en avons fini avec les manipulations au niveau de la maquette. Revenons en mode **Document** en sélectionnant l'article **Mise en page** du sous-menu **Afficher** (anciennement **Visualiser**) du menu **Page** (voir Figure 2.38).

Figure 2.38

Après être passé du mode Maquette au mode Mise en page (anciennement mode Document), vous constatez que le symbole du folio est remplacé par le folio de la page.

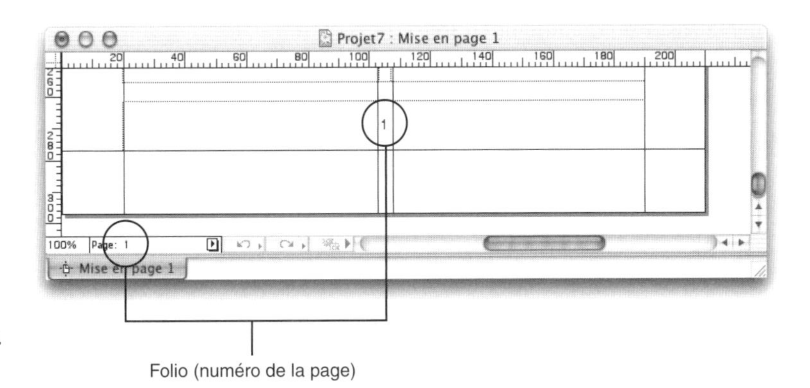

La personnalisation d'ordre typographique du folio doit s'effectuer en mode **Maquette** en sélectionnant le symbole <#>. En revanche, le choix du type de chiffres (romains ou arabes, à moins que la numérotation soit réalisée avec des lettres) et le numéro de la page tenant lieu de tête de section doivent être définis en mode **Document** :

1. Revenu au mode **Mise en page** (anciennement mode **Document**), sélectionnez l'article **Section…** du menu **Page**.
2. Dans la zone de dialogue **Section** (voir Figure 2.39), cochez **Début de section** et saisissez le numéro de la page. Vous pouvez également définir le type de numérotation (chiffres arabes ou chiffres romains, lettres).

*La page **Début de section** est la page courante au moment de l'ouverture de la zone de dialogue **Section**. La page courante est celle dont le numéro est affiché en bas gauche de la fenêtre.*

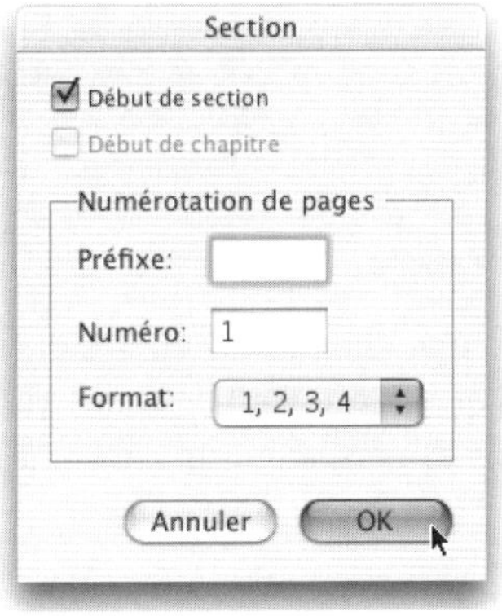

Figure 2.39

La zone de dialogue Section fixe le numéro de la page courante et de celles qui la suivent.

Section
Début de section
Début de chapitre
Numérotation de pages
Préfixe:
Numéro: 1
Format: 1, 2, 3, 4
Annuler OK

Dans le cas d'un document simple (rapport, thèse, etc.), n'oubliez pas de vous placer au niveau de la première page avant de demander la numérotation. Rappelons que cette première page doit être définie comme tête de section à l'aide de la case d'option prévue à cet effet.

Importer un texte

Un texte peut être saisi directement dans un bloc de texte XPress. Toutefois, la vocation d'une application de PAO est l'intégration d'éléments (textes et images) créés en amont à l'aide d'autres applications. Voyons donc comment importer un texte dans le document que nous élaborons depuis le début de ce chapitre.

Le document étant affiché en mode **Mise en page** (anciennement mode **Document**) – notez qu'il est impossible en mode **Maquette** de placer du texte dans le bloc de texte automatique –, cliquez sur l'outil Modification puis sur le bloc de texte automatique qui, sélectionné, doit se munir de poignées et accueillir le curseur dans son angle supérieur gauche (voir Figure 2.40).

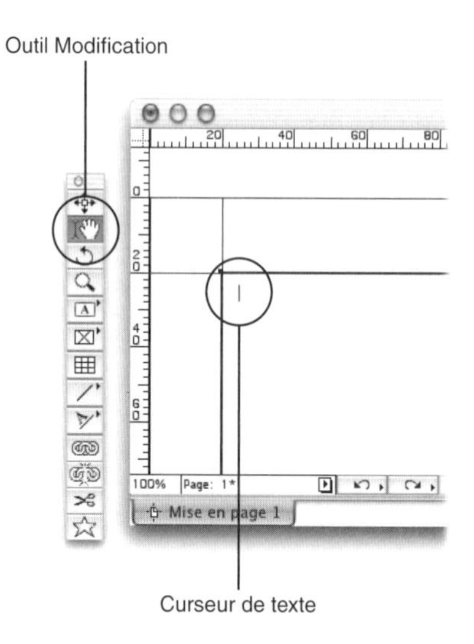

Figure 2.40
Le curseur apparaît dans un bloc de texte sélectionné avec l'outil Modification.

Pour pouvoir importer un texte, celui-ci doit être enregistré dans un format accepté par XPress. Notez à ce propos que le site Web de Quark propose différentes XTensions tenant lieu de filtres d'importation et permettant la conversion de différents formats de fichiers texte.

http://www.quark.com/

Le curseur clignotant dans le bloc de texte automatique, sélectionnez l'article **Importer texte** du menu **Fichier**. Une zone de dialogue de catalogue s'étant ouverte, double-cliquez sur le fichier à importer. La zone de dialogue de catalogue **Importer texte** n'affiche que les fichiers de type texte acceptés par XPress dans le cadre d'une importation, celle-ci n'étant possible que lorsqu'un bloc de texte est sélectionné avec l'outil Modification.

*Lorem Ipsum est un texte latin issu du livre de Cicero, qui daterait de 45 av. J.-C. Il est couramment utilisé pour simuler du texte dans un gabarit de mise en page, car il donne l'impression d'un contenu cohérent. On utilise donc Lorem Ipsum comme faux texte. Vous trouverez sur le Web un générateur de Lorem Ipsum sur **http://www.lipsum.com**.*

Le texte étant apparu dans les blocs qui l'accueillent (voir Figure 2.41), vous pouvez maintenant le doter d'enrichissements typographiques. Pour cela, sélectionnez le texte en faisant glisser le pointeur. Le texte sélectionné étant contrasté, optez pour les attributs de votre choix dans la palette des spécifications.

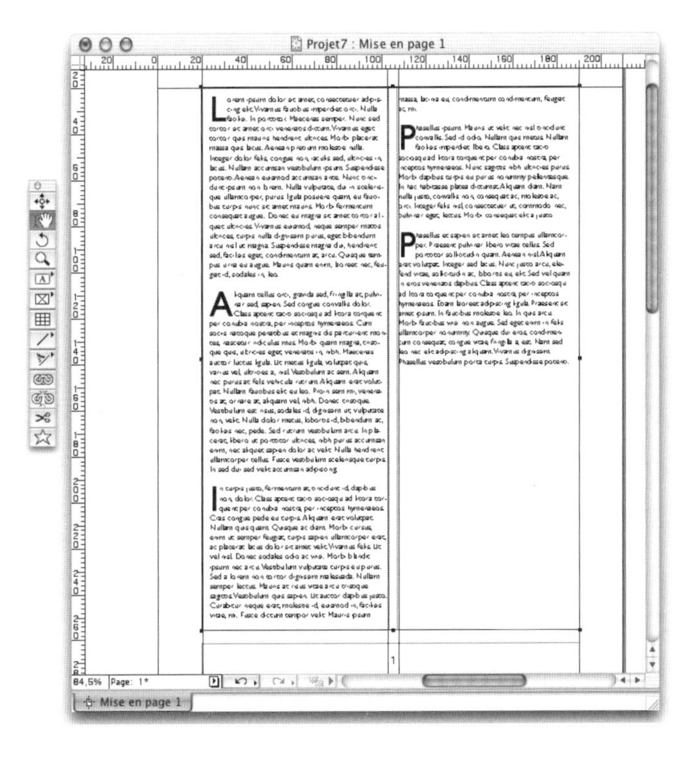

Figure 2.41

Un texte a été importé dans un bloc de texte du document, puis il a été enrichi.

Placer une image

L'objectif poursuivi par une application de mise en page étant l'organisation de textes et d'images sur un document, passons à l'élaboration d'une image qui sera habillée par le texte déjà importé.

Créer un bloc image

Une image doit impérativement être placée dans un bloc image. Pour créer ce dernier, cliquez sur l'outil Bloc image de la palette d'outils (voir Figure 2.42). Restons simples et contentons-nous de l'outil rectangulaire. Cet outil étant sélectionné, faites glisser le pointeur en diagonale afin de mettre en place le nouveau bloc (voir Figure 2.43).

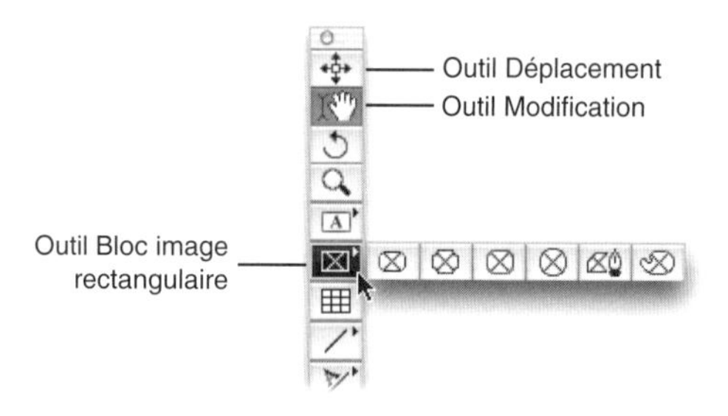

Figure 2.42
Les blocs images peuvent être des rectangles, des ellipses ou des formes libres.

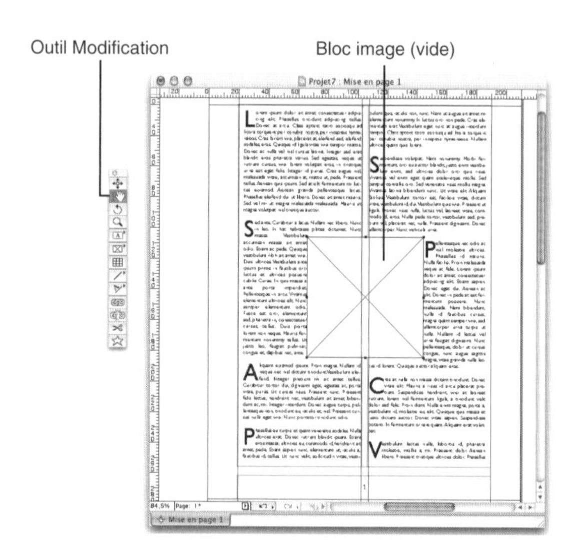

Figure 2.43
Un bloc image dépourvu d'image est mis en évidence par une croix de Saint-André.

Dès qu'il est tracé, le nouveau bloc est sélectionné (il est muni de poignées). Vous pouvez ajuster sa position à l'aide de l'outil Déplacement ou faire glisser ses poignées afin de modifier ses dimensions. Le bloc image ayant été créé après le bloc de texte automatique, il se place devant ce dernier.

info

Par défaut, le texte d'un bloc de texte partiellement recouvert par un autre bloc habille ce second bloc. De la sorte, le texte n'est pas masqué.

Importer une image

Le nouveau bloc de texte étant sélectionné avec l'outil Modification, nous allons y placer une image importée. Pour importer une image, sélectionnez l'article **Importer image...** du menu **Fichier**. La zone de dialogue de catalogue (voir Figure 2.44) qui s'ouvre alors affiche les différents fichiers graphiques susceptibles d'être importés. Double-cliquez sur le fichier choisi pour l'importer dans le bloc sélectionné (voir Figure 2.45).

Figure 2.44
La zone de dialogue Importer image propose non seulement une prévisualisation, mais aussi de nombreuses informations relatives à l'image : profondeur (nombre de couleurs possibles par pixel), format d'enregistrement du fichier, taille et date de création de celui-ci, dimensions et résolution de l'image.

attention

Lors de son importation dans un bloc de texte, un texte est effectivement intégré au document XPress. En revanche, importer une image dans un bloc image ne place dans ce bloc qu'une image chargée de la prévisualisation (image dite "de placement"). XPress établit un lien entre le bloc et le fichier graphique importé et, en cas de perte ou de déplacement de ce dernier, il sera impossible d'imprimer le document avec ses images à leurs résolutions nominales.

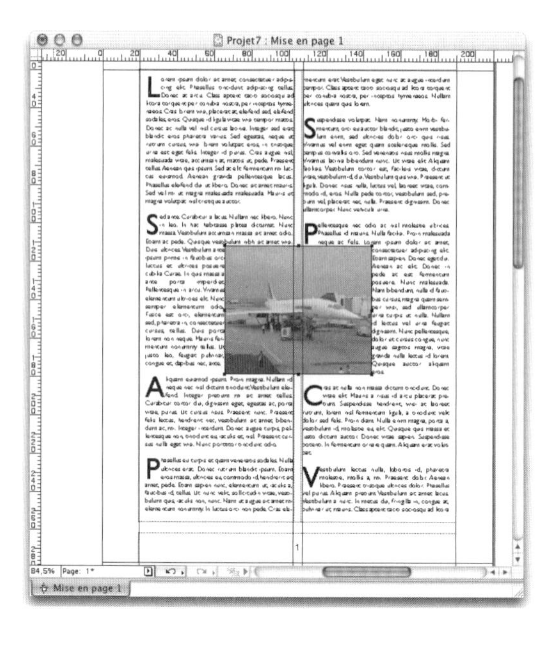

Figure 2.45

Lors de son importation, l'image apparaît dans son bloc avec sa taille réelle (échelle 100 % horizontalement et verticalement), son angle supérieur gauche correspondant à l'angle supérieur gauche du bloc.

Modifier un bloc image

Vous pouvez déplacer une image à l'intérieur de son bloc en la faisant glisser après avoir sélectionné l'outil Modification (voir Figure 2.42). Ce dernier prend l'aspect d'une main en cas de survol d'un bloc image.

La palette des spécifications s'adapte à la nature du bloc sélectionné. Lorsque ce dernier est un bloc image, on dispose notamment des zones de saisie X%, Y%, X+ et Y+ (voir Figure 2.46), qui correspondent respectivement à l'échelle horizontale, à l'échelle verticale, au décalage horizontal par rapport à l'origine (angle supérieur gauche du bloc) et au décalage vertical par rapport à l'origine.

Ajouter un cadre

Afin d'être mis en valeur, un bloc peut être doté d'un cadre. Munissons donc d'un cadre le bloc image que nous venons de créer. Le bloc image étant sélectionné (il doit être muni de ses poignées), choisissez l'article **Cadre** du menu **Bloc**. Depuis l'onglet **Cadre** de la zone de dialogue **Modifier** (voir Figure 2.47), vous pouvez définir :

- l'épaisseur du cadre ;
- son style (choix dans un menu local) ;
- la couleur et la teinte du motif du cadre ;
- la couleur et la teinte des intervalles (espace occupé par le cadre hors motif).

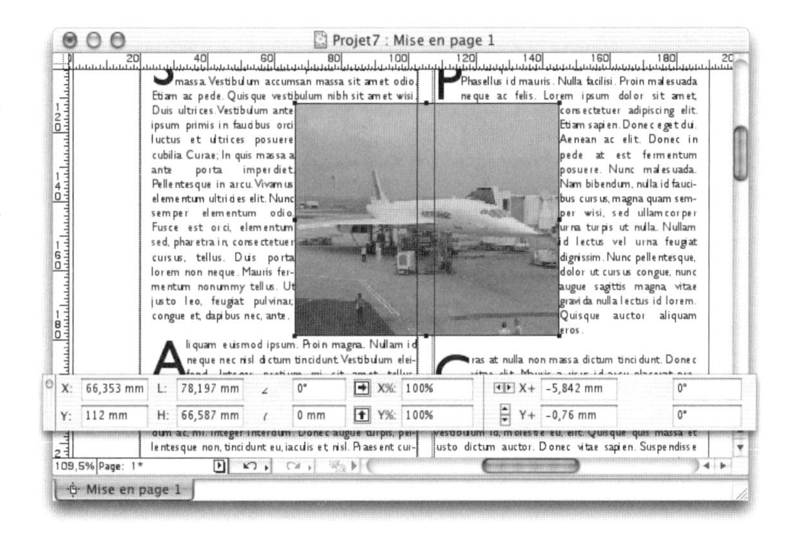

Figure 2.46

La sélection d'un bloc image entraîne bien sûr l'adaptation de la palette des spécifications où s'ajustent notamment les échelles horizontale et verticale de l'image.

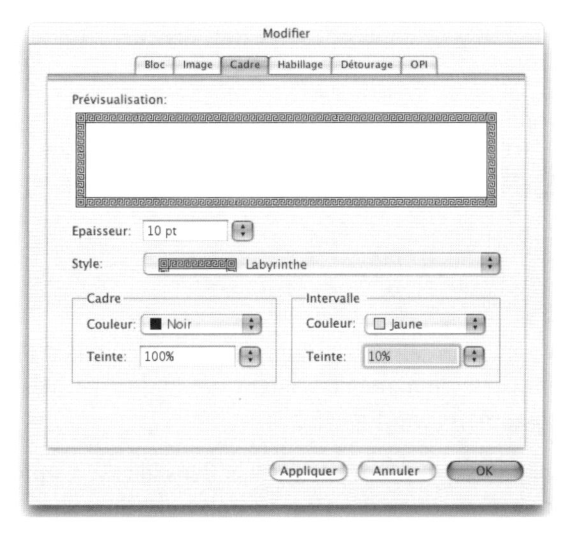

Figure 2.47

L'onglet Cadre offre la possibilité de colorer les intervalles dans le tracé des cadres.

Un cadre peut s'inscrire à l'intérieur d'un bloc – ce qui diminue l'espace disponible à l'intérieur du bloc – ou entourer celui-ci. Ce choix s'effectue pour tous les cadres du document en sélectionnant **Préférences** dans le menu **Edition** (ou dans le menu **QuarkXPress** sous Mac OS X) avant de cliquer sur **Générales**. La rubrique **Cadre** propose les options **Intérieur** et **Extérieur** qui déterminent la position du cadre (voir Figure 2.49).

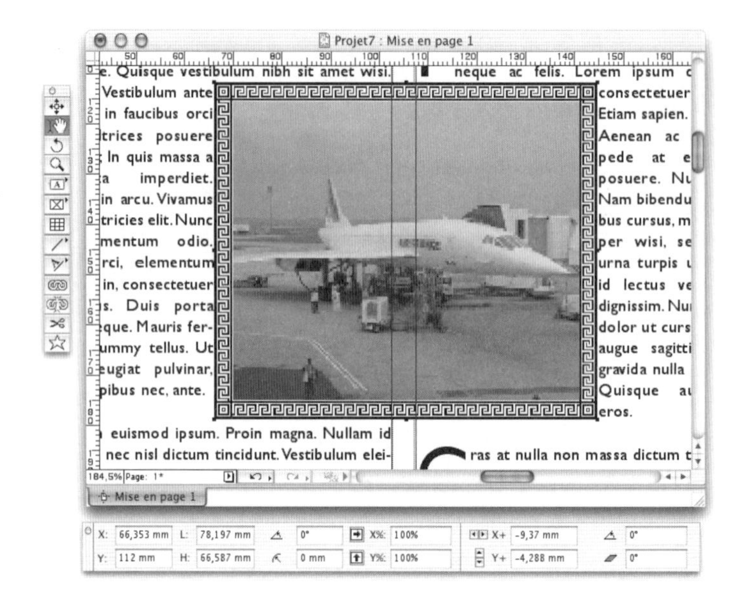

Figure 2.48
Le bloc image est ici muni d'un cadre. Bien entendu, un bloc de texte peut également être entouré par un cadre.

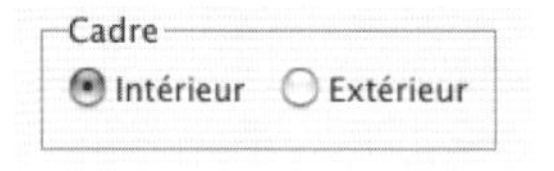

Figure 2.49
Certains regretteront de devoir appliquer le même réglage à l'ensemble des cadres du document.

Imprimer

Pour accéder à la zone de dialogue d'impression, sélectionnez l'article **Imprimer** du menu **Fichier**. Cette zone de dialogue s'ouvre sur son onglet **Mise en page**, anciennement dénommé **Document** (voir Figure 2.50).

Le nombre d'exemplaires à imprimer est à saisir dans la case **Copies**. La case **Pages** est, quant à elle, destinée aux folios des pages à imprimer lorsque vous n'optez pas pour l'impression de l'ensemble du document (sélection de **Toutes** dans le menu local **Pages**). Par exemple, pour imprimer les pages 1 et 3, vous saisirez "1,3" dans la case **Pages**. En revanche, vous y saisirez "1-3" si ce sont les pages 1 à 3 qui vous intéressent. Par suite, vous pouvez également imprimer plusieurs séries ; ainsi, "1-3,5-6" provoque l'impression des pages 1 à 3 et 5 à 6.

Sur l'onglet **Mise en page** (voir Figure 2.50), remarquez :

- **Séparations** (impression film par film destinée à la quadrichromie) ;
- **Ordre inverse** qui inverse l'ordre des pages à l'impression ;

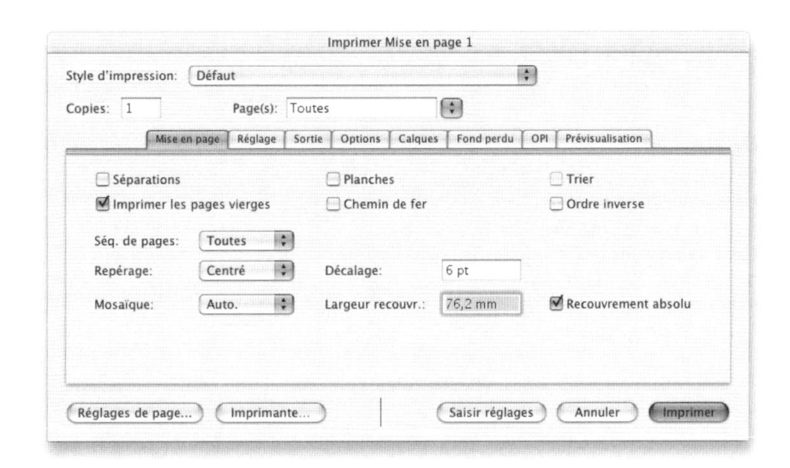

Figure 2.50
Parmi les choix essentiels, notez le nombre de copies (nombre d'exemplaires) et la séquence de pages à imprimer (case de saisie Page(s)).

- **Séq. de pages** qui laisse le choix entre l'impression de toutes les pages et celle des seules pages paires ou impaires ;

Pour imprimer en Recto verso avec une imprimante capable de n'imprimer que sur le recto, commencez par imprimer les pages impaires, puis placez les pages imprimées dans le bac d'alimentation de l'imprimante et relancez une nouvelle impression limitée aux pages paires en activant l'ordre inverse. Bien entendu, faites un essai préalable avec une page marquée afin de savoir sur quelle face de la page travaille l'imprimante et le sens dans lequel la page est traitée.

- **Repérage** qui active l'impression avec les traits de coupe centrés ou non et détermine leur décalage par rapport au rectangle d'empagement.

Sur l'onglet **Réglage** (voir Figure 2.51), remarquez :

- le menu local **Description d'imprimante** où vous pouvez choisir une imprimante noir et blanc générique ou couleur générique, voire une photocomposeuse générique ;
- la case de saisie **Réduire ou agrandir** associée la case d'option **Ajuster à zone imprimable** ;
- l'**Orientation** portrait ou paysage du document.

L'onglet **Sortie** affiche les différentes couleurs de séparation et permet d'ajuster la résolution et la linéature en fonction du périphérique d'impression. Sur l'onglet **Options**, remarquez le menu local **OPI** qui permet d'inclure ou non les images lors de l'impression. Sans ses images, le document s'imprimera plus vite. Cette option **OPI** de l'onglet

Options est complétée par un onglet **OPI** chargé d'activer ou non l'impression des images TIFF et EPS.

Figure 2.51

Vous pouvez ajuster l'échelle d'impression à la zone imprimable. Celle-ci complète la possibilité d'ajuster manuellement l'échelle de la sortie.

*L'onglet **Fond perdu** de la zone de dialogue d'impression permet d'ajuster les dimensions du fond perdu et, éventuellement, de détourer les bords du fond perdu.*

Sur l'onglet **Options**, remarquez :

- la case d'option **Quark PostScript Error Handler** (interception et gestion des erreurs PostScript par l'application) ;
- la case d'option **Surimprimer le noir EPS** ;
- le menu local **Retourner la page** (retournement vertical, horizontal, ou les deux) ;
- la case d'option **Impression négative** ;
- le choix de la qualité des images (normale, brouillon ou basse résolution) à travers le menu local **Qualité**.

Sur l'onglet **Prévisualisation** (voir Figure 2.52), remarquez :

- les informations relatives au format du document et à celui du support imprimé ;
- la mise en évidence de l'éventuel rognage du document si ses dimensions, son échelle d'impression ou le repérage interdisent l'impression de toute la page sur le support (ce rognage ne doit pas être confondu avec le fond perdu).

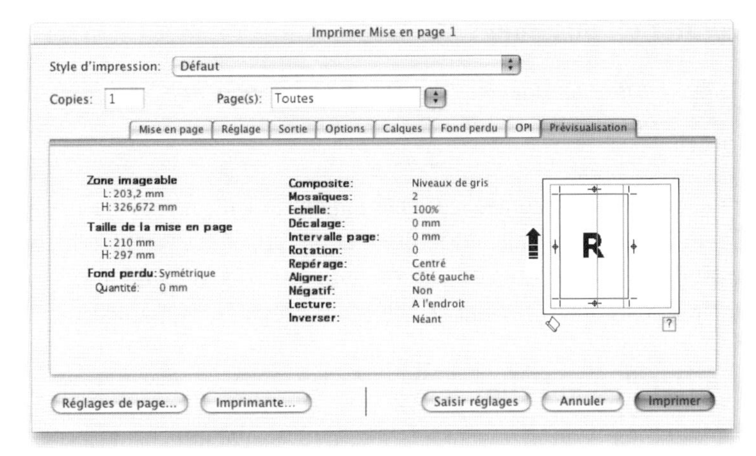

Figure 2.52

La prévisualisation fait apparaître la page sur le support imprimé ainsi que les traits de coupe imprimés si le repérage est activé.

Rassembler les infos

Il est rare que le flashage ait lieu dans la même structure que la mise en page. Il convient donc de transmettre au flasheur les informations et les éléments nécessaires à son travail. Pour cela, XPress dispose dans son menu **Fichier** de l'article **Rassembler les infos pour la sortie**. En le sélectionnant, vous ouvrez une zone de dialogue de catalogue dont le bouton **Enregistrer** (anciennement **Rassembler**) crée un fichier de type texte – lisible avec SimpleText (Mac OS), TextEdit (Mac OS X) ou le Bloc-notes (Windows) – où sont résumées toutes les informations dont a besoin le flasheur, par exemple :

- la liste des polices employées ;
- la liste des images employées ;
- la liste des XTensions employées.

Le rassemblement des infos n'est autre que la constitution d'un fichier de type texte où sont rassemblés les noms des différents éléments externes au document, mais nécessaires à ce dernier.

Fermer, quitter et ouvrir

Après avoir vu les différents aspects de la création d'un document et de l'importation de données, voyons les procédures de fermeture et d'ouverture des documents.

Fermer un document

Fermer un document revient à en abandonner l'édition, l'édition d'un document étant sa consultation et sa modification.

Pour fermer le document affiché dans la fenêtre placée au premier plan, sélectionnez l'article **Fermer** du menu **Fichier** ou cliquez sur la case de fermeture de la fenêtre contenant le document. Lors de la fermeture d'un document, XPress propose son enregistrement si la dernière version de celui-ci n'est pas sauvegardée.

Quitter l'application

Quitter l'application revient à fermer tous les documents ouverts avec elle, puis à libérer la mémoire vive qui lui est allouée. Une fois quittée, l'application disparaît du menu **Applications** (à l'extrémité droite de la barre de menus de Mac OS 9), du Dock (ouverture de XPress depuis Mac OS X) ou de la barre des tâches (par défaut, en bas de l'écran Windows). Pour quitter l'application, sélectionnez l'article **Quitter** du menu **Fichier** (ou du menu **QuarkXPress** sous Mac OS X).

Ouvrir un document

Pour ouvrir un document, vous pouvez :

- double-cliquer sur son icône ;
- sélectionner **Ouvrir...** dans le menu **Fichier** puis, dans la zone de dialogue de catalogue, double-cliquer sur son nom.

CHAPITRE 3

L'interface utilisateur et les outils

Au sommaire de ce chapitre

- Les menus
- La structure d'une fenêtre
- La palette d'outils
- Les palettes et les spécifications

L'interface utilisateur est l'ensemble des moyens mis à notre disposition pour communiquer avec l'application. A travers ce chapitre, nous allons analyser les différents menus, inspecter la palette d'outils et celle des spécifications, décortiquer la structure d'une fenêtre et voir comment afficher ou masquer les différentes palettes.

En outre, nous limiterons notre approche aux outils disponibles avec une mise en page "papier" sans nous étendre à ceux disponibles dans le cas d'une mise en page Web. Pour en savoir plus sur ces derniers, reportez-vous au Chapitre 18.

Les menus

Depuis l'invention par Xerox de l'interface WIMP (*Windows, Icons, Mouse, Pointer*, fenêtres, icônes, souris et pointeur), la coutume veut que l'accès aux fonctions d'un logiciel se fasse à travers les articles de menus dits déroulants (voir Figure 3.1). Ce principe est commun à l'ensemble des applications exécutées sous Mac OS ou sous Windows.

Figure 3.1
La barre de menus de XPress (Mac OS X 10.2.8) avec le menu QuarkXPress déroulé.

La carbonisation de Quark XPress – c'est-à-dire son adaptation pour une exécution en mode natif sous Mac OS X – s'accompagne de quelques modifications de l'interface qui ne concernent que la version Mac OS. Il s'agit principalement de l'ajout du menu **QuarkXPress**, qui n'existe que sous Mac OS X. On y trouve notamment la commande **Quitter**, qui est placée dans le menu **Fichier** de la version Windows.

Dans sa version Windows, XPress 6 profite d'une interface adaptée à Windows XP tandis que sous Mac OS X, son interface est conforme aux standards Aqua.

*Sous Mac OS, XPress regroupe automatiquement les polices de caractères selon leur famille et ce, aussi bien dans le sous-menu **Police** du menu **Style** que dans les différentes listes présentant les polices disponibles ou les polices utilisées par le document.*

En parcourant la barre des menus de gauche à droite, on rencontre le menu **QuarkXPress** (Mac OS X uniquement), puis le menu **Fichier** et le menu **Edition** toujours placés à sa droite. Quand il existe, le menu **Aide** est toujours classé à l'extrémité droite de la barre de menus. Un menu est une liste d'articles dont certains ont le statut de **sous-menu**, puisque leur sélection entraîne l'affichage d'une liste secondaire. Les sous-menus sont signalés par un triangle pointant vers la gauche.

Lors de leur sélection, certains articles ne déclenchent pas directement la mise en œuvre d'une fonction, mais se contentent d'afficher une zone de dialogue. De tels articles sont signalés par des points de suspension. D'autre part, certains articles sont suivis d'une combinaison de touches appelée équivalent clavier. L'emploi de cette combinaison de touches équivaut à la sélection de l'article qui lui est associé. Enfin, les articles indisponibles compte tenu du contexte (la nature de la sélection est inadaptée, etc.) apparaissent estompés.

Sous Mac OS, certains articles n'apparaissent que si vous maintenez la touche Alt enfoncée lorsque vous déroulez un menu. C'est notamment le cas des articles **Eloigner** et **Rapprocher** du menu **Bloc** qui remplacent **Premier plan** et **Arrière-plan** lorsque l'on appuie sur Alt. Sous Windows, les articles **Eloigner**, **Rapprocher**, **Premier plan** et **Arrière-plan** sont tous disponibles simultanément.

Nous allons maintenant passer en revue les différents menus proposés par XPress en nous intéressant aux différents groupes d'articles qui les composent.

Menu QuarkXPress (Mac OS X uniquement)

Sous Mac OS X, l'usage veut que le premier menu sur la gauche soit le menu **Pomme**, immédiatement suivi d'un menu portant le nom de l'application de premier plan, d'où l'existence d'un menu **QuarkXPress**. Par rapport aux versions Mac OS 9 ou Windows, deux différences importantes sont liées au menu **QuarkXPress** :

- La commande **Quitter** ne se trouve plus dans le menu **Fichier**, mais dans le menu **QuarkXPress**.
- L'accès aux Préférences n'a pas lieu depuis le menu **Edition**, mais depuis le menu **QuarkXPress**.

astuce

Les informations relatives à l'environnement QuarkXPress (numéro de version et de sous-version, numéro de série, build number, version du système, langue SE et imprimante par défaut) sont accessibles en maintenant la touche Alt enfoncée tout en sélectionnant ***A propos de QuarkXPress*** *dans le menu* ***QuarkXPress****.*

En outre, vous trouverez dans le menu **QuarkXPress** :

- les services d'applications tierces (sous-menu **Services**), par exemple **Capture**, **Finder**, **Mail**, **Speech** et **TextEdit** ;
- les fonctions d'affichage et de masquage.

Menu Fichier

Comme son nom l'indique, le menu **Fichier** (voir Figure 3.2) rassemble les fonctions qui mettent en rapport les documents XPress et leurs fichiers. On trouvera donc dans le menu **Fichier** de quoi ouvrir et créer un fichier, fermer et enregistrer un fichier, importer et exporter des données, choisir les formats du document et imprimer.

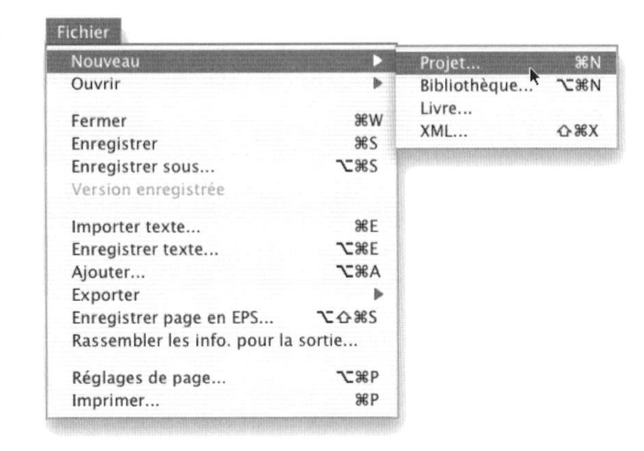

Figure 3.2
Le menu Fichier dont le sous-menu Nouveau détermine le type du nouveau document que vous allez créer.

Menu Edition

Le menu **Edition** (voir Figure 3.3) se charge du Presse-papiers et donne accès à différents éditeurs (feuille de style, couleurs, etc.). Ce menu permet l'annulation de la dernière modification apportée au document, l'accès aux fonctions relatives au Presse-papiers, l'accès aux éditeurs (couleurs, feuilles de style, méthodes de césure, styles de soulignement, etc.) et aux préférences (Windows uniquement). Rappelons que sous Mac OS X, l'accès aux Préférences a lieu depuis le menu **QuarkXPress**.

XPress étant multilingue, vous pouvez choisir la langue dans laquelle travaille le programme. Activez pour cela l'une des langues proposées dans le sous-menu **Langue du programme** du menu **Edition**.

Menu Style

Le menu **Style** est contextuel. Ses articles dépendent de la nature de la sélection ; la Figure 3.4 le montre tel qu'il se présente lorsqu'un bloc de texte est sélectionné. Dans le cas d'un bloc de texte, le menu **Style** donne accès aux :

- attributs des caractères ;
- attributs des paragraphes ;

- fonctions de retournement de blocs ;
- fonctions de création et de modification des ancres et des hyperliens.

Lorsque le bloc sélectionné est un bloc image, un filet ou une courbe de Bézier, le menu **Style** propose d'autres articles adaptés à ces contextes.

Figure 3.3

Le menu Edition.

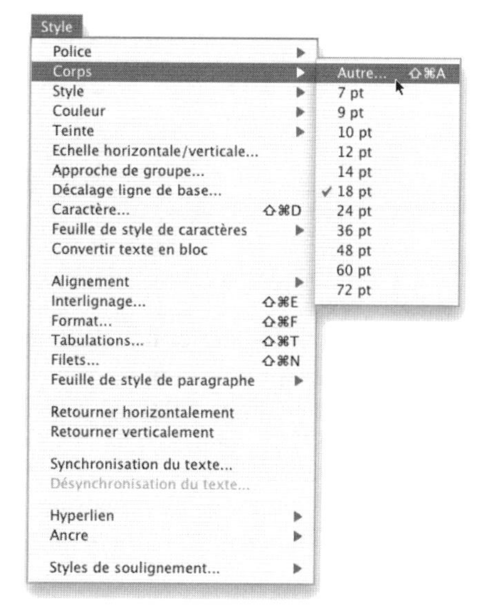

Figure 3.4

Lorsque le bloc sélectionné contient du texte, le menu Style présente d'abord les attributs des caractères, puis ceux des paragraphes.

Menu Bloc

Le menu **Bloc** (voir Figure 3.5) gère les attributs des blocs et les relations établies entre les blocs. Ce menu permet donc de modifier :

- les attributs des blocs sélectionnés ;
- l'ordre d'empilement des blocs ;
- la forme ou le contenu des blocs.

En outre, le menu **Bloc** sert à dupliquer ou à supprimer les blocs et à établir des relations entre les blocs (blocs groupés, blocs fusionnés, etc.). Le chaînage des blocs est obtenu avec l'outil Chaînage (à activer dans la palette d'outils) et non depuis le menu **Bloc**.

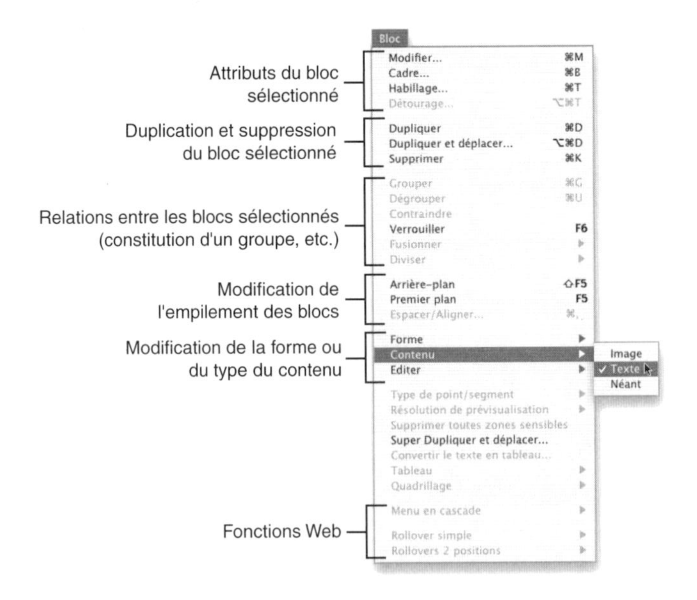

Figure 3.5
Le menu Bloc.

Menu Page

Le menu **Page** (voir Figure 3.6) permet non seulement l'insertion, la suppression et le déplacement des pages, mais aussi le déplacement vers une autre page ainsi que le passage en mode **Maquette** ou en mode **Mise en page** (anciennement mode **Document**).

astuce

*De nombreuses fonctions du menu **Page** sont disponibles depuis la palette **Disposition de page** (anciennement **Plan de montage**).*

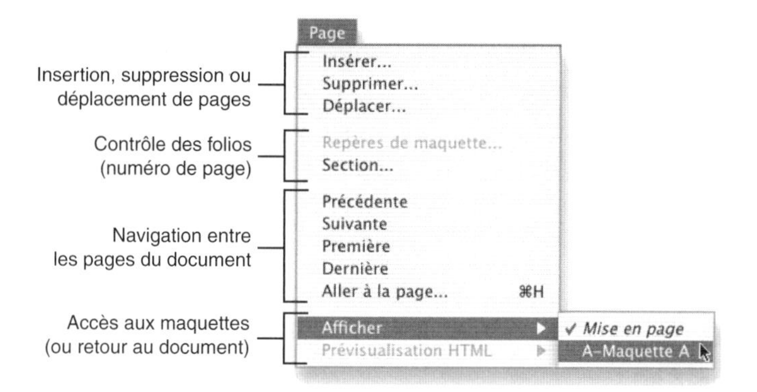

Figure 3.6
Le menu Page.

Menu Mise en page

A partir de XPress 6, la notion de document est remplacée par celle de projet car, contrairement à XPress 5, la version 6 ne distingue plus un document pour l'édition papier d'un document Web. En effet, un "projet" XPress peut désormais contenir plusieurs mises en page (ou "espaces de mise en page") destinées au Web ou à l'édition papier. Initialement, un projet contient une seule mise en page, mais il est possible de le compléter grâce au menu ***Mise en page****. L'intérêt de cette innovation réside dans la possibilité de dupliquer une mise en page existante pour en créer une nouvelle et dans celle de synchroniser des éléments (le texte notamment) entre deux mises en page d'un même projet. Cette synchronisation permet par exemple d'actualiser en même temps une mise en page Web et une mise en page papier.*

Le menu **Mise en page** (voir Figure 3.7) contient les commandes relatives à la manipulation des espaces de mise en page. Grâce à ce menu, vous créez, modifiez, dupliquez ou supprimez des mises en page.

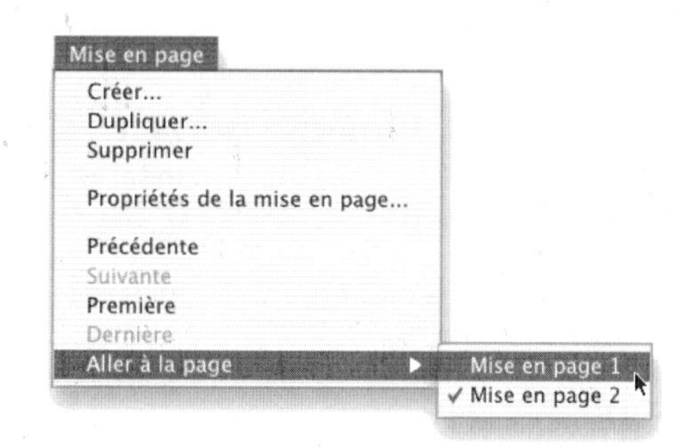

Figure 3.7
Le menu Mise en page.

Dans le cas le plus simple, une mise en page peut être perçue comme un document XPress indépendant destiné au Web ou à l'impression papier. Le projet XPress n'est alors qu'un conteneur de documents, et vous passez d'une mise en page à l'autre à l'aide des onglets placés sous la fenêtre. Au sein d'un projet, la navigation entre les mises en page évoque ainsi le passage d'une feuille de calcul à l'autre avec Excel. Initialement, un projet contient une seule mise en page, donc le problème du passage de l'une à l'autre ne se pose pas.

Si de nouvelles mises en page viennent compléter le projet (grâce au menu **Mise en page**), toutes peuvent partager du texte dont les modifications seront synchronisées (voir Chapitre 18).

Les commandes du menu **Mise en page** :

- **Créer.** Ajoute une nouvelle mise en page au projet et ouvre pour cela une zone de dialogue semblable à celle à laquelle vous accédez en sélectionnant **Projet** dans le sous-menu **Nouveau** du menu **Fichier**. Il est alors possible de nommer la nouvelle mise en page et de choisir son type de plan de montage (papier ou Web).
- **Dupliquer.** Crée une nouvelle mise en page à partir de celle qui est sélectionnée dans le sous-menu **Aller à la page** du menu **Mise en page**. Cette commande n'est disponible que si **Mise en page** est sélectionné dans le sous-menu **Afficher** du menu **Page**. La nouvelle mise en page créée par **Dupliquer** – initialement une copie de la mise en page active – profite de la zone de dialogue qu'ouvre la commande **Créer**, ce qui permet différents paramétrages.
- **Supprimer.** Efface du projet la mise en page sélectionnée (dans le sous-menu **Aller à la page** du menu **Mise en page**).
- **Propriétés de la mise en page.** Ouvre, pour la mise en page sélectionnée (dans le sous-menu **Aller à la page** du menu **Mise en page**), la zone de dialogue déjà rencontrée avec la commande **Créer**. Il est alors possible de modifier les caractéristiques de la mise en page (dimensions du papier ou repères de marge pour une mise en page papier, par exemple), voire de convertir une mise en page papier en mise en page Web, ou l'inverse.
- **Précédente**, **Suivante**, **Première**, **Dernière** ou **Aller à la page.** Servent à passer d'une mise en page à l'autre en sélectionnant l'une d'elles ou en les faisant défiler.

Menu Affichage

Le menu **Affichage** (voir Figure 3.8) sert à choisir l'échelle de visualisation indépendamment de l'outil Loupe et à activer l'affichage des repères, règles, caractères invisibles, etc.

A partir de XPress 6, le menu ***Ecran*** *se charge de l'affichage et du masquage des palettes et des fenêtres de documents.*

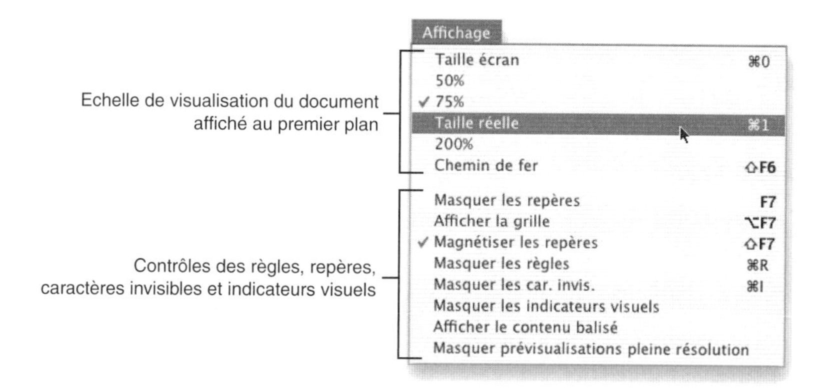

Figure 3.8

Le menu Affichage.

Menu Utilitaires

Le menu **Utilitaires** (voir Figure 3.9) donne accès à des outils plus ou moins extérieurs à XPress. On y trouve notamment un accès aux XTensions et au correcteur orthographique, la liste des polices et des images utilisées par le document (article **Utilisées**, anciennement **Usage**) et de quoi contrôler les approches de paires (intervalles entre deux lettres consécutives) et de groupes (intervalles entre les lettres d'un mot).

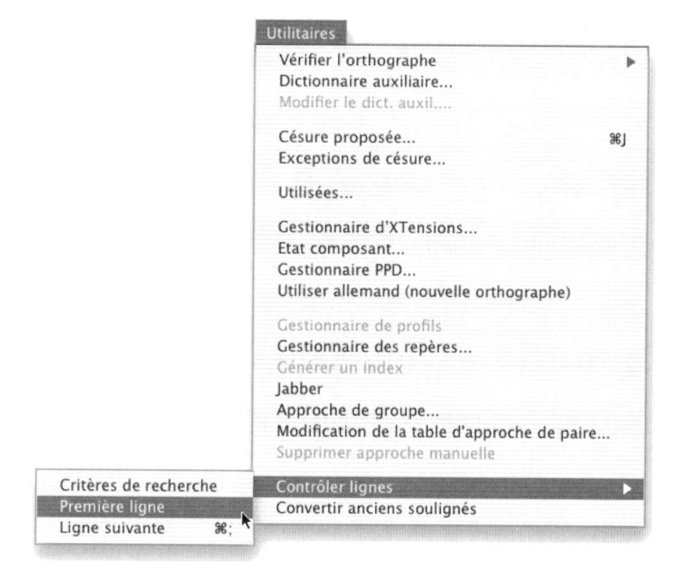

Figure 3.9

Le menu Utilitaires.

Depuis XPress 5.0, le menu **Utilitaires** propose une fonction des anciens soulignés, un contrôle des lignes (détection des veuves et des orphelines), un gestionnaire de repères, etc.

*Le menu **Utilitaires** contient une commande **Jabber** qui remplit de faux texte (en anglais) le bloc de texte où se trouve le curseur. Si ce bloc contient déjà du texte, son contenu est complété.*

Menu Ecran

Le menu **Ecran** (voir Figure 3.10) donne accès aux différents projets (documents) ouverts par XPress. Il permet également d'activer ou de masquer les palettes et se charge en outre d'organiser les fenêtres sur l'écran grâce à ses commandes :

- **Mosaïque.** Juxtapose les fenêtres des projets et répartit équitablement entre elles la surface d'affichage de l'écran. Windows fait la différence entre la mosaïque verticale et la mosaïque horizontale.
- **Cascade** (Windows) ou **Empiler** (Mac OS)**.** Empile les fenêtres de façon à laisser apparaître un fragment de barre de titre de chacune des fenêtres ouvertes.
- **Tout au premier plan** (Mac OS)**.** Ramène vers le premier plan les fenêtres des projets XPress placées derrière les fenêtres issues d'autres applications.
- **Tout Fermer.** (Windows)**.** Ferme tous les projets ouverts et propose leur enregistrement s'il y a lieu.
- **Arranger icônes** (Windows)**.** Aligne tous les projets XPress (affichés en vignettes) en bas de l'écran. En pratique, cela revient à réduire à un bouton de la barre des tâches chacun des projets ouverts.

*La palette d'outils ou la palette des spécifications ont disparu ? Ayez le réflexe de réactiver leur affichage avec le menu **Ecran**. Au lancement de l'application, vous retrouverez les palettes telles que vous les aviez laissées lors de la fermeture de l'application.*

La structure d'une fenêtre

Aux éléments communs aux fenêtres issues de diverses applications (barre de titre, case Zoom, case de fermeture, case de réduction, cases et barres de défilement, etc.) s'ajoutent quelques particularités propres aux fenêtres de XPress (voir Figure 3.11). L'aspect des fenêtres est directement lié au système d'exploitation, mais il ne s'agit entre Windows et Mac OS que de différences d'aspects car les principes mis en œuvre sont similaires.

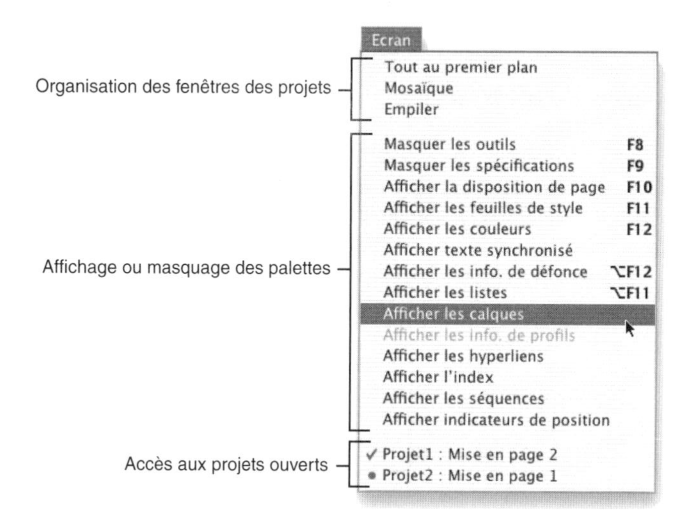

Figure 3.10

Le menu Ecran.

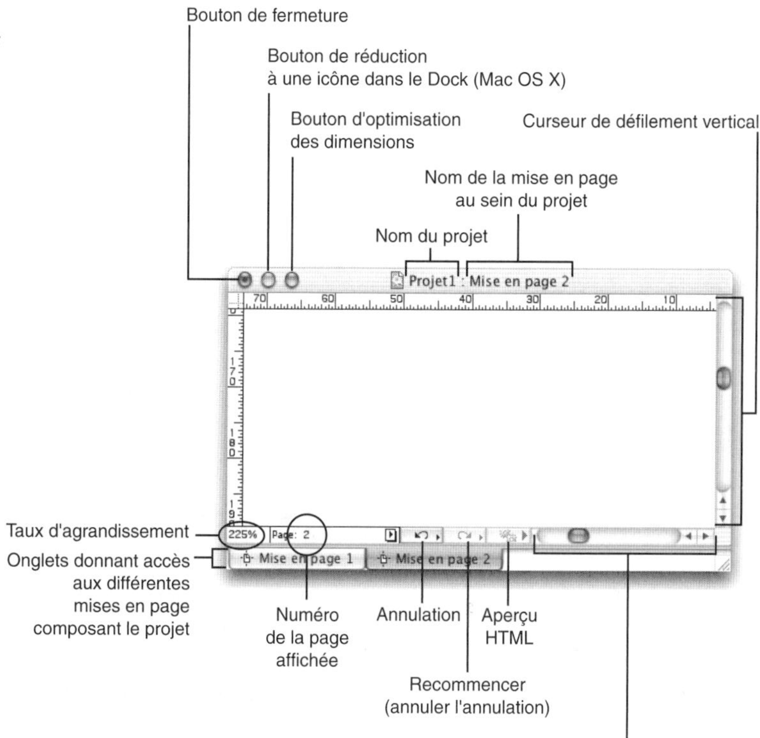

Figure 3.11

Une fenêtre XPress (sous Mac OS X).

Le menu **Affichage** active ou désactive l'affichage des règles (voir Figure 3.12). Celles-ci sont utiles à la mise en place de repères puisque ces derniers sont obtenus en faisant glisser le pointeur depuis les règles.

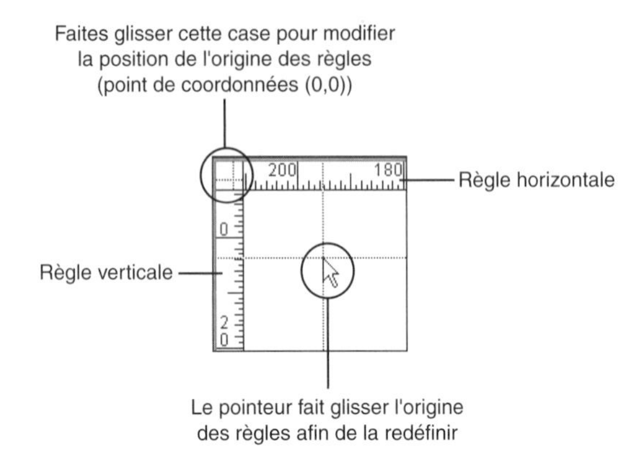

Figure 3.12
Les règles.

L'échelle de visualisation est affichée en bas à gauche de la fenêtre dans une case où cette échelle de visualisation particulière peut être saisie directement (voir Figure 3.13). La navigation entre pages et maquettes est également possible depuis la partie inférieure de la fenêtre, sans recourir à la palette **Disposition de page**, ni au menu **Page**.

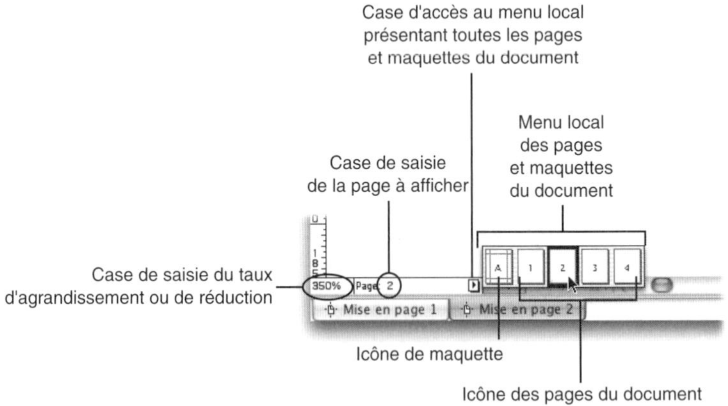

Figure 3.13
La partie inférieure gauche des fenêtres XPress.

astuce

Vous pouvez saisir un taux d'agrandissement ou de réduction quelconque (entre 10 et 800 %) dans la case présentant le taux d'agrandissement ou de réduction en bas à gauche de chaque fenêtre.

La palette d'outils

La palette d'outils de XPress (voir Figure 3.14) s'inspire dans une certaine mesure de celles dont sont dotées les applications de dessin vectoriel. L'affichage de cette palette peut être activé ou désactivé avec les articles **Afficher les outils** et **Masquer les outils** du menu **Ecran**. Dans la palette d'outils, les outils suivis d'un triangle sont déclinés en différentes versions sélectionnées à travers des menus pop-out ouverts à la suite du triangle. C'est ensuite le dernier outil sélectionné dans le pop-out qui apparaît dans la palette.

Figure 3.14

La palette d'outils.

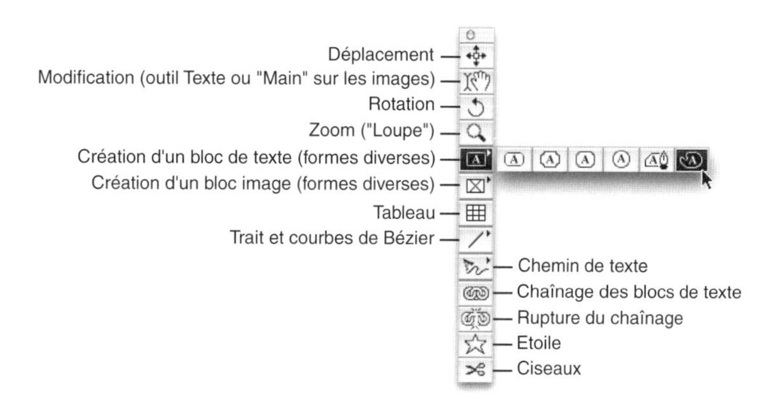

Les outils de base

La palette d'outils (voir Figure 3.14) permet notamment la création, la modification et le déplacement des blocs. De haut en bas, on y trouve d'abord :

- l'outil Déplacement, chargé, comme son nom l'indique, de faire glisser les blocs sur la page ;
- l'outil Modification (ou outil d'édition), qui permet notamment la sélection d'un texte et le déplacement d'une image au sein de son cadre ;
- l'outil Rotation, chargé de faire pivoter les blocs ;
- la Loupe (ou outil Zoom), utilisée pour modifier l'échelle de visualisation.

Cliquer ou faire glisser ?

A la suite des quatre outils de base que nous venons d'évoquer, on trouve ceux chargés de la création des différents types de blocs : bloc de texte, bloc image, tableau, filet, courbes de Bézier. Selon les outils, la mise en place d'un bloc s'effectue différemment après l'activation de l'outil désiré.

- Faites glisser le pointeur en diagonale pour mettre en place une forme simple (rectangle et assimilés, ellipse, etc.).
- Faites glisser selon un tracé libre pour mettre en place une forme libre qui sera convertie en courbe de Bézier.
- Cliquez sur chaque sommet ou point d'inflexion si vous mettez en place un polygone ou une courbe de Bézier tracée point d'inflexion par point d'inflexion.

Rappelons que "faire glisser" le pointeur revient à appuyer sur le bouton de la souris puis à le maintenir enfoncé au cours du déplacement de ladite souris.

La mise en place des blocs

A chaque catégorie de blocs correspond un assortiment d'outils chargés de leur mise en place sur la page. Dans la palette d'outils, l'ensemble des outils destinés à la création d'une catégorie de blocs (blocs de texte, blocs images, tableau, chemins de texte, traits et tracés) est rassemblé dans une palette pop-out signalée dans la palette d'outils par un petit triangle placé en bas de l'icône du dernier outil activé dans cette palette.

Blocs de texte

La Figure 3.15 présente les différents outils permettant la mise en place d'un bloc de texte, les différents blocs mis en place avec ces outils sont présentés à la Figure 3.16.

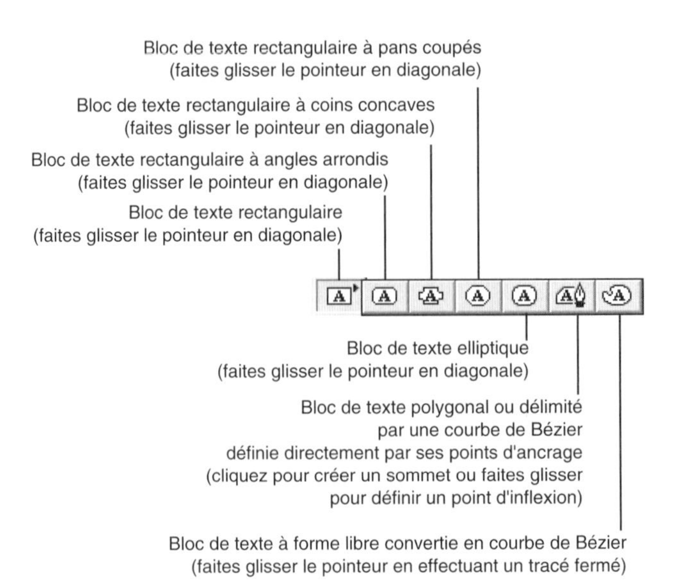

Figure 3.15
Les outils de création d'un bloc de texte.

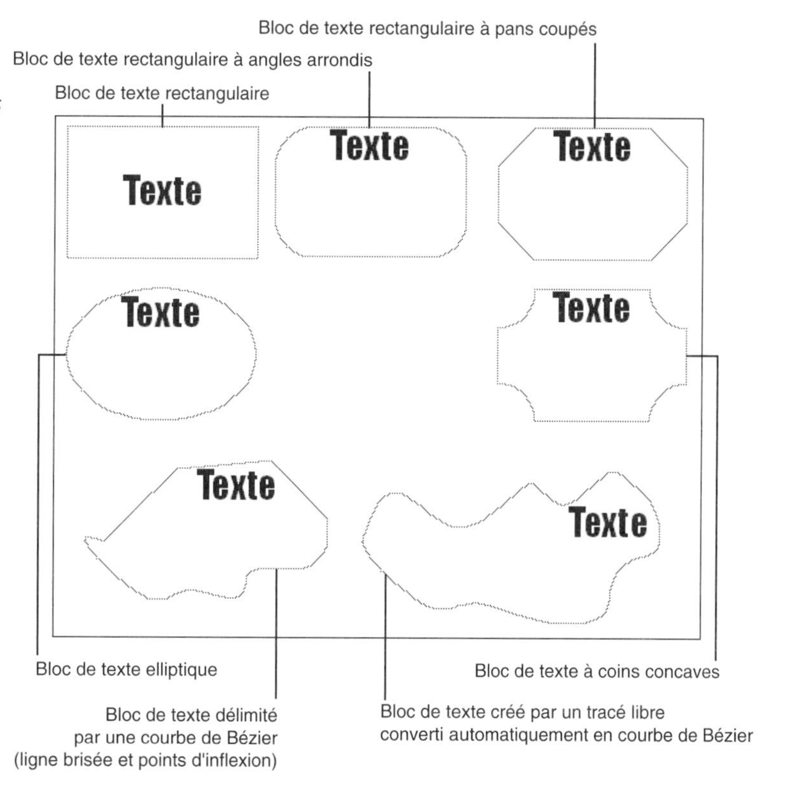

Figure 3.16
Les différents blocs de texte créés par les outils illustrés à la Figure 3.15.

Les blocs circulaires ou rectangulaires peuvent être contraints à l'aide de la touche ⇧Maj*. Celle-ci transforme les blocs rectangulaires en carrés et les blocs elliptiques en blocs circulaires.*

Le dernier outil sélectionné en pop-out se place dans la palette d'outils. Par conséquent, les séries d'outils pop-out sont représentées dans la palette d'outils par le dernier outil utilisé.

Blocs images

Aux outils de création de blocs de texte correspondent des outils équivalents destinés à la création de blocs images (voir Figures 3.17 et 3.18).

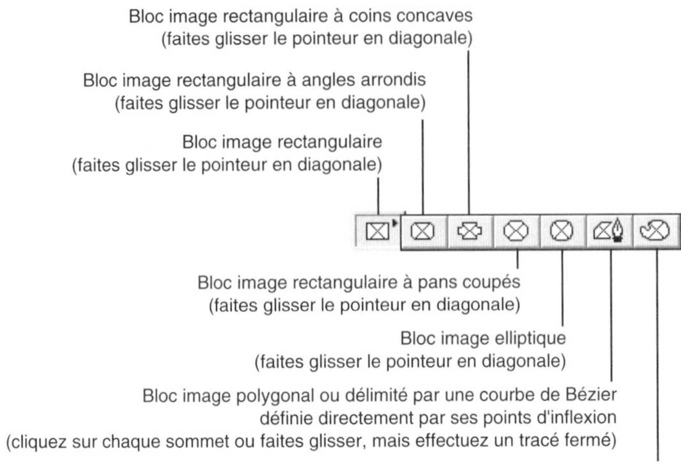

Figure 3.17

Les outils de création de blocs images.

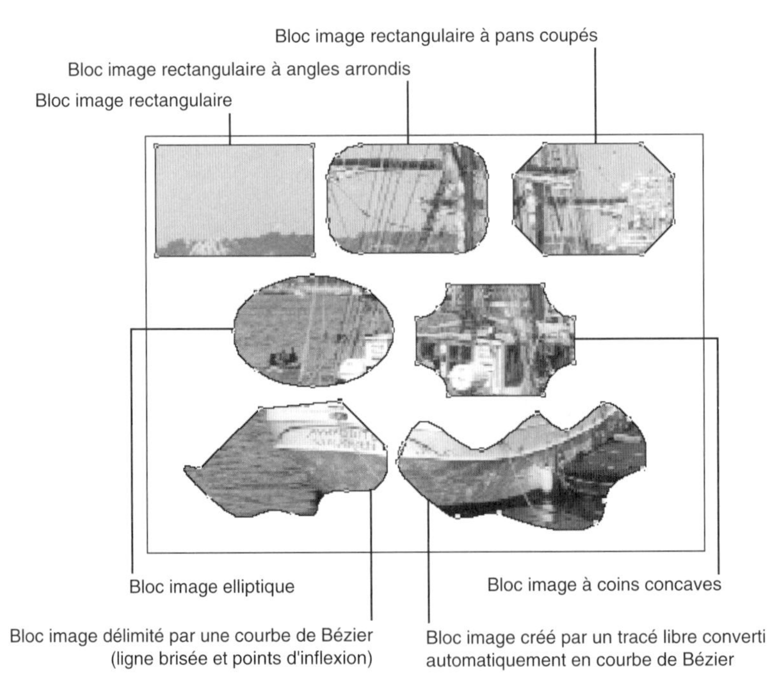

Figure 3.18

Ici, les blocs images sont groupés et fusionnés en mode Union afin de partager la même image.

Tableau

L'outil Tableau permet la mise en place de tableaux rectangulaires. Un tableau est une grille dont chaque cellule contient un texte ou une image. Pour tracer un tableau :

1. Activez l'outil Tableau dans la palette d'outils (voir Figure 3.19).

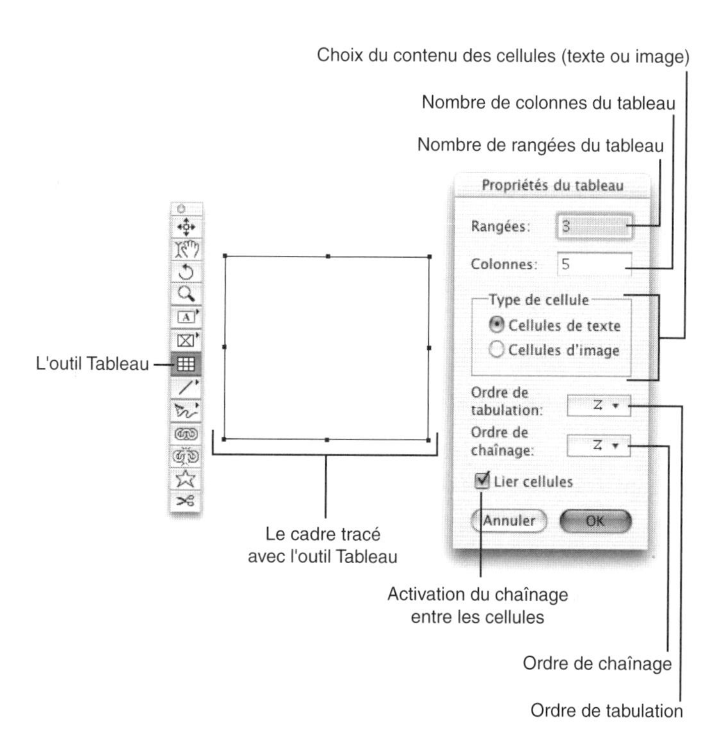

Figure 3.19
La mise en œuvre de l'outil Tableau.

2. Faites glisser l'outil en diagonale de manière à tracer le rectangle qui délimitera le tableau.
3. Dès que le bouton de la souris est relâché, le contour du tableau est mis en place et une zone de dialogue vous invite à préciser :
   - Le nombre de colonnes verticales et de rangées horizontales qui composent le tableau. Le nombre de cellules qui composent le tableau correspond au produit du nombre de colonnes et du nombre de cellules.
   - La nature du contenu des cellules du tableau. Celles-ci peuvent accueillir du texte ou des images.
   - L'ordre de tabulation.

- S'il y a lieu, vous pouvez demander que les cellules de texte se comportent comme autant de blocs chaînés (en activant l'option **Lier cellules**, puis en choisissant l'ordre de chaînage).

4. Dès la validation de la zone de dialogue, celle-ci disparaît et les cellules du tableau sont tracées (voir Figure 3.20).

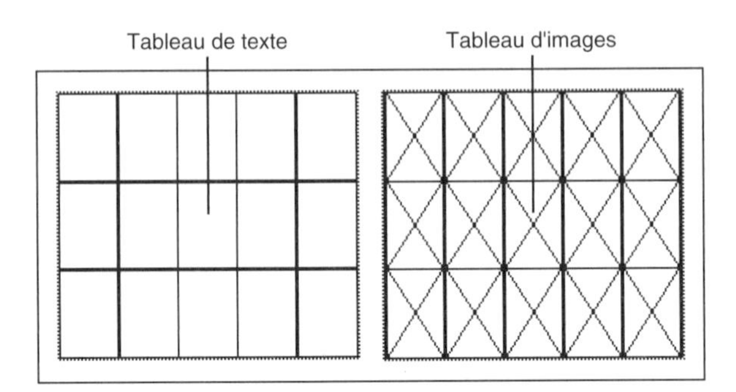

Figure 3.20
Les deux types de tableaux.

Filets et courbes de Bézier

Un trait ou une courbe de Bézier est un bloc sans contenu (il ne contient ni texte, ni image). Il est organisé à l'aide des outils présentés à la Figure 3.21, la Figure 3.22 montrant les différents types de blocs obtenus avec ces outils.

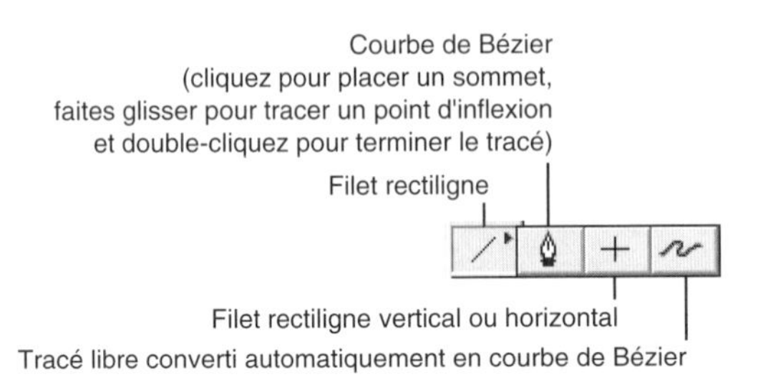

Figure 3.21
Les différents outils chargés de tracer des traits.

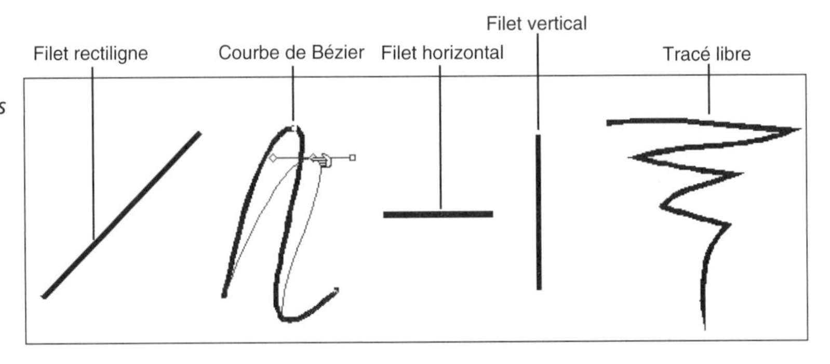

Figure 3.22
Les différents types de traits (filets) et courbes de Bézier.

Maintenir la touche ⇧Maj enfoncée contraint l'inclinaison d'un filet rectiligne dont l'angle est, dans ce cas, un multiple de 45°.

Chemins de texte

Les chemins de texte consistent en la réunion des blocs filet et courbes de Bézier (voir section précédente) avec les blocs de texte. Un chemin de texte est donc un tracé sur lequel se met en place une chaîne de caractères. La Figure 3.23 présente les outils permettant la mise en place des chemins de texte alors que la Figure 3.24 montre quelques exemples de chemins de texte.

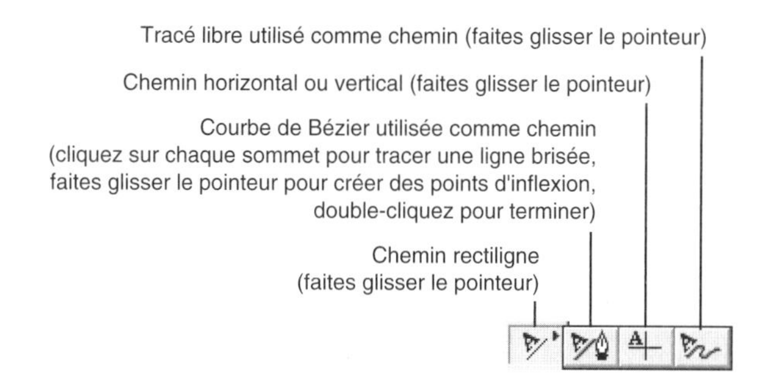

Figure 3.23
Les outils chargés de la mise en place des chemins de texte.

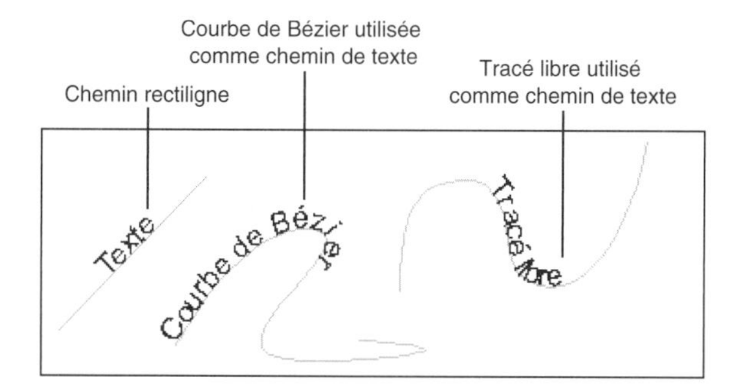

Figure 3.24
Un chemin de texte est un tracé capable d'accueillir une chaîne de caractères.

Chaînage

Le chaînage consiste en l'association de plusieurs blocs ou chemins de texte partageant le même texte, c'est-à-dire la même chaîne de caractères.

La Figure 3.25 présente les outils consacrés au chaînage des blocs :

- L'outil Chaînage s'emploie en cliquant successivement sur les deux blocs de texte ou chemins de texte concernés, le second devant être vide.

- L'outil Séparation est mis en œuvre en maintenant la touche [⇧Maj] enfoncée, puis en cliquant sur le bloc à ôter de la chaîne.

attention

Il est impossible d'annuler la séparation de blocs chaînés.

Figure 3.25
Les outils de chaînage.

A la Figure 3.26, le bloc de texte est trop petit pour son contenu. Il signale sa situation par le carré de débordement (indicateur de dépassement). Pour permettre au texte placé dans le bloc de gauche de s'écouler dans le bloc de droite :

1. Cliquez sur l'outil Chaînage.
2. Cliquez sur le bloc de gauche.
3. Cliquez sur le bloc de droite.

Figure 3.26
Tout le contenu du bloc de texte ne peut être affiché.

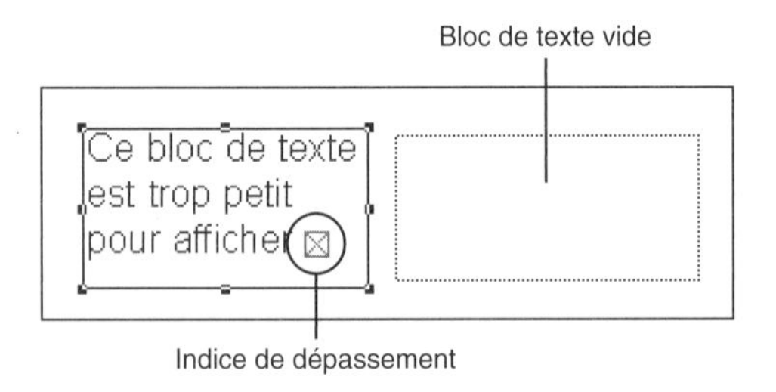

Le texte s'écoule ensuite d'un bloc à l'autre, les deux blocs partageant désormais la même chaîne de caractères comme le montre la Figure 3.27.

Figure 3.27
Les deux blocs sont chaînés et partagent donc le même texte.

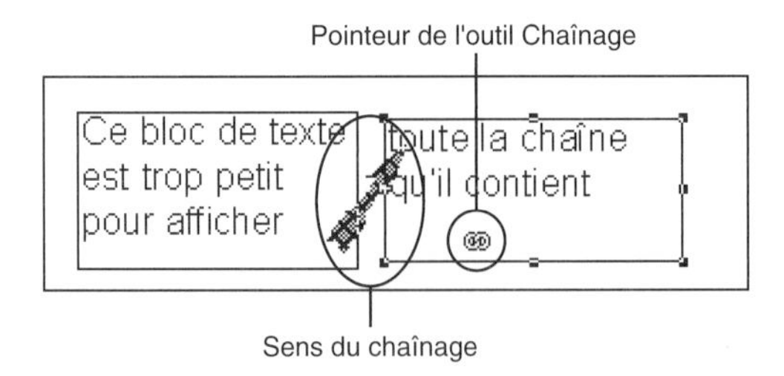

astuce

Un clic avec l'outil Chaînage sur un bloc déjà chaîné à un autre fait apparaître les flèches indiquant le sens du chaînage (voir Figure 3.27).

Ciseaux

L'outil Ciseaux permet d'ouvrir un tracé. Pour utiliser l'outil Ciseaux :

1. Activez l'outil dans la palette d'outils (voir Figure 3.28).
2. Approchez-le du bloc ou du tracé à couper jusqu'à ce que le pointeur prenne l'aspect de l'outil (voir Figure 3.29).
3. Cliquez au point de coupure.
4. Validez l'avertissement et constatez le résultat (voir Figure 3.30).

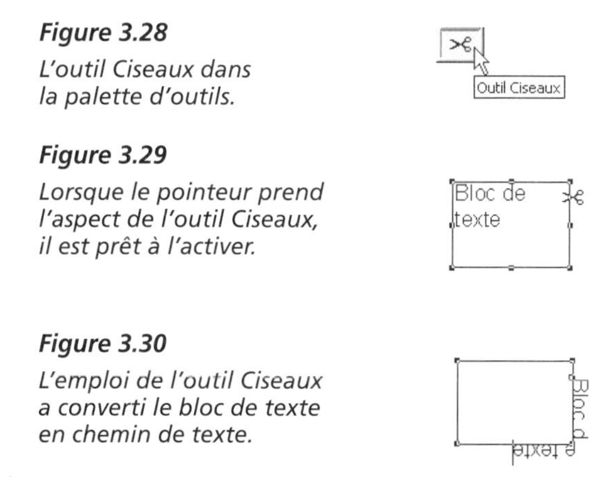

Figure 3.28
L'outil Ciseaux dans la palette d'outils.

Figure 3.29
Lorsque le pointeur prend l'aspect de l'outil Ciseaux, il est prêt à l'activer.

Figure 3.30
L'emploi de l'outil Ciseaux a converti le bloc de texte en chemin de texte.

Le Tableau 3.1 résume les résultats obtenus à l'issue de l'application de l'outil Ciseaux à un bloc.

Tableau 3.1 : Comportement de l'outil Ciseaux

Type de bloc	Effet de l'outil Ciseaux
Bloc de texte	Conversion du contour du bloc en chemin de texte accueillant le texte contenu dans le bloc. Le début du chemin se trouve à droite ou en bas du point d'application de l'outil.
Bloc image	Suppression de l'image contenue dans le bloc et transformation du contour de ce dernier en tracé.
Tableau	Il est impossible d'appliquer l'outil Ciseaux à un tableau.
Filet ou courbe de Bézier	Obtention de deux tracés distincts (mais juxtaposés) que vous êtes libre de séparer.
Chemin de texte	Obtention de deux chemins de texte chaînés l'un à l'autre. Ces chemins sont initialement juxtaposés, mais vous pouvez les séparer.

Etoile

L'outil Etoile (voir Figure 3.31) trace un bloc en forme d'étoile. Par défaut, il s'agit d'un bloc image, mais vous pouvez choisir un autre contenu (texte ou néant) depuis le sous-menu **Contenu** du menu **Bloc**. Un double-clic sur cet outil ouvre sa zone de dialogue **Préférences** dont les options modifiées entreront en vigueur lors de la prochaine activation de l'outil.

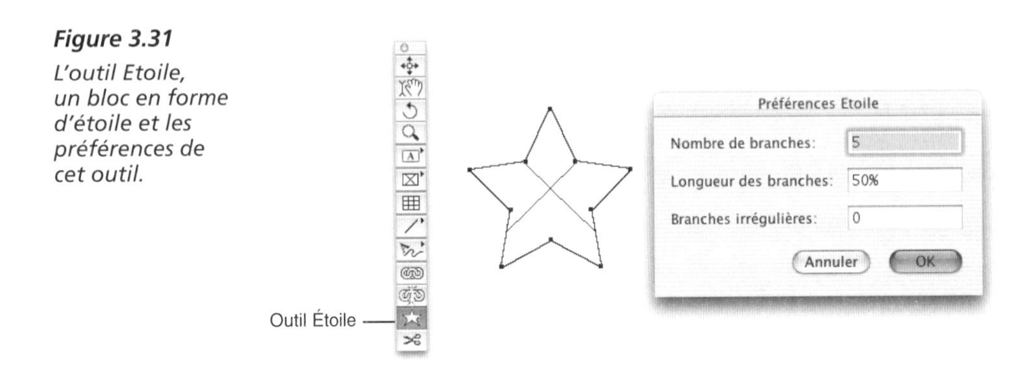

Figure 3.31
L'outil Etoile, un bloc en forme d'étoile et les préférences de cet outil.

Les options des outils

A l'exception des quatre premiers et des quatre derniers, tous les outils de la palette d'outils (voir Figure 3.14) servent à la création de blocs. Vous avez la possibilité de fixer certains paramètres par défaut tels que le mode d'habillage ou le type de contour en double-cliquant sur l'un des outils de création de bloc. Double-cliquer sur l'outil Loupe ou sur l'un des outils créant un bloc (texte, image, filet, chemin, courbe, tableau) ouvre le volet **Outils** de la zone de dialogue **Préférences** (voir Figure 3.32) également accessible *via* le menu **Edition** (ou *via* le menu **QuarkXPress** sous Mac OS X). Après un clic sur l'une des icônes d'outil dans la zone **Outils par défaut**, un clic sur le bouton **Modifier** du volet **Outil** permet de fixer les options par défaut des outils paramétrables. Ainsi :

- Vous pouvez modifier l'incrément du taux d'agrandissement ou de réduction provoqué par chaque clic de l'outil Loupe ("Zoom").
- Pour tous les outils de création de bloc, vous pouvez accéder aux onglets des zones de dialogue de modification de bloc (normalement accessibles en sélectionnant un bloc, puis en activant **Modifier** dans le menu **Bloc**). Les choix ainsi formulés deviennent les caractéristiques par défaut des blocs créés ultérieurement avec ces outils.

Figure 3.32
Le volet Outils des Préférences.

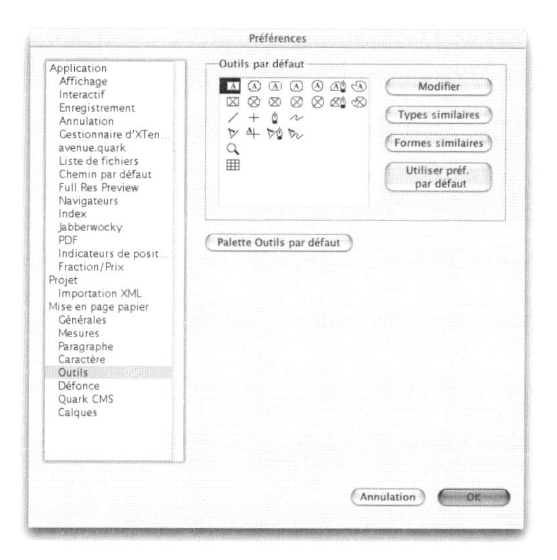

Quel que soit l'outil actif, souvenez-vous que vous activez la loupe en maintenant les touches ⇧Maj *et* Ctrl *(Mac OS) ou* Ctrl *et* Bar. espace *(Windows) enfoncées. En ajoutant* Alt *à ces combinaisons, vous obtenez une réduction (zoom arrière). Chaque clic avec l'outil applique l'incrément au taux de visualisation (agrandissement si supérieur à 100 %, réduction si inférieur à 100 %).*

Les palettes et les spécifications

Outre quelques principes communs à l'ensemble des palettes, nous allons maintenant décrire le contenu et le comportement de la palette des spécifications. Celle-ci est importante puisqu'elle donne un accès rapide et commode à la plupart des réglages usuels.

A propos des palettes

Les articles du menu **Ecran** activent ou désactivent l'affichage des palettes. Les palettes d'outils et de spécifications sont affichées par défaut. Un article **Afficher…** est remplacé par **Masquer…** lorsque la palette concernée est visible (et inversement).

D'une façon générale, une fonction accessible à travers une palette flottante l'est aussi à travers un article de menu ou une zone de dialogue (ouverte lors de la sélection d'un article suivi de points de suspension). Cependant, les fonctions les plus utilisées gagnent à être organisées au moyen d'un équivalent clavier (raccourci clavier) quand il en existe un ou à travers une palette flottante. Bien entendu, les palettes flottantes présentent le défaut d'être encombrantes, même sur un grand écran.

Quelques palettes d'usage courant :

- La palette de couleurs comprend toutes les couleurs définies pour le document et permet de choisir la teinte à travers un menu local.
- La palette des feuilles de style distingue les feuilles de style pour les paragraphes et celles réservées aux caractères.
- Le plan de montage (rebaptisé **Disposition de page**) présente les pages du document et permet leur réorganisation (le type de maquette appliqué est placé sur la page).
- La palette de profils est utile pour la correction des couleurs.

Qu'il s'agisse de la palette des spécifications, de la palette d'outils ou de toute autre palette, toutes les palettes disposent d'une case de fermeture et d'une bande permettant de les faire glisser sur l'écran (voir Figure 3.33). Après un clic sur sa case de fermeture, une palette ne réapparaît qu'après sélection de l'article qui lui est associé dans le menu **Ecran**.

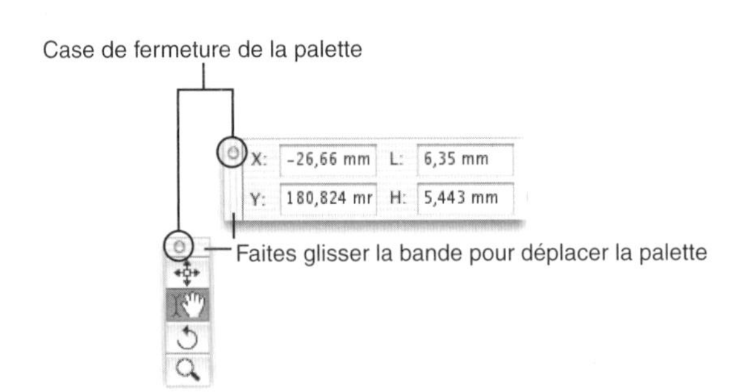

Figure 3.33
La bande et la case de fermeture des palettes.

La palette des spécifications

Affichée par défaut sous la fenêtre de travail, la palette des spécifications résume les caractéristiques du bloc (ou du groupe) sélectionné et permet la modification desdites caractéristiques. Le contenu de la palette des spécifications varie en fonction de la nature du bloc sélectionné et selon que le bloc ou son contenu a été sélectionné. Comme les autres palettes, la palette des spécifications peut être masquée puis réaffichée depuis le menu **Ecran**.

A la Figure 3.34, un bloc de texte est sélectionné, la palette annonce donc les caractéristiques du bloc et les attributs du texte.

Bien qu'elle puisse prendre différentes formes, la palette des spécifications concentre de nombreux types d'éléments d'interface utilisateur :

- cases de saisie (cases **X**, **Y**, **L**, **H**, etc.) ;

- menus locaux (signalés par des triangles pointant vers le bas) ;
- cases de défilement ;
- icônes de choix exclusifs ;
- icônes de choix cumulables.

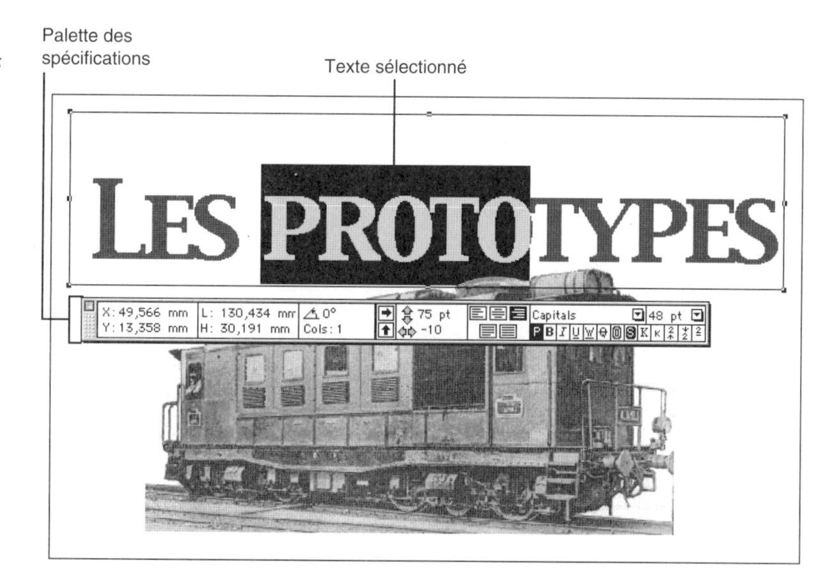

Figure 3.34

La palette des spécifications s'adapte à la sélection.

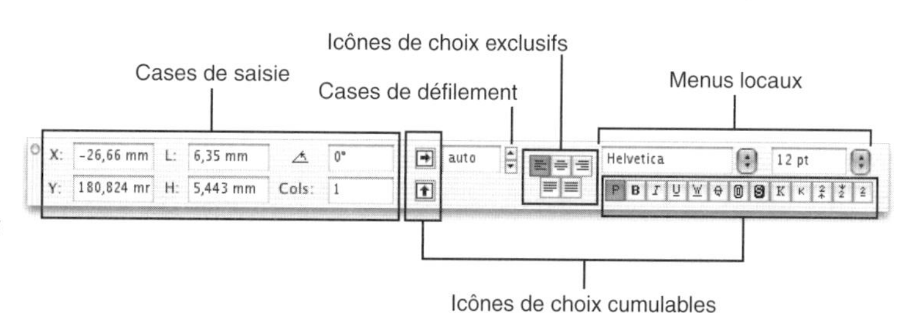

Figure 3.35

La palette des spécifications dispose de cases de saisie, d'icônes de choix cumulables ou exclusifs.

Passons maintenant en revue les différents aspects de la palette des spécifications. Retenez que cette palette est unique, mais que son contenu varie en fonction de la sélection. D'une façon générale :

- La partie gauche de la palette concerne le bloc (position, dimensions, etc.).
- La partie droite concerne le contenu du bloc (style, échelles horizontale et verticale d'une image, etc.).

Un choix formulé à travers la palette des spécifications ne concerne que la sélection. Dans le cas d'un texte et en l'absence de sélection, le choix concerne les prochains caractères saisis, à condition que le point d'insertion ne soit pas déplacé.

Bloc de texte

La Figure 3.36 présente la palette des spécifications pour un bloc de texte rectangulaire incliné à 5°, divisé en deux colonnes et dont une partie du contenu est sélectionnée.

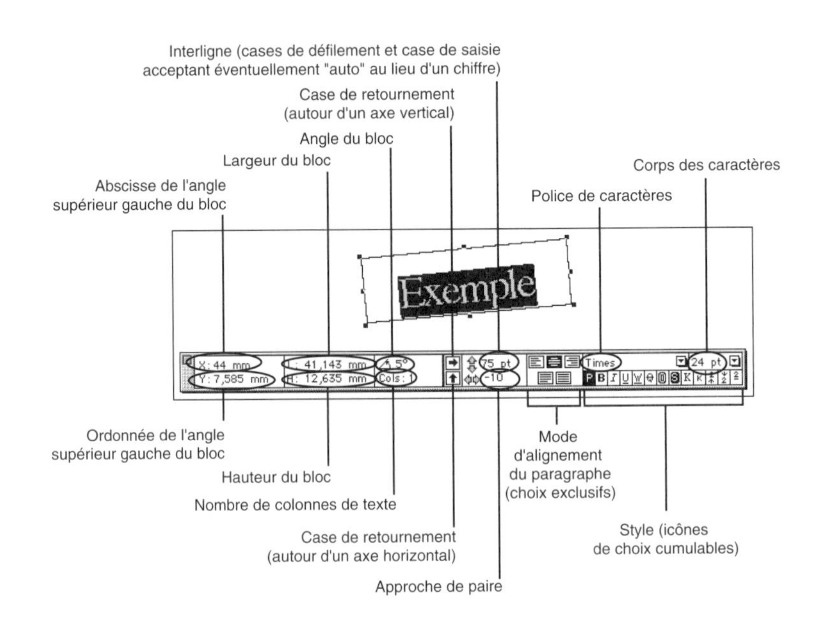

Figure 3.36
La palette des spécifications dans le cas d'un bloc de texte.

Bloc image

La Figure 3.37 contient un bloc image à coins concaves et inclinés à –5° avec effet miroir sur le contenu (symétrie d'axe vertical).

Filet

Un filet est un bloc simple et dépourvu de contenu. Il se résume à un segment de droite dont les extrémités et l'épaisseur sont définies. La palette des spécifications peut, avec ce type d'objets, prendre différentes formes sélectionnées à l'aide d'un menu local. La Figure 3.38 montre la palette des spécifications lorsqu'un filet est sélectionné.

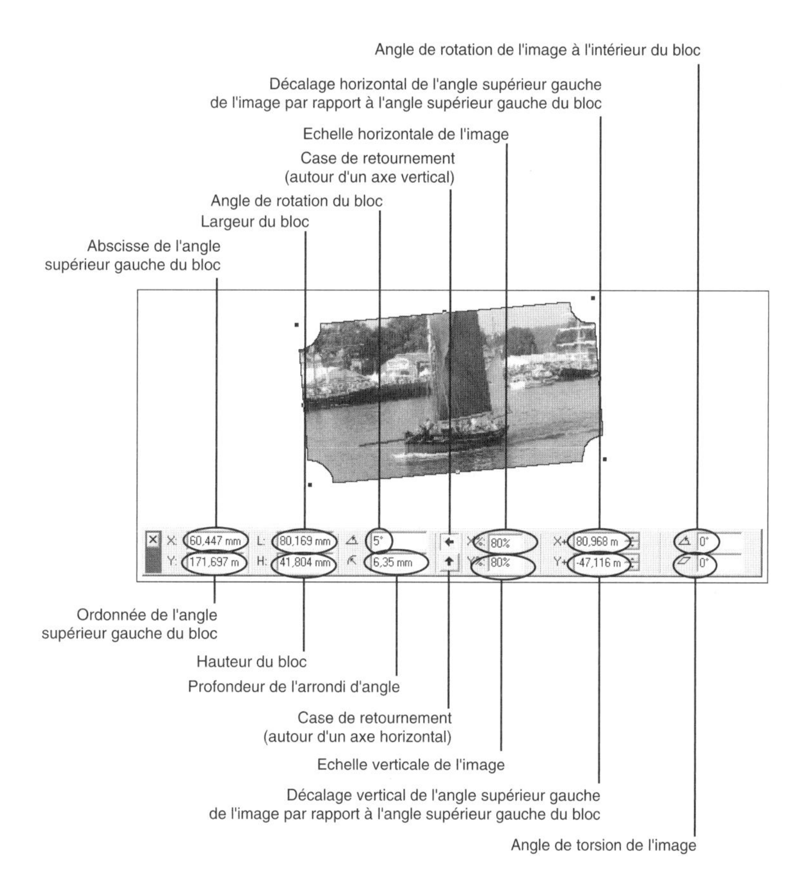

Figure 3.37

La palette des spécifications dans le cas d'un bloc image.

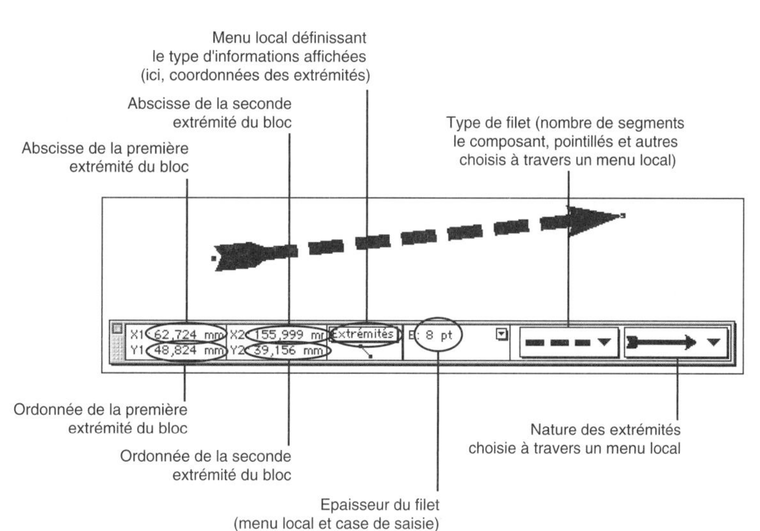

Figure 3.38

Ce filet a pour attribut une flèche à l'une de ses extrémités.

Selon le type d'information choisi dans le menu local de la troisième colonne de la palette (voir Figure 3.38), vous obtenez les coordonnées des premier et dernier points, les coordonnées du milieu, l'angle du bloc, sa longueur, etc. Ces différents types d'affichages sont présentés aux Figures 3.39 à 3.41.

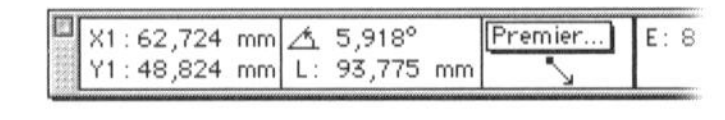

Figure 3.39
Le mode Premier point présente les coordonnées à l'aide des coordonnées de la première extrémité, de la longueur et de l'angle d'inclinaison.

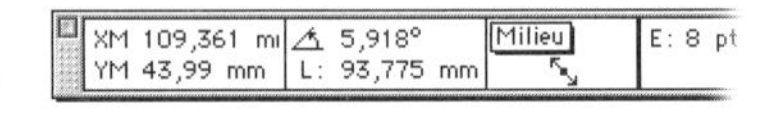

Figure 3.40
Avec le mode Milieu, on obtient les coordonnées à l'aide des coordonnées du milieu, de la longueur du segment et de son angle d'inclinaison.

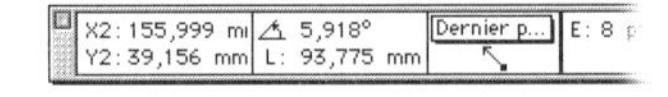

Figure 3.41
Le mode Dernier point présente les coordonnées à l'aide des coordonnées de la seconde extrémité, de la longueur du segment et de l'angle d'inclinaison.

Courbe de Bézier

Les courbes de Bézier peuvent être envisagées à deux niveaux :

- Globalement, on retrouve alors des attributs de bloc (coordonnées de l'angle supérieur gauche, largeur, hauteur, etc.) et des attributs de filet (épaisseur, extrémités, type de filet, etc.).
- Point d'inflexion par point d'inflexion, on peut alors ajuster chacune des deux tangentes au point d'inflexion.

La courbe de Bézier de la Figure 3.42 a été sélectionnée globalement à l'aide de l'outil Déplacement. On voit donc apparaître une poignée sur chaque point d'inflexion de la courbe.

Déplacez très lentement l'outil Déplacement au-dessus d'une courbe de Bézier : vous le verrez alors changer d'aspect. Si le pointeur a l'aspect d'un doigt, un clic sélectionnera un point d'ancrage.

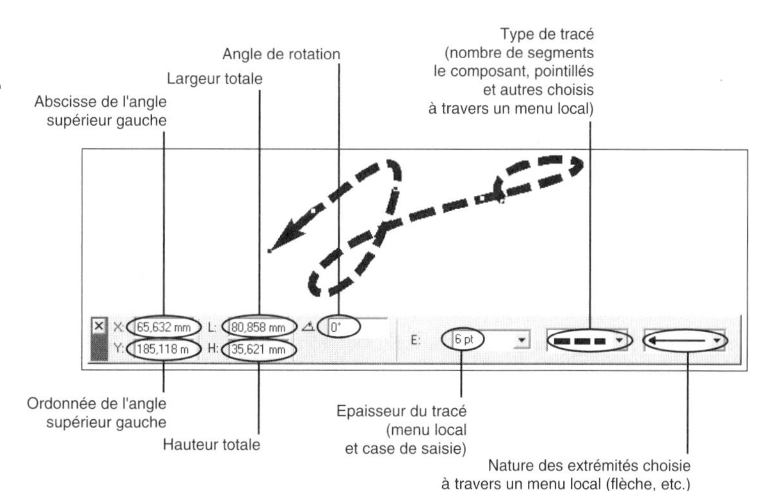

Figure 3.42

La palette des spécifications d'une courbe de Bézier sélectionnée globalement.

Dans le cas illustré à la Figure 3.43, la sélection ne concerne que l'un des points d'inflexion de la courbe de Bézier (les tangentes et leurs poignées s'affichent en bleu). Aussi, les trois premières colonnes de la palette des spécifications restent identiques à celles de la Figure 3.42 tandis que la partie droite de la palette annonce les caractéristiques du point d'ancrage sélectionné.

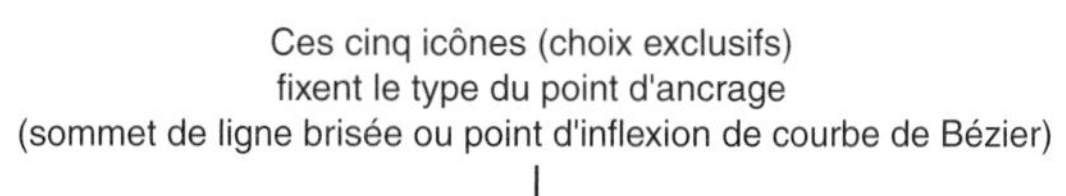

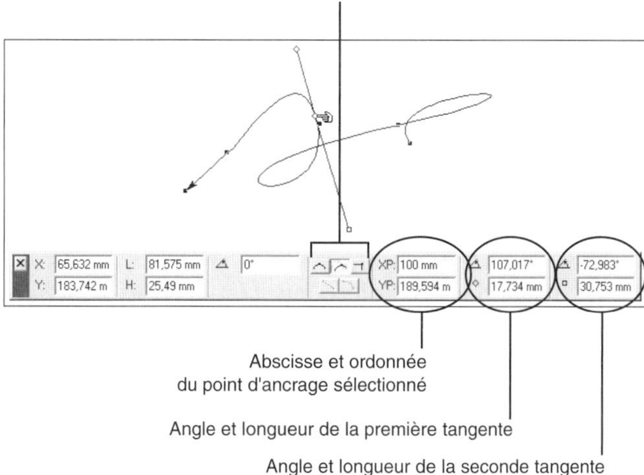

Figure 3.43

La palette des spécifications dans le cas de la sélection d'un point d'ancrage d'une courbe de Bézier.

Chemin de texte

Envisageons d'abord le cas d'un chemin de texte rectiligne. On obtient dans ce cas une palette des spécifications assimilable à celle :

- d'un filet, si le chemin est sélectionné en tant que bloc (clic avec l'outil Déplacement sur le chemin) ;
- d'un bloc de texte, si le texte est sélectionné (clic sur le texte avec l'outil Modification).

A la Figure 3.44, le chemin a été sélectionné à l'aide de l'outil Déplacement. Constatez que les attributs présentés par la palette des spécifications sont ceux, déjà présentés, d'un filet.

Figure 3.44
Un chemin de texte rectiligne peut être vu comme un filet...

A la Figure 3.45, le texte a été sélectionné à l'aide de l'outil Modification. On retrouve donc, à droite de la palette, les informations propres au texte et semblables à celles affichées lors de la sélection du contenu d'un bloc de texte classique.

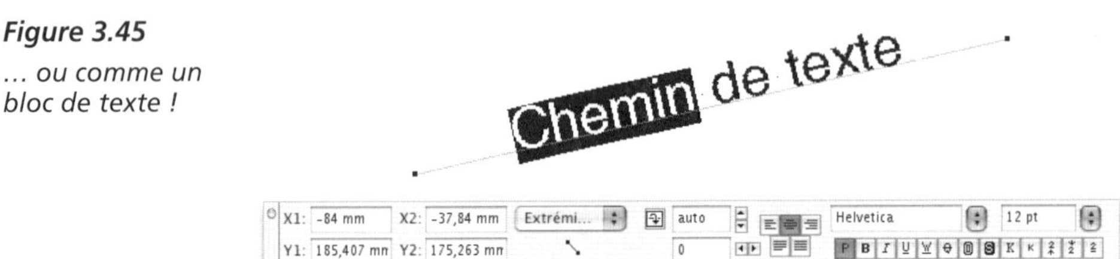

Figure 3.45
... ou comme un bloc de texte !

Remarquez le discret bouton coincé entre le menu local définissant le contenu de la partie gauche de la palette et les cases fixant la hauteur de l'interligne (voir Figure 3.46). Ce bouton détermine la position du texte par rapport au tracé et permet d'écrire à l'envers, comme à la Figure 3.47.

Figure 3.46
Cliquez pour inverser la position du texte par rapport au tracé.

Figure 3.47
Un clic sur le bouton d'inversion renverse le texte par rapport au tracé.

Passons maintenant à un chemin de texte défini par une courbe de Bézier. Comme vous allez le constater, le contenu de la palette des spécifications ne comprend que des éléments déjà vus, mais affichés en fonction de la nature de la sélection. Nous allons sélectionner successivement :

- Le bloc de type chemin de texte dans son ensemble à l'aide de l'outil Déplacement (voir Figure 3.48).
- L'un des points d'ancrage (ils ont l'aspect des poignées de bloc, ce sont donc de petits carrés noirs) à l'aide de l'outil Déplacement (voir Figure 3.49).
- Le texte, à l'aide de l'outil Modification appliqué au contenu du bloc (voir Figure 3.50).

A la Figure 3.48, on retrouve une palette de type filet après avoir cliqué sur le chemin (mais pas sur l'un de ses points d'ancrage) avec l'outil Déplacement. A la Figure 3.49, la palette des spécifications d'une courbe de Bézier apparaît après avoir cliqué sur l'un des points d'ancrage avec l'outil Déplacement. Enfin, la Figure 3.50 montre qu'un clic avec l'outil Modification sur un chemin de texte entraîne l'affichage de la palette des spécifications propre aux blocs de texte.

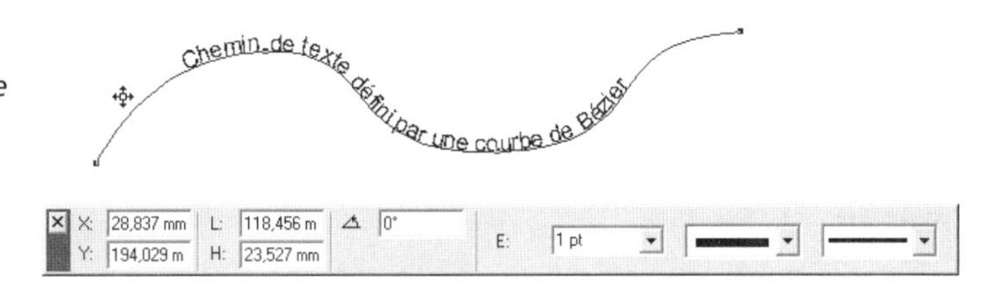

Figure 3.48
Un chemin de texte défini par une courbe de Bézier cumule les attributs d'un filet.

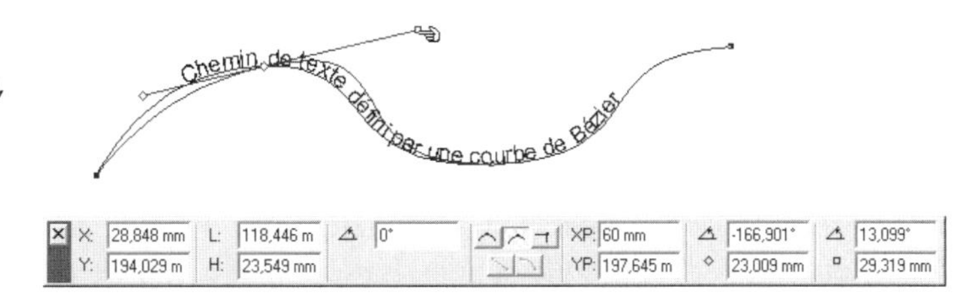

Figure 3.49
En cas de sélection d'un point d'ancrage, on obtient les attributs d'une courbe de Bézier.

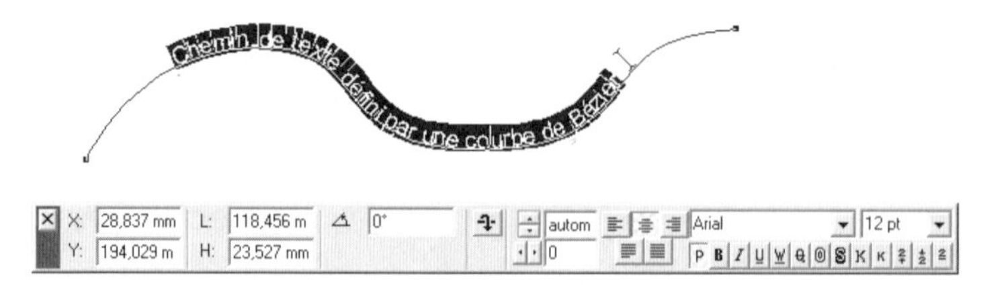

Figure 3.50

En cas de sélection du texte accueilli par un chemin de texte, on obtient naturellement la palette des spécifications d'un bloc de texte.

Bloc ancré

Comme le montre la Figure 3.51, la palette des spécifications d'un bloc ancré dans une chaîne de caractères propose, en plus des options déjà abordées plus haut, deux types d'alignement du bloc ancré par rapport à la ligne de base du texte qui l'accueille.

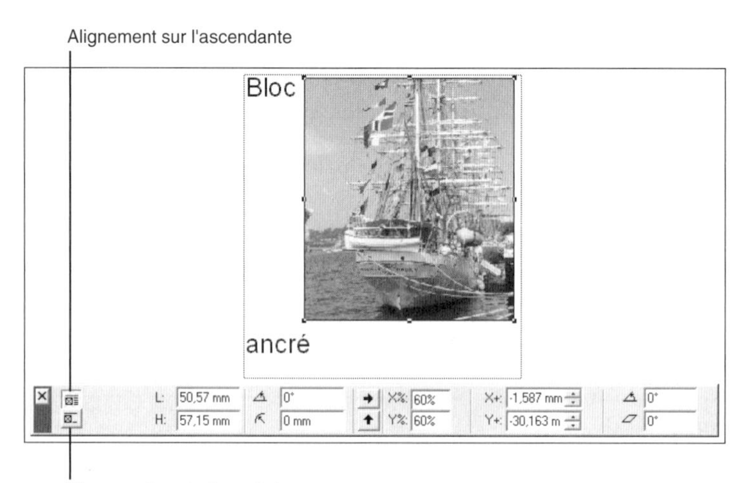

Figure 3.51

La palette des spécifications dans le cas de la sélection d'un bloc ancré dans une chaîne de caractères.

Tableau

Selon la façon dont vous sélectionnez un tableau, vous le manipulez dans son ensemble ou ne sélectionnez que l'une de ses cellules, voire l'un des segments (filets) de son cadre. Dans le cas illustré à la Figure 3.52, l'outil Déplacement a sélectionné le tableau dans son ensemble et la palette des spécifications ne permet que la modification des dimensions et de la position du tableau. Dans le cas des Figures 3.53 et 3.54, l'emploi de l'outil Modification entraîne l'édition du contenu des cellules et l'adaptation à cette sélection de la partie droite des spécifications. Toujours avec l'outil Modification, vous pouvez sélectionner l'un des filets séparant les colonnes (voir Figure 3.55) et personnaliser ainsi l'épaisseur (graisse) et le style du filet. La sélection d'un filet séparateur de colonnes est impossible lorsqu'une cellule est déjà sélectionnée avec l'outil Modification. Avec cet outil, commencez par cliquer hors du tableau pour désélectionner sa cellule sélectionnée, puis cliquez sur le filet à modifier.

A partir de XPress 6, l'outil Modification permet d'ajuster la largeur des colonnes d'un tableau en faisant glisser les filets de séparation.

Figure 3.52
La palette des spécifications d'un tableau sélectionné dans son ensemble.

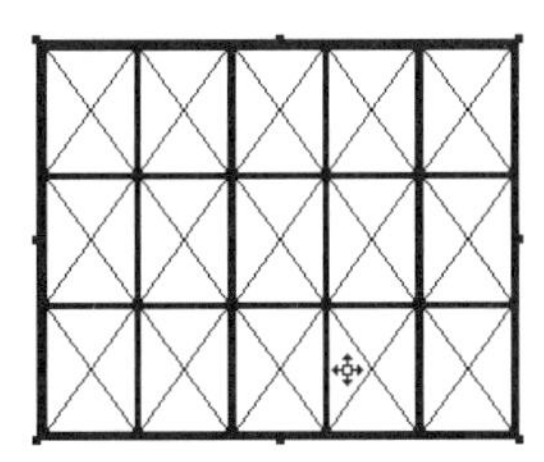

Figure 3.53
La sélection d'une cellule d'un tableau d'images permet de modifier le bloc image correspondant à la cellule sélectionnée.

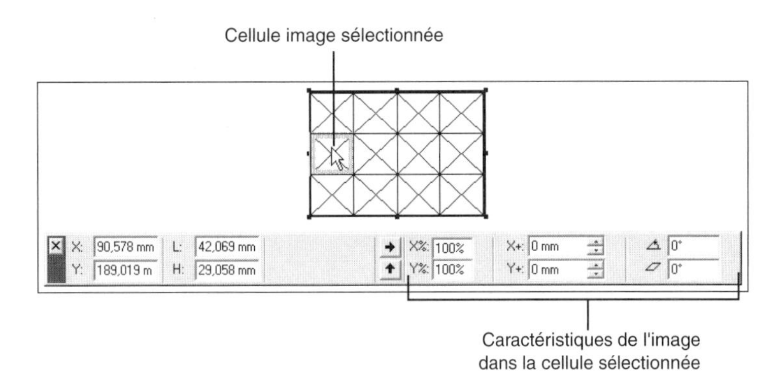

Figure 3.54
Dans le cas d'un tableau de texte, la sélection du contenu d'une cellule affiche les attributs de ce texte.

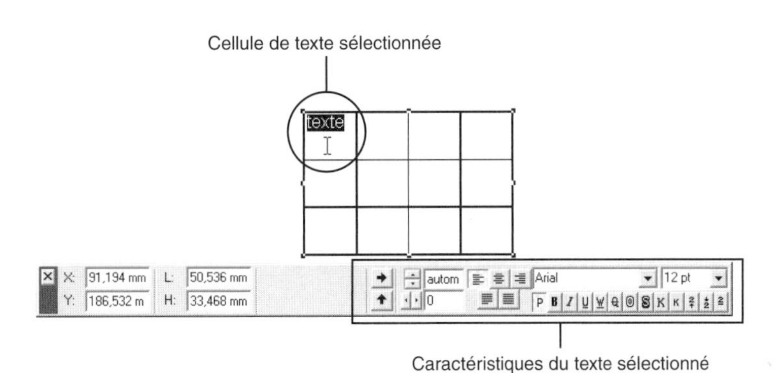

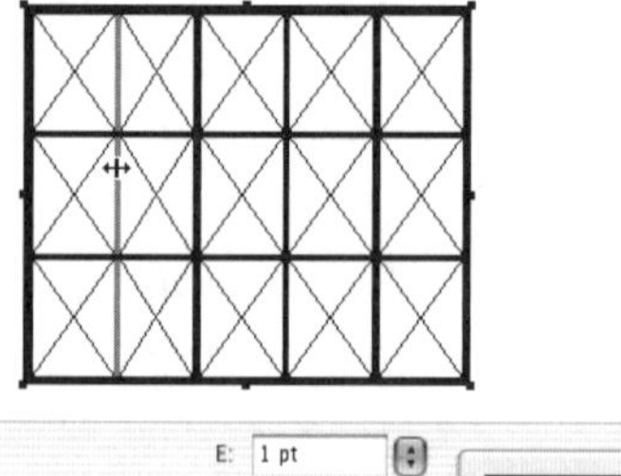

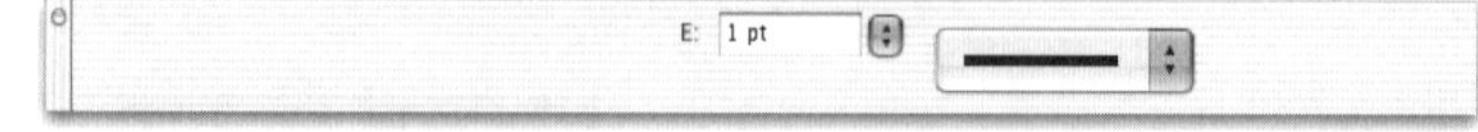

Figure 3.55

L'outil Modification permet de modifier les attributs du filet placé entre les colonnes.

La palette des spécifications peut encore prendre d'autres formes, mais toutes se déduisent de celles que nous venons de présenter à travers les principaux cas. Maîtriser la palette d'outils et la palette des spécifications est indispensable pour se sentir à l'aise avec XPress et exploiter au mieux sa souplesse et sa puissance.

CHAPITRE 4

Le traitement de texte

Au sommaire de ce chapitre

- Outil Texte
- Sélection
- Caractères invisibles
- Recherche et remplacement
- Autres fonctions du traitement de texte
- ProLexis

Bien que ses domaines d'utilisation soient, depuis la version 5, étendus au Web et à la documentation électronique, XPress est fondamentalement une application de PAO orientée table de montage, mais c'est aussi un traitement de texte dont la souplesse et la rapidité permettent de se passer d'un traitement de texte classique ! Remarquons à ce propos que, dans certaines rédactions, les journalistes saisissent leurs articles directement avec XPress.

Nous avons vu au Chapitre 2 comment importer du texte dans un document XPress, mais nous n'avons encore abordé ni sa saisie, ni sa modification. Bien entendu, un même bloc de texte peut contenir du texte importé et du texte saisi directement. Dans le cas d'une importation, celle-ci a toujours lieu au niveau du curseur qui symbolise le point d'insertion.

Tout ce qui suit concerne le contenu de blocs de texte. De tels blocs, dont la mise en place a déjà été décrite, doivent donc se trouver dans votre document si vous souhaitez appliquer ce que décrit ce chapitre.

Outil Texte

Le texte étant une suite de caractères, on peut souhaiter insérer des caractères, en sélectionner certains, etc. L'endroit où seront placés les prochains caractères saisis – ou importés dans le cas de l'importation d'un texte – est appelé point d'insertion. Le point d'insertion est unique, celui-ci étant matérialisé par un trait vertical clignotant appelé curseur.

Ne confondez pas curseur, point d'insertion et pointeur. Le curseur symbolise le point d'insertion des caractères, tandis que le pointeur est le symbole accompagnant sur l'écran les mouvements de la souris.

Après sélection de l'outil Modification, le pointeur prend la forme de l'outil Texte s'il est placé au-dessus d'un bloc de texte ou au-dessus d'un chemin de texte (voir Figure 4.1). Dès lors, un clic place le point d'insertion (et donc le curseur) au niveau du pointeur.

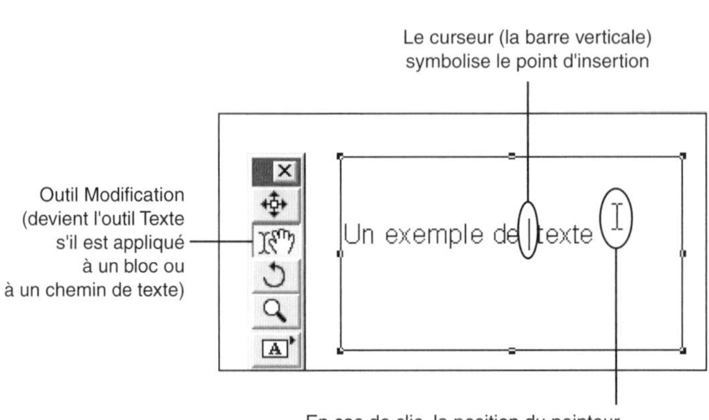

Figure 4.1
L'outil Modification prend la forme de l'outil Texte (une sorte de grand "I") lorsque le pointeur est au-dessus d'un bloc de texte.

Le pointeur permet donc de positionner le point d'insertion si l'outil Modification est sélectionné. Il n'existe pas d'outil Texte à proprement parler dans la palette d'outils. C'est l'outil Modification appliqué à un bloc de texte qui constitue l'outil Texte.

Le point d'insertion et la sélection sont deux notions antagonistes, le point d'insertion disparaissant quand une sélection existe (voir Figure 4.2). Dans ce dernier cas, les caractères saisis (ou le texte importé) remplacent la sélection.

Figure 4.2
Le bloc de texte est sélectionné, mais le curseur a disparu : une sélection existe donc. Elle est matérialisée par le texte contrasté.

Pour déplacer le point d'insertion dans le texte, vous pouvez :

- cliquer sur un bloc de texte après avoir sélectionné l'outil Modification ;
- utiliser les quatre flèches de déplacement.

Où saisir le texte ?

Une application de traitement de texte permet de saisir du texte dès l'ouverture d'un document. A moins de disposer d'un "bloc de texte auto", ce n'est pas le cas avec une application de mise en page telle que XPress qui, contrairement à un traitement de texte classique, ne se contente pas de traiter un long ruban de texte.

Pour saisir du texte, vous devez sélectionner l'outil Modification, puis cliquer sur un bloc de texte ou un chemin de texte où doit apparaître le curseur (ou une sélection si celle-ci était encore définie lorsque vous avez quitté l'édition dudit bloc).

Le texte peut être saisi ou importé dans :

- Le bloc de texte automatique (voir Chapitre 2). En apparence, rien ne distingue le bloc de texte automatique d'un autre bloc de texte. Cependant, ce bloc a le statut de bloc de maquette. Par défaut, on le retrouve sur toutes les pages. Les différentes occurrences du bloc de texte automatique sont chaînées entre elles et permettent au texte de passer d'une page à l'autre de façon transparente pour l'utilisateur.
- Un bloc de texte quelconque ; deux cas sont possibles si le bloc choisi est trop petit pour le texte. Si le bloc n'est pas chaîné, l'indice de débordement s'affiche à la suite du dernier caractère du texte pouvant être accueilli par le bloc. Si le bloc est chaîné, le texte se répartit automatiquement entre les blocs.
- Un chemin de texte rectiligne ou fondé sur une courbe de Bézier.

Répétons qu'il n'est possible de saisir ou d'importer du texte qu'après sélection au moyen de l'outil Modification d'un bloc ou d'un chemin susceptible d'accueillir du texte.

Indice de débordement

Le texte saisi ou importé peut ne pas trouver sa place dans le bloc où il est introduit, c'est notamment le cas d'un bloc de texte à la fois non chaîné avec un autre et trop petit pour accueillir le texte. Dans un tel cas, le débordement est signalé par l'indice de débordement placé à la suite du dernier caractère pouvant être accueilli. L'indice de débordement est un petit carré contenant une croix (voir Figure 4.3). Malgré le débordement, le texte ne pouvant être affiché n'est pas perdu. En outre, la saisie ou l'importation de texte peuvent être réalisées malgré le débordement. En cas de débordement, le texte masqué peut être sélectionné avec le reste du texte au moyen de l'article **Tout sélectionner** du menu **Edition**. L'indice de débordement apparaît même lorsque le bloc (ou le chemin) n'est pas sélectionné. Il disparaît dès que le bloc peut afficher tout le texte qu'il contient.

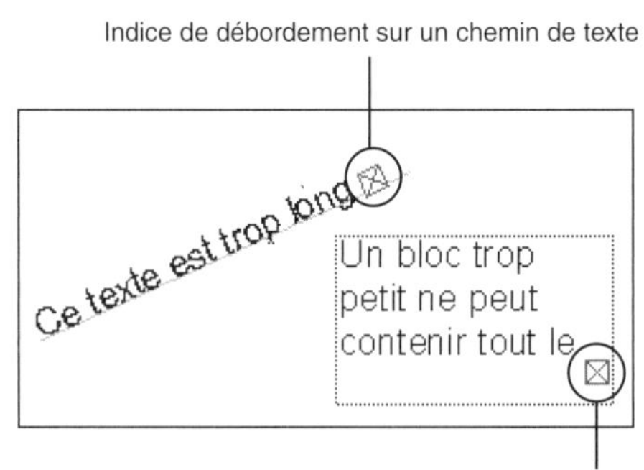

Figure 4.3
L'indice de débordement signale que les dimensions d'un chemin ou d'un bloc de texte ne permettent pas d'accueillir toute la chaîne destinée à ce chemin ou à ce bloc.

En cas de débordement du texte, vous pouvez :

- Réduire le corps du texte (le curseur clignotant dans le bloc de texte concerné, choisissez **Tout sélectionner** dans le menu **Edition**, puis optez pour un corps plus petit que le corps actuel). Cette manipulation concerne le texte visible et le texte masqué en raison du débordement.
- Chaîner un nouveau bloc de texte au bloc ou au chemin saturé.
- Augmenter la taille du bloc ou du chemin en faisant glisser l'une de ses poignées (bloc de texte) ou l'un de ses points d'ancrage (chemin de texte).
- Dans le cas du bloc de texte automatique, ajouter des pages en les liant à la chaîne courante (choisissez l'article **Insérer…** du menu **Page**).
- Modifier la typographie, réduire la chasse (échelle horizontale), réduire le retrait, réduire l'interligne, etc.

Sélection

La sélection est la zone à laquelle s'appliquent les choix formulés. Un clic sur un bloc à l'aide de l'outil Déplacement ou de modification sélectionne ledit bloc ; cela se traduit par le positionnement de poignées autour du bloc (huit poignées pour un bloc rectangulaire).

Notion de sélection

Certains blocs, tels que les filets et les courbes de Bézier, n'ont pas de contenu. Il n'est donc pas question de traiter ce dernier. En revanche, les blocs images et les blocs de texte ont un contenu. XPress n'intervient pas sur les portions d'image, la sélection d'un bloc image entraîne donc la sélection implicite de toute l'image qu'il contient. Le cas des blocs de texte est particulier. Ces blocs ont un contenu, mais la sélection d'un bloc n'entraîne pas implicitement la sélection du texte qu'il accueille.

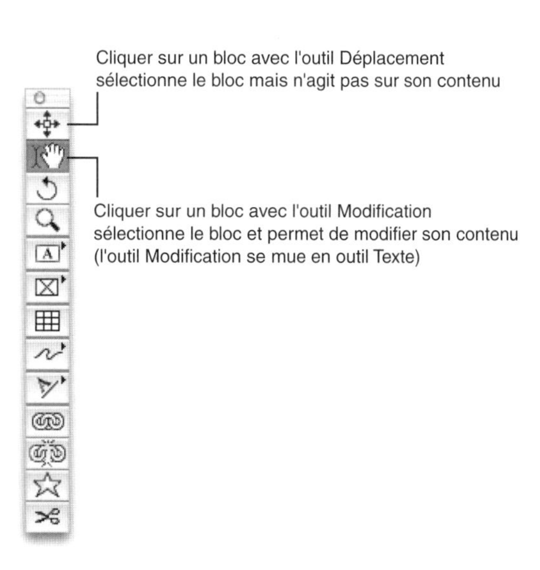

Figure 4.4
Les outils avec lesquels vous cliquez sur un bloc déterminent la nature de la sélection.

La sélection d'un bloc de texte n'équivaut pas à la sélection du texte qu'il contient. Inversement, on ne peut sélectionner du texte que dans un bloc sélectionné (c'est-à-dire entouré de ses poignées). Qu'il s'agisse d'un bloc de texte ou d'un chemin de texte, il est possible de sélectionner le texte intégralement ou partiellement.

La sélection étant la zone à laquelle s'appliquent les choix formulés, il faut distinguer les attributs des paragraphes et ceux des caractères. Le mode d'alignement, les tabulations, les marges ou le retrait comptent parmi les attributs de paragraphes. Autrement dit, leur modification s'applique à tout le paragraphe, même s'ils ne sont que partiellement sélectionnés (c'est-à-dire partiellement recouvert par la sélection matérialisée par un texte contrasté). En revanche, la police, le corps, le style et la chasse sont des attributs de caractères. Leur modification ne concerne donc que la sélection sans déborder sur les parties non sélectionnées des paragraphes.

Pour sélectionner du texte, il convient de choisir l'outil Modification, qui prend dans cette circonstance l'aspect de l'outil Texte (une espèce de grand "I") dès que le pointeur passe au-dessus d'un bloc de texte ou d'un chemin de texte. Le Tableau 4.1 résume les différentes manipulations permettant d'obtenir une sélection. Toutes les manipulations réalisées avec la souris supposent l'activation préalable de l'outil Modification.

Tableau 4.1 : Manipulations créant une sélection de texte

Manipulations	Sélections obtenues
Faire glisser le pointeur du début à la fin de la portion de texte à sélectionner	Portion de texte parcourue par le pointeur (la sélection peut ne pas concerner des mots entiers).
Double-clic	Sélection d'un mot.
Triple clic	Sélection de la ligne physique (largeur de texte définie par les marges).
Quadruple clic	Sélection de la ligne logique, c'est-à-dire du paragraphe délimité par les retours chariot.
Quintuple clic	Sélection de toute la chaîne de caractères, ce qui, en cas de chaînage, revient à sélectionner tout le texte présent dans les blocs chaînés au bloc courant.
⇧Maj+→	Sélectionne le caractère qui suit le curseur.
⇧Maj+←	Sélectionne le caractère précédant le curseur.
⇧Maj+↑	Sélectionne le texte placé entre le curseur et le caractère placé au niveau de celui-ci dans la ligne précédente.
⇧Maj+↓	Sélectionne le texte placé entre le curseur et le caractère placé au niveau de celui-ci dans la ligne suivante.
Ctrl+⇧Maj+←	Sélectionne le mot précédant le curseur.

Tableau 4.1 : Manipulations créant une sélection de texte *(suite)*

Manipulations	Sélections obtenues
Ctrl+⇧Maj+→	Sélectionne le mot suivant le curseur.
Cmd+Alt+⇧Maj+↓ (Mac OS) et Ctrl+Alt+⇧Maj+↓ (Windows)	Sélectionne tout le texte depuis la position du curseur jusqu'à la fin de la chaîne de caractères. Cette manipulation est particulièrement utile en cas de débordement, car elle permet de sélectionner le texte caché qui peut ainsi être modifié ou coupé (supprimé de la chaîne courante, mais placé dans le Presse-papiers) sans pour autant sélectionner toute la chaîne de caractères.
Cmd+Alt+⇧Maj+↑ (Mac OS) et Ctrl+Alt+⇧Maj+↑ (Windows)	Sélectionne tout le texte depuis son début jusqu'à la position du curseur.
Edition/Tout sélectionner	Sélectionne toute la chaîne de caractères en cours d'édition.

Les équivalents clavier Cmd+Alt+↓ (Mac OS) et Ctrl+Alt+↓ (Windows) permettent d'atteindre instantanément la fin de la chaîne de caractères. De même, Cmd+Alt+↑ (Mac OS) et Ctrl+Alt+↑ (Windows) déplacent le curseur vers le début de la chaîne de caractères.

Le point d'insertion disparaît quand une sélection existe. Il suffit d'appuyer sur l'une des quatre touches de déplacement ou de cliquer (simple clic) sur le bloc de texte (l'outil Modification étant sélectionné) pour annuler la sélection et faire apparaître de nouveau le curseur.

Le Presse-papiers

Le Presse-papiers est une zone de la mémoire chargée de mémoriser temporairement une sélection copiée ou coupée afin de pouvoir coller celle-ci au niveau du point d'insertion ou à la place de la sélection, s'il en existe une.

Accessibles depuis le menu **Edition**, les fonctions **Couper** et **Copier** s'appliquent à la sélection qui, dans les deux cas, est copiée dans le Presse-papiers dont elle remplace le précédent contenu. Avec la fonction **Copier**, la sélection demeure dans le texte tandis qu'elle est supprimée de celui-ci avec la fonction **Couper**. La fonction **Coller** place le contenu du Presse-papiers au niveau du point d'insertion (curseur) ou, s'il y a lieu, provoque le remplacement de l'éventuelle sélection par le contenu du Presse-papiers.

Les fonctions **Couper**, **Copier** et **Coller** sont non seulement accessibles à travers le menu **Edition**, mais aussi grâce à des équivalents clavier :

- Cmd+C (Mac OS) ou Ctrl+C (Windows) pour la fonction Copier ;
- Cmd+X (Mac OS) ou Ctrl+X (Windows) pour la fonction Couper ;
- Cmd+V (Mac OS) ou Ctrl+V (Windows) pour la fonction Coller.

Le copier-coller de XPress dispose d'une gestion intelligente des espaces, par exemple :

1. Sélectionnez un mot à l'aide d'un double-clic (voir Figure 4.5). Le mot est ainsi sélectionné seul, sans les espaces qui l'encadrent.
2. Coupez ou copiez. Il ne doit normalement rester qu'une espace à la place du mot coupé (voir Figure 4.6).
3. Cliquez de façon à placer le point d'insertion où devra être placé le mot copié ou coupé (voir Figure 4.7), ce clic peut par exemple avoir lieu au niveau d'une espace entre deux mots.
4. Collez le contenu du Presse-papiers et constatez la réorganisation automatique des espaces autour des mots (voir Figure 4.8).

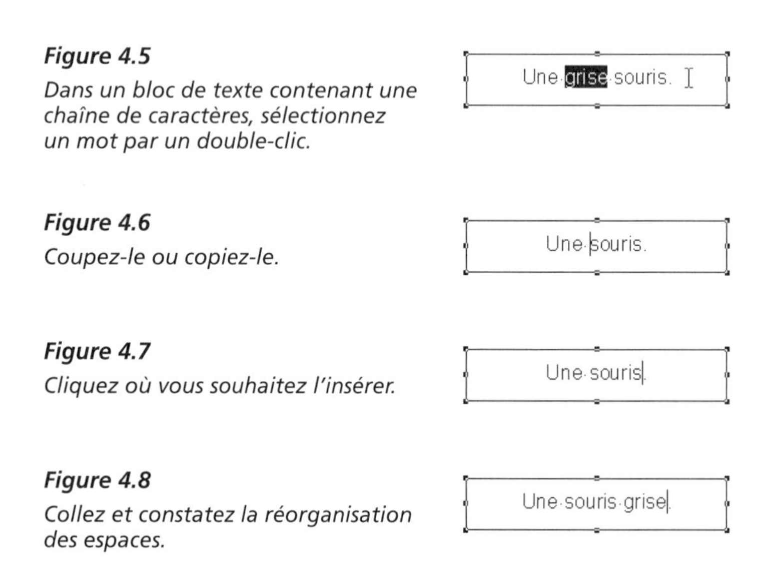

Figure 4.5
Dans un bloc de texte contenant une chaîne de caractères, sélectionnez un mot par un double-clic.

Figure 4.6
Coupez-le ou copiez-le.

Figure 4.7
Cliquez où vous souhaitez l'insérer.

Figure 4.8
Collez et constatez la réorganisation des espaces.

Le Presse-papiers est très commode, mais ne perdez pas de vue son fonctionnement par écrasement : aussi précieux soit-il, son contenu est perdu lors du prochain appel de la fonction Couper ou Copier.

Effacer du texte

Pour effacer un caractère, employez les touches :

- d'effacement vers l'arrière (←Retour Ar., backspace) s'il s'agit du caractère précédant le curseur ;
- d'effacement vers l'avant (Suppr ou Del) s'il s'agit du caractère situé à la suite le curseur.

Pour supprimer la partie sélectionnée du texte, appuyez sur ←Retour Ar. ou sélectionnez l'article **Effacer** du menu **Edition**.

Pour effacer tout le texte :

1. Cliquez sur l'outil Modification puis sur le texte concerné.
2. Sélectionnez l'article **Tout sélectionner** du menu **Edition**.
3. Activez l'article **Effacer** du menu **Edition**. Cette manipulation concerne toute la chaîne de caractères, même si elle est répartie entre plusieurs blocs chaînés.

Caractères invisibles

Certains caractères sont dits invisibles car ils ne correspondent à aucun caractère imprimable. Leur rôle consiste à séparer ou à placer les autres caractères.

Parmi les caractères invisibles, citons :

- L'espace.
- La tabulation, chargée d'envoyer le curseur vers la position définie pour le prochain taquet de tabulation (voir Chapitre 6).
- La marque de fin de paragraphe – également appelée retour chariot –, chargée de clore la ligne logique et de faire passer le curseur à la ligne suivante. Ce caractère délimite la zone d'application des attributs de paragraphe.
- Le saut de ligne (obtenu par ⇧Maj+↵Retour), qui fait passer le curseur à la ligne (ligne physique) suivante sans marquer une fin de paragraphe (on marque ainsi une fin de ligne physique, mais pas une fin de ligne logique).
- Le saut de colonne (obtenu avec la touche Entrée du pavé numérique), qui entraîne le curseur au début de la colonne suivante.

- Le saut de bloc (obtenu avec la combinaison ⇧Maj+Entrée), qui véhicule le curseur au début du bloc suivant en admettant qu'un bloc soit chaîné au bloc courant.

Un saut de ligne (⇧Maj+←Retour) permet de passer à la ligne suivante tout en conservant les mêmes attributs de paragraphe puisque ce caractère ne délimite pas un paragraphe.

Afficher les caractères invisibles

Ne serait-ce que pour détecter les espaces doubles, il est très utile d'afficher les caractères invisibles. Pour cela, sélectionnez l'article **Afficher les car. invis**. du menu **Affichage** ou employez l'équivalent clavier Cmd+I (Mac OS) ou Ctrl+I (Windows). La Figure 4.9 illustre les différents caractères invisibles.

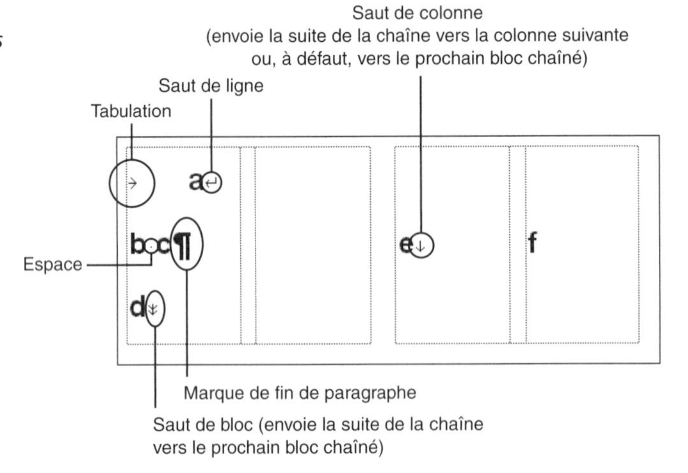

Figure 4.9
Les deux blocs sont chaînés et disposent chacun de deux colonnes.

Remarquez que :

- L'indice de débordement n'est pas un caractère invisible… Ce n'est d'ailleurs pas un caractère !
- Le retour chariot est le seul caractère invisible dont le symbole s'adapte au corps du texte.
- Un saut de colonne envoie les caractères qui le suivent vers la colonne suivante, tandis qu'un retour chariot se contente de marquer une fin de paragraphe.
- Lorsque le texte est justifié, la marque de fin de ligne (⇧Maj+←Retour) force l'alignement à droite et à gauche, d'où des espaces distendues afin de maintenir l'alignement à droite et à gauche.

- Une marque de fin de ligne permet de passer à la ligne suivante sans clore le paragraphe. La première ligne placée à la suite d'une marque de fin de ligne ne subit donc pas l'alinéa (retrait de la première ligne), l'espace avant, l'espace après, la lettrine, etc.
- En pratique, le saut de bloc est employé pour passer d'une page à l'autre lorsque le bloc de texte automatique contient plusieurs colonnes.

Recherche et remplacement

Tous les traitements de texte proposent une fonction chargée de rechercher un fragment de chaîne de caractères (un ou plusieurs mots) puis de le remplacer éventuellement par un autre fragment de chaîne. Pour accéder à la palette **Rechercher/Remplacer**, vous pouvez au choix :

- employer l'équivalent clavier Cmd+F (Mac OS) ou Ctrl+F (Windows) ;
- sélectionner l'article **Rechercher/Remplacer** du menu **Edition**.

La fonction de recherche et de remplacement de XPress est particulièrement puissante, puisqu'elle peut prendre en considération les attributs typographiques et les feuilles de style.

Lancer une recherche

Une recherche ou une recherche-remplacement commencent à partir de la position du curseur. Si l'opération concerne toute la chaîne de caractères, il convient de se placer en tête de celle-ci. Pour cela, assurez-vous que le bloc de texte est sélectionné avec l'outil Modification puis employez l'équivalent clavier Cmd+Alt+↑ (Mac OS) ou Ctrl+Alt+↑ (Windows) pour placer le curseur avant le premier caractère du texte. Ouvrez ensuite la zone de dialogue **Rechercher/Remplacer** (voir Figure 4.10).

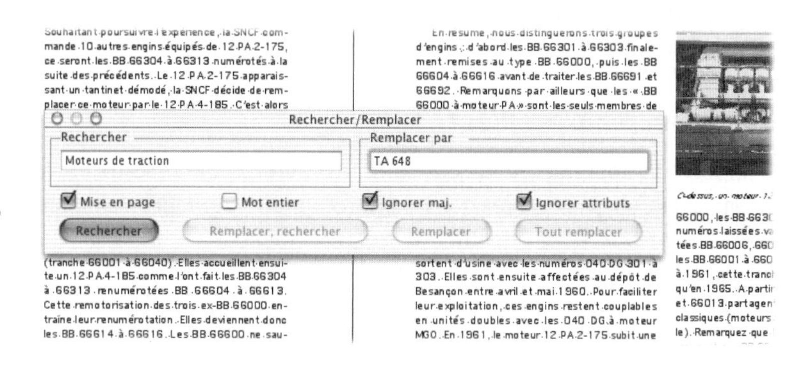

Figure 4.10
La case Ignorer attributs étant cochée, les possibilités de recherche se limitent au texte sans tenir compte de ses attributs (polices, corps, feuilles de style).

Tant que vous n'avez pas cliqué sur **Rechercher** et que XPress n'a pas trouvé une occurrence du fragment de chaîne recherché, les cases **Remplacer, Rechercher-Remplacer** et **Tout remplacer** sont estompées. Elles ne s'activent que lorsque le texte recherché a été trouvé.

Remarquez qu'il n'est pas obligatoire de remplir la case ***Remplacer par****. Si vous la laissez vide, le texte recherché sera remplacé par rien. Autrement dit, la recherche-remplacement consiste, dans ce cas, à supprimer les occurrences du texte recherché.*

Pour lancer une recherche sans remplacement et sans tenir compte des attributs typographiques :

1. Placez le curseur où doit commencer la recherche. Si la manipulation concerne l'ensemble du texte, placez-vous avant le premier caractère de celui-ci.
2. Ouvrez la zone de dialogue **Rechercher/Remplacer**.
3. Saisissez les mots à rechercher dans la case de saisie **Rechercher**.
4. Cliquez sur **Rechercher**.
5. La première occurrence trouvée est sélectionnée ; pour passer à la suivante, cliquez de nouveau sur **Rechercher**.

La fonction **Rechercher/Remplacer** propose des cases d'option :

- **Mot entier** limite la recherche aux mots entiers correspondant au fragment de chaîne recherché (par exemple, on ne trouve pas "montagne" quand on cherche "mont").
- **Ignorer maj.** permet d'ignorer la casse (on trouve "A" quand on cherche "a", et inversement). Remarquez que, si la casse est ignorée, les accents ne le sont pas (on ne trouve pas "à" quand on cherche "A").
- **Ignorer attributs** permet de ne pas tenir compte de la feuille de style, de la police, du corps et des autres attributs de style (italique, gras, souligné, etc.).

Lancer un remplacement

La méthode appliquée pour effectuer un remplacement se déduit de celle utilisée lors d'une recherche, à ceci près que l'on introduit un fragment de chaîne dans la case de saisie **Remplacer par**. Pour effectuer un remplacement :

1. Placez le curseur où doit commencer la recherche du texte à remplacer.
2. Ouvrez la zone de dialogue **Rechercher/Remplacer**.

3. Saisissez le texte à rechercher puis à remplacer dans la case de saisie **Rechercher**.
4. Saisissez le texte de remplacement dans la case de saisie **Remplacer par**.
5. Cliquez sur **Rechercher**.
6. Les trois cases de remplacement sont activées dès qu'une occurrence du texte recherché est trouvée :
   - **Remplacer, rechercher** remplace l'occurrence sélectionnée et sélectionne l'occurrence suivante si elle existe.
   - **Remplacer** remplace l'occurrence sélectionnée et sélectionne le fragment de chaîne inséré en remplacement. Ensuite, seule la case **Rechercher** est disponible.
   - **Tout remplacer** remplace toutes les occurrences du texte recherché. A l'issue de l'opération, une zone de dialogue à valider en cliquant sur **OK** vous annonce le nombre d'occurrences remplacées.

La case **Rechercher** reste active après l'obtention de la première occurrence de la chaîne recherchée. Au cours d'une recherche assortie d'un remplacement, utilisez la case **Rechercher** pour ignorer une occurrence et passer à la suivante.

*Depuis XPress 5.0, le remplacement avec **Tout remplacer** peut être annulé avec l'article **Annuler** du menu **Edition**.*

Se jouer des attributs

En ne cochant pas la case **Ignorer attributs**, vous autorisez une recherche ou un remplacement fondé non seulement sur le texte, mais aussi sur les attributs typographiques, voire sur les feuilles de style. Cela entraîne une modification significative des options offertes par la palette Rechercher/Remplacer. Comparez donc sa version illustrée à la Figure 4.10 (case **Ignorer attributs** cochée) et celle illustrée à la Figure 4.11.

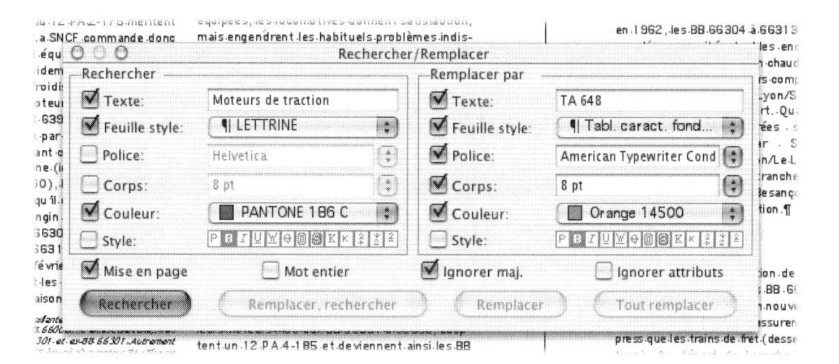

Figure 4.11

La palette Rechercher/Remplacer telle qu'elle se présente lorsque la case Ignorer attributs n'est pas cochée.

En ne cochant pas **Ignorer attributs** (voir Figure 4.11), les zones **Rechercher** et **Remplacer par** proposent les cases d'option **Feuille de style**, **Police**, **Corps** et **Style**. Pour ces quatre cases d'option :

- Dans la zone **Rechercher**, une case cochée correspond à un attribut qui sera recherché (cochez **Police** pour fonder la recherche sur la police sélectionnée dans le menu local associé à la case d'option). En revanche, une case non cochée correspond à un attribut qui sera ignoré. Par exemple, en ne cochant pas la case **Corps**, le corps des caractères ne sera pas pris en considération lors de la recherche.
- Dans la zone **Remplacer par**, une case cochée correspond à un attribut qui sera imposé aux éléments trouvés. En revanche, une case non cochée correspond à un attribut qui ne sera pas modifié.

Notez que les attributs cochés dans les zones **Rechercher** et **Remplacer par** sont indépendants les uns des autres. Vous pouvez ainsi fonder la recherche sur un corps et imposer une police aux fragments de texte correspondant aux critères de recherche.

Chacune des treize icônes **Style** (voir Figure 4.11) peut prendre trois aspects :

- Fond blanc (attribut désactivé), c'est l'état par défaut.
- Fond gris (attribut ignoré). Cliquez une fois pour obtenir cet état. Tous les attributs sont ignorés si la case **Style** n'est pas cochée.
- Fond noir (attribut activé). Cliquez une seconde fois pour obtenir cet état.

Dans la zone **Rechercher**, une icône sur fond gris permet de rechercher les caractères disposant ou ne disposant pas de l'attribut correspondant. Dans la zone **Remplacer par**, une icône sur fond gris permet de ne pas modifier l'attribut correspondant.

*En ne cochant pas les deux cases d'option **Texte**, on ignore celui-ci et on ne considère que les attributs typographiques. Cela permet donc d'effectuer une recherche ou un remplacement ne concernant que les attributs typographiques. On pourra, par exemple, remplacer tout le texte en Helvetica 12 points par du Times 14 points ou remplacer tous les emplois d'une feuille de style, etc.*

Etendue de la recherche

Comme nous l'avons vu, la recherche a lieu dans le texte où se trouve le point d'insertion, ce texte pouvant être réparti entre plusieurs blocs chaînés. La recherche commence au niveau du curseur pour s'achever à la fin de la chaîne de caractères. On fixe donc le point de départ de la recherche, mais la fin de la zone de recherche est implicite puisqu'il s'agit de la fin du texte.

A priori, la case d'option **Mise en page** – anciennement **Document** – (voir Figures 4.10 et 4.11) permet de faire porter la recherche ou le remplacement sur l'ensemble du document. En fait, cette case active une recherche dans :

- le bloc de texte courant à partir de la position du curseur ;
- les blocs placés "derrière" le bloc de texte courant en considérant la répartition des blocs sur différents plans.

Par conséquent, pour obtenir une véritable recherche (la manipulation s'applique aussi au remplacement) portant sur l'ensemble du document, il faut :

1. Créer un nouveau bloc de texte et le sélectionner (le curseur doit y figurer). Ce bloc étant le dernier créé, il est au-dessus de tous les autres, la recherche peut donc vraiment concerner tout le document.
2. Ouvrir la zone de dialogue **Rechercher/Remplacer** et y saisir les éléments à rechercher ou à remplacer.
3. Procéder ensuite comme pour une recherche ou un remplacement classique.
4. Supprimer le nouveau bloc devenu inutile.

Manipuler les caractères invisibles

Les cases de saisie **Rechercher** et **Remplacer par** de la zone de dialogue **Rechercher/Remplacer** admettent aussi les caractères invisibles, on pourra ainsi par exemple remplacer les tabulations par des espaces ou les sauts de colonne par des marques de fin de paragraphe. Pour saisir les caractères invisibles dans les cases de saisie **Rechercher** et **Remplacer par**, employez les codes résumés au Tableau 4.2.

Tableau 4.2 : Codes de recherche-remplacement pour les caractères invisibles

Codes	Caractères invisibles représentés
\t	Tabulation
\p	Fin de paragraphe
\n	Fin de ligne
\c	Saut de colonne
\b	Saut de bloc
Espace	Espace

Notez que le caractère "\" est obtenu à l'aide de la combinaison de touches ⇧Maj+Alt+: (Mac OS) alors que vous l'obtenez avec Alt Gr+8 sur PC.

Après avoir activé l'affichage des caractères invisibles, il est facile de sélectionner l'un d'eux dans le texte, puis de le copier et de le coller dans la case ***Rechercher*** *ou la case* ***Remplacer par*** *de la zone de dialogue* ***Rechercher-Remplacer*** *où il sera converti en son code.*

Vérifier l'orthographe

XPress dispose d'un outil de vérification de l'orthographe fondé sur un dictionnaire principal riche d'environ cent mille mots. Toutefois, l'apprentissage de nouveaux mots impose l'emploi d'un dictionnaire auxiliaire. Il existe également des produits extérieurs à XPress, mais capables de corriger efficacement l'orthographe, la grammaire et la typographie des textes saisis avec XPress. Dans cette catégorie de produits, citons ProLexis de Diagonal.

Au sujet de la correction automatique de l'orthographe, de la grammaire et de la typographie, on se reportera utilement à la fin de ce chapitre où est présenté ProLexis, sans doute le meilleur correcteur orthographique disponible pour XPress dont il est devenu un complément nécessaire, sinon indispensable, à tous ceux qui exploitent XPress en tant que traitement de texte ou comme outil de "nettoyage" du texte.

Créer ou ouvrir un dictionnaire auxiliaire

Pour la conservation des mots inconnus du dictionnaire principal, créez un dictionnaire auxiliaire (document ".qdt"), par conséquent :

1. Déroulez le menu **Utilitaires**.
2. Sélectionnez l'article **Dictionnaire auxiliaire**.
3. Cliquez sur **Créer**.
4. Choisissez le dossier où sera rangé le dictionnaire, puis saisissez le nom de votre dictionnaire dans la case de saisie.
5. Cliquez sur **Créer**.

Si vous disposez déjà d'un dictionnaire auxiliaire, ouvrez-le :

1. Déroulez le menu **Utilitaires**.
2. Sélectionnez l'article **Dictionnaire auxiliaire**.
3. Sélectionnez votre dictionnaire auxiliaire et cliquez sur **Ouvrir**.

L'article **Modifier le dict. auxil.** du menu **Utilitaires** devient disponible dès lors qu'un dictionnaire auxiliaire est ouvert. Cette commande affiche la liste des dictionnaires auxiliaires disponibles s'il y en a. Cette liste est complétée par une case **Créer** chargée de créer un nouveau dictionnaire auxiliaire.

Aucun emplacement particulier n'est à respecter pour les dictionnaires auxiliaires. Il n'est donc pas indispensable de les ranger dans le dossier de l'application XPress. Cependant, il convient dans tous les cas de préciser la position du dictionnaire employé dans l'arborescence du volume. Utilisez pour cela la zone de dialogue de catalogue, accessible à travers l'article **Dictionnaire auxiliaire** du menu **Utilitaires**.

Employer le vérificateur orthographique

Pour vérifier l'orthographe, déroulez le menu **Utilitaires**, puis son sous-menu **Vérifier l'orthographe**, où vous sélectionnerez :

- **Mise en page** (anciennement **Document**) si vous souhaitez vérifier tout le document.
- **Sélection** (anciennement **Mot**) limite la vérification à la sélection.
- **Article** pour provoquer la vérification de toute la chaîne de caractères où se trouve le curseur (ce texte peut être réparti entre plusieurs blocs chaînés).

A l'issue d'une vérification, XPress annonce le nombre de mots vérifiés. Après avoir été validée par OK, la zone de dialogue de la Figure 4.12 ouvre celle illustrée à la Figure 4.13 et qui accompagne la sélection de chacun des mots douteux.

Figure 4.12

XPress annonce le nombre de mots distincts. Sur un texte long, on peut ainsi estimer la diversité du vocabulaire employé.

Pour chaque mot douteux, une zone de dialogue (voir Figure 4.13) propose les cases suivantes :

- **Liste** présente la liste des mots connus les plus proches du mot douteux.
- **Passer** ignore le mot douteux.
- **Ajouter** place le mot douteux dans le dictionnaire auxiliaire (à condition qu'un tel dictionnaire existe et soit sélectionné). A l'avenir, le mot douteux ne sera plus traité comme une erreur.
- **Terminé** quitte le correcteur orthographique (même si la correction n'est pas achevée).
- **Remplacer** remplace le mot douteux par celui que vous aurez saisi dans la case de saisie **Remplacer par** (la case **Remplacer** est estompée tant que la case de saisie **Remplacer par** est vide).

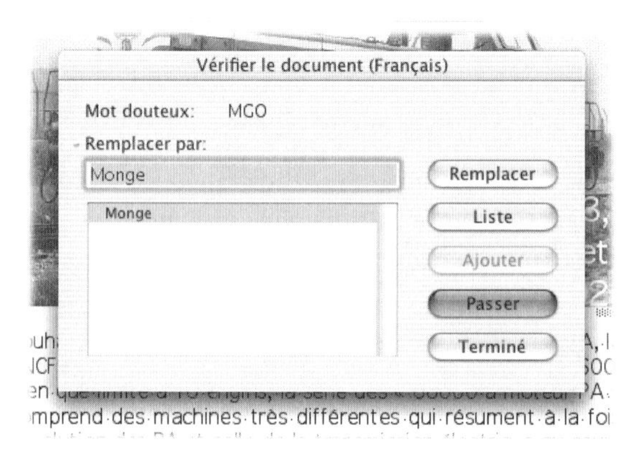

Figure 4.13
XPress propose la liste des mots connus dont l'orthographe est proche de celle du mot douteux.

Autres fonctions du traitement de texte

Nous allons aborder ici :

- le faux texte chargé de représenter le texte lorsque l'échelle de visualisation descend en dessous d'un certain seuil ;
- l'importation et l'exportation de texte ;
- l'ancrage d'un bloc dans la chaîne de caractères.

Le faux texte

Le faux texte traduit, à travers XPress, la notion de gris typographique. Pour le typographe, le faux texte est un texte quelconque permettant simplement de se rendre compte de l'effet visuel produit par les pavés de texte. Vous pouvez injecter du faux texte dans le bloc de texte où se trouve le curseur en activant ***Jabber*** *dans le menu* ***Utilitaires****.*

Visualisé en taille réelle (100 %), le texte dont le corps est inférieur à 7 points s'affiche sous la forme d'une trame grise appelée faux texte. L'apparition du faux texte est donc liée à l'échelle, mais peut être contrôlée *via* les préférences.

Avec les réglages par défaut et dans le cas d'un affichage en "taille réelle" (taux d'agrandissement réglé à 100 %), le texte dont le corps est inférieur à 7 points est remplacé par du faux texte (on considère généralement qu'en dessous du corps 7 à 100 % le texte n'est plus lisible, d'où son remplacement par du "faux" texte).

Pour ajuster le seuil d'emploi du faux texte, saisissez une valeur dans la case de saisie **Faux texte sous** (voir Figure 4.14) dans le volet **Générales** de la zone de dialogue accessible en activant **Préférences** dans le menu **Edition** (ou dans le menu **QuarkXPress** sous Mac OS X).

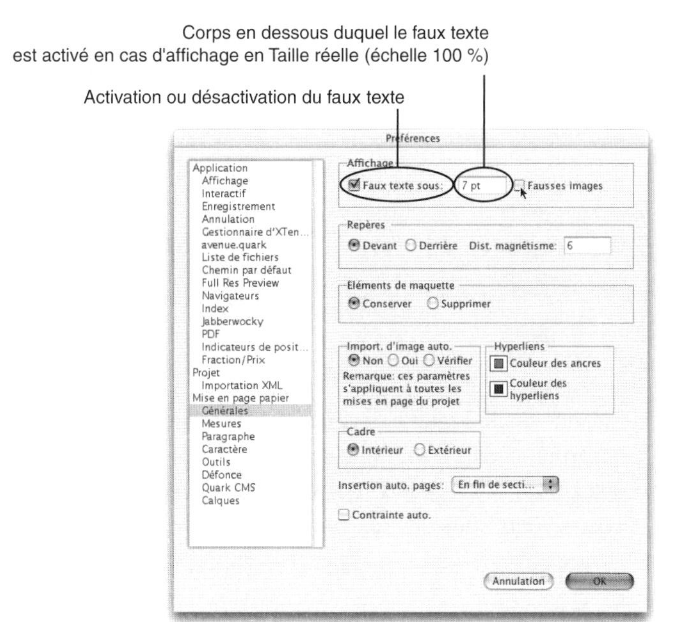

Figure 4.14

Parmi les préférences générales du document se trouve le seuil de faux texte.

Import et export de texte

L'importation d'un texte a été vue au Chapitre 2, nous ne reviendrons donc pas sur ce point et nous nous contenterons de rappeler que le Web de Quark propose des XTensions tenant lieu de filtres d'importation pour différents types de documents, entre autres de type texte : **http://www.quark.fr** ou **http://www.quark.com**.

Le texte d'un document peut être exporté, autrement dit enregistré sous la forme d'un fichier texte en vue de son ouverture à l'aide d'une autre application.

Pour exporter le texte :

1. Sélectionnez le texte à exporter si l'exportation ne concerne qu'une portion d'une chaîne de caractères. Si l'exportation concerne une chaîne de caractères considérée dans son ensemble, sélectionnez l'outil Modification, puis cliquez sur le bloc ou sur l'un des blocs chaînés contenant la chaîne de caractères.
2. Sélectionnez l'article **Enregistrer texte…** du menu **Fichier**.

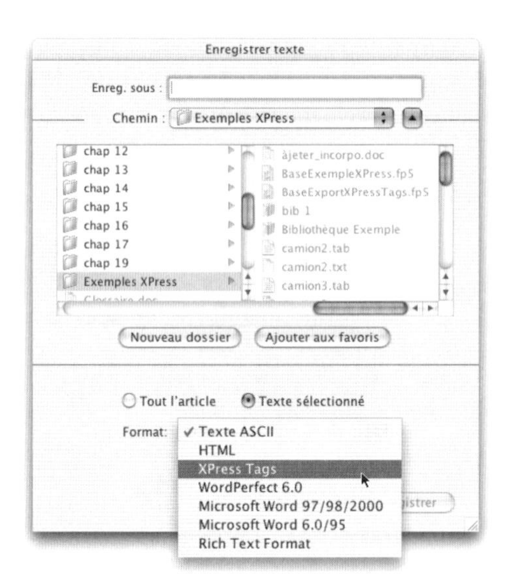

Figure 4.15
La zone de dialogue Enregistrer texte.

3. La zone de dialogue **Enregistrer texte** (voir Figure 4.15) étant ouverte, sélectionnez le format d'enregistrement à travers le menu local prévu à cet effet. Dans le doute, optez pour **Texte ASCII** qui vous permettra d'exporter le texte vers toute autre application, mais vous pouvez également choisir :
   – **HTML** pour générer le code HTML correspondant à la portion de document exportée.

- **XPress Tags** pour obtenir un fichier texte où apparaissent les balises qu'insère XPress pour formater le texte. Vous trouverez au Chapitre 19 un exemple d'exploitation des XPress Tags.
- **Microsoft Word** ou **WordPerfect** pour générer un document compatible avec votre traitement de texte.

4. Cliquez sur l'option **Tout l'article** pour exporter toute la chaîne de caractères où se trouve le curseur ou cliquez sur **Texte sélectionné** pour n'exporter que la sélection. Saisissez le nom du fichier dans la case de saisie, choisissez le dossier d'enregistrement puis cliquez sur **Enregistrer**.

Ancrer un bloc

Ancrer un bloc dans un texte revient à assimiler ledit bloc à un caractère. Le bloc est alors intégré au texte et se déplace avec lui. Notez qu'un bloc ancré peut être supprimé du texte comme n'importe quel autre caractère.

Tous les types de blocs (texte, image, filet, chemin de texte, courbe de Bézier ou tableau) peuvent être ancrés dans un texte, il est même possible d'ancrer des groupes de blocs depuis XPress 5. L'ancrage de blocs permet, par exemple, d'insérer dans le texte des blocs images contenant des symboles indisponibles avec les polices de caractères classiques.

Pour ancrer un bloc dans une chaîne de caractères :

1. Cliquez sur l'outil Déplacement.
2. Cliquez sur le bloc à ancrer (voir Figure 4.16).

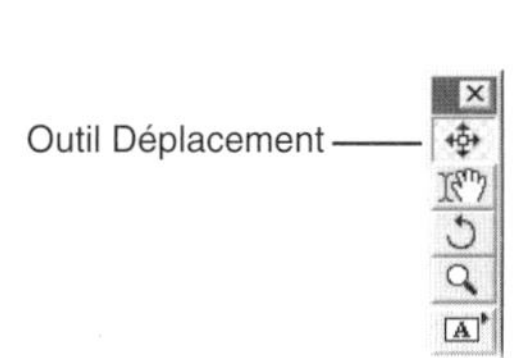

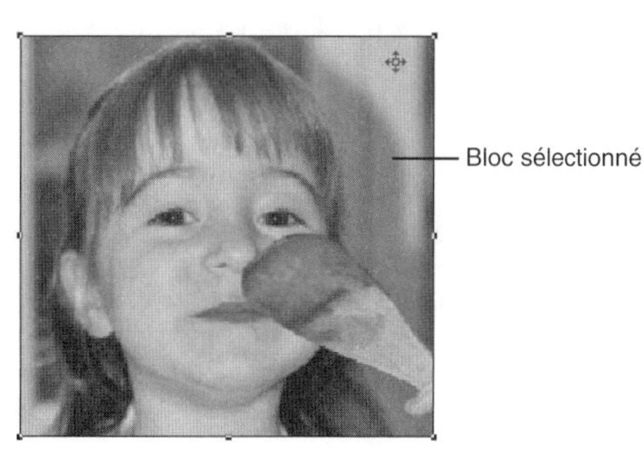

Figure 4.16

Pour ancrer un bloc, commencez par le sélectionner au moyen de l'outil Déplacement.

3. Sélectionnez **Copier** (ou **Couper**) dans le menu **Edition**.

4. Cliquez sur l'outil Modification.

5. Cliquez sur le texte de façon à placer le curseur où le bloc doit s'ancrer.

6. Sélectionnez **Coller** dans le menu **Edition** (voir Figure 4.17).

Figure 4.17

Sélectionnez l'outil Modification puis cliquez sur le texte où devra s'ancrer le bloc. Le collage du contenu du Presse-papiers provoque l'ancrage du bloc.

Un exemple d'application de l'ancrage des blocs est l'ajout d'une lettrine luxueuse, éventuellement obtenue à l'aide d'un bloc image de XPress délimité par une courbe de Bézier. L'ancrage de blocs entraîne différents problèmes relatifs à l'ajustement de l'interligne et au masquage des caractères placés sur les lignes supérieures.

Un bloc ancré est sélectionné dans la chaîne de caractères comme le serait un caractère quelconque. Il acquiert même certains attributs du texte. Vous pouvez notamment modifier son mode d'alignement.

Un bloc ancré a des attributs un peu particuliers, pour les afficher et les modifier :

1. Cliquez sur l'outil Déplacement.

2. Cliquez sur le bloc ancré qui doit alors se munir de ses poignées.

3. Sélectionnez l'article **Modifier** du menu **Bloc** pour accéder à la zone de dialogue illustrée à la Figure 4.18.

Parmi les modes d'alignement avec le texte, remarquez les deux points suivants :

- L'alignement sur la ligne de base fait correspondre le côté inférieur du bloc ancré et la ligne de base du texte.
- Le mode **Ascendante** entraîne un habillage du bloc ancré par le texte.

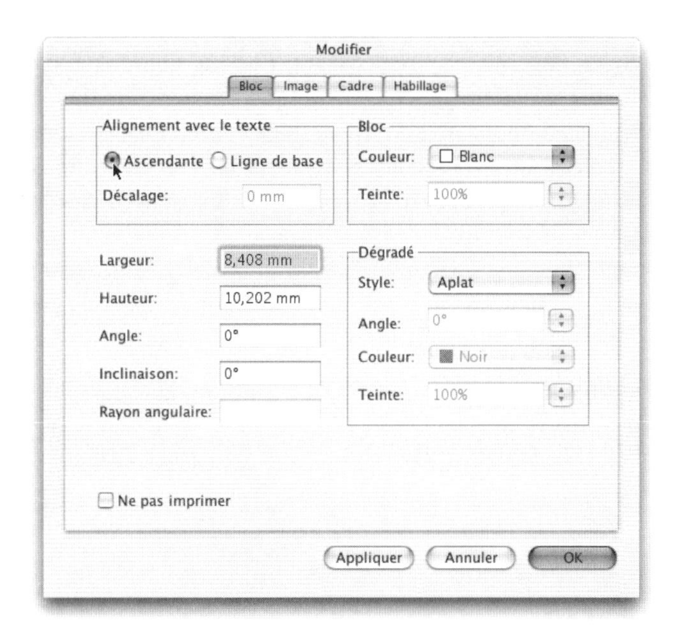

Figure 4.18

La partie supérieure gauche de l'onglet Bloc permet d'opter pour l'un des deux modes d'alignement et de préciser un décalage vertical par rapport à la ligne de base (mode Ligne de base).

ProLexis

XPress est muni d'un correcteur orthographique susceptible de détecter les mots inconnus de son lexique. Depuis sa version 5.0, le logiciel dispose également d'un vérificateur de lignes qui aide à repérer les lignes veuves et orphelines (commande **Contrôler les lignes** du menu **Utilitaires**). Bien que fort utiles, ces outils de correction sont peu souples et laissent donc une place pour un correcteur plus puissant et parfaitement adapté aux impératifs de la production de documents.

Apparu sous la forme d'une XTension, ProLexis 1 a tout de suite séduit par sa souplesse, sa rapidité, sa puissance et sa simplicité. C'est pourquoi de nombreux professionnels de la PAO l'ont associé à XPress. Avec sa version 2, ProLexis est devenu un programme indépendant susceptible d'être appelé par les principales applications manipulant du texte, à condition d'installer l'adaptateur logiciel correspondant. Disponible en version 4.1 au moment où nous écrivons, ProLexis reste la référence en matière de correcteur orthographique dans le monde de la PAO, car il dispose de fonctions extrêmement puissantes pour la correction des fautes d'ordre typographique ou grammatical, voire pour la correction de textes rédigés en d'autres langues que le français. Bref, lorsque le texte manipulé est perfectible, ProLexis apparaît comme l'indispensable complément de XPress dans le cadre de la mise au propre du contenu textuel. Précisons que ProLexis est disponible pour Mac OS et Windows, le même système de correction étant en mesure de travailler avec XPress, bien sûr, mais aussi avec InDesign, Word, ClarisWorks/AppleWorks, PageMaker, FrameMaker, Eudora, Outlook Express, Netscape Communicator, Microsoft Entourage, etc. Ainsi, tous vos logiciels traitant le texte partagent non seulement les dictionnaires Myriade fournis avec ProLexis, mais aussi les dictionnaires personnalisés que vous constituez au fil de vos corrections pour répondre à vos besoins spécifiques. Par rapport aux correcteurs livrés avec Word ou XPress, les avantages déterminants de ProLexis sont sa puissance, l'effort permanent de perfectionnement des outils linguistiques et, surtout, l'efficacité et la convivialité (voir Figures 4.19 et 4.20). Pour tout renseignement sur ce produit édité par Diagonal, consultez **http://www.prolexis.com**.

Figure 4.19
Vous pouvez accéder à ProLexis depuis une palette flottante.

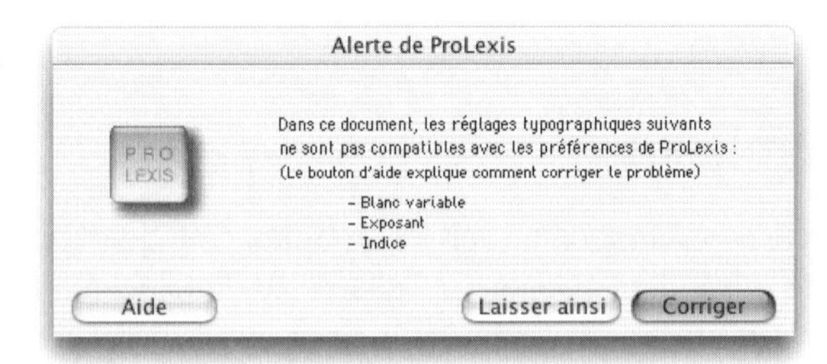

Figure 4.20
ProLexis peut signaler un problème dès l'ouverture d'un document et, donc, le corriger avant même votre intervention sur le document.

Orthographe (ProLexis)

Pierre angulaire de ProLexis, le module de correction de l'orthographe (voir Figures 4.21 à 4.23) est chargé de la détection des mots douteux. Un mot inconnu peut être remplacé par l'un des mots proposés ou ajouté à l'un des dictionnaires afin de ne plus être considéré comme une erreur. Notez que la vérification peut concerner la sélection, la chaîne de caractères courante ou l'ensemble du document. La Figure 4.23 met en évidence la convivialité de ProLexis par rapport au correcteur intégré de XPress. En effet, l'outil intégré oblige l'utilisateur à passer en revue chaque mot douteux sans fournir une vue d'ensemble des problèmes détectés ni offrir la possibilité de naviguer librement dans la liste des mots suspects. En revanche, ProLexis présente l'avantage de laisser l'utilisateur accéder comme il le souhaite à chaque mot douteux et de corriger – ou d'ignorer – toutes les occurrences de celui-ci ou seulement l'une d'elles.

Figure 4.21

Bien qu'il propose une palette flottante, ProLexis est également accessible de façon plus classique à travers un menu qui lui est propre. Les cinq premiers articles de ce menu sont en fait des sous-menus donnant accès aux différents types de vérifications.

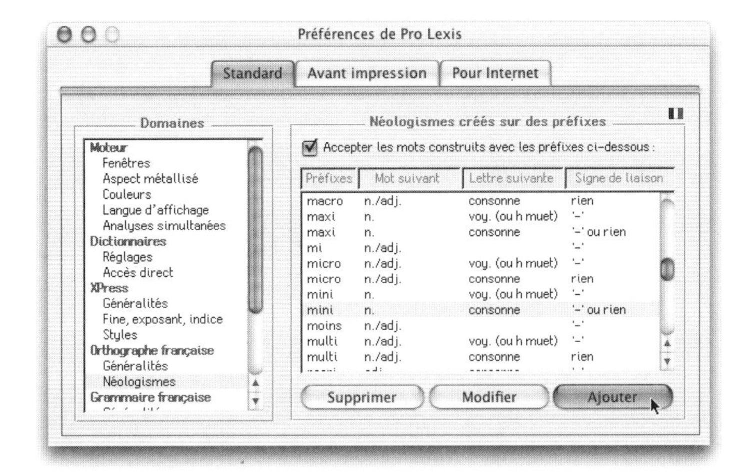

Figure 4.22

Enrichi depuis ses origines, le module d'orthographe traite désormais les néologismes et quantité d'autres finesses de la langue.

Conjugaisons (ProLexis)

Parmi les aides à la rédaction proposées par ProLexis figurent des tables de conjugaison très commodes (voir Figure 4.24). Saisissez un mot puis cliquez sur **Chercher**. S'il s'agit d'un nom, vous pouvez par exemple en vérifier le genre. S'il s'agit d'un verbe, ProLexis affiche ses différentes conjugaisons quels que soient le mode et le temps.

Figure 4.23

Au cours d'une correction, ProLexis affiche à gauche la liste des erreurs rencontrées. La partie supérieure est réservée au traitement de l'erreur courante et à la sélection des dictionnaires.

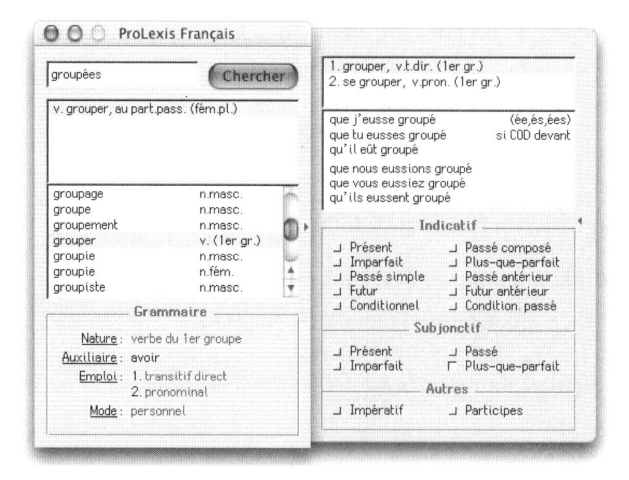

Figure 4.24

Successeur moderne du Bescherelle, ProLexis donne un accès ultrarapide aux conjugaisons.

Grammaire (ProLexis)

Le module grammatical de ProLexis (voir Figure 4.25) tente d'éviter les "fausses détections" qui sont l'apanage de certains de ses concurrents. Ces derniers sont d'ailleurs souvent abandonnés par leurs utilisateurs en raison de leur lourdeur. Le module grammatical n'est vraiment efficace qu'après un traitement du texte par le module orthographique. Le nombre de fausses détections reste alors raisonnable, une des caractéristiques de chaque nouvelle version de ProLexis étant de limiter encore les alertes non fondées.

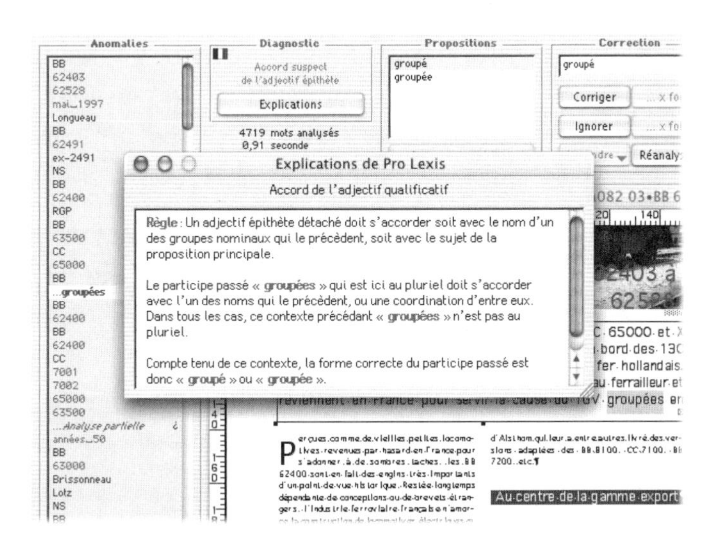

Figure 4.25

ProLexis affiche le diagnostic associé à sa proposition de correction. Il est ici très appréciable de pouvoir sélectionner une faute dans la liste afin de ne pas perdre de temps avec les "erreurs" qui n'en sont pas.

Typographie (ProLexis)

Le module de typographie avancée (voir Figures 4.26 à 4.28) est destiné au nettoyage typographique. La correction peut être automatisée ou suivie erreur par erreur.

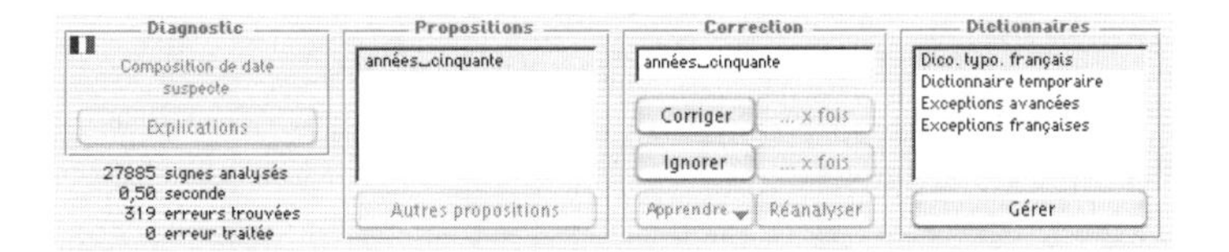

Figure 4.26

Le module de typographie peut gérer les espaces dans les nombres comprenant plus de trois chiffres, appliquer pour les nombres la notation la plus appropriée, etc.

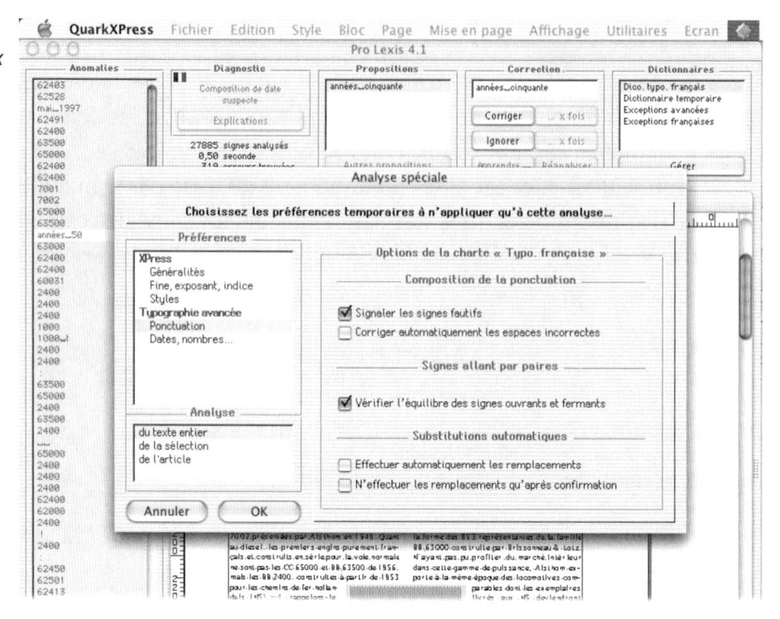

Figure 4.27

L'un des nombreux points forts du module typographique réside dans la possibilité de limiter ses investigations à certains types de corrections.

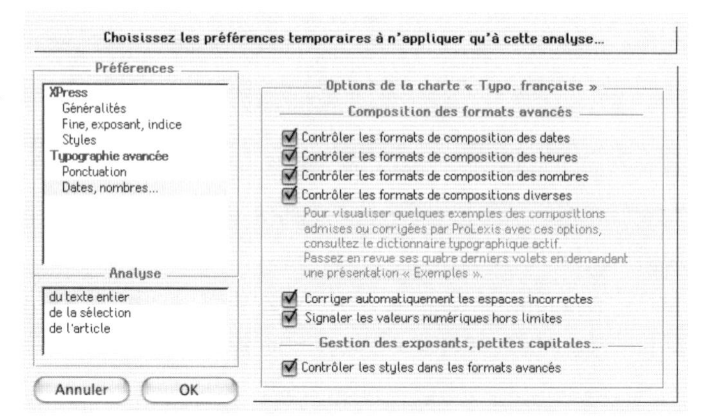

Figure 4.28

Ici, il s'agit de contrôler les différents formats de composition : dates, heures, nombres.

Par ailleurs, il est possible de choisir la nature des corrections. Le module typographique contrôle notamment :

- l'emploi des espaces ;
- les positions relatives des espaces et de la ponctuation ;
- les symboles appariés (parenthèses, guillemets, etc.).

CHAPITRE 5

La typographie

Au sommaire de ce chapitre

- Modifier les attributs des caractères
- Police
- Corps
- Style
- Couleur et teinte
- Echelles horizontale et verticale
- Approche de paire ou de groupe
- Décalage par rapport à la ligne de base

Un bloc de texte peut être envisagé à plusieurs niveaux. D'abord au niveau "bloc" (voir Chapitres 9 et 10), où l'on s'intéresse à la position, aux dimensions, à la forme et à l'inclinaison du pavé de texte. Ensuite, au niveau paragraphe (voir Chapitre 6), où l'on traite de l'alignement, de l'interligne et de tous les attributs communs à une ligne logique. Enfin, le niveau caractère est celui des attributs propres à chaque symbole, chacun d'eux pouvant disposer de sa police, de sa graisse, de son approche de paire, etc. La typographie, que nous allons aborder maintenant, doit être perçue comme l'ensemble des attributs des caractères.

Rappelons qu'il est possible d'effectuer une recherche ou un remplacement fondé sur les attributs de style. Il est même possible de rechercher un attribut typographique pour le remplacer par un autre. A ce sujet, reportez-vous au Chapitre 4.

Modifier les attributs des caractères

Etendue d'une modification

Le choix d'un attribut de caractère (corps, police, etc.) s'applique :

- A la sélection s'il en existe une.
- Aux prochains caractères saisis, à condition que le curseur ne soit pas déplacé entre la sélection d'un attribut et la saisie des caractères (en cas de déplacement du curseur et en l'absence de sélection, le choix formulé ne s'applique à rien et est donc ignoré).

Si vous cliquez sur un texte déjà enrichi d'un point de vue typographique, le prochain caractère saisi reprend les attributs du caractère placé immédiatement avant le curseur. Lors de la modification d'un texte, tenez compte de ce report des attributs de la gauche vers la droite.

Les différents moyens de sélectionner le texte ont été vus au Chapitre 4. Rappelons simplement que, dans le cas général, la sélection de caractères s'obtient en faisant glisser le pointeur du début à la fin du fragment de texte à sélectionner, la sélection apparaissant contrastée (voir Figure 5.1).

Figure 5.1
La sélection est contrastée, ses attributs sont présentés par la palette des spécifications.

Certains attributs imposent des choix exclusifs alors que d'autres peuvent être cumulés. Ainsi, un caractère a, bien sûr, un corps unique et ne fait appel qu'à une seule police. En revanche, le fait qu'il soit en gras ne lui interdit pas d'être également en italique.

La modification des attributs de caractère peut s'effectuer depuis :

- le menu **Style ;**
- la palette des spécifications ;

- la zone de dialogue **Caractère** ;
- les équivalents clavier.

Le menu Style

Le premier lot d'articles du menu **Style** (voir Figure 5.2) est relatif aux caractères (le second lot concerne les paragraphes). Rappelons qu'un article suivi d'un triangle est en fait un sous-menu, tandis qu'un article suivi de points de suspension ouvre une zone de dialogue (contenant une ou plusieurs cases de saisie).

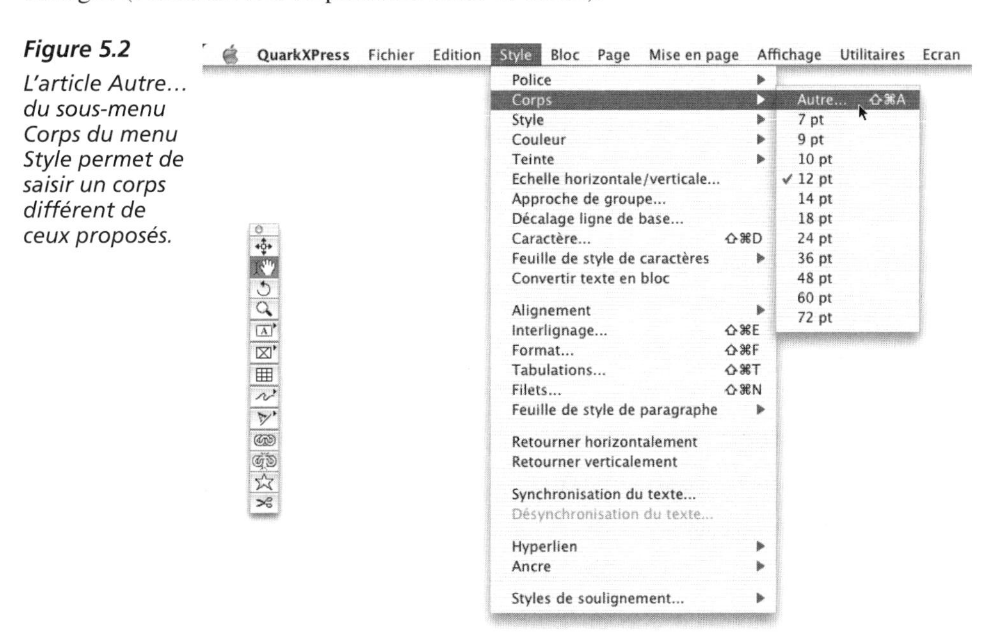

Figure 5.2
L'article Autre... du sous-menu Corps du menu Style permet de saisir un corps différent de ceux proposés.

Les attributs de caractères modifiés à partir du menu **Style** sont :

- la police de caractères (type de dessin de caractères) ;
- le corps (hauteur du caractère) ;
- le style (gras, italique, souligné, etc.) ;
- la couleur ;
- la teinte (densité de la couleur) ;
- l'échelle horizontale ou verticale ;
- l'approche de paire ou de groupe ;
- le décalage vertical par rapport à la ligne de base.

Les huit premiers articles du menu **Style** sont peu utilisés, car ils correspondent à des fonctions très sollicitées que les utilisateurs gagnent à mettre en œuvre à partir de la palette des spécifications ou à l'aide d'équivalents clavier.

En déroulant le menu **Style**, remarquez la mention des équivalents clavier relatifs à chaque article en regard de chacun d'eux. De même, le sous-menu **Style** du menu **Style** présente de nombreux équivalents clavier qui vous feront gagner du temps, par exemple pour passer la sélection en gras.

La palette des spécifications

La palette des spécifications (voir Figure 5.1) a été présentée au Chapitre 3. Rappelons qu'elle présente les attributs de la sélection et permet leur modification à l'aide de petites icônes, de menus locaux et de cases de saisie.

Certains attributs des caractères ne peuvent pas être modifiés depuis la palette des spécifications, il s'agit notamment de :

- l'échelle horizontale ou verticale ;
- la couleur et la teinte ;
- le décalage par rapport à la ligne de base (parangonnage).

La zone de dialogue Caractère

La zone de dialogue **Caractère** (voir Figure 5.3) concentre tous les attributs des caractères sélectionnés. Vous y accédez en :

- sélectionnant l'article **Caractère** du menu **Style** ;
- employant l'équivalent clavier Cmd+⇧Maj+D (Mac OS) ou Ctrl+⇧Maj+D (Windows).

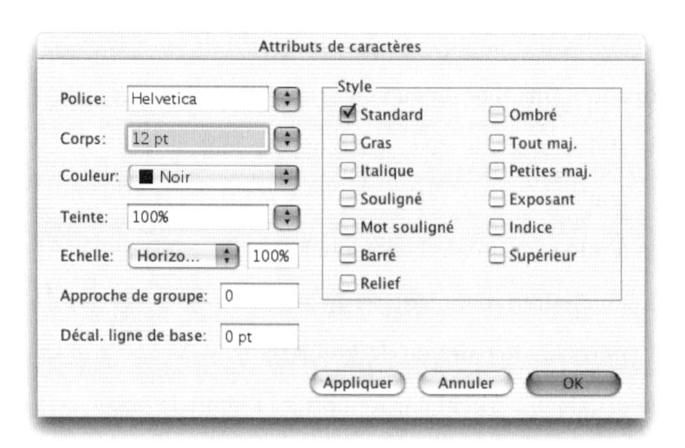

Figure 5.3
La zone de dialogue Caractère concentre tous les attributs des caractères.

Cette zone de dialogue contient des cases d'option, des menus locaux et des cases de saisie à travers lesquels vous préciserez la police, le corps, la couleur, la teinte, l'échelle horizontale ou verticale, l'approche, le décalage par rapport à la ligne de base et les styles (gras, italique, etc.).

Il arrive qu'un champ de la palette des spécifications ou de la zone de dialogue **Caractère** apparaisse vierge. Cela signifie que la sélection comprend plusieurs caractères pour lesquels la caractéristique non affichée diffère. Par exemple, la sélection recouvre des caractères qui emploient des polices différentes, ce qui interdit l'affichage de la police, mais permet le choix d'une nouvelle police qui sera appliquée à toute la sélection. En ce qui concerne les styles (gras, italique, souligné, etc.), des caractéristiques différentes se traduisent par une case à fond grisé ou estompé (voir Figure 5.4).

Figure 5.4
Les caractères sélectionnés n'emploient pas tous les mêmes styles. Par conséquent, les styles appliqués uniquement à une partie de la sélection apparaissent à moitié contrastés ou estompés, selon le système d'exploitation.

Police

Une police de caractères est un jeu de dessins cohérents de caractères (voir Figure 5.5). On distingue plusieurs familles de polices (voir Chapitre 1).

Un caractère ne peut faire appel qu'à une seule police. Pour modifier la police des caractères recouverts par la sélection, vous pouvez :

- Sélectionner un article du sous-menu **Police** du menu **Style**.
- Dans la palette des spécifications, sélectionner un article du menu local **Police** ou saisir le nom de la police choisie dans la case de saisie (dans cette case, il suffit en fait de saisir les premières lettres du nom de la police).
- Dans la zone de dialogue **Caractère**, sélectionner un article du menu local **Police** ou saisir le début du nom de la police.

*Les contenus des menus locaux **Police** et du sous-menu **Police** sont directement liés aux polices installées sur votre ordinateur.*

Figure 5.5
Quelques exemples de polices usuelles.

Aurora
AvantGarde
Book Antiqua
BREMEN
Calisto
Century Gothic
Futura Book
Garamond
Humanist
Σψμβολ

La notion de police est souvent confondue abusivement avec celle de fonte. D'une façon générale, on considère qu'une fonte est le jeu de caractères d'une police pour un corps donné, la police étant, quant à elle, indépendante du corps.

Sous Mac OS, maintenir la combinaison de touches Cmd+Alt+Z *ou* Cmd+Alt+Q *permet respectivement la saisie d'un caractère en police Zapf Dingbats ou en police Symbol.*

Corps

Le corps d'un caractère correspond à sa hauteur (la largeur du caractère est déduite par homothétie de la hauteur, en tenant compte des échelles horizontale et verticale). Le point typo est l'unité la plus couramment employée pour quantifier le corps (voir Figure 5.6). Pour modifier le corps des caractères sélectionnés, vous pouvez :

- sélectionner un article du sous-menu **Corps** du menu **Style** ;
- dans la palette des spécifications, sélectionner un article du menu local **Corps** ou saisir la valeur de votre choix dans la case prévue à cet effet ;
- dans la zone de dialogue **Caractère**, sélectionner un article du menu local **Corps** ou saisir la valeur de votre choix dans la case prévue à cet effet.

Figure 5.6
Quelques exemples de corps usuels.

*Depuis le menu **Style**, l'article **Autre**... du sous-menu **Corps** ouvre la zone de dialogue **Caractère** et sélectionne le contenu de la case de saisie **Corps**.*

Style

Par style, on entend enrichissement typographique. Il s'agit par exemple du gras ou de l'italique appliqués à un caractère. Ces enrichissements sont cumulables, un caractère pouvant par exemple être à la fois placé en indice et affiché en gras. Pour modifier le style des caractères sélectionnés, vous pouvez :

- Sélectionner un article du sous-menu **Style** du menu **Style** (voir Figure 5.9).
- Dans la palette des spécifications (voir Figure 5.7), cliquer sur le bouton de l'attribut souhaité, les attributs actifs pour la sélection étant contrastés (les icônes sur fond estompé correspondent à des styles qui ne sont activés que sur une partie de la sélection).
- Dans la zone de dialogue **Caractère**, cocher les cases d'option correspondant aux attributs souhaités. Les cases estompées (voir Figure 5.8) renvoient à des styles qui ne sont activés que pour une partie de la sélection.

Dans la zone **Style** de la palette des spécifications (voir Figure 5.7), la première case (marquée "P") correspond au style standard (*plain*), ou plutôt à l'absence de style. En sélectionnant ce style, vous désactivez tous les autres. Les polices destinées à un emploi professionnel sont souvent livrées dans leurs déclinaisons italique, gras, demi-gras, etc. Si tel est le cas, employez la version de la police dotée de l'attribut souhaité au lieu d'enrichir la version de base (*regular*) de la police. Par ailleurs, notez que les attributs de style modifient généralement la chasse (échelle horizontale). La Figure 5.10 montre quelques exemples de style.

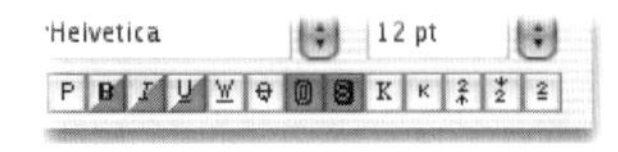

Figure 5.7

Les cases situées en bas à droite de la palette des spécifications déterminent les attributs de style.

Figure 5.8

Dans la zone Style, distinguez les cases d'option non cochées (désactivées) ou cochées (activées) de celles barrées ou sur fond gris (partiellement activées).

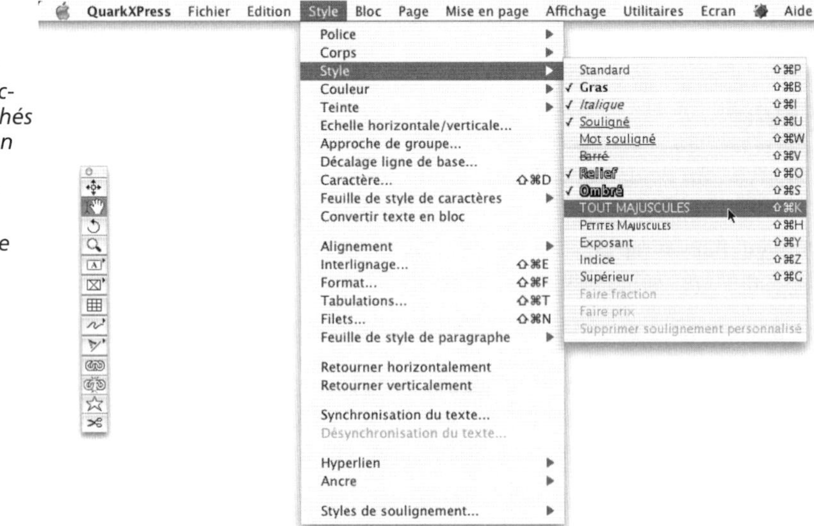

Figure 5.9

Les styles activés pour toute la sélection sont cochés (les styles non activés ou activés pour une partie seulement de la sélection ne sont pas cochés).

S'il est vrai que plusieurs attributs de style peuvent être cumulés, il est tout aussi vrai que certains sont incompatibles entre eux. C'est notamment le cas de **Souligné** et **Mot souligné**, d'une part, et d'**Indice** et **Exposant**, d'autre part.

Certains styles sont paramétrables. Pour effectuer un réglage qui concernera l'ensemble du document, sélectionnez l'article **Préférences** du menu **Edition** (ou du menu **QuarkXPress** sous Mac OS X), puis cliquez sur **Caractère**. Vous pourrez ajuster le décalage vertical ainsi que les échelles verticale et horizontale pour les styles **Exposant** et **Indice**. Quant aux styles **Petites majuscules** et **Supérieur**, ils n'autorisent que le réglage des échelles verticale et horizontale (voir Figure 5.11).

Figure 5.10

Quelques exemples de styles appliqués à des caractères de la police Avant Garde.

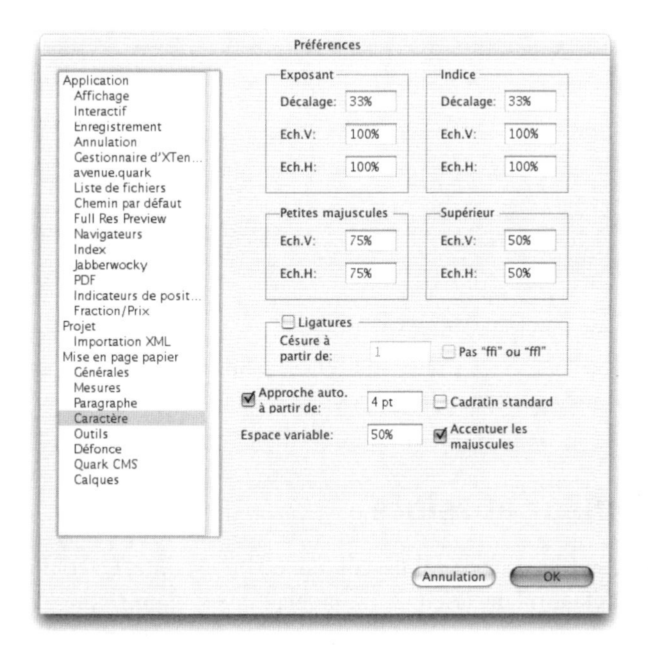

Figure 5.11

Le volet Caractère des préférences relatives au document paramètre non seulement certains styles, mais contrôle également l'accentuation des majuscules, l'emploi du cadratin standard et l'approche automatique.

*Pour autoriser l'accentuation des majuscules, cochez **Accentuer les majuscules** dans le volet **Caractères** des **Préférences**.*

Pour appliquer un style souligné personnalisé :

1. Sélectionnez le texte concerné par l'enrichissement.
2. Déroulez le menu **Style** et son sous-menu **Styles de soulignement**. Vous trouverez dans ce sous-menu :
   - La commande **Personnaliser** ouvre la zone de dialogue illustrée à la Figure 5.12 et grâce à laquelle vous choisirez la couleur, la teinte, l'épaisseur et le décalage (par rapport à la ligne de base du texte) du trait de soulignement.
   - Le style de soulignement par défaut.
   - L'un des styles de soulignement personnalisés que vous aurez créés (ou importés) en sélectionnant **Styles de soulignement** dans le menu **Edition**.

Figure 5.12
Les attributs de soulignement.

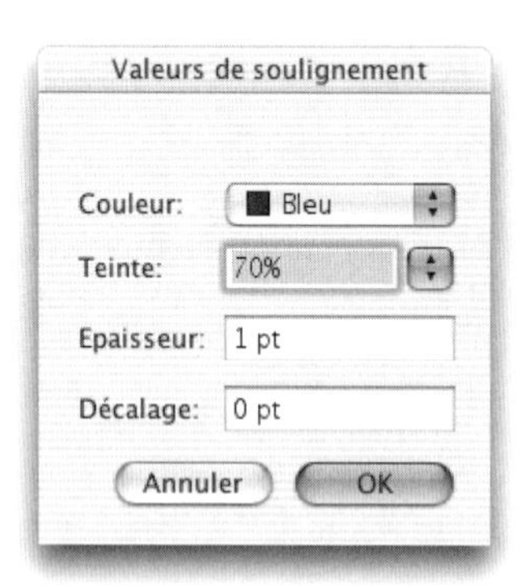

Si vous manipulez un texte créé avec une version de XPress antérieure à XPress 5.0 et comprenant des extraits soulignés, pensez à utiliser la commande **Convertir anciens soulignés** du menu **Utilitaires**.

Couleur et teinte

Un caractère dispose d'une couleur et d'une teinte. La couleur peut appartenir au nuancier par défaut (blanc, bleu, cyan, jaune, magenta, noir, rouge, vert) ou être une couleur personnalisée définie par l'utilisateur et propre au document (au sujet de la création de couleurs personnalisées, voir Chapitre 16). La teinte est un pourcentage (de 0 % à 100 %) qui traduit d'une certaine façon la densité de la couleur. Par exemple, un noir 0 % semble être blanc, un noir 10 % est un gris clair tandis qu'un noir 100 % est un "vrai" noir puisque la couleur est alors saturée. Par défaut, un caractère est noir avec une teinte réglée à 100 % (voir Figure 5.13).

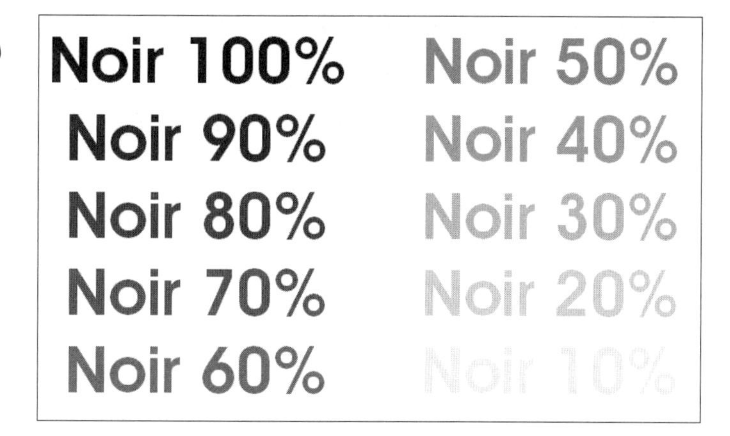

Figure 5.13
Noirs (de 100 % à 10 %) sur fond blanc.

Pour modifier la couleur ou la teinte des caractères sélectionnés, vous pouvez :

- sélectionner un article des sous-menus **Couleur** et **Teinte** du menu **Style** ;
- dans la zone de dialogue **Caractère** (voir Figure 5.14), sélectionner un article des menus locaux **Couleur** ou **Teinte**, ou encore saisir une valeur correspondant à la teinte dans la case de saisie prévue à cet effet.

Figure 5.14
La zone de dialogue Caractère donne un accès au menu Couleur présenté ici comme un menu local.

Quelques remarques :

- La teinte n'a pas d'influence sur le blanc.
- La couleur "Néant" (translucide), disponible pour les blocs, ne l'est pas pour les caractères.

Echelles horizontale et verticale

Le corps étant la hauteur d'un caractère, sa chasse (ou échelle horizontale) traduit sa largeur au moyen d'un rapport fondé sur le corps. XPress permet d'ajuster l'échelle horizontale (chasse) ou l'échelle verticale d'un caractère. Il ne s'agit pas là d'une limitation imposée par l'application, car les deux notions sont similaires : un corps 12 avec une échelle verticale de 200 % a le même aspect qu'un corps 24 avec une échelle horizontale de 50 %. XPress admet des valeurs comprises entre 25 % et 400 % pour les échelles verticale et horizontale (voir Figures 5.15 à 5.17).

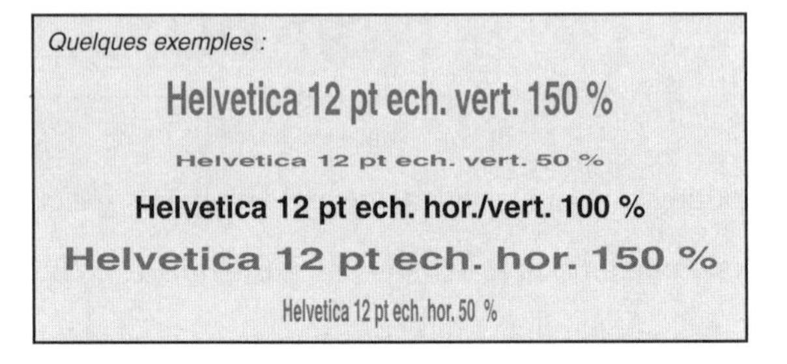

Figure 5.15
L'échelle verticale étire ou tasse verticalement ; l'échelle horizontale fait de même horizontalement.

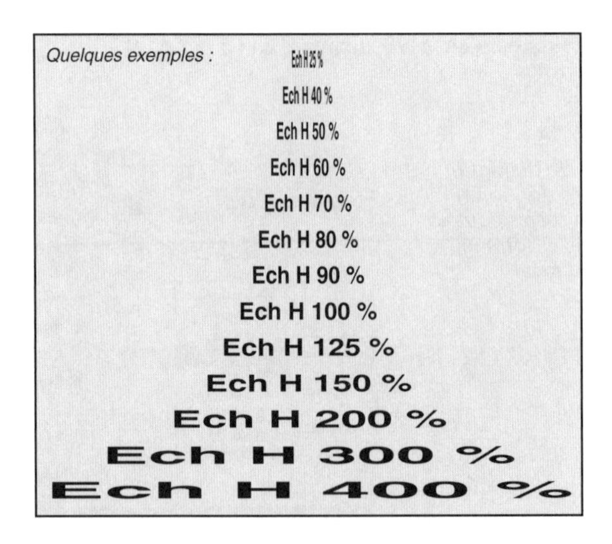

Figure 5.16
Le texte est ici en Helvetica gras 11,5 points. L'échelle horizontale varie entre 25 % et 400 %.

Pour modifier l'échelle horizontale ou verticale des caractères sélectionnés, vous pouvez :

- sélectionner l'article **Echelle horizontale/verticale**... du menu **Style** ;
- dans la zone de dialogue **Caractère**, sélectionner **Horizontale** ou **Verticale** dans le menu local **Echelle**, puis saisir une valeur dans la case de saisie prévue à cet effet (voir Figure 5.18).

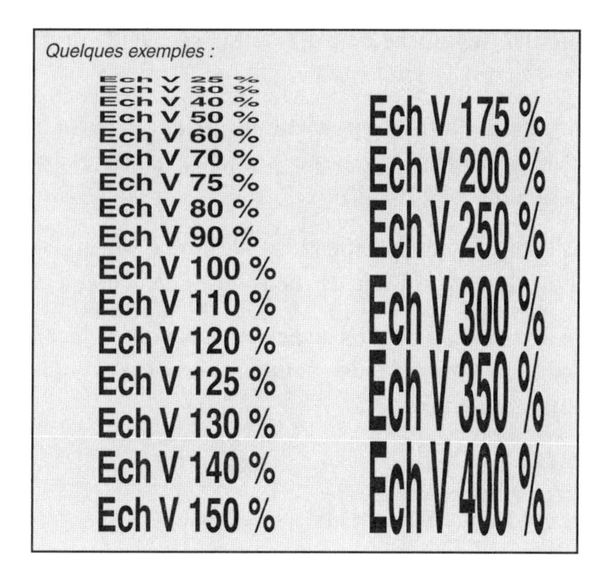

Figure 5.17
Le texte est ici en Helvetica gras 14 points. L'échelle verticale varie entre 25 % et 400 %.

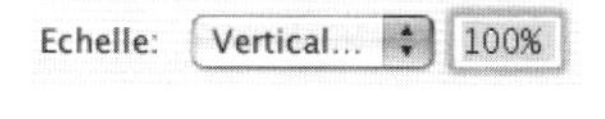

Figure 5.18
Un menu local permettant de choisir le paramètre ajusté est associé à la case de saisie Echelle.

En saisissant "automatique" comme hauteur d'interligne, on permet à XPress d'ajuster l'interligne non seulement en fonction du corps des caractères, mais aussi en tenant compte, s'il y a lieu, de l'échelle verticale.

Approche de paire ou de groupe

L'espace entre les caractères d'une police est défini par défaut. On appelle "approche de paire" l'espace entre deux caractères consécutifs et "approche de groupe" l'espace séparant les caractères d'un fragment de chaîne de caractères. L'approche de paire et l'approche de groupe sont donc deux notions similaires, la première concernant deux caractères et la seconde plus de deux.

L'approche de paire (ou l'approche de groupe) vaut 0 par défaut. Vous pouvez toutefois la faire varier entre –500 et 500, une unité valant 0,005 cadratin (un cadratin est usuellement un carré dont le côté a pour dimensions le corps des caractères). L'approche varie donc entre –2,5 et 2,5 cadratins. Il semble que XPress ait sa propre définition du cadratin, celui-ci correspondant pour lui au double de la chasse d'un zéro.

Pour modifier l'approche de paire ou l'approche de groupe des caractères sélectionnés, vous pouvez :

- Sélectionner l'article **Approche de paire** (le curseur est entre deux caractères) ou l'article **Approche de groupe** (plusieurs caractères sont sélectionnés) du menu **Style** (voir Figures 5.19 et 5.20).
- Dans la palette des spécifications, saisir une valeur dans la case de saisie prévue à cet effet ou cliquer sur l'une des deux cases de défilement consacrées à l'approche.
- Dans la zone de dialogue **Caractère**, saisir une valeur dans la case de saisie **Approche de paire** ou **Approche de groupe** selon le cas.

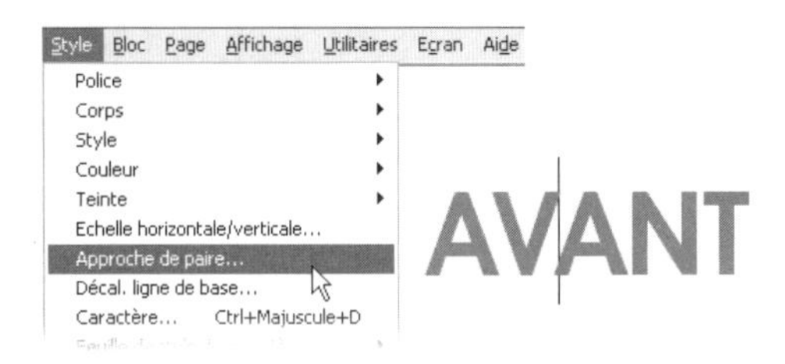

Figure 5.19

Si le curseur est placé entre deux caractères, le menu Style contient l'article Approche de paire.

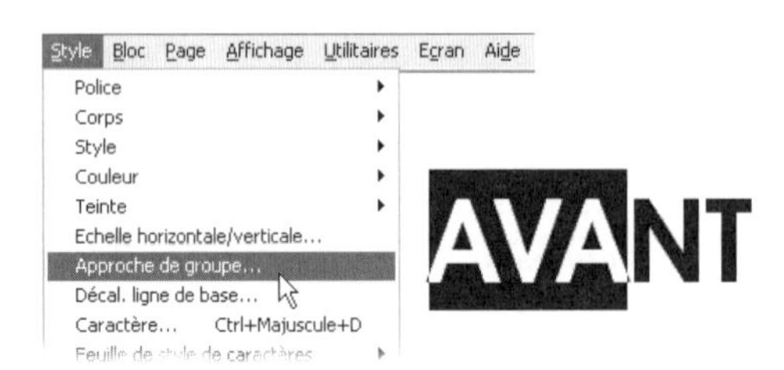

Figure 5.20

En revanche, s'il existe une sélection, cet article est remplacé par Approche de groupe.

Figure 5.21

Ici, on a abaissé l'approche de paire à –20. On favorise ainsi l'esthétique.

Lorsque vous cliquez entre deux caractères puis modulez l'approche de paire, vous modifiez en fait un attribut du caractère de gauche.

Il existe un ajustement automatique de l'approche qui, bien qu'actif, laisse à cette dernière sa valeur 0. Cet ajustement automatique ne se traduit donc pas par une modification du paramètre ajustable par l'utilisateur. Il prend en charge de façon transparente les problèmes d'approche courants (entre A et T, entre A et V, etc.). Pour modifier l'approche automatique, activez **Préférences** dans le menu **Edition** (ou dans le menu **QuarkXPress** sous Mac OS X) et cliquez sur **Caractère** (voir Figure 5.22). Vous pouvez alors ajuster la valeur du corps à partir de laquelle agit la correction automatique de l'approche.

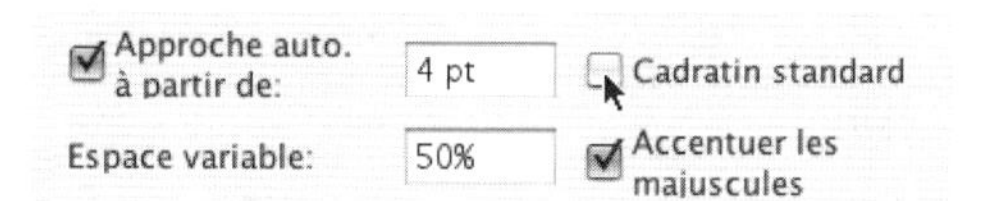

Figure 5.22
Notez la possibilité d'employer le cadratin standard et non "le cadratin XPress".

Un utilisateur lambda faisant un emploi "standard" de XPress devrait se contenter de la correction automatique de l'approche et des possibilités d'ajustement manuel déjà évoquées. Toutefois, XPress propose une gestion très fine de l'approchc. Vous pouvez :

- fixer l'approche de paire pour une paire en particulier (par exemple "AV") et lier ce réglage aux seuls caractères d'une police de votre choix ;
- définir pour une police de caractères la variation générale de l'approche en fonction du corps.

Dans le premier cas, sélectionnez l'article **Modification de la table d'approche de paire** (ou **Modifier approche de paire**) du menu **Utilitaires**. Dans le second cas, sélectionnez l'article **Approche de groupe** (ou **Modifier approche de groupe**) de ce même menu.

*L'édition des tables d'approches accessibles à travers les articles **Modification de la table d'approche de paire** et **Approche de groupe** du menu **Utilitaires** est à réserver aux initiés. Ne manipulez pas ces tables avec légèreté.*

L'édition d'une table d'approche suppose la sélection de la police concernée. Cliquez sur celle-ci puis sur le bouton **Modifier** (voir Figure 5.23).

Dans le cas des approches de paires, saisissez la paire dans la case **Paire** (voir Figure 5.24) et son approche dans la case **Valeur**. Insérez la nouvelle approche personnalisée dans la liste en cliquant sur **Ajouter**, puis validez vos modifications avec **OK**.

Figure 5.23

La sélection de la police concernée par le réglage.

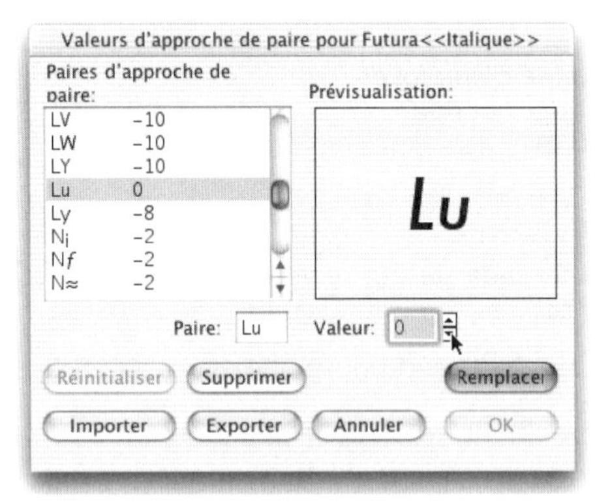

Figure 5.24

La modification des approches pour chaque paire.

Après sélection de la police concernée, l'approche de groupe (voir Figure 5.25) est contrôlée en cliquant sur un graphique qui met en relation l'approche (en ordonnée) avec le corps (en abscisse).

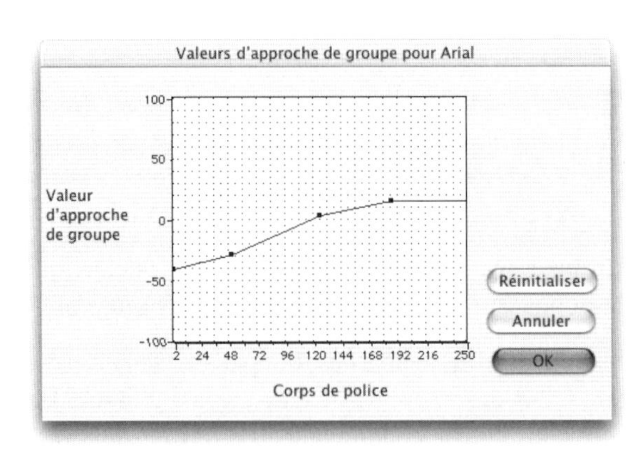

Figure 5.25

Un clic sur la zone du graphique crée une poignée mobile constituant un point de passage de la courbe.

Décalage par rapport à la ligne de base

Le décalage du texte par rapport à sa ligne de base (parangonnage) permet :

- l'alignement sur une ligne de base virtuelle de caractères de corps ou de polices différents ;
- la simulation d'un indice ou d'un exposant.

La Figure 5.26 met en évidence ce que sont les lignes de tête, de base et de pied d'un texte.

Figure 5.26
Les lignes de tête, de base et de pied.

Pour décaler les caractères sélectionnés par rapport à la ligne dc base, vous pouvez :

- sélectionner l'article **Décalage ligne de base…** du menu **Style** ;
- dans la zone de dialogue **Caractère**, saisir une valeur dans la case **Décal. ligne de base** (voir Figure 5.27).

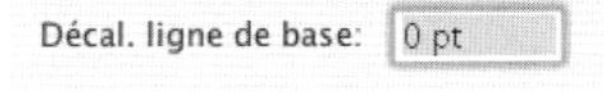

Figure 5.27
La case de saisie sélectionnée est celle déterminant le décalage vertical.

*Le décalage par rapport à la ligne de base était obtenu à l'aide de la fonction **Ligne de base** jusqu'à la version 2.12 de XPress. Avec les versions 3.0 à 3.32, la fonction s'appelle **Parangonnage**. Depuis la version 4, XPress en revient à ses premières amours et munit son menu **Style** d'un article **Décalage ligne de base…** Mais il s'agit encore et toujours de la même fonction, rebaptisée au gré des versions de XPress.*

La valeur du décalage vertical est modifiée à l'occasion d'un changement de corps. Considérons par exemple un caractère en corps 12 avec un décalage vertical de 6 points. Sa réduction en corps 8 entraîne une réduction automatique et proportionnelle du décalage qui se limite ici à 4 points.

Les caractères adoptent par défaut une position standard par rapport à leur ligne de base. En employant correctement les fonctions d'approche de paire et de décalage vertical, vous pouvez déplacer un caractère vers la gauche, la droite, le haut ou le bas. Ainsi, tous les caractères étant placés sur la même ligne logique, vous pourrez reconstituer des fractions, des intégrales, etc.

CHAPITRE 6

Les paragraphes

Au sommaire de ce chapitre

- Notion de paragraphe
- Sélection d'un paragraphe
- Modifier les attributs des paragraphes
- Ajuster les retraits latéraux
- Fers et modes d'alignement
- Interligne
- Alinéa
- Séparation verticale
- Retrait d'indentation
- Tabulations
- Lettrine
- Césure et espacement
- Lier les paragraphes
- Bloquer le texte sur la grille

Avec XPress, le texte prend place dans des blocs de texte ou sur des chemins de texte. Le texte peut être abordé à deux niveaux ; on peut en effet s'intéresser aux caractères ou aux paragraphes. Les attributs propres aux caractères ont été vus au Chapitre 5. Nous allons donc aborder les attributs des paragraphes. Ceux-ci concernent la hauteur d'interligne, le mode d'alignement, la position des taquets de tabulation, le retrait d'alinéa, l'espacement vertical des paragraphes, etc.

Les feuilles de style sont chargées de concentrer un assortiment de réglages au niveau caractère ou au niveau paragraphe ; elles seront abordées au Chapitre 7.

Notion de paragraphe

Ce chapitre traite de réglages qui ne peuvent être appliqués qu'à un paragraphe. En effet, il n'est pas question avec XPress d'aligner à gauche les premières lignes d'un paragraphe et à droite les suivantes.

Qu'entendons-nous par "paragraphe" ? Un paragraphe est une ligne logique à distinguer d'une ligne physique. Une ligne logique peut commencer :

- au début du texte (premier caractère de la chaîne de caractères) ;
- à la suite d'une marque de fin de paragraphe, d'un saut de colonne ou de bloc.

Une ligne logique s'achève :

- au niveau d'une marque de fin de paragraphe, d'un saut de colonne ou de bloc ;
- au niveau du dernier caractère de la chaîne de caractères.

Le Tableau 6.1 distingue les différents caractères chargés de marquer la fin d'un paragraphe ou la fin d'une ligne.

Tableau 6.1 : Caractères de fin ou de saut

Caractères	Combinaisons de touches	Descriptions
Fin de ligne	⇧Maj+↵Retour	Fait passer le texte à la ligne suivante, mais ne marque pas la fin d'un paragraphe
Fin de paragraphe	↵Retour	Fait passer le texte à la ligne suivante et marque la fin d'un paragraphe
Saut de colonne	Entrée (pavé numérique)	Fait passer le texte vers la prochaine colonne du bloc de texte ou, à défaut, vers le bloc de texte chaîné en aval. Marque la fin d'un paragraphe

Tableau 6.1 : Caractères de fin ou de saut

Caractères	Combinaisons de touches	Descriptions
Saut de bloc	⇧Maj+Entrée (pavé numérique)	Fait passer le texte au prochain bloc de texte chaîné en ignorant les dernières colonnes du bloc courant. Marque la fin d'un paragraphe

Alors qu'une ligne logique est définie par des caractères spéciaux (marque de fin de paragraphe, de saut de colonne ou de bloc), une ligne physique est déterminée en fonction d'une foule de paramètres (police, corps, dimensions des colonnes, etc.). Une ligne physique est sélectionnée par un triple clic tandis qu'un paragraphe – c'est-à-dire une ligne logique – l'est par un quadruple clic. Une ligne physique est obligatoirement un sous-ensemble d'une ligne logique, car deux paragraphes ne peuvent partager la même ligne physique. En appliquant un attribut de paragraphe à une ligne physique, vous l'appliquez en fait à toute la ligne logique.

astuce

Le caractère de fin de ligne (saisi avec ⇧Maj+←Retour) n'est pas une marque de fin de paragraphe (celle-ci étant obtenue avec ←Retour). C'est d'ailleurs ce qui fait son intérêt ! Grâce à la combinaison de touches ⇧Maj+←Retour, vous passez à la ligne suivante sans créer un nouveau paragraphe – et donc sans subir l'espace avant ou l'espace après qui pourrait lui être alloué. Le caractère de fin de ligne permet également de forcer la justification d'une ligne, c'est-à-dire d'étaler le texte pour l'aligner sur les deux marges.

D'une façon générale, il est très vivement conseillé d'activer l'affichage des caractères invisibles. Vous mettrez ainsi en évidence les marques de fin de paragraphe. Toutefois, pour obtenir une vue du document tel qu'il sera imprimé, désactivez l'affichage des caractères invisibles et celui des repères. Rappelons que l'affichage des caractères invisibles est contrôlé par l'article **Afficher les car. invis.** (ou **Masquer les car. invis.**) du menu **Affichage**. Les Figures 6.1 à 6.4 illustrent les différents types de paragraphes. Ils se distinguent les uns des autres par les caractères qui les délimitent. Un paragraphe peut recouvrir plusieurs blocs et même plusieurs pages lorsqu'une longue portion du texte ne comprend ni marque de fin de paragraphe, ni saut de colonne ou de bloc.

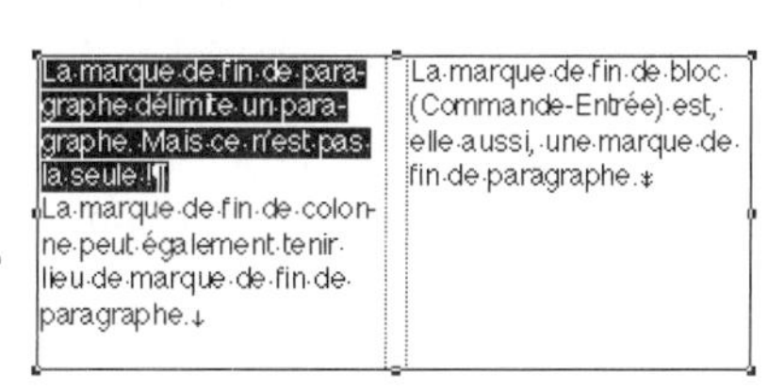

Figure 6.1

Un paragraphe – que vous sélectionnerez facilement à l'aide d'un quadruple clic – peut être délimité par le début du texte et la première marque de fin de paragraphe...

Figure 6.2
… par un saut de colonne…

Figure 6.3
… par un saut de bloc…

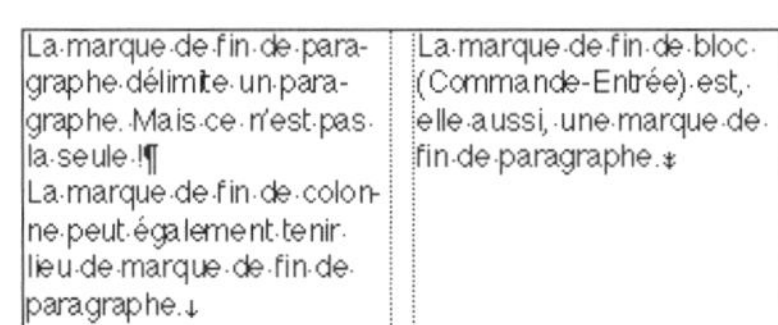

Figure 6.4
… ou par la fin du texte.

En l'absence de précisions de la part de l'utilisateur, les paragraphes font l'objet de réglages par défaut : alignement à gauche, interligne automatique, etc.

Sélection d'un paragraphe

Pour sélectionner un paragraphe, il suffit de sélectionner une partie du texte qui le constitue. En effet, les réglages relatifs au paragraphe concernent l'ensemble de celui-ci. Il n'est donc pas nécessaire de le sélectionner intégralement. Pour sélectionner un paragraphe, vous pouvez :

- cliquer dessus de façon à y placer le curseur ;
- sélectionner une partie du texte qui le compose ;
- sélectionner l'ensemble du paragraphe à l'aide d'un quadruple clic, cette manipulation ayant l'avantage de mettre facilement en évidence le paragraphe.

Lorsque la sélection recouvre ne serait-ce que partiellement plusieurs paragraphes, XPress considère que tous ces paragraphes sont sélectionnés. Le choix formulé les concerne donc tous. De même, la sélection de tout le texte (**Tout sélectionner** dans le menu **Edition**) entraîne implicitement celle des paragraphes le constituant (à utiliser notamment pour appliquer un même interligne ou un même mode d'alignement à tout le texte). Les Figures 6.5 et 6.6 mettent en évidence les conséquences qu'a une modification d'un attribut de paragraphe sur l'ensemble des paragraphes partiellement sélectionnés.

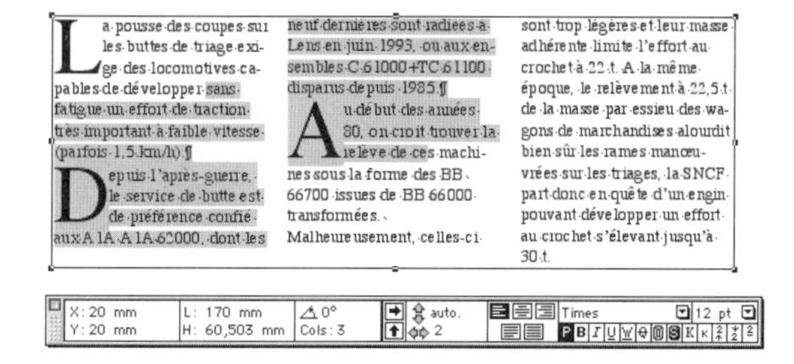

Figure 6.5

La sélection est ici à cheval sur trois paragraphes. Le mode d'alignement est un attribut de paragraphe.

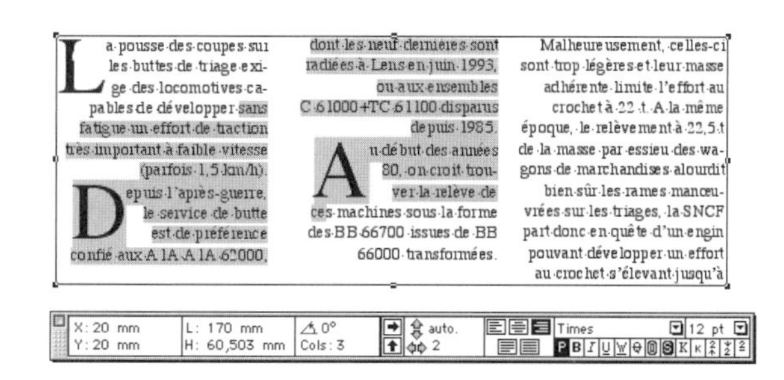

Figure 6.6

En cliquant sur l'icône du fer à droite, on modifie l'alignement des trois paragraphes parmi lesquels deux ne sont que partiellement sélectionnés.

Modifier les attributs des paragraphes

Ce chapitre n'a pas pour objet la modification des caractéristiques des blocs de texte (position, dimensions, nombre de colonnes, retraits, etc.) décrites au Chapitre 10, ni celle des attributs des caractères (voir à ce sujet le Chapitre 5). Pour modifier les attributs des paragraphes sélectionnés, vous pouvez :

- employer la palette des spécifications (uniquement pour l'interligne et le mode d'alignement) ;
- faire appel à la seconde série d'articles du menu **Style** ;
- utiliser la zone de dialogue **Attributs de paragraphe** ;
- employer des équivalents clavier (valables pour certaines fonctions seulement) ;
- faire glisser des taquets sur la règle prévue à cet effet (valable pour les tabulations, le retrait d'alinéa, les marges à gauche et à droite).

Menu Style

Tous les réglages relatifs aux paragraphes sont accessibles à travers le second lot d'articles du menu **Style** (voir Figure 6.7). Les articles **Alignement**, **Interlignage**, **Format**, **Tabulations**, **Filets** et **Feuille de style de paragraphe** du menu **Style** modifient les attributs des paragraphes sélectionnés. Nous décrirons plus loin tous les réglages offerts par ces commandes du menu **Style**.

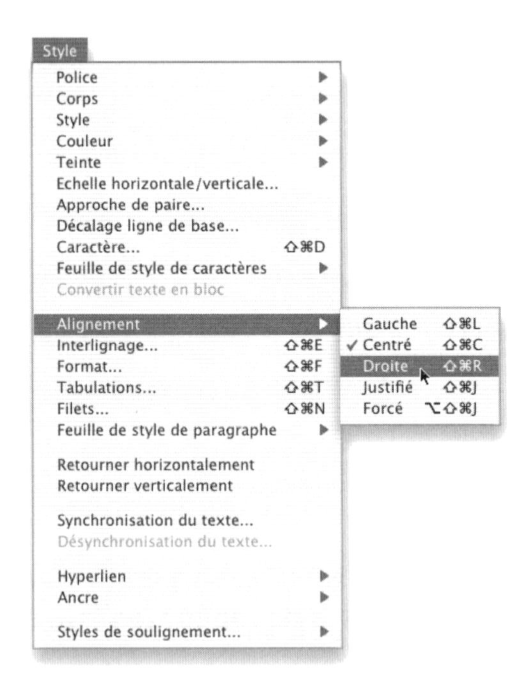

Figure 6.7

Un paragraphe, c'est avant tout des caractères. Les premiers articles du menu Style (attributs de caractères) sont donc disponibles quand un paragraphe est sélectionné.

Zone de dialogue Attributs de paragraphe

A condition qu'un paragraphe soit sélectionné, la zone de dialogue **Attributs de paragraphe** (voir Figure 6.8) est accessible avec :

- l'article **Format** du menu **Style** ;
- l'équivalent clavier Cmd+⇧Maj+F (Mac OS) ou Ctrl+⇧Maj+F (Windows).

Forte de trois onglets, cette zone de dialogue permet d'ajuster les retraits latéraux, le retrait d'alinéa, les taquets de tabulation, l'interlignage, les espaces avant et après le paragraphe, le mode d'alignement, la césure, etc. Par ailleurs, vous avez la possibilité d'organiser des lettrines, de joindre les lignes ou les paragraphes, etc.

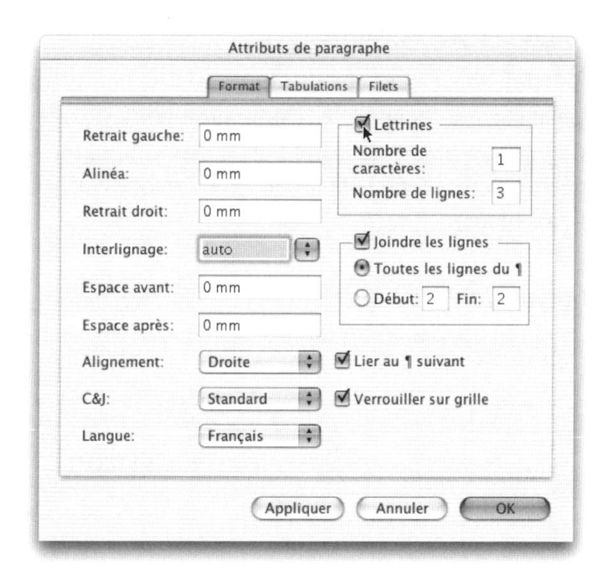

Figure 6.8

L'onglet Format de la zone de dialogue Attributs de paragraphe est ouvert à la suite de la sélection de l'article Format du menu Style.

L'onglet **Format** de la zone de dialogue **Attributs de paragraphe** comprend :

- des cases de saisie (**Retrait gauche**, **Alinéa**, **Retrait droit**, **Espace avant**, **Espace après**, etc.) ;
- des zones de saisie contrôlées par des cases d'option (**Lettrines**, **Joindre les lignes**) ;
- des menus locaux (**Alignement**, **Césure et Justification**, **Langue**) ;
- une case de saisie associée à un menu local (**Interlignage**) ;
- des cases d'option (**Lier au ¶ suivant**, **Bloquer sur grille**).

Palette des spécifications

En ce qui concerne les attributs de paragraphe, la palette des spécifications ne permet de modifier que la hauteur de l'interligne et le mode d'alignement. Ce dernier y est ajusté au moyen de cinq icônes entraînant un choix exclusif, alors que l'interligne dépend d'une valeur placée dans une case de saisie associée à deux cases de défilement.

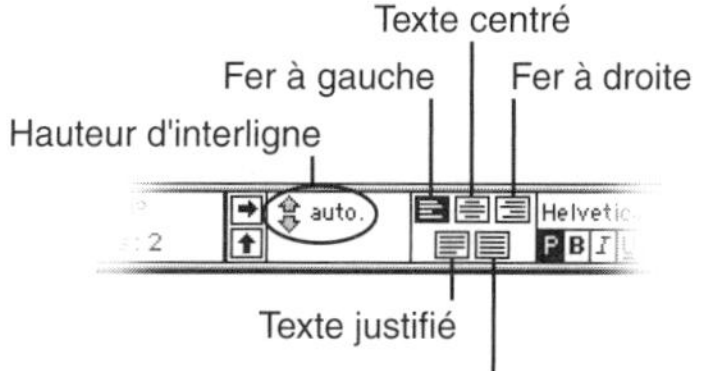

Figure 6.9

Depuis la palette des spécifications, seuls l'interlignage et le mode d'alignement peuvent être ajustés.

Règle de paragraphe

Certains ajustements peuvent être réalisés en plaçant dans la règle de paragraphe des taquets que vous pourrez ensuite faire glisser. La règle de paragraphe (voir Figure 6.10) s'affiche au-dessus de la colonne de texte où se trouve le curseur (ou au-dessus de la première colonne contenant la sélection lorsque celle-ci recouvre plusieurs colonnes ou plusieurs blocs).

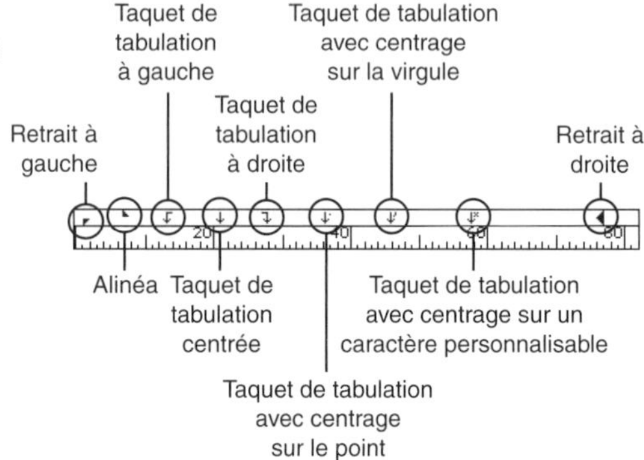

Figure 6.10

Les différents taquets affichés par la règle de paragraphe.

La règle de paragraphe s'affiche en même temps que les onglets **Format** et **Tabulations** de la zone de dialogue **Attributs de paragraphe**. Elle est donc activée par la sélection de **Format** ou de **Tabulations** dans le menu **Style** et permet l'élaboration et le déplacement :

- du taquet de marge gauche (retrait à gauche) ;
- du taquet de marge droite (retrait à droite) ;
- du taquet de retrait d'alinéa ;
- des taquets de tabulation.

Notez que les différents taquets de retrait sont uniques pour le paragraphe considéré, tandis qu'un paragraphe peut accueillir autant de taquets de tabulation que vous le souhaitez.

Ajuster les retraits latéraux

Le texte placé dans un bloc peut être éloigné des limites latérales de celui-ci grâce aux retraits latéraux (voir Figure 6.11). Par défaut, les retraits à droite et à gauche sont nuls. Le retrait à gauche et le retrait à droite ne doivent être confondus ni avec les marges (petit et grand fonds) définies lors de la création du document (voir Chapitre 2), ni avec le retrait (blanc tournant) défini pour un bloc de texte (voir Chapitre 10).

Pour modifier les retraits à droite et à gauche des paragraphes sélectionnés :

1. Sélectionnez l'article **Format** du menu **Style**.
2. Saisissez les valeurs des retraits dans les cases de saisie **Retrait gauche** et **Retrait droit** (voir Figure 6.8) ou faites glisser les taquets dans la règle (voir Figure 6.10).
3. Cliquez sur **OK**.

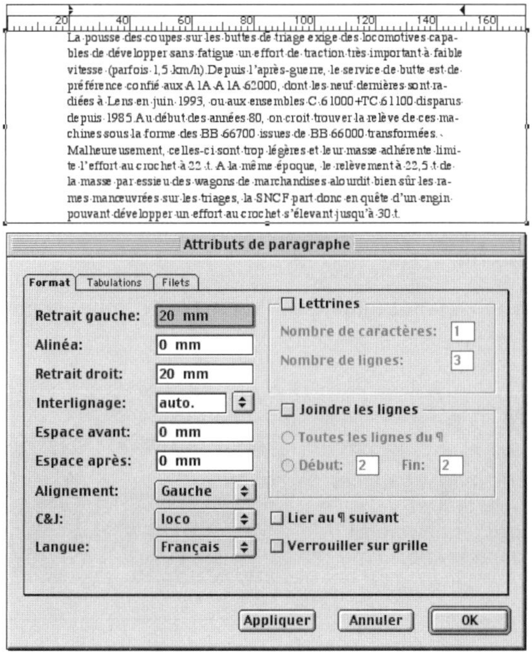

Figure 6.11

L'ajustement des retraits latéraux peut s'obtenir en saisissant leurs valeurs dans l'onglet Format ou en faisant glisser les taquets dans la règle.

Fers et modes d'alignement

Le texte placé dans un bloc (ou sur un chemin de texte) peut s'aligner de différentes façons :

- à gauche (fer à gauche) ;
- à droite (fer à droite) ;
- au centre ;
- à droite et à gauche (texte justifié) ;
- à droite et à gauche avec justification forcée de la dernière ligne.

La notion de fer est issue de l'imprimerie traditionnelle où les caractères en plomb étaient maintenus par des pièces de fer. Quant au texte dit "justifié", il tient son nom de sa capacité à occuper la largeur utile de la colonne de texte, cette largeur s'appelant justification. Par défaut, le texte est au fer à gauche.

Pour modifier le mode d'alignement, vous pouvez :

- sélectionner l'un des articles du sous-menu **Alignement** du menu **Style** (voir Figure 6.7) ;
- sélectionner l'un des articles du sous-menu **Alignement** de l'onglet **Format** (zone de dialogue **Attributs de paragraphe** illustrée à la Figure 6.8) ;
- cliquer sur l'une des cinq icônes dédiées à l'alignement dans la palette des spécifications (voir Figure 6.9).

Fer à gauche

Le fer à gauche (voir Figure 6.12) est le type d'alignement le plus courant. Il est d'ailleurs activé par défaut.

Figure 6.12

Le texte s'aligne au niveau du taquet de marge gauche (au niveau du taquet d'alinéa pour les premières lignes de paragraphe).

Fer à droite

L'alignement du texte sur la marge de droite (voir Figure 6.13) est assez peu courant, il trouve cependant son usage dans certains cas particuliers parmi lesquels nous citerons les titres alignés sur l'extérieur sur les belles pages (pages de droite).

Figure 6.13

L'alignement à droite n'est pas du tout adapté aux mises en page classiques.

Pour n'aligner à droite que la fin de la dernière ligne d'un texte, insérez une tabulation à droite calée sur le retrait droit. Vous l'obtenez avec [Alt]+[Tab] *(Mac OS) ou* [⇧Maj]+[Tab] *(Windows).*

Texte justifié

Un texte dit "justifié" est aligné à la fois à gauche et à droite. Comparé au texte "en drapeau" (fer à gauche ou fer à droite), le texte justifié a un aspect nettement plus régulier qui le rend incontournable lors de la mise en forme de textes longs. Avec ce mode d'alignement, la dernière ligne physique d'un paragraphe est au fer à gauche.

Figure 6.14

Avec son aspect très "carré", le texte justifié convient aux longs textes.

Lorsque le texte est justifié, une marque de fin de ligne ([⇧Maj]+[←Retour]*) force l'alignement à droite de la ligne physique qu'elle achève. On parle alors de "forcement de la justification".*

La justification du texte entraîne une modulation de l'espace entre les mots. Les mots commençant par une majuscule n'étant pas soumis à la césure (terme impropre !), il convient de surveiller la création de lignes où les mots seraient trop espacés.

La justification du texte entraîne une modulation de l'espace entre les lettres et les mots. Ces aménagements apportés aux espaces entre lettres et mots sont paramétrables à l'aide d'une méthode de C&J (césure et justification). Voir à ce sujet la section "Césure et espacement".

Texte centré

Le texte centré s'emploie surtout pour les titres, tout particulièrement sur les pages de titre. Il est exceptionnel que le texte principal soit centré, car plusieurs lignes centrées sont peu lisibles.

Figure 6.15

Le centrage du texte est adapté aux titres, mais pas au texte principal.

Justification forcée de la dernière ligne

Nous avons vu qu'une marque de fin de ligne (⇧Maj+←Retour) force l'alignement sur la droite d'une ligne physique n'atteignant pas le taquet de retrait à droite, et cela à condition que son paragraphe soit aligné en mode **Justifié**. Dans le même esprit, il existe une variante du texte justifié qui impose la justification de la dernière ligne physique. Toutefois, ce type d'alignement n'est pas utilisé innocemment à la place du simple texte justifié, car il peut provoquer des élongations très disgracieuses des lignes courtes.

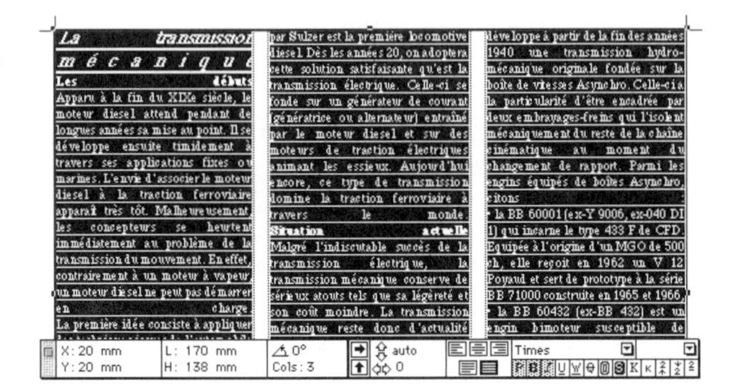

Figure 6.16
Ici, la dernière ligne physique de chaque paragraphe subit une justification forcée.

Interligne

L'interligne est la distance entre deux lignes de base consécutives. Notez que l'interligne est sans effet sur l'espace ménagé entre la première ligne du texte et la limite supérieure du bloc de texte (cette distance est définie par le plus grand corps employé dans la première ligne physique).

La hauteur de l'interligne est limitée à 1 080 points pica. Cette limitation n'est pas gênante si l'on considère que le corps des caractères doit être compris entre 2 et 720 points pica. L'habitude veut que l'interligne soit exprimé dans la même unité que le corps des caractères (voir Chapitre 5), ce dernier étant exprimé en points. Pour modifier l'interlignage, vous pouvez :

- sélectionner l'article **Interlignage** du menu **Style** ;
- sélectionner l'article **Format** du menu **Style** puis saisir une valeur dans la case de saisie **Interlignage** (voir Figure 6.17) ;
- saisir une valeur dans la case de saisie prévue à cet effet dans la palette des spécifications ou utiliser les cases de défilement de cette palette (voir Figure 6.9).

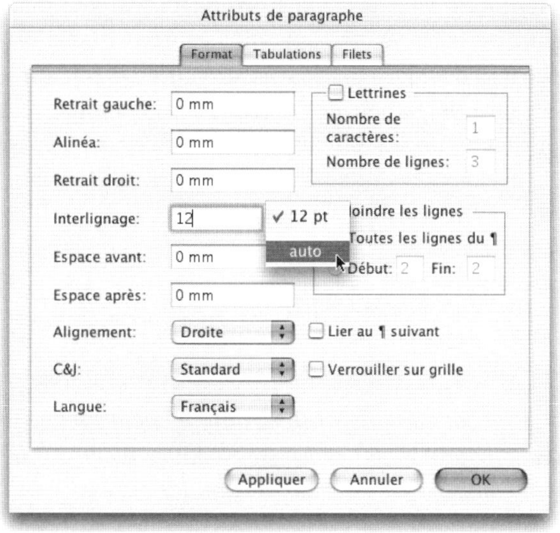

Figure 6.17

L'interlignage est défini à l'aide d'une case de saisie et d'un menu local. Ce dernier comprend l'article Auto qui active l'interligne automatique (qui correspond par défaut à 120 % du plus grand corps employé dans le paragraphe).

La hauteur de l'interligne peut être presque nulle (0,001 point), ce qui autorise des effets intéressants de superposition comme celle de plusieurs mots identiques faisant appel à des teintes différentes et décalés les uns par rapport aux autres (voir Figure 6.18).

Figure 6.18

Ces effets sont obtenus en superposant trois mots identiques (teintes 10 %, 40 % et 100 %). On module l'alinéa ou l'approche avec un interlignage réduit à 0,1 point.

Pour mettre en œuvre l'interligne automatique depuis la case de saisie de la palette des spécifications, il faut taper "auto." sous Mac OS et "automatique" sous Windows. L'interligne automatique est également disponible depuis le menu local du champ ***Interlignage*** *dans l'onglet* ***Format****.*

Par défaut, l'interlignage automatique correspond à 120 % du corps (20 % de plus que le corps). Un texte en corps 10 fera donc l'objet d'un interlignage automatique avec une hauteur de 12 points (10 points plus 20 %). Vous avez la possibilité de modifier le taux qui permet à XPress d'extrapoler l'interlignage automatique à partir du corps en activant

Préférences dans le menu **Edition** (ou dans le menu **QuarkXPress** sous Mac OS X) avant de cliquer sur **Paragraphe**. Entrez la nouvelle valeur servant de base à l'interlignage automatique dans la case de saisie **Interl. auto.** (voir Figure 6.19). Validée en cliquant sur **OK**, la nouvelle valeur entraîne un nouveau calcul des hauteurs d'interlignes pour tout le document concerné, à moins que la case **Conserver l'interlignage** soit cochée. Dans ce cas, le texte déjà doté d'un interligne automatique n'est pas modifié.

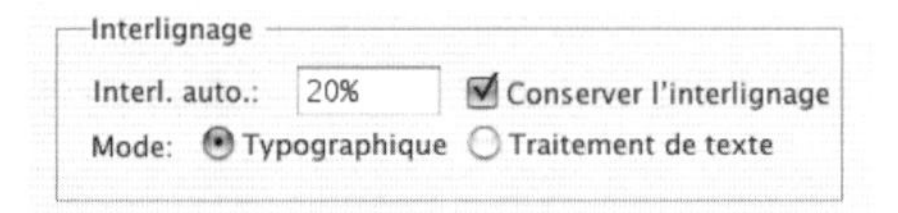

Figure 6.19

La valeur saisie peut être relative (pourcentage) ou absolue (hauteur en points ou en millimètres).

*La case de saisie **Interl. auto.** peut accueillir un taux compris entre 0 % et 100 % ou une hauteur exprimée en points ou en millimètres. Cette hauteur doit alors être comprise entre –63 et 63 points.*

*En saisissant "0" dans la case de saisie **Interlignage** de l'onglet **Format** ou de la palette des spécifications, vous activez l'interlignage automatique, 0 étant remplacé par "auto" dans la case de saisie **Interlignage**.*

Alinéa

Le retrait d'alinéa est le retrait propre à la première ligne physique d'un paragraphe (ligne logique). Le retrait d'alinéa est défini de façon relative par rapport au retrait à gauche. Un alinéa positif place le début de la première ligne à droite du taquet de marge à gauche, tandis qu'un alinéa négatif place le début de la première ligne à gauche du taquet de marge à gauche (voir Figure 6.10).

Par défaut, le taquet d'alinéa est placé au niveau de celui définissant le retrait à gauche. Par conséquent, la première ligne d'un paragraphe commence par défaut au même niveau que les autres lignes dudit paragraphe. Un retrait d'alinéa négatif n'est possible qu'en présence d'un retrait à gauche non nul. La valeur absolue d'un retrait d'alinéa négatif est limitée par celle du retrait à gauche. Ainsi, si le retrait à gauche vaut 15 mm, un retrait d'alinéa négatif ne peut pas être inférieur à –15 mm. La Figure 6.20 illustre le cas usuel d'un alinéa positif.

Pour modifier l'alinéa, sélectionnez l'article **Format** du menu **Style**, puis saisissez la valeur du retrait d'alinéa dans la case de saisie **Alinéa**, ou déplacez le taquet d'alinéa dans la règle de paragraphe affichée au-dessus de la colonne contenant le curseur ou le début de la sélection. Validez vos choix en cliquant sur **OK**.

Figure 6.20

La première ligne de chaque paragraphe est, ici, munie d'un retrait d'alinéa positif (retrait vers la droite de la première ligne de chaque paragraphe).

La transmission mécanique

Les débuts

Apparu à la fin du XIXe siècle, le moteur diesel attend pendant de longues années sa mise au point. Il se développe ensuite timidement à travers ses applications fixes ou marines. L'envie d'associer le moteur diesel à la traction ferroviaire apparaît très tôt. Malheureusement, les concepteurs se heurtent immédiatement au problème de la transmission du mouvement. En effet, contrairement à un moteur à vapeur, un moteur diesel ne peut pas démarrer en charge.

La première idée consiste à appliquer des techniques issues de l'automobile dont on constate à cette occasion l'incompatibilité avec l'effort développé par un engin de traction ferroviaire. C'est alors que le motoriste suisse Sulzer élabore une transmission fondée sur le principe des locomotives à vapeur mais, au lieu d'envoyer

Situation actuelle

Malgré l'indiscutable succès de la transmission électrique, la transmission mécanique conserve de sérieux atouts tels que sa légèreté et son coût moindre. La transmission mécanique reste donc d'actualité pour les engins diesel de faible ou moyenne puissance ne devant pas développer un effort de traction trop important (locotracteurs, autorails, etc.). En fait, les transmissions purement mécaniques sont exceptionnelles sur les réseaux en voie normale (1,435 mm) où l'on rencontre plutôt des transmissions hydro-mécaniques qui associent un coupleur hydraulique à un dispositif mécanique (boîte de vitesses, arbres à cardans, etc.). En France, CFD développe à partir de la fin des années 1940 une transmission hydro-mécanique originale fondée sur la boîte de vitesses Asynchro. Celle-ci a la particularité d'être encadrée par deux embrayages-freins qui l'isolent

Pour les énumérations et les compositions dites "en sommaire", il est intéressant d'employer un retrait d'alinéa négatif associé à un taquet de tabulation à gauche chargé de séparer les puces du texte énuméré (voir Figure 6.21).

Figure 6.21

L'alignement du texte énuméré est ici facilité par le retrait d'alinéa négatif associé à un taquet de tabulation à gauche.

Une telle composition fait intervenir :

- un blanc tournant de 10 pt (défini au niveau du bloc de texte),
- la justification du texte,
- un « retrait avant » de 1 mm (espacement vertical),
- un retrait à gauche de 30 mm,
- un retrait d'alinéa de -12 mm qui permet au texte de l'énumération de s'aligner correctement lorsque l'une de ses lignes logiques s'étend sur plusieurs lignes physiques,
- un taquet de tabulation à gauche placé à 42 mm et dont la position correspond donc au retrait à gauche.

Séparation verticale

Verticalement, les lignes de base des lignes physiques sont séparées par l'interlignage. Cependant, il est possible de définir une séparation verticale propre aux lignes logiques. Il s'agit de l'espace avant et de l'espace après. L'espace avant correspond à la distance laissée libre avant le paragraphe ; il ne s'applique pas lorsque le paragraphe commence en haut d'une page. L'espace après est laissé libre après le paragraphe et s'ajoute à l'éventuel espace avant du paragraphe suivant. L'espace avant et l'espace après sont limités à 381 millimètres et sont nuls par défaut.

Pour séparer les titres ("inters") du reste du texte, ne cherchez pas à moduler l'interlignage ni à employer plusieurs retours à la ligne (touche Retour*) : faites appel aux espaces avant et après.*

Pour modifier l'espace avant et l'espace après des paragraphes sélectionnés, activez l'article **Format** du menu **Style**, puis introduisez des valeurs dans les cases de saisie **Espace avant** et **Espace après**. Validez ensuite en cliquant sur **OK**. La Figure 6.22 illustre l'emploi des espaces avant et après.

D'une façon générale, l'espace avant est utilisé en même temps que l'espace après, notamment pour ce qui concerne les intertitres. S'il est rare que l'espace après soit utilisé seul, il est en revanche plus courant que l'espace avant le soit, en particulier pour "aérer" les énumérations.

Alors que l'interlignage est relatif aux lignes physiques d'un paragraphe, les espaces avant et après s'appliquent aux lignes logiques. Les deux notions ne peuvent donc se confondre que dans le cas très particulier de lignes logiques limitées à une unique ligne physique.

La transmission mécanique

Les débuts

Apparu à la fin du XIXe siècle, le moteur diesel attend pendant de longues années sa mise au point. Il se développe ensuite timidement à travers ses applications fixes ou marines. L'envie d'associer le moteur diesel à la traction ferroviaire apparaît très tôt. Malheureusement, les concepteurs se heurtent immédiatement au problème de la transmission du mouvement. En effet, contrairement à un moteur à vapeur, un moteur diesel ne peut pas démarrer en charge.
La première idée consiste à appliquer des techniques issues de l'automobile dont on constate à cette occasion l'incompatibilité avec l'effort développé par un engin de traction ferroviaire. C'est alors que le motoriste suisse Sulzer élabore une transmission fondée sur le principe des locomotives à vapeur mais, au lieu d'envoyer de la vapeur dans les pistons, on y envoie l'air comprimé produit par un compresseur entraîné par le moteur diesel. Enfanté dans la douleur, le prototype achevé en 1913 par Sulzer est la première locomotive diesel. Dès les années 20, on adoptera cette solution satisfaisante qu'est la transmission électrique. Celle-ci se fonde sur un générateur de courant (génératrice ou alternateur) entraîné par le moteur diesel et sur des moteurs de traction électriques animant les essieux. Aujourd'hui encore, ce type de transmission domine la traction ferroviaire à travers le monde.

Situation actuelle

Malgré l'indiscutable succès de la transmission électrique, la transmission mécanique conserve de sérieux atouts tels que sa légèreté et son coût moindre. La transmission mécanique reste donc d'actualité pour les engins diesel de faible ou moyenne puissance ne devant pas développer un effort de traction trop important (locotracteurs, autorails,

Figure 6.22
Ici, les intertitres sont munis d'espace avant et d'espace après.

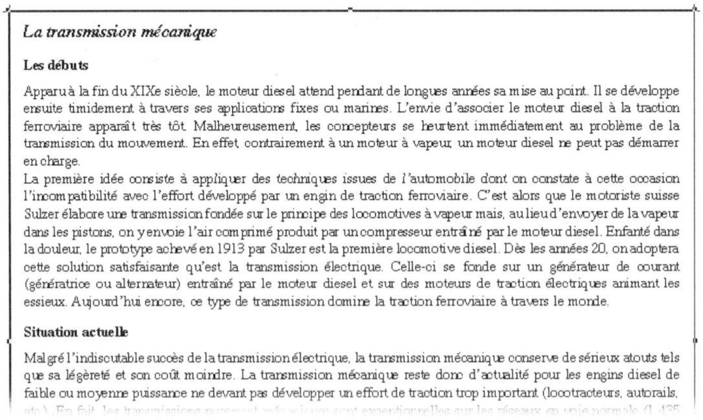

Retrait d'indentation

Un retrait d'indentation est un caractère invisible ayant pour effet l'indentation du texte à son niveau pour toutes les lignes du paragraphe qui suivent celles contenant le caractère de retrait d'indentation.

En apparence, l'indentation repousse vers la droite le retrait à gauche des lignes concernées. Pour organiser un retrait d'indentation :

1. Cliquez sur le texte de façon à placer le curseur sur la ligne précédant la première ligne respectant le retrait, le curseur étant placé horizontalement au niveau du retrait.
2. Tapez Cmd+: sous Mac OS ou Ctrl+Alt+⇧Maj+! sous Windows, ce qui a pour effet de mettre en place le retrait.

L'indentation permet notamment une organisation particulière des lettrines… que l'on aurait également obtenue avec un taquet d'alinéa négatif (voir Figure 6.23).

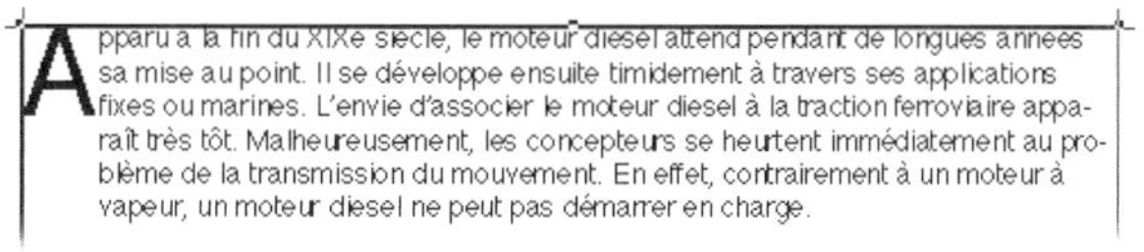

Figure 6.23

Ici, un retrait d'indentation a été mis en place juste après la lettrine automatique.

Apparu à la fin du XIXe siècle, le moteur diesel attend pendant de longues années sa mise au point. Il se développe ensuite timidement à travers ses applications fixes ou marines. L'envie d'associer le moteur diesel à la traction ferroviaire apparaît très tôt. Malheureusement, les concepteurs se heurtent immédiatement au problème de la transmission du mouvement. En effet, contrairement à un moteur à vapeur, un moteur diesel ne peut pas démarrer en charge.

Un paragraphe peut contenir plusieurs retraits d'indentation qui repoussent tous un peu plus la fin du paragraphe vers la droite (voir Figure 6.24). Un retrait d'indentation est matérialisé par un caractère invisible (voir Figure 6.25) et non par un taquet sur la règle de paragraphe. Après avoir activé l'affichage des caractères invisibles (article **Afficher les car. invis.** du menu **Affichage**), le retrait d'indentation apparaît sous la forme de pointillés verticaux que vous pourrez supprimer comme n'importe quel autre caractère à l'aide des touches d'effacement de caractères. Notez que le retrait d'indentation peut ne pas apparaître avec certaines échelles de visualisation malgré l'activation de l'affichage des caractères invisibles.

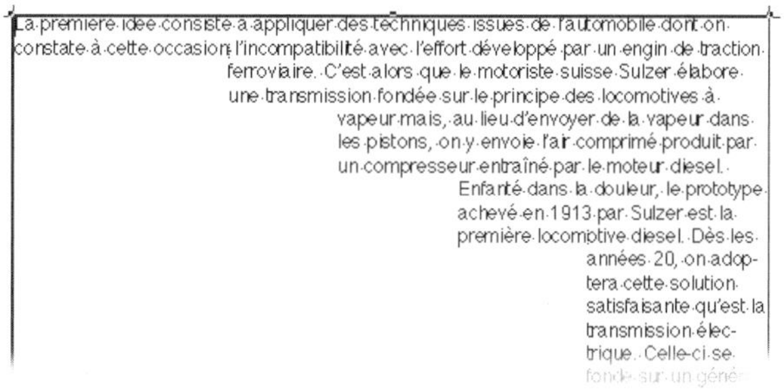

Figure 6.24

Un même paragraphe peut contenir plusieurs retraits d'indentation.

La première idée consiste à appliquer des techniques issues de l'automobile dont on constate à cette occasion l'incompatibilité avec l'effort développé par un engin de traction ferroviaire. C'est alors que le motoriste suisse Sulzer élabore une transmission fondée sur le principe des locomotives à vapeur mais, au lieu d'envoyer de la vapeur dans les pistons, on y envoie l'air comprimé produit par un compresseur entraîné par le moteur diesel. Enfanté dans la douleur, le prototype achevé en 1913 par Sulzer est la première locomotive diesel. Dès les années 20, on adoptera cette solution satisfaisante qu'est la transmission électrique. Celle-ci se fonde sur un géné

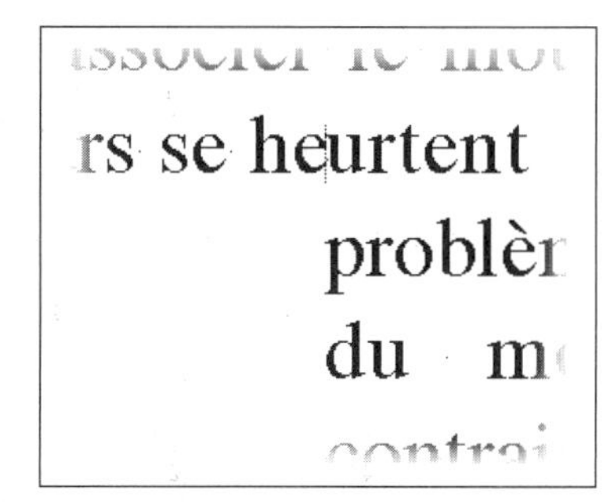

Figure 6.25

Le symbole du retrait est placé sur la ligne qui précède la première ligne respectant ce retrait.

Tabulations

Une tabulation est un caractère spécial (et invisible) chargé d'envoyer le curseur vers le prochain taquet de tabulation rencontré lorsque la ligne est parcourue de la gauche vers la droite à partir de la position courante du curseur. Les tabulations permettent donc d'aligner le texte sur des taquets sachant qu'il ne faut en aucun cas employer des espaces multiples pour aligner le texte. Les tabulations sont à employer pour les énumérations, pour les tableaux, etc.

Taquets

Les taquets de tabulation (voir Figure 6.26) concernent les paragraphes sélectionnés lors de la définition desdits taquets. Un paragraphe peut ne contenir aucun taquet, il peut aussi en accueillir plusieurs. Les taquets apparaissent dans la règle de paragraphe.

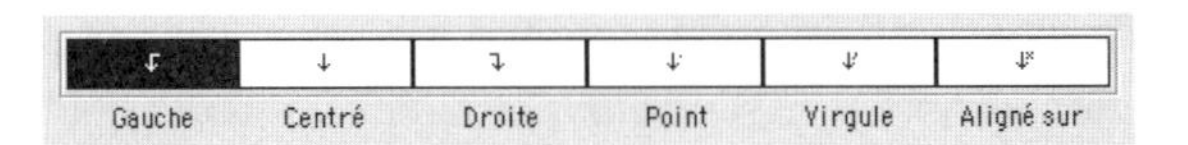

Figure 6.26
Les différents taquets.

Lorsqu'un caractère de tabulation entraîne le saut du texte vers le prochain taquet, le texte se place :

- à droite du taquet s'il s'agit d'un taquet de tabulation à gauche (voir Figure 6.27) ;
- à gauche du taquet s'il s'agit d'un taquet de tabulation à droite (voir Figure 6.28) ;
- de part et d'autre du taquet s'il s'agit d'un taquet de tabulation centré (voir Figure 6.29) ;
- de façon à aligner sur le taquet le premier point rencontré à la suite du caractère de tabulation s'il s'agit d'un taquet d'alignement sur les points (voir Figure 6.31) ;
- de façon à aligner sur le taquet la première virgule rencontrée à la suite du caractère de tabulation s'il s'agit d'un taquet d'alignement sur les virgules (voir Figure 6.30) ;
- de façon à aligner sur le taquet le premier caractère de votre choix rencontré à la suite du caractère de tabulation s'il s'agit d'un taquet d'alignement sur un caractère personnalisé (voir Figure 6.32).

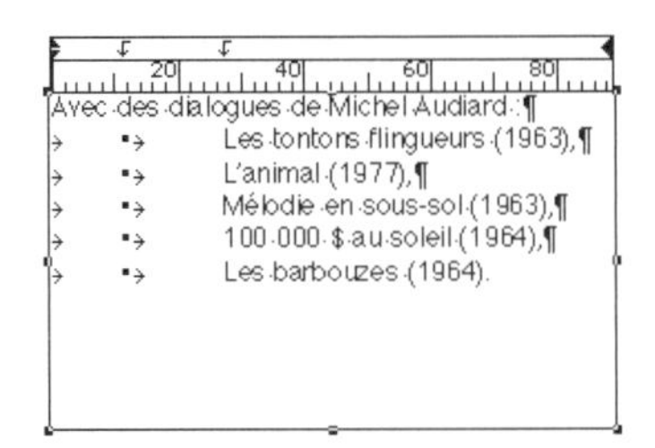

Figure 6.27
On trouve ici deux taquets de tabulation à gauche : le texte se met en place à droite de ces taquets.

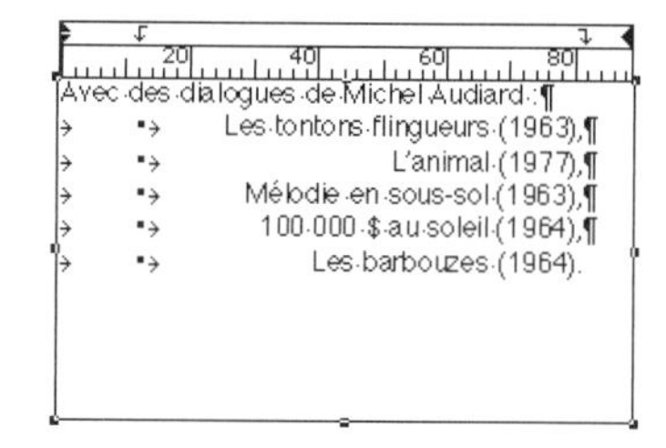

Figure 6.28

Le second taquet est ici un taquet de tabulation à droite : le texte se met en place à gauche dudit taquet.

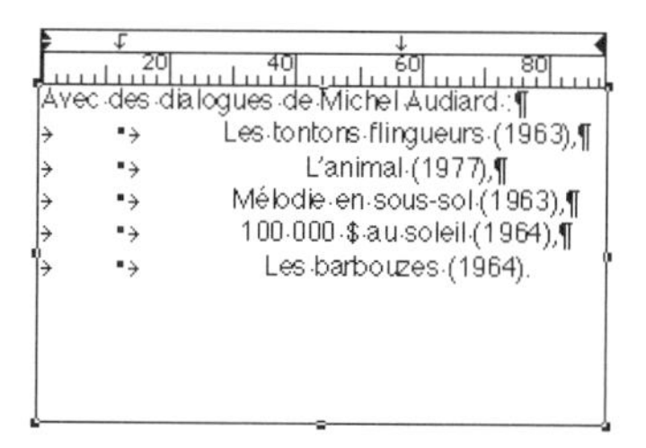

Figure 6.29

Le second taquet est ici un taquet de tabulation centré : le texte suivant ledit taquet se centre sur celui-ci.

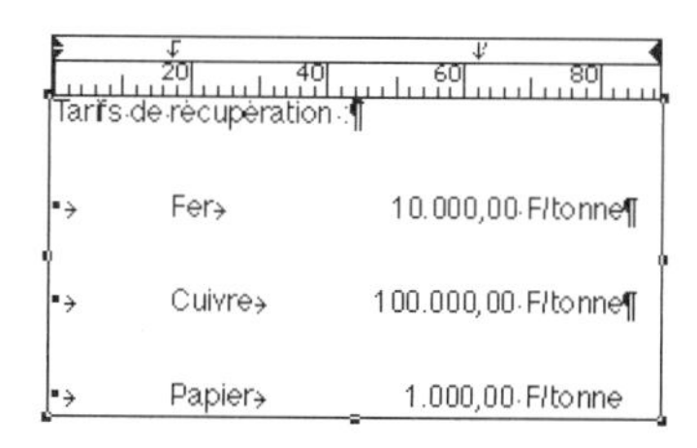

Figure 6.30

Le second taquet entraîne l'alignement sur la virgule.

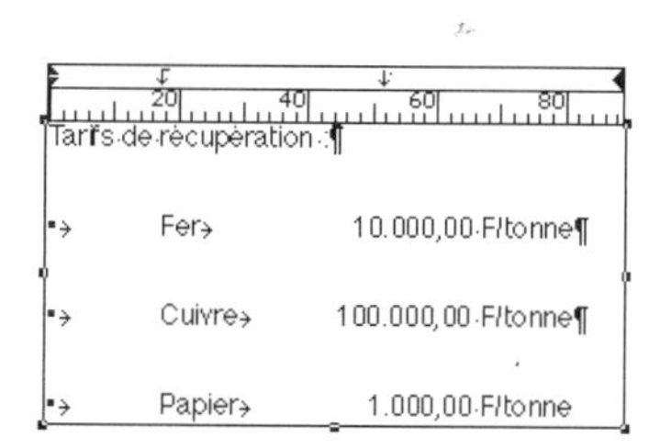

Figure 6.31

Le second taquet entraîne l'alignement sur le point.

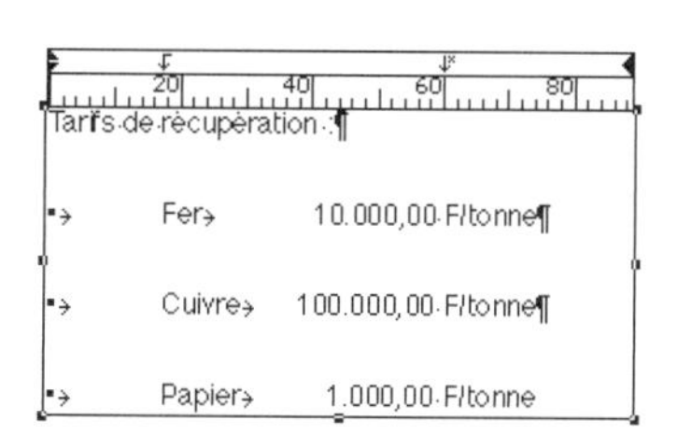

Figure 6.32

Le second taquet entraîne l'alignement sur un caractère défini par l'utilisateur ; ici, un "F".

Pour organiser un taquet de tabulation sur les paragraphes sélectionnés :

1. Ouvrez l'onglet **Tabulations** (voir Figure 6.33) de la zone de dialogue **Attributs de paragraphe**, en sélectionnant l'article **Tabulations** du menu **Style**.
2. Cliquez sur celle des six cases qui correspond au type de taquet à mettre en place.
3. Cliquez sur la règle de paragraphe où le nouveau taquet apparaît contrasté (il est sélectionné).
4. S'il y a lieu, saisissez la position précise du taquet dans la case de saisie **Position**. La valeur saisie ajustera la position du taquet sélectionné (dernier taquet mis en place ou taquet sur lequel vous venez de cliquer dans la règle de paragraphe). Validez en cliquant sur **Définir**.
5. S'il y a lieu, répétez la manipulation afin de placer d'autres taquets, puis validez les positions des taquets en cliquant sur **OK**.

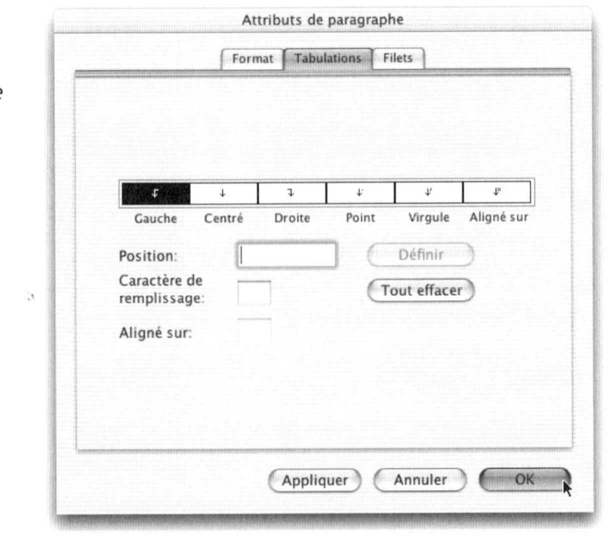

Figure 6.33

Cet onglet de la zone de dialogue Attributs de paragraphe permet la mise en place des taquets de tabulation. Les six cases fixent le type du taquet, tandis que la case de saisie Position définit la position horizontale du taquet sur la justification.

Pour supprimer un taquet défini pour les paragraphes sélectionnés :

- Ouvrez l'onglet **Tabulations** en sélectionnant l'article **Tabulations** du menu **Style**.
- La règle de paragraphe s'étant affichée au-dessus du paragraphe où se trouve le curseur (ou le début de la sélection), faites glisser le taquet à supprimer sous la règle de paragraphe.

Un taquet de tabulation est défini pour un paragraphe où il n'entre en action qu'en cas de saisie du caractère de tabulation à l'aide de la touche de tabulation (Tab). Un caractère de tabulation fait sauter le curseur (et donc le point d'insertion) vers la position du taquet suivant dans la règle de paragraphe.

Un moyen simple pour organiser une tabulation de marge à droite consiste à employer l'équivalent clavier Alt+Tab (Mac OS) ou ⇧Maj+Tab (Windows).

Remplissage et points de conduite

On appelle "points de conduite" des points placés entre le caractère de tabulation et la position du taquet.

Les points de conduite (voir Figure 6.34) sont d'un emploi courant pour les sommaires et les tables des matières où la distance horizontale entre deux informations associées rend parfois difficile le suivi d'une ligne. En fait, XPress autorise l'emploi d'un caractère quelconque comme point de conduite. Pour associer à un taquet de tabulation un caractère employé pour les points de conduite :

1. Ouvrez l'onglet **Tabulations** en sélectionnant l'article **Tabulations** du menu **Style**.
2. La règle de paragraphe étant placée au-dessus du paragraphe contenant le curseur (ou le début de la sélection), cliquez sur le taquet à munir de points de conduite.
3. Le taquet étant contrasté dans la règle de paragraphe, saisissez le caractère à employer pour les points de conduite dans la case de saisie **Caractère de remplissage** (voir Figure 6.35).
4. Validez en cliquant sur **OK**.

Figure 6.34

Ici, une puce est employée pour les points de conduite.

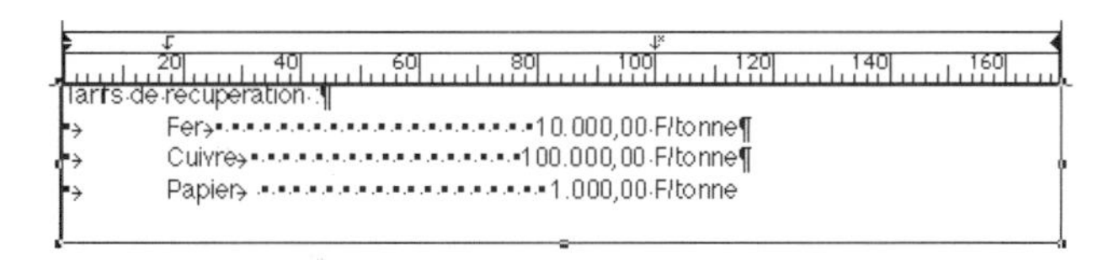

*Par défaut, la case **Caractère de remplissage** contient une espace qui complète le caractère saisi.*

La case **Tout effacer** de l'onglet **Tabulations** supprime tous les taquets de tabulation de la sélection. C'est très commode lors de la définition de taquets relatifs à plusieurs paragraphes pour lesquels des taquets différents ont été définis précédemment.

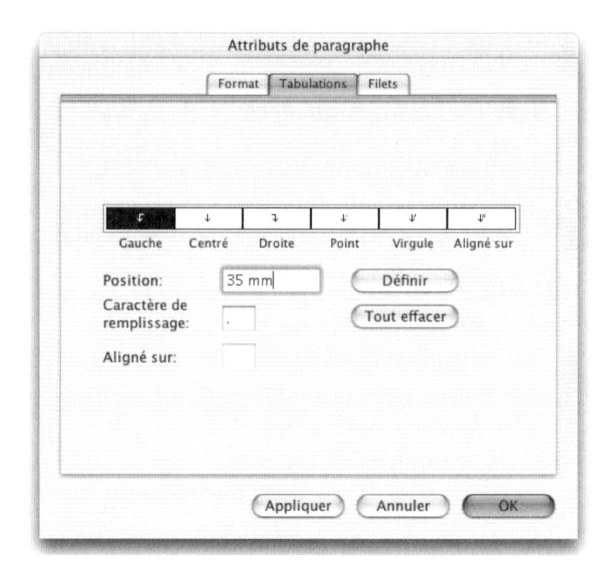

Figure 6.35

La définition d'un caractère pour les points de conduite se résume à la saisie d'un symbole dans la case Caractère de remplissage, alors qu'un taquet est sélectionné (contrasté) sur la règle de paragraphe.

astuce

Il est possible de saisir deux caractères dans la case ***Caractère de remplissage****. Habituellement, on saisit un caractère quelconque et une espace, celle-ci étant saisie par défaut.*

Alignement sur un caractère

Déjà évoqué, l'alignement sur un caractère entraîne l'alignement d'un caractère défini par l'utilisateur sur le taquet de tabulation. Ce type de taquet est défini comme les autres, à ceci près qu'il impose la saisie d'un symbole dans la case **Aligné sur** de l'onglet **Tabulations**. Notez que la case de saisie **Aligné sur** est estompée (indisponible) pour les taquets d'un type autre que **Aligné sur**. Par ailleurs, cette case de saisie n'admet qu'un seul caractère (voir Figure 6.36). La Figure 6.37 montre un exemple d'alignement fondé sur un caractère.

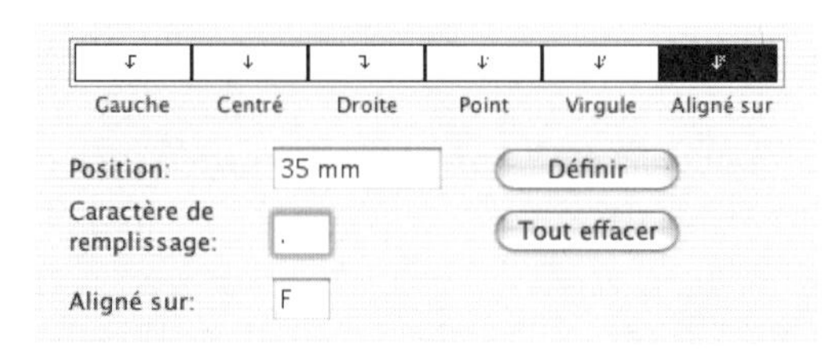

Figure 6.36

Il est possible d'employer l'espace comme caractère d'alignement du taquet.

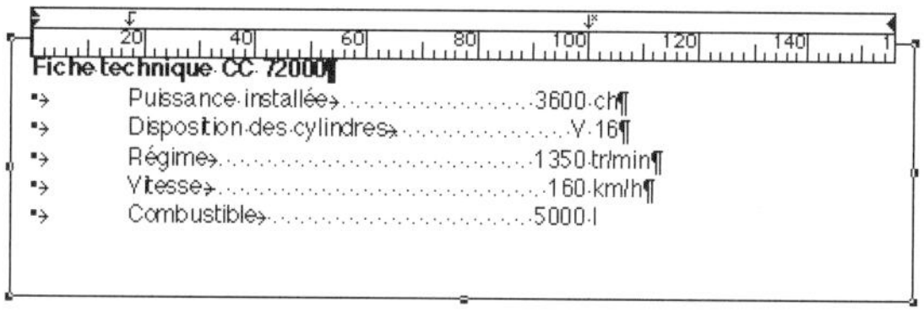

Figure 6.37

En fondant l'alignement sur le caractère espace, on obtient un alignement satisfaisant des données numériques d'un tableau technique, l'alignement ayant lieu entre le nombre et son unité.

Fiche technique CC 72000¶
Puissance installée → 3600 ch¶
Disposition des cylindres → V 16¶
Régime → 1350 tr/min¶
Vitesse → 160 km/h¶
Combustible → 5000 l

Lettrine

Une lettrine est une grande lettre chargée de marquer le début d'un paragraphe ; elle est parfois richement ornée. Bien que la lettrine soit un attribut de paragraphe, on ne l'emploiera qu'au début du texte (premier paragraphe) ou au début de chaque chapitre s'il s'agit d'un texte divisé en chapitres.

XPress permet de traiter les cent vingt-sept premiers caractères d'un paragraphe comme des lettrines. En pratique, seul le premier caractère peut prétendre au statut de lettrine (voir Figure 6.39). On peut cependant concevoir que le premier mot d'un paragraphe ait le statut de lettrine, à condition que ce mot ait un impact tout particulier sur le lecteur.

La taille de la lettrine est définie par rapport à celle des autres caractères du paragraphe, la lettrine étant de deux à seize fois plus grande que les autres caractères (le facteur d'agrandissement doit être entier). Notez que rien n'interdit l'emploi d'une police particulière pour la lettrine. Pour créer une ou plusieurs lettrines habillées "au carré" au début des paragraphes sélectionnés :

1. Sélectionnez l'article **Format** du menu **Style**.
2. Cochez la case d'option **Lettrines** (voir Figure 6.38).
3. Saisissez le nombre de caractères à transformer en lettrines dans la case de saisie **Nombre de caractères** (ce nombre doit être un entier compris entre 1 et 127).
4. Saisissez le nombre de lignes devant habiller la lettrine dans la case de saisie **Nombre de lignes** (ce nombre doit être un entier compris entre 1 et 16). Notez que vous pourrez ensuite ajuster le corps de la lettrine à l'aide d'un pourcentage de sa taille par défaut.
5. Validez en cliquant sur **OK**.

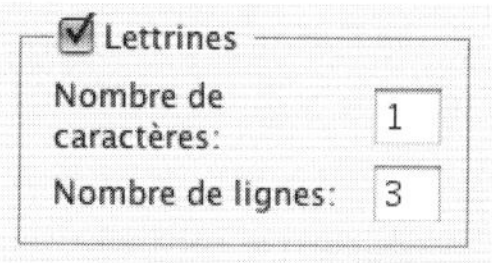

Figure 6.38

Les cases de saisie Nombre de caractères et Nombre de lignes ne sont activées que lorsque la case de saisie Lettrines est cochée.

Lettrines
Nombre de caractères: 1
Nombre de lignes: 3

Figure 6.39
La lettrine est ici limitée à un caractère et s'étend sur trois lignes.

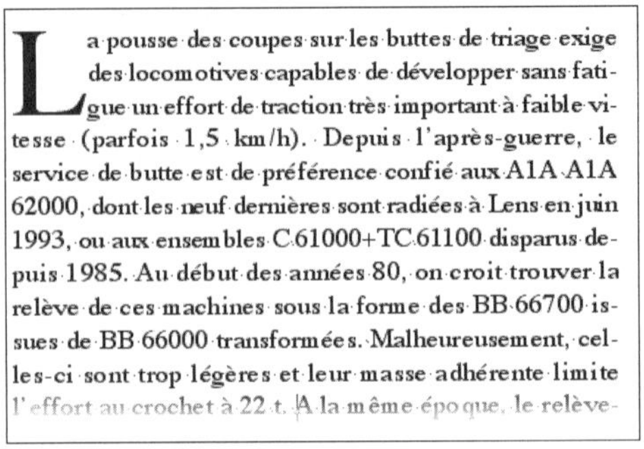

La pousse des coupes sur les buttes de triage exige des locomotives capables de développer sans fatigue un effort de traction très important à faible vitesse (parfois 1,5 km/h). Depuis l'après-guerre, le service de butte est de préférence confié aux A1A A1A 62000, dont les neuf dernières sont radiées à Lens en juin 1993, ou aux ensembles C 61000+TC 61100 disparus depuis 1985. Au début des années 80, on croit trouver la relève de ces machines sous la forme des BB 66700 issues de BB 66000 transformées. Malheureusement, celles-ci sont trop légères et leur masse adhérente limite l'effort au crochet à 22 t. A la même époque, le relève-

astuce

On peut obtenir des effets d'habillage partiel intéressants à l'aide d'un retrait d'indentation ou d'un retrait d'alinéa négatif.

astuce

On obtient une lettrine dite "descendante" en plaçant à sa suite un retrait d'indentation.

Le corps de la lettrine est défini par le nombre de lignes qu'elle doit habiller. Toutefois, vous pouvez moduler sa taille à l'aide d'un pourcentage saisi dans la palette des spécifications à la place du corps quand une lettrine est sélectionnée (voir Figure 6.40). Avec un taux supérieur à 100 % (le pourcentage appliqué au corps d'une lettrine doit être compris entre 16,7 % et 400 %), la ligne de tête de la lettrine dépasse celle du texte. Il ne s'agit pas pour autant d'une lettrine en saillie.

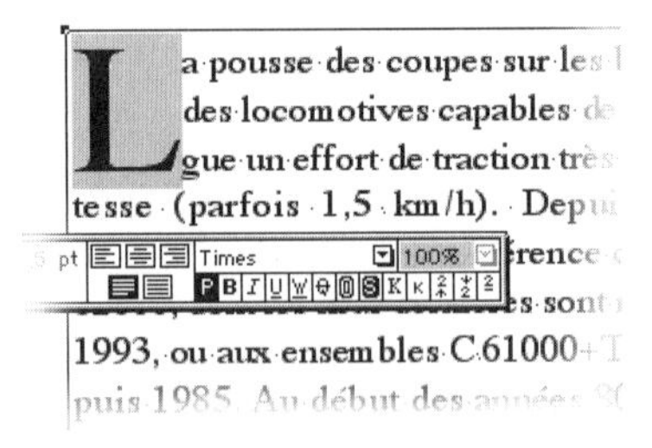

Figure 6.40
La sélection d'une lettrine entraîne l'affichage d'un pourcentage modifiable dans la case de saisie normalement réservée au corps (palette des spécifications).

XPress ne crée pas automatiquement les lettrines en saillie (lettrines dont la ligne de base reste celle de la première ligne du paragraphe). Ce type de lettrine est obtenu en augmentant le corps de la première lettre du paragraphe tout en ayant soin de saisir une valeur explicite pour l'interlignage. En effet, "auto" aurait pour effet d'ajuster l'interlignage de tout le paragraphe en fonction du corps de la lettrine.

A la place d'une lettrine, vous pouvez envisager l'emploi d'un bloc ancré. Ce bloc peut être un texte converti en bloc puis rempli d'une texture.

Césure et espacement

L'article **C&J** du menu **Edition** ouvre une zone de dialogue permettant de choisir, de définir ou de modifier une méthode de C&J appliquée au document. Par C&J, il faut comprendre césure et justification. Il s'agit donc de contrôler la coupure des mots en fin de ligne physique et l'espacement des lettres et des mots afin d'aligner le texte sur les marges droite et gauche en cas de justification du texte.

XPress adopte par défaut sa méthode standard de C&J. Cependant, rien ne vous empêche de définir votre propre méthode de C&J sachant que XPress en tolère plus d'une centaine par document. Chaque paragraphe peut adopter une méthode de C&J particulière. Tout le document n'est donc pas obligatoirement soumis à la même méthode.

Pensez à associer une méthode de C&J à vos feuilles de style de paragraphe.

Gérer les méthodes de C&J

Pour accéder aux gestionnaires de méthodes de C&J, sélectionnez l'article **C&J** du menu **Edition**. Vous ouvrez ainsi la zone de dialogue illustrée à la Figure 6.41.

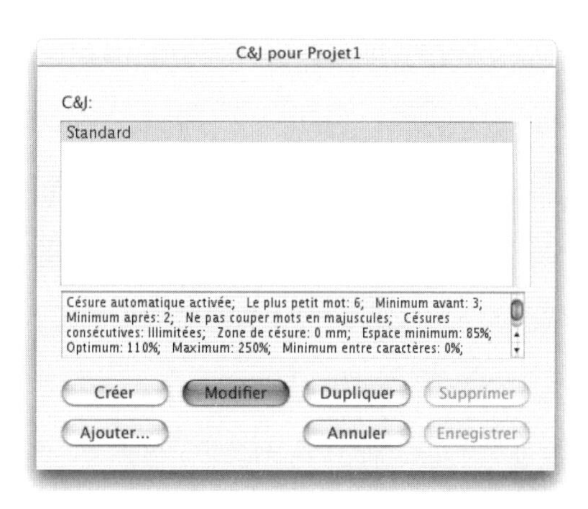

Figure 6.41
Cette zone de dialogue affiche la liste des méthodes de C&J disponibles pour le document courant, ou pour l'application en général si aucun document n'est ouvert.

Pour manipuler les méthodes de C&J indépendamment d'un document particulier, ouvrez la zone de dialogue **C&J** alors qu'aucun document n'est ouvert. Les méthodes définies ou modifiées dans ces conditions seront disponibles pour tous les documents ouverts avec l'application car vous modifiez alors les choix par défaut.

La zone de dialogue C&J présente la liste des méthodes de C&J. Par défaut, seule la méthode **Standard** est disponible. Un clic sur l'une des méthodes de la liste contraste et sélectionne cette méthode. Vous pouvez ensuite cliquer sur :

- **Modifier.** Une zone de dialogue vous permet alors d'ajuster les paramètres définissant la méthode.
- **Supprimer.** XPress vous impose la conservation d'au moins une méthode en cas de suppression des méthodes de C&J.
- **Dupliquer.** Par exemple, la copie de la méthode A entraîne la création d'une méthode nommée **Copie de A** qui est immédiatement éditée afin que vous puissiez modifier tant son nom que ses caractéristiques. La duplication est utile à la création d'une nouvelle méthode peu différente d'une méthode existante.

Vous pouvez également créer une nouvelle méthode de C&J en cliquant sur le bouton **Créer**. La zone de dialogue **Modification de la césure et de la justification** s'ouvre et édite une méthode nommée **Nouvelle C&J**. Vous retrouverez cette zone de dialogue lors de la création et de la modification d'une méthode de C&J ; les choix formulés grâce à elle doivent être validés en cliquant sur **OK**.

Figure 6.42
Cette zone de dialogue présente les caractéristiques d'une méthode de C&J. Celle-ci peut être renommée ou modifiée.

D'une façon générale, une nouvelle méthode de C&J se fonde sur l'une des méthodes existantes qu'elle améliore ou spécialise. Afin de récupérer les attributs d'une méthode de C&J déjà disponible, le plus simple est encore de dupliquer la méthode servant de base :

1. La zone de dialogue **C&J** (voir Figure 6.41) ayant été ouverte par la sélection de l'article **C&J** du menu **Edition**, cliquez sur le nom de la méthode à dupliquer.

2. La méthode à dupliquer étant contrastée (elle est sélectionnée), cliquez sur le bouton **Dupliquer**.
3. La zone de dialogue **Modification** étant ouverte (voir Figure 6.42), la nouvelle méthode s'appelle **Copie de...** et attend d'être renommée. Par défaut, elle récupère les caractéristiques de la méthode sur laquelle elle se fonde. Ces caractéristiques peuvent bien sûr être modifiées.
4. Validez la nouvelle méthode en cliquant sur **OK**.
5. S'il y a lieu, quittez la zone de dialogue **C&J** en confirmant les modifications en cliquant sur **Enregistrer**.

Rien ne vous empêche d'importer les méthodes de C&J propres à un document. Les méthodes importées s'ajoutent à celles disponibles pour l'application si aucun document n'est ouvert ; si tel n'est pas le cas, elles complètent les méthodes disponibles pour le document affiché dans la fenêtre de premier plan. Pour importer des méthodes, cliquez sur le bouton **Ajouter** de la zone de dialogue **C&J** (voir Figure 6.41), sélectionnez le document source à travers une zone de dialogue de catalogue, puis choisissez les méthodes de C&J à importer. L'importation a lieu dans une zone de dialogue qui propose deux listes. Celle de gauche contient les méthodes proposées par le document sélectionné. Cliquez sur l'une de ses méthodes, puis sur la flèche dirigée vers la droite pour ajouter cette méthode à la liste de celles qui seront importées. Validez ensuite par **OK**, puis par **Enregistrer**.

*La zone de dialogue **C&J** s'appelle **C&J par défaut** lorsque son contenu est indépendant d'un document particulier. Ce cas se rencontre en cas d'ouverture de la zone de dialogue alors qu'aucun document n'est ouvert.*

Pour quitter la zone de dialogue **C&J** – présentant la liste des méthodes de C&J disponibles –, cliquez sur **Annuler** ou sur **Enregistrer**. Un clic sur **Annuler** entraîne la perte des modifications effectuées depuis l'ouverture de la zone de dialogue, tandis qu'un clic sur **Enregistrer** permet de quitter la zone de dialogue tout en conservant les modifications.

Appliquer une méthode de C&J

Une méthode de C&J est un attribut de paragraphe, chaque paragraphe peut donc disposer de sa propre méthode. Pour appliquer une méthode de C&J aux paragraphes sélectionnés :

1. Sélectionnez l'article **Format** du menu **Style**.
2. Choisissez l'une des méthodes disponibles (méthodes par défaut et méthodes propres au document) à travers le menu local **C&J** de l'onglet **Format** de la zone de dialogue **Attributs de paragraphe** (voir Figure 6.43).

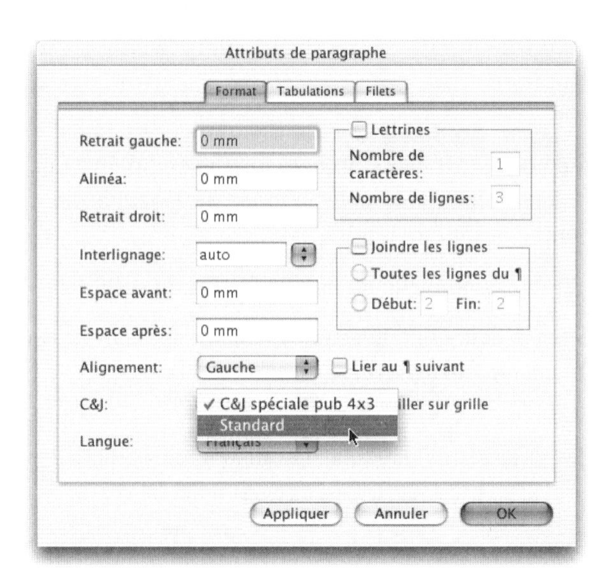

Figure 6.43

Le menu local C&J ne présente pas les méthodes de C&J par défaut si le document est antérieur à la définition desdites méthodes. Toutefois, les méthodes propres au document sont, bien sûr, présentes dans ce menu local.

3. Validez votre choix en cliquant sur **OK**.

Les méthodes de C&J définies alors qu'aucun document n'est ouvert ont le statut de méthodes de C&J par défaut. Ces méthodes ne seront disponibles que pour les documents créés après la définition desdites méthodes. Les documents antérieurs à la définition de ces méthodes n'en disposent donc pas. Ils peuvent toutefois en profiter en important les méthodes postérieures à leur création depuis un document qui en dispose (s'il y a lieu, créez spécialement un document vierge destiné à l'importation des méthodes de C&J). Remarquez qu'il est intéressant de préciser une méthode de C&J personnalisée lors de la définition d'une feuille de style de paragraphe.

Césure

Nous savons maintenant comment manipuler les méthodes de C&J et notamment comment les éditer, les créer, les dupliquer, les supprimer et les importer. Il convient cependant de revenir sur le contenu de la zone de dialogue consacrée entre autres à l'ajustement des paramètres de césure (voir Figure 6.42). Appelée **Modification de la césure et de la justification**, cette zone de dialogue propose différentes options pour l'ajustement de la césure automatique :

- **Césure automatique.** Active la césure automatique lorsqu'elle est cochée.

- **Le plus petit mot.** Accueille un nombre entier compris entre 3 et 20. Il correspond au nombre de lettres du plus petit mot susceptible de faire l'objet d'une coupure en fin de ligne.
- **Minimum avant.** Contient un nombre entier compris entre 1 et 6. Il correspond au nombre de lettres devant être maintenues en fin de ligne (en deçà du trait d'union) lors d'une césure.
- **Minimum après.** Accueille un nombre entier compris entre 2 et 8. Il correspond au nombre de lettres devant être maintenues en début de ligne (au-delà du trait d'union) lors d'une césure.
- **Césure des mots en maj.** Active la césure des mots comprenant au moins une capitale.
- **Césures consécutives.** Détermine le nombre maximal de lignes consécutives contenant une césure. Vous pouvez y saisir un nombre entier compris entre 0 et 7 ou sélectionner l'article **Illimité** du menu local afin d'autoriser toutes les césures, sans limitation relative au nombre de césures consécutives. Notez que la valeur 0 est ici équivalente à l'article **Illimité**.
- **Zone de césure.** Détermine (uniquement pour l'alignement à droite, à gauche ou centré) une distance maximale par rapport à la marge afin d'autoriser la césure. Par exemple, une zone de césure de 15 mm n'autorise la césure que pour les mots dont le premier caractère se trouve au moins à 15 mm de la marge susceptible de provoquer une césure.

Une méthode de C&J peut correspondre à l'interdiction de la césure (en vue d'un emploi avec des feuilles de style de titraille ou pour les chapeaux). L'interdiction de la césure est obtenue en ne cochant pas la case d'option ***Césure automatique****.*

Les choix par défaut de XPress sont :

- une césure autorisée à partir de six caractères ;
- un "minimum avant" de trois caractères ;
- un "minimum après" de deux caractères ;
- l'interdiction de la césure des mots comprenant des majuscules ;
- un nombre illimité de césures consécutives ;
- une zone de césure de 0 mm (qui n'impose donc aucune contrainte pour la césure des mots lorsque l'alignement est centré, au fer à droite, ou au fer à gauche).

Afin de vous conformer aux usages typographiques français, nous vous conseillons :

- Une césure autorisée à partir de six caractères, voire sept.
- Un "minimum avant" de deux caractères (plutôt trois si la justification le permet).
- Un "minimum après" de trois caractères.
- L'autorisation de la césure des mots en capitales est envisageable pour un texte comprenant de nombreux noms propres et organisé sur des colonnes étroites.
- Normalement, le nombre de césures consécutives est limité à trois.
- L'étendue de la zone de césure est une affaire de choix personnels. Si vous n'avez pas d'*a priori* et en dehors d'un emploi spécial, saisissez 0 mm.

Le mot "césure" désigne normalement le repos à l'intérieur d'un vers à la suite d'une syllabe accentuée (par exemple, division de l'alexandrin classique en hémistiches). L'emploi de ce terme pour désigner la coupure des mots est donc impropre, mais consacré par l'usage.

Lorsque la méthode de C&J employée interdit la césure automatique, rien ne vous empêche d'employer la césure manuelle. Pour cela, placez le curseur où vous souhaitez insérer un tiret de césure puis tapez Cmd+- *(tiret) sous Mac OS ou* Ctrl+! *sous Windows. Ayant le statut de tiret optionnel, ce tiret disparaîtra si le mot qu'il coupe est replacé en milieu de ligne au gré des déplacements du texte.*

XPress vous permet d'interdire la césure de certains mots, ceux-ci devant alors être placés dans la liste des exceptions de césure. Ces exceptions sont stockées indépendamment des documents classiques dans un fichier de données propre à XPress et auquel celui-ci se réfère avant de procéder à la coupure d'un mot. Pour ouvrir le gestionnaire d'exceptions de césure, sélectionnez l'article **Exceptions de césure...** du menu **Utilitaires** ; vous pouvez ensuite :

- Ajouter un mot dont la césure est interdite en le saisissant dans la case prévue à cet effet puis en cliquant sur le bouton **Ajouter**.
- Supprimer l'un des mots de la liste en cliquant dessus (il doit se contraster) puis en cliquant sur **Supprimer**.
- Valider les ajouts et/ou les suppressions en cliquant sur **Enregistrer**.

Vous obtiendrez une césure satisfaisante en créant différentes méthodes de C&J personnalisées, en interdisant la césure pour certains cas particuliers (titraille, etc.) et en constituant votre liste d'exceptions de césure.

XPress peut vous annoncer la césure qu'il envisage pour tel ou tel mot, compte tenu des exceptions de césure et de la méthode de C&J active pour le paragraphe. Pour cela, sélectionnez le mot dont vous voulez connaître les césures envisagées puis choisissez l'article **Césure proposée** dans le menu **Utilitaires**. Validez ensuite la zone de dialogue (voir Figure 6.44) en cliquant sur **OK**. Notez que la césure proposée dépend de la méthode C&J associée au paragraphe dont le texte sélectionné fait partie.

Figure 6.44

Pour un mot sélectionné dans le texte, la zone de dialogue annonce les césures proposées en fonction de la méthode C&J active.

Espacement lié à la justification

Après avoir vu la césure des mots, passons à leur espacement dans le cadre de la justification du texte. Celle-ci correspond à son alignement sur les deux marges latérales. Par essence, la justification du texte impose la modulation de l'espace entre les mots et entre les caractères. Cette modulation est inexistante pour le texte centré ou aligné à gauche ou à droite.

La zone de dialogue **Modification de la césure et de la justification** (voir Figure 6.42) offre un choix pour l'ajustement de la justification automatique :

- **Espace Min.** Contient un pourcentage correspondant à l'espace minimal admissible entre les mots.
- **Espace Optim.** Contient un pourcentage correspondant à l'espace souhaité entre les mots.
- **Espace Max.** Contient un pourcentage correspondant à l'espace maximal admissible entre les mots.
- **Caract. Min.** Contient un pourcentage correspondant à l'espace minimal admissible entre les caractères.
- **Caract. Optim.** Contient un pourcentage correspondant à l'espace souhaité entre les caractères.
- **Caract. Max.** Contient un pourcentage correspondant à l'espace maximal admissible entre les caractères.
- **Zone justif.** Est chargée d'accueillir une valeur correspondant à une distance mesurée à partir de la marge de droite. Si la dernière ligne d'un paragraphe pénètre dans la zone ainsi définie, XPress force sa justification afin d'éviter un effet de ligne creuse.

- **Mot justifié.** Autorise, lorsqu'elle est cochée, la justification des mots seuls sur leur ligne (colonne étroite). Ces mots sont au fer à gauche si l'option n'est pas activée.

Pour les espaces entre les mots (**Espace Min.**, **Espace Optim.** et **Espace Max.**), les pourcentages égaux à 100 % correspondent à l'espacement prévu par défaut pour les caractères, compte tenu du corps et des caractères employés. Pour les espaces entre les lettres (**Caract. Min.**, **Caract. Optim.** et **Caract Max.**), le pourcentage – éventuellement négatif – vient s'ajouter à l'espace demi-cadratin en vigueur pour la police et le corps considérés. Rappelons que XPress n'emploie pas par défaut le cadratin standard (pour cela, déroulez le menu **Edition** – ou le menu **QuarkXPress** sous Mac OS X – et sélectionnez l'article **Préférences**, cliquez sur **Caractère**, puis cochez la case **Cadratin standard**).

Bien entendu, les valeurs minimales doivent être inférieures ou égales aux valeurs optimales et maximales. Les valeurs optimales doivent être comprises entre les valeurs minimales et maximales ou être égales à celles-ci. Enfin, les valeurs maximales doivent être supérieures ou égales aux valeurs optimales et minimales. Les différents taux pour les espaces entre mots doivent être compris entre 0 % et 500 %.

XPress tente toujours d'effectuer la justification à partir des valeurs optimales. Si c'est impossible, il adopte un taux compris entre les valeurs minimale et maximale admissibles. Quant au texte non justifié (texte au fer ou texte centré), il fait toujours appel aux valeurs optimales.

La justification peut entraîner la création de lézardes disgracieuses – on parle aussi de cheminées – formées par un espacement horizontal excessif et répété par hasard sur plusieurs lignes consécutives. Le contrôle de la césure autant que l'ajustement des paramètres de justification contribuent à éviter ces effets malheureux. Les Figures 6.45 à 6.48 illustrent les effets de différents réglages.

Figure 6.45
Les paramètres par défaut.

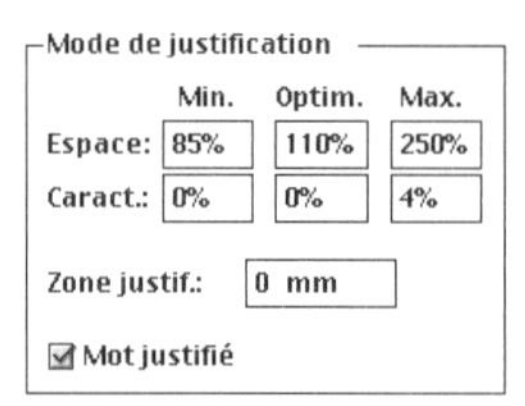

Apparu à la fin du XIXe siècle, le moteur diesel attend pendant de longues années sa mise au point. Il se développe ensuite timidement à travers ses applications fixes ou marines. L'envie d'associer le moteur diesel à la traction ferroviaire apparaît très tôt. Malheureusement, les concepteurs se heurtent immédiatement au problème de la transmission du mouvement. En effet, contrairement à un

Figure 6.46

Ici, on limite l'espace maximal entre les mots, mais on autorise une plus grande modulation de l'espace entre les lettres.

Mode de justification

	Min.	Optim.	Max.
Espace:	80%	100%	150%
Caract.:	-5%	0%	5%

Zone justif.: 0 mm

☑ Mot justifié

Apparu à la fin du XIXe siècle, le moteur diesel attend pendant de longues années sa mise au point. Il se développe ensuite timidement à travers ses applications fixes ou marines. L'envie d'associer le moteur diesel à la traction ferroviaire apparaît très tôt. Malheureusement, les concepteurs se heurtent immédiatement au problème de la transmission du mouvement. En effet, contrairement à un moteur à vapeur, un moteur diesel

Figure 6.47

Ici, l'espace optimal entre les mots est nettement inférieur à l'espace standard (100 %), on impose également un espace anormalement faible entre les caractères, d'où une densité accrue.

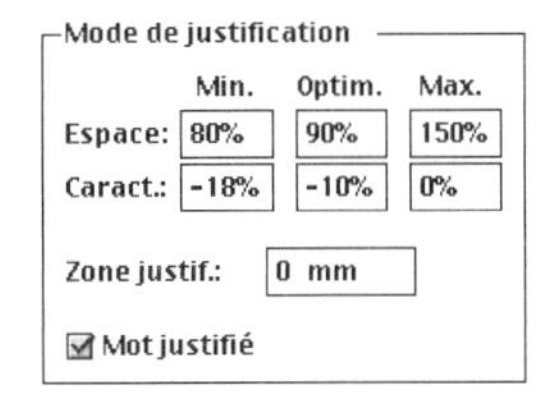

Apparu à la fin du XIXe siècle, le moteur diesel attend pendant de longues années sa mise au point. Il se développe ensuite timidement à travers ses applications fixes ou marines. L'envie d'associer le moteur diesel à la traction ferroviaire apparaît très tôt. Malheureusement, les concepteurs se heurtent immédiatement au problème de la transmission du mouvement. En effet, contrairement à un moteur à vapeur, un moteur diesel ne peut pas démarrer en charge.¶

Figure 6.48

Ici, le texte est aéré par des espaces optimaux entre caractères et entre mots supérieurs au standard.

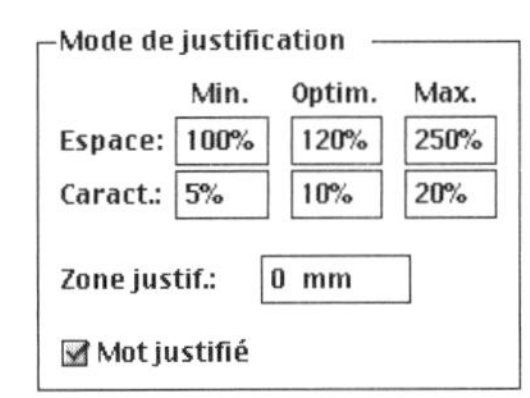

Apparu à la fin du XIXe siècle, le moteur diesel attend pendant de longues années sa mise au point. Il se développe ensuite timidement à travers ses applications fixes ou marines. L'envie d'associer le moteur diesel à la traction ferroviaire apparaît très tôt. Malheureusement, les concepteurs se heurtent immédiatement au problème de la transmission du mouvement. En effet, contrai-

Lier les paragraphes

Afin d'éviter un début de paragraphe en début de colonne ou une fin de paragraphe en fin de colonne, vous disposez de la commande **Lier au ¶ suivant** ("lier au paragraphe suivant") qui impose à deux blocs consécutifs de placer la dernière ligne de l'un et la première ligne de l'autre dans la même colonne. Les Figures 6.49 et 6.50 illustrent la ligature des paragraphes.

Pour lier le paragraphe sélectionné au suivant :

1. Sélectionnez l'article **Format** du menu **Style**.
2. Cochez la case d'option **Lier au ¶ suivant**.
3. Cliquez sur **OK**.

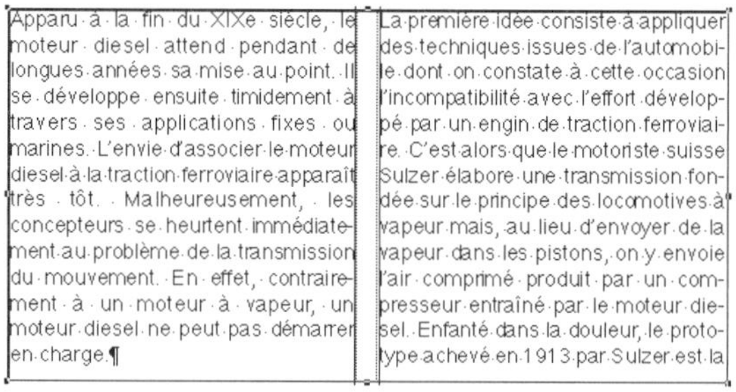

Figure 6.49

Lorsque la case Lier au ¶ suivant n'est pas cochée, un paragraphe peut voir sa dernière ligne placée en pied de colonne.

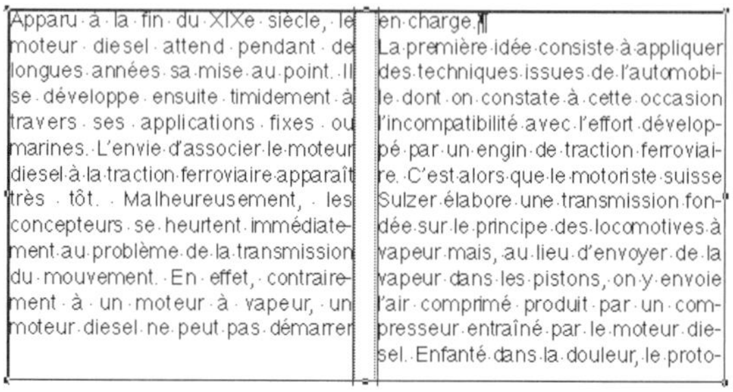

Apparu à la fin du XIXe siècle, le moteur diesel attend pendant de longues années sa mise au point. Il se développe ensuite timidement à travers ses applications fixes ou marines. L'envie d'associer le moteur diesel à la traction ferroviaire apparaît très tôt. Malheureusement, les concepteurs se heurtent immédiatement au problème de la transmission du mouvement. En effet, contrairement à un moteur à vapeur, un moteur diesel ne peut pas démarrer en charge.¶

La première idée consiste à appliquer des techniques issues de l'automobile dont on constate à cette occasion l'incompatibilité avec l'effort développé par un engin de traction ferroviaire. C'est alors que le motoriste suisse Sulzer élabore une transmission fondée sur le principe des locomotives à vapeur mais, au lieu d'envoyer de la vapeur dans les pistons, on y envoie l'air comprimé produit par un compresseur entraîné par le moteur diesel. Enfanté dans la douleur, le prototype achevé en 1913 par Sulzer est la

Figure 6.50

En cochant Lier au ¶ suivant, on impose à la dernière ligne d'un paragraphe et à la première ligne du suivant de se trouver dans la même colonne. Notez l'orpheline générée.

Apparu à la fin du XIXe siècle, le moteur diesel attend pendant de longues années sa mise au point. Il se développe ensuite timidement à travers ses applications fixes ou marines. L'envie d'associer le moteur diesel à la traction ferroviaire apparaît très tôt. Malheureusement, les concepteurs se heurtent immédiatement au problème de la transmission du mouvement. En effet, contrairement à un moteur à vapeur, un moteur diesel ne peut pas démarrer

en charge.¶

La première idée consiste à appliquer des techniques issues de l'automobile dont on constate à cette occasion l'incompatibilité avec l'effort développé par un engin de traction ferroviaire. C'est alors que le motoriste suisse Sulzer élabore une transmission fondée sur le principe des locomotives à vapeur mais, au lieu d'envoyer de la vapeur dans les pistons, on y envoie l'air comprimé produit par un compresseur entraîné par le moteur diesel. Enfanté dans la douleur, le proto-

*Deux blocs liés l'un à l'autre sont, au moins partiellement, placés dans la même colonne (le même bloc si les blocs ne contiennent qu'une seule colonne). Pour lier deux blocs, il faut activer la fonction **Lier au ¶ suivant** pour le bloc placé en amont.*

La fonction **Lier au ¶ suivant** entraîne le déplacement d'au plus deux lignes. En effet, lorsqu'un paragraphe commence en fin de colonne, la fin du paragraphe précédent passe dans la colonne suivante, d'où le déplacement de deux lignes.

La fonction **Lier au ¶ suivant** interdit l'isolement d'une fin de paragraphe en pied de colonne, la fonction **Joindre les lignes** – anciennement **Lier les lignes** – impose pour sa part en fin de colonne et en début de colonne un nombre minimal de lignes appartenant au paragraphe. Pour joindre les lignes des paragraphes sélectionnés :

- Sélectionnez l'article **Format** du menu **Style**.
- Cochez la case d'option **Joindre les lignes** (voir Figure 6.51).
- Cliquez sur l'option **Toutes les lignes du ¶** si vous souhaitez réunir tout le paragraphe dans une même colonne ou cliquez sur l'option **Début** pour imposer un nombre personnalisé de lignes en pied et en tête de colonne. Saisissez des nombres de lignes dans les cases de saisie **Début** et **Fin** si vous avez cliqué sur l'option **Début**.
- Validez vos choix en cliquant sur **OK**.

La valeur saisie dans la case **Début** correspond au nombre minimal de lignes attendues en pied de colonne pour autoriser un paragraphe à commencer en pied de colonne. De même, la valeur saisie dans la case **Fin** correspond au nombre minimal de lignes attendues pour autoriser un paragraphe à s'achever en haut d'une colonne.

Figure 6.51
La zone Joindre les lignes est activée par une case d'option. Notez la possibilité d'activer en même temps Joindre les lignes et Lier au ¶ suivant.

*La fonction **Lier au ¶ suivant** peut générer des veuves ou des orphelines (ligne de début ou de fin de paragraphe isolée en fin ou en début de colonne), mais permet à un bloc de ne pas s'achever en pied de colonne. Correctement paramétrée, la fonction **Joindre les lignes** interdit, quant à elle, la formation des veuves et des orphelines. Employées en même temps, les fonctions **Lier au ¶ suivant** et **Joindre les lignes** permettent d'éviter les lignes creuses en pied de colonne, les débuts de paragraphe en début de colonne, les veuves et les orphelines. Bref, elles offrent une gestion intéressante des lignes creuses (lignes de fin de paragraphe) qui pourra encore être améliorée en ajustant la zone de justification (liée à la méthode de C&J).*

*En choisissant l'option **Toutes les lignes du ¶** dans la zone **Joindre les lignes** de l'onglet **Format** (voir Figure 6.51), vous imposez à un paragraphe de se placer dans une unique colonne car il n'acceptera en aucun cas d'être partagé entre plusieurs blocs ou entre plusieurs colonnes. Cela peut avoir pour effet le maintien de blocs de texte vides bien que chaînés à d'autres blocs contenant du texte en aval.*

Bloquer le texte sur la grille

Nous avons vu au Chapitre 2 comment afficher la grille de base et comment définir son origine autant que son incrément. Cette grille de base doit permettre l'alignement des caractères, notamment afin de faire correspondre les lignes de base des différentes colonnes d'une même page.

Pour imposer aux paragraphes sélectionnés un alignement sur la grille :

1. Sélectionnez l'article **Format** du menu **Style**.
2. Cochez la case d'option **Verrouiller sur grille** (anciennement **Bloquer sur grille** avec la version 4 ou **Aligner sur la grille** avec la version 3.x).
3. Validez en cliquant sur **OK**.

L'ensemble d'un document XPress emploie la même grille. Cela constitue l'une des limites de l'application.

L'article **Afficher la grille** du menu **Affichage** active l'affichage de la grille. Les paragraphes à aligner sur la grille étant sélectionnés, choisissez **Format** dans le menu **Style** puis cochez la case d'option **Verrouiller sur grille**. La Figure 6.52 met en évidence l'effet produit par un verrouillage du texte sur la grille.

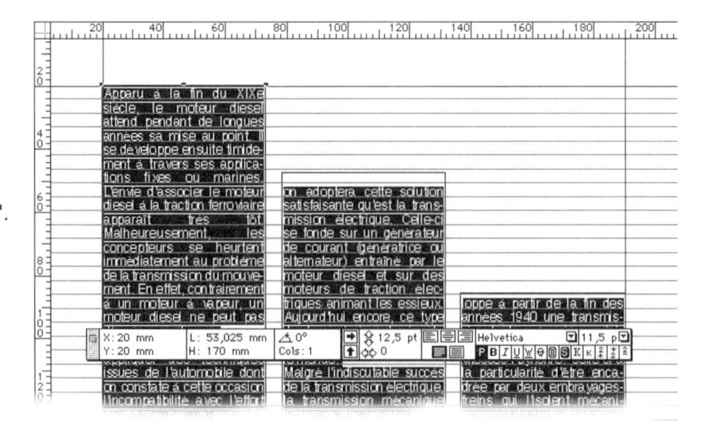

Figure 6.52

L'alignement sur la grille des paragraphes sélectionnés assure une correspondance horizontale des lignes d'une colonne à l'autre ; on parle alors d'"alignement en registre".

Copier les attributs

XPress permet de donner aux paragraphes sélectionnés les attributs de paragraphe d'un autre paragraphe :

1. Sélectionnez les paragraphes devant recevoir les attributs de paragraphe.
2. Appuyez sur les touches [⇧Maj] et [Alt] que vous maintiendrez enfoncées.
3. Cliquez sur le paragraphe dont vous souhaitez récupérer les attributs.
4. Relâchez les touches [⇧Maj] et [Alt].

[⇧Maj]+[Alt]+clic permet de récupérer les attributs de paragraphe (retrait latéral, alinéa, mode d'alignement, interlignage, etc.), mais ignore les attributs des caractères (police, corps, style, chasse, etc.). Dans le même esprit, les feuilles de style de paragraphe sont transférées, mais pas les feuilles de style de caractères. Les Figures 6.53 et 6.54 traduisent le transfert des attributs de paragraphes par [⇧Maj]+[Alt]+clic.

Figure 6.53

Ici, le premier paragraphe dispose d'une mise en forme particulière (interlignage, lettrine, retrait latéral, alinéa, etc.).

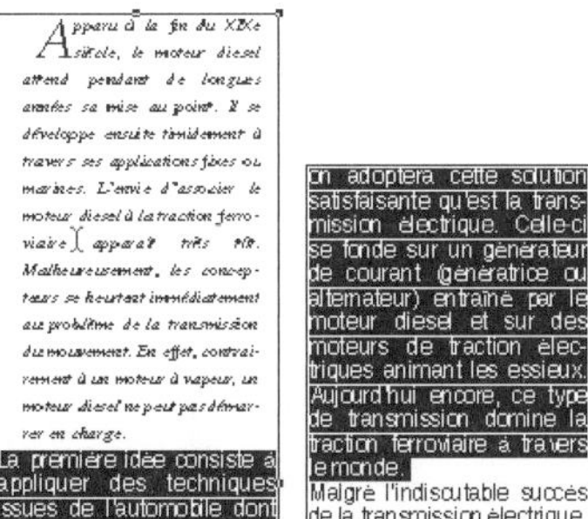

Figure 6.54

[⇧Maj]+[Alt]+clic sur le premier paragraphe a pour effet de transférer aux paragraphes sélectionnés les attributs de paragraphe (lettrine, alinéa, retrait, etc.) du paragraphe sur lequel nous avons cliqué. Notez que cette manipulation ignore les attributs de caractères.

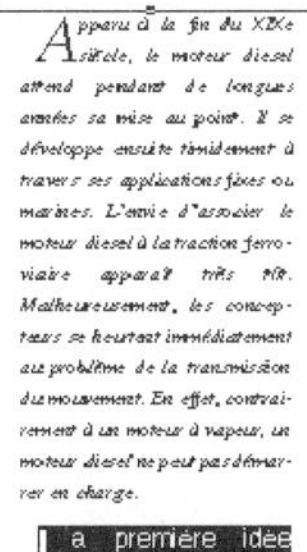

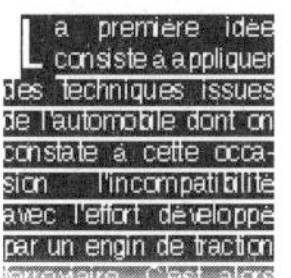

Contrôler les lignes

XPress dispose d'un outil de vérification signalant les justifications incorrectes, les césures automatiques ou manuelles, les veuves, les orphelines et les débordements de texte. Pour les compter :

1. Cliquez au début de la chaîne de caractères où doit avoir lieu le décompte.
2. Déroulez le menu **Utilitaires** et son sous-menu **Contrôler les lignes** où vous choisirez **Critères de recherche**.
3. Dans la zone de dialogue illustrée à la Figure 6.55, cochez les caractéristiques de lignes à compter.
4. Cliquez sur **Nombre** pour obtenir le décompte, puis fermez la zone de dialogue en cliquant sur **Annuler**.

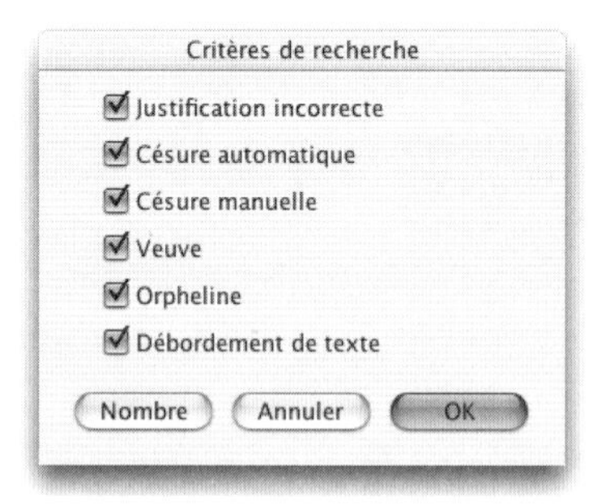

Figure 6.55
La zone de dialogue Critères de recherche.

Pour sélectionner les justifications incorrectes, les césures automatiques ou manuelles, les veuves, les orphelines ou les débordements de texte :

1. Cliquez au début de la chaîne de caractères à vérifier.
2. Déroulez le menu **Utilitaires** et son sous-menu **Contrôler les lignes** où vous choisirez **Critères de recherche**.
3. Dans la zone de dialogue illustrée à la Figure 6.55, cochez les caractéristiques des lignes à sélectionner.
4. Déroulez le menu **Utilitaires** et son sous-menu **Contrôler les lignes** où vous activerez **Première ligne**.
5. La première ligne ayant l'une des caractéristiques recherchées étant sélectionnée, sélectionnez la suivante en activant **Ligne suivante** dans le sous-menu **Contrôler les lignes** du menu **Utilitaires**.

CHAPITRE 7

Les feuilles de style

Au sommaire de ce chapitre

- Gestion des feuilles de style
- Spécificités des trois types de feuilles de style

Nous avons vu aux Chapitres 5 et 6 ce que sont les attributs des caractères et des paragraphes. Ainsi, une foule de paramètres permettent d'enrichir les caractères et de formater les paragraphes. Comme il n'est pas concevable de reformuler les mêmes réglages pour différentes sélections devant les adopter, XPress propose des feuilles de style. Celles-ci concentrent les réglages, et l'application d'une feuille de style permet en une seule opération de formater un paragraphe et/ou d'enrichir des caractères.

Avant XPress 4.0, XPress ne proposait qu'un seul type de feuille de style concentrant les attributs des paragraphes et ceux des caractères. Depuis sa version 4.0, XPress propose trois types de feuilles de style : pour les paragraphes, pour les caractères et à la fois pour les paragraphes et les caractères. En fait, ce dernier type correspond à une feuille de style de paragraphe associée à une feuille de style de caractères.

Gestion des feuilles de style

Une feuille de style est un ensemble d'attributs (attributs de caractères ou attributs de paragraphes) destinés à être appliqués ensemble au texte sélectionné.

Notion de feuille de style

Un paragraphe dispose de différents attributs correspondant à des choix par défaut ou formulés par l'utilisateur. De même, l'enrichissement typographique d'un caractère fait intervenir de nombreux paramètres. Afin de faciliter l'application d'une charte typographique, XPress dispose de feuilles de style rassemblant toutes les caractéristiques attendues pour un paragraphe ou un caractère, le but étant de donner à un paragraphe ou à un caractère un ensemble de caractéristiques en une seule opération (l'application de la feuille de style) au lieu d'ajuster successivement chacun des paramètres.

Il faut distinguer :

- Les feuilles de style de paragraphe (formatage de la ligne logique qui s'étend entre deux retours chariot).
- Les feuilles de style de caractères (enrichissement typographique des caractères sélectionnés).
- Les feuilles de style de paragraphe associées à des feuilles de style de caractères. De telles feuilles de style sont finalement équivalentes aux feuilles de style que manipulait XPress jusqu'à sa version 3.32.

Tous les attributs de paragraphe peuvent être intégrés à une feuille de style de paragraphe. De même, tous les attributs de caractères peuvent être intégrés à une feuille de style de caractères.

Par exemple, lors de la mise en page d'un livre, on définira une feuille de style de paragraphe et de caractères pour le texte principal ainsi qu'une ou plusieurs autres feuilles de style pour la titraille. Quant à la mise en valeur de certaines parties du texte à l'aide d'une police et d'une graisse particulières, elle fera appel à des feuilles de style de caractères.

Avant d'aborder les zones de dialogue permettant de définir les caractéristiques associées aux feuilles de style, voyons comment manipuler les feuilles de style (comment les créer, les dupliquer, les supprimer, les importer et les appliquer).

Editeur de feuilles de style

Pour ouvrir l'éditeur de feuilles de style, sélectionnez l'article **Feuilles de style** du menu **Edition**, vous accédez ainsi à la zone de dialogue consacrée à la création et à la modification des feuilles de style, mais pas à leur application. Si vous sélectionnez l'article **Feuilles de style** du menu **Edition** alors qu'aucun document n'est ouvert, la zone de dialogue affichée est nommée **Styles par défaut** et présente les styles qui seront automatiquement associés aux futurs documents créés. En revanche, la sélection de l'article **Feuilles de style** du menu **Edition** alors qu'un document est ouvert provoque l'affichage des feuilles de style disponibles pour ledit document.

Illustrée à la Figure 7.1, la zone de dialogue **Feuilles de style** présente la liste des feuilles de style disponibles par défaut (aucun document n'étant ouvert) ou pour le document courant. Remarquez le menu local **Afficher** qui détermine les feuilles de style affichées.

Figure 7.1
La zone de dialogue Feuilles de style.

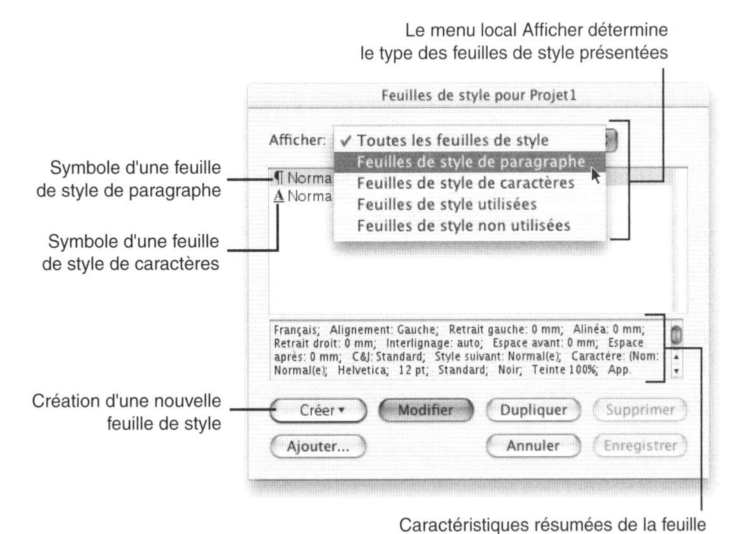

Ne confondez pas l'édition (c'est-à-dire la création ou la modification) des feuilles de style à travers le menu ***Edition*** *et leur application à travers le menu* ***Style****.*

Comme le montre la Figure 7.1, le menu local **Afficher** présente, au choix :

- toutes les feuilles de style (toutes les feuilles de style par défaut si aucun document n'est ouvert ou toutes les feuilles de style du document courant) ;
- les feuilles de style de paragraphe uniquement ;

- les feuilles de style de caractères uniquement ;
- les feuilles de style utilisées uniquement ;
- les feuilles de style non utilisées uniquement.

*Grâce aux articles **Feuilles de style utilisées** et **Feuilles de style non utilisées** du menu **Afficher** (voir Figure 7.1), il est facile d'isoler les feuilles de style définies pour un document mais non utilisées par celui-ci. Supprimer ces feuilles de style est utile, notamment lorsque celles-ci mettent en œuvre des polices de caractères inemployées par ailleurs dans le document. En effet, les polices associées aux feuilles de style – que ces dernières soient exploitées ou pas par le document – sont, le cas échéant, signalées comme manquantes à l'ouverture de celui-ci.*

La zone de dialogue **Feuille de style** présentant les feuilles de style disponibles (voir Figure 7.1), un clic sur une feuille de style entraîne la sélection de celle-ci matérialisée par l'aspect contrasté du nom de la feuille de style. Cette sélection provoque l'affichage des caractéristiques de la feuille de style dans le cadre prévu à cet effet dans la zone de dialogue. Outre la sélection d'une feuille de style existante, la zone de dialogue **Feuilles de style** permet la création d'une nouvelle feuille de style à l'aide d'un clic sur sa case **Créer**.

Une feuille de style étant sélectionnée (contrastée) dans la zone de dialogue **Feuilles de style**, vous pouvez :

- l'éditer (autrement dit, consulter ses caractéristiques et, éventuellement, les modifier) en cliquant sur le bouton **Modifier** ;
- la supprimer en cliquant sur **Supprimer** ;
- la dupliquer en cliquant sur **Dupliquer**.

Les feuilles de style par défaut s'appellent "Normale". Elles ne sont pas destinées à être supprimées, et correspondent aux attributs par défaut.

La zone de dialogue **Feuille de style** permettant la modification des feuilles de style par défaut ou associées au document, vous pouvez la quitter de deux façons différentes : en cliquant sur **Annuler** ou sur **Enregistrer**. Un clic sur **Annuler** entraîne la perte de toutes les modifications effectuées depuis l'ouverture de la zone de dialogue alors qu'un clic sur **Enregistrer** provoque non seulement l'enregistrement des modifications et leur association aux choix par défaut ou aux attributs du document, mais aussi la mise à jour des styles du document ouvert si l'une des feuilles de style qu'il emploie a été modifiée. Un clic sur **Enregistrer** peut donc modifier le document.

Passons maintenant à une description plus détaillée des différentes manipulations de feuilles de style.

Création d'une feuille de style

Par défaut, XPress dispose de deux feuilles de style dites normales, l'une contenant les attributs par défaut des paragraphes, l'autre ceux par défaut des caractères. Bien entendu, l'utilisateur a la possibilité de créer ses propres feuilles de style :

1. Pour modifier les feuilles de style d'un document, assurez-vous que la fenêtre qui le présente est affichée au premier plan. En revanche, si vous souhaitez manipuler les feuilles de style par défaut, fermez tous les documents.
2. Ouvrez la zone de dialogue **Feuilles de style** en sélectionnant l'article **Feuilles de style** du menu **Edition**.
3. Cliquez sur le bouton **Créer** ; un menu local s'étant déroulé (voir Figure 7.2), sélectionnez l'article **Paragraphe** pour créer une feuille de style de paragraphe ou l'article **Caractère** pour créer une feuille de style de caractères.

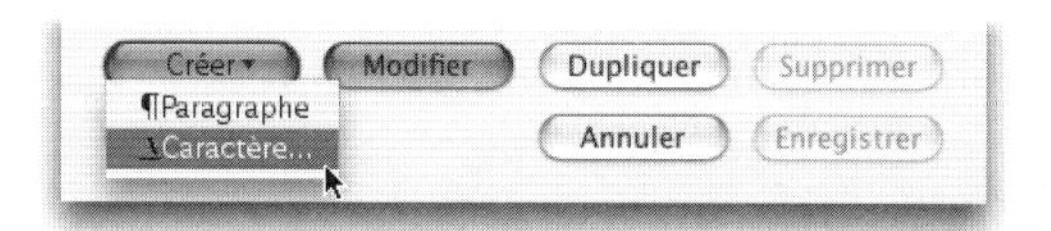

Figure 7.2
La case Créer ouvre un menu local qui détermine le type de la nouvelle feuille de style.

4. La zone de dialogue affichée ensuite dépend du type de la feuille de style (paragraphe ou caractères), mais, dans les deux cas, le nom de la feuille de style (par défaut, "Nouvelle feuille de style") est sélectionné dans l'attente de son remplacement par un nom saisi par l'utilisateur (voir Figure 7.3).
5. Vos choix étant formulés (attributs de style décrits aux Chapitres 5 et 6) à travers les différentes options de la zone de dialogue, validez-les en cliquant sur **OK**.
6. Revenu à la zone de dialogue **Feuille de style**, validez la création de la nouvelle feuille en cliquant sur **Enregistrer**.

Equivalent clavier d'une feuille de style

Outre le nom, deux cases de saisie sont communes aux zones de dialogue définissant les feuilles de style de paragraphe et les feuilles de style de caractères :

- l'équivalent clavier ;
- la feuille "de base".

Figure 7.3

Quel que soit son type, une nouvelle feuille de style entraîne l'ouverture d'une zone de dialogue où la case de saisie Nom est sélectionnée. Remplacez son contenu par le nom de votre choix.

Vous avez la possibilité d'associer un équivalent clavier à une feuille de style. Pour cela, la feuille de style étant en cours d'édition (vous venez de demander sa création ou vous avez cliqué sur **Modifier** après avoir sélectionné son nom dans la zone de dialogue **Feuille de style**), cliquez sur la case de saisie **Equivalent clavier** et saisissez l'équivalent clavier. Celui-ci correspond à une pression sur l'une des quinze touches dites de fonction (F1 à F15), mais on emploie plus volontiers une combinaison de touches associant, d'une part, une ou plusieurs touches de bascule (Ctrl, Alt, Cmd – sous Mac OS uniquement –, ⇧Maj) et, d'autre part, une touche à choisir parmi celles du pavé numérique ou les touches de fonction. Vous devez ensuite valider par **OK** puis par **Enregistrer**.

Sous Mac OS, la création d'un équivalent clavier contenant une touche de fonction (F1 à F15) ouvre une zone de dialogue proposant l'ouverture du Tableau de bord ***Frappe clavier****. Ce n'est plus le cas avec Mac OS X.*

Si vous choisissez, pour une feuille de style, un équivalent clavier déjà attribué à une fonction du logiciel, cet équivalent clavier sera désormais affecté à la feuille de style (cas des documents pour lesquels la feuille de style est définie).

Un équivalent clavier étant associé à la feuille de style, l'emploi de celui-ci appliquera ladite feuille de style à la sélection sans qu'il soit nécessaire d'employer une palette ou un menu. Les équivalents clavier associés à une feuille de style peuvent être par ailleurs des équivalents clavier définis par défaut pour la mise en œuvre de certaines fonctions de l'application. En associant à une feuille de style un équivalent clavier déjà employé par l'application, vous interdisez l'accès à une fonction par son équivalent clavier, ce dernier étant désormais associé à une feuille de style. Bien sûr, le masquage des commandes disparaît dès que la feuille de style responsable du phénomène n'est plus disponible (fermeture du document comprenant ladite feuille de style, suppression de la feuille de style ou modification de son équivalent clavier). Même lorsque son équivalent clavier est masqué, une commande reste accessible *via* son article de menu.

Feuille de style "basée sur" une autre feuille de style

Comme nous venons de le voir, une feuille de style a un nom et peut être associée à un équivalent clavier. A cela s'ajoute une troisième caractéristique générale partagée par l'ensemble des feuilles de style : la possibilité d'établir un lien entre deux feuilles de style. Pour XPress, une feuille est alors "basée sur" une autre.

Une feuille de style B est susceptible d'être basée sur une feuille de style A de même type. Le lien "basé sur A" étant déclaré immédiatement après la création de B, B récupère instantanément toutes les caractéristiques de A et se présente initialement comme une simple copie de A. Si les définitions des feuilles de style sont maintenues dans cet état, B se contente d'être une copie dynamique de A ; autrement dit, toute modification de A est immédiatement reportée sur B. Ainsi envisagé, le lien "basé sur" ne présente aucun intérêt. En revanche, cette possibilité se révèle très puissante dès que l'étendue du lien est modulée. En effet, B étant basée sur A, elle en récupère les caractéristiques et se mettra à jour à l'occasion d'une modification de A. Cependant, si vous modifiez une des caractéristiques de B (vous la distinguez ainsi de A), cette caractéristique deviendra propre à B et, étant différente de son homologue dans A, elle ne sera plus soumise à une mise à jour lors d'une modification de A…

Admettons que vous souhaitiez créer deux feuilles de style très ressemblantes qui ne se distinguent l'une de l'autre que par le corps des caractères ou l'emploi d'une lettrine (par exemple). Dans ce cas, commencez par créer l'une des deux feuilles de style : vous générerez très facilement la seconde en la "basant sur" la première et en modifiant les paramètres qui doivent la distinguer.

En modifiant une caractéristique d'une feuille de style "basée sur", on personnalise la feuille de style liée et on "coupe le lien" relatif à ladite caractéristique qui ne sera ainsi plus mise à jour lors de la modification de la feuille de style de référence.

Par exemple, envisageons la mise en page d'un texte dont seuls certains mots doivent être en gras. On crée alors une première feuille de style A rassemblant les caractéristiques typographiques attendues pour le texte, puis on crée pour les seuls mots en gras une seconde feuille de style B basée sur A, mais dotée du style gras. Ainsi, en admettant qu'il soit décidé au dernier moment de changer la police ou le corps, il suffira d'effectuer la modification de la police ou du corps dans A, B étant automatiquement mise à jour comme le sera le texte l'employant. Les Figures 7.4 à 7.7 illustrent le comportement d'une feuille de style "basée sur" une autre ; il s'agit ici de feuilles de style de caractères.

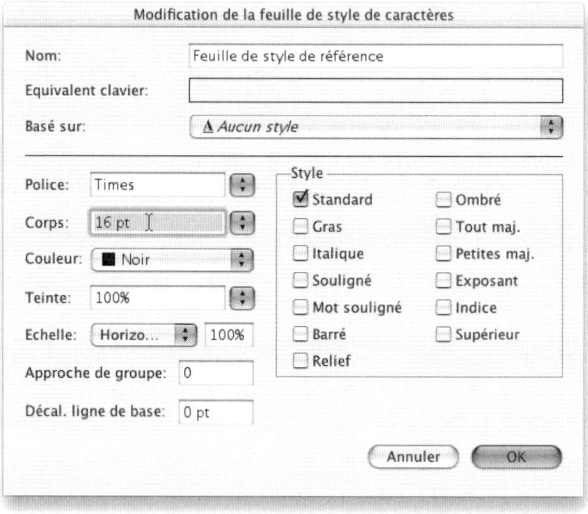

Figure 7.4

Créons une feuille de style de caractères dont les attributs sont notamment la police Times et le corps 16 points. Notez que rien ne distingue une feuille de style employée comme base de lien d'une feuille de style ordinaire.

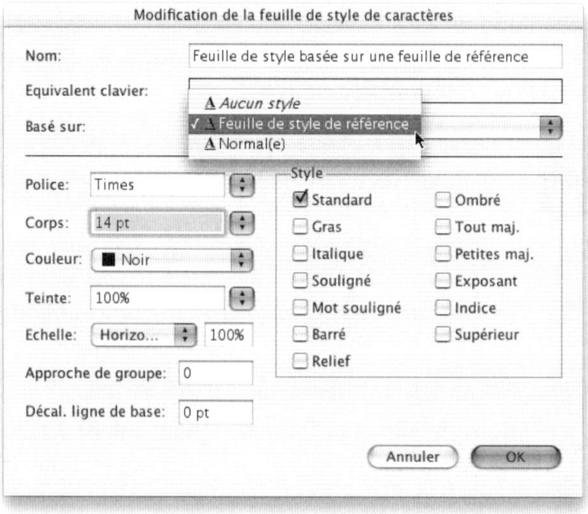

Figure 7.5

Créons ensuite une nouvelle feuille de style que nous basons sur la précédente. Elle récupère donc le Times 16 points, mais nous précisons ici un corps différent : 14 points.

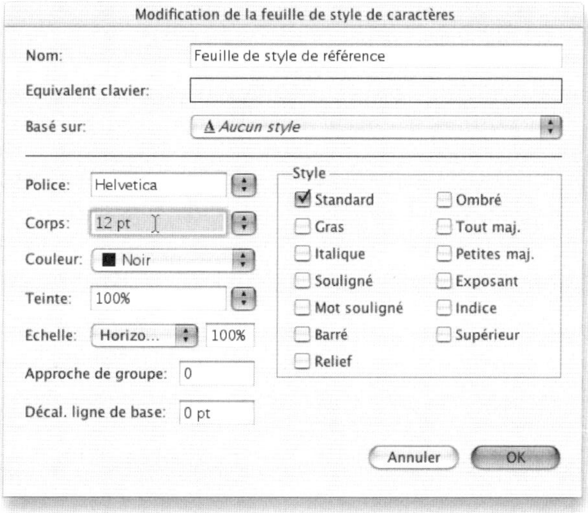

Figure 7.6

Revenons à la première feuille de style (celle que nous utilisons comme référence) et modifions à la fois la police (Helvetica à la place de Times) et le corps (12 points au lieu de 16 points).

Modification de la feuille de style de caractères
Nom: Feuille de style de référence
Equivalent clavier:
Basé sur: Aucun style
Police: Helvetica
Corps: 12 pt
Couleur: Noir
Teinte: 100%
Echelle: Horizo... 100%
Approche de groupe: 0
Décal. ligne de base: 0 pt
Style
Standard
Gras
Italique
Souligné
Mot souligné
Barré
Relief
Ombré
Tout maj.
Petites maj.
Exposant
Indice
Supérieur
Annuler
OK

Figure 7.7

Editons une nouvelle fois la feuille de style liée et constatons la mise à jour de la police, mais pas celle du corps qui, ayant fait l'objet d'une modification au niveau de la feuille de style liée, est dissocié de son homologue dans la feuille de style de référence.

L'utilisation de la fonction "Basé sur" entraîne une filiation entre les feuilles de style. Il faut donc quelque peu réfléchir à l'établissement des parentés entre les diverses feuilles de style afin de choisir judicieusement celles qui doivent servir de base aux autres.

Par défaut, les feuilles de style sont basées sur ***Aucun style****. Elles sont donc, également par défaut, indépendantes les unes des autres.*

Pour lier une feuille de style à une autre grâce à la fonction "basé sur" :

1. Créez une nouvelle feuille de style. Ouvrez la zone de dialogue **Feuille de style** en sélectionnant l'article **Feuilles de style** du menu **Edition**, puis sélectionnez l'un des deux articles du menu local déroulé en cliquant sur le bouton **Créer**.
2. Après avoir nommé la nouvelle feuille de style et lui avoir éventuellement associé un équivalent clavier, sélectionnez une feuille de style de référence dans le menu local **Basé sur** (les feuilles de style proposées sont celles du document courant ou les feuilles de style par défaut si aucun document n'est ouvert).
3. S'il y a lieu, modifiez certaines caractéristiques de la feuille de style liée en ayant à l'esprit que les caractéristiques modifiées ne feront plus l'objet d'une mise à jour automatique à partir de la feuille de style de référence.
4. Validez ensuite par **OK**, puis par **Enregistrer**.

Il convient de bien distinguer une feuille de style créée par duplication d'une autre et une feuille de style "basée sur" une autre.

Une feuille de style créée par duplication récupère toutes les caractéristiques de son modèle au moment de sa création, mais aucun lien n'est établi entre les deux feuilles de style qui peuvent ensuite faire l'objet de modifications qui leur seront propres. Inversement, en fondant une feuille de style sur une autre, non seulement la nouvelle feuille récupère toutes les caractéristiques de son modèle, mais, en plus, ce dernier tient lieu de référence et un lien dynamique entraînera la mise à jour des caractéristiques laissées en commun. Notez que le lien est unidirectionnel. Seule la feuille "basée sur" une feuille de référence récupère les modifications apportées à cette dernière.

Modification d'une feuille de style

Pour modifier une feuille de style existante :

1. Ouvrez la zone de dialogue **Feuille de style** en sélectionnant l'article **Feuilles de style** du menu **Edition**.
2. S'il y a lieu, sélectionnez l'article du menu local **Afficher** correspondant à la catégorie de la feuille de style à modifier. Notez que seules les feuilles de style propres au document courant sont accessibles, les feuilles de style par défaut n'étant accessibles que lorsque aucun document n'est ouvert.
3. Cliquez sur la feuille de style à modifier. Sélectionnée, celle-ci doit se contraster.
4. Cliquez sur le bouton **Modifier** (voir Figure 7.8).

Figure 7.8

Pour éditer une feuille de style existante, cliquez sur son nom puis sur le bouton Modifier ou, plus simplement, double-cliquez sur son nom.

5. Vous êtes maintenant face à la zone de dialogue de définition des feuilles de style – le contenu de cette zone de dialogue varie en fonction du type de la feuille de style –, et vous pouvez modifier toutes ses caractéristiques.
6. Validez les modifications en cliquant sur **OK**, puis sur **Enregistrer**.

La modification d'une feuille de style entraîne la mise à jour automatique de tout le texte qui l'emploie. Ainsi, un changement de police formulé dans la définition d'une feuille de style provoque le report de cette modification à tout le texte employant cette feuille de style.

Si une feuille est appliquée à un texte, puis qu'un attribut appliqué au texte par la feuille de style est modifié dans ce texte (par exemple avec les zones de dialogue ***Caractère*** *ou* ***Format****), les attributs modifiés dans le texte ne profiteront plus d'une mise à jour automatique en cas de modification des attributs correspondant au niveau de la feuille de style appliquée.*

Par exemple, admettons qu'une feuille de style de caractères affecte entre autres un corps au texte sélectionné. Si le corps d'une partie de ce texte est modifié, par exemple depuis la palette des spécifications, changer ultérieurement le corps associé à la feuille de style n'entraîne pas le report de cette modification à la partie du texte dotée de la feuille de style, mais dont le corps a été modifié autrement qu'en changeant le corps associé à la feuille de style.

Duplication d'une feuille de style

La duplication d'une feuille de style A crée une nouvelle feuille de style reprenant l'ensemble des caractéristiques de A et nommée "Copie de A".

La duplication est un moyen simple de créer une feuille de style très peu différente d'une feuille de style existante, sans qu'il soit nécessaire de reformuler l'ensemble des attributs.

Pour dupliquer une feuille de style :

1. Ouvrez la zone de dialogue **Feuille de style** en sélectionnant l'article **Feuilles de style** du menu **Edition**.
2. Cliquez sur le nom de la feuille de style à modifier qui doit alors se contraster dans la liste.
3. Cliquez sur le bouton **Dupliquer** (voir Figure 7.1).
4. Vous êtes maintenant en train d'éditer une nouvelle feuille de style qui, par défaut, reprend toutes les caractéristiques de son modèle (à l'exception de l'équivalent clavier), ainsi que son nom précédé de "Copie de". Vous pouvez bien sûr modifier librement toutes les caractéristiques de la nouvelle feuille de style.
5. Validez les modifications en cliquant sur **OK**, puis sur **Enregistrer**.

Remarquez que le lien "basé sur" est conservé à l'occasion d'une duplication. La seule caractéristique omise de la duplication est l'équivalent clavier.

Suppression d'une feuille de style

Rien n'interdit la suppression d'une feuille de style. Cette suppression s'opère discrètement si la feuille de style n'est pas employée ; en revanche, si la feuille de style est utilisée par une partie du texte du document, sa suppression s'assortit d'une alerte permettant l'affectation d'une nouvelle feuille de style au texte actuellement enrichi par la feuille de style supprimée.

Pour supprimer une feuille de style :

1. Ouvrez la zone de dialogue **Feuilles de style** (voir Figure 7.1) en sélectionnant l'article **Feuilles de style** du menu **Edition**.
2. Cliquez sur la feuille de style à supprimer qui doit alors se contraster.

3. Cliquez sur le bouton **Supprimer**.
4. Trois cas sont alors envisageables :
   a. Si la feuille de style n'est pas utilisée, sa suppression sera obtenue en cliquant sur **Enregistrer**.
   b. Si la feuille de style est affectée à une partie du document, une zone de dialogue vous permet, à travers un menu local, d'affecter une autre feuille de style au texte enrichi par la feuille de style supprimée. Si vous ne précisez pas de nouvelle feuille de style, le texte enrichi par la feuille de style supprimée conserve les caractéristiques de celle-ci, mais n'est plus attaché à une feuille de style et ne sera donc pas mis à jour lors d'une modification de la feuille de style… qui, dès lors, n'existe plus !
   c. Si la feuille de style est employée comme référence par une autre qui s'y adosse, une zone de dialogue vous permet de la remplacer par une autre feuille de style choisie au moyen d'un menu local. Dans le cas d'un tel remplacement, la référence de la feuille liée est modifiée, mais vous pouvez également ne pas préciser de nouvelle feuille de style de référence. Cela a pour effet de faire perdre à la feuille de style liée son statut de feuille de style liée (elle n'est plus "basée sur…").
5. Si une zone de dialogue s'est ouverte (cas 4b et 4c), validez-la en cliquant sur **OK**, confirmez ensuite la suppression en cliquant sur **Enregistrer**.

XPress peut traiter les feuilles de style à travers sa zone de dialogue de recherche et de remplacement (article **Rechercher/Remplacer** du menu **Edition**). Il existe également une astuce permettant de rechercher/remplacer des feuilles de style, elle consiste en :

- la création d'une nouvelle feuille de style B disposant des attributs à affecter aux caractères déjà enrichis par la feuille de style A ;
- la suppression de la feuille de style A assortie du remplacement de celle-ci par la feuille de style B.

Un nouveau document intègre les feuilles de style par défaut, même s'il ne les emploie pas. Par ailleurs, un document fondé sur un gabarit (voir Chapitre 2) récupère également toutes les feuilles de style de ce gabarit (avec XPress, un gabarit est un modèle de document). Ces deux situations peuvent associer à un document de nombreuses feuilles de style non utilisées. Pour vous débarrasser de celles-ci, sélectionnez l'article **Feuilles de style** du menu **Edition** puis l'article **Feuilles de style non utilisées** du menu **Afficher** (voir Figure 7.1), cliquez ensuite sur chacune de ces feuilles de style puis sur le bouton **Supprimer**.

Figure 7.9

La suppression d'une feuille de style employée par le texte ou utilisée comme référence par une autre peut s'assortir du remplacement de la feuille de style supprimée par une autre feuille de style de même type (paragraphe ou caractère).

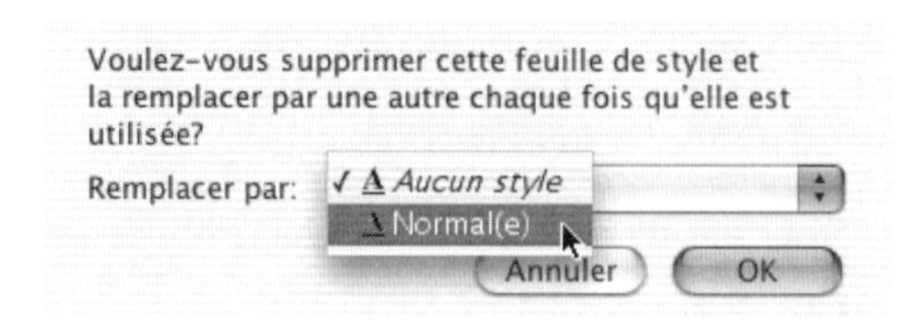

Importation de feuilles de style

Une feuille de style est associée à un document ou a le statut de feuille de style par défaut si elle a été définie (ou importée) tandis qu'aucun document n'était ouvert. Toutefois, les documents sont susceptibles d'échanger leurs feuilles de style. Pour importer une ou plusieurs feuilles de style :

1. Ouvrez la zone de dialogue **Feuilles de style** en sélectionnant l'article **Feuilles de style** du menu **Edition**.

2. Cliquez sur le bouton **Ajouter**... (voir Figure 7.1).

3. Une zone de dialogue de catalogue s'étant ouverte, sélectionnez le document dont vous voulez récupérer les feuilles de style puis cliquez sur **Ouvrir**.

4. Une nouvelle zone de dialogue s'ouvre et affiche principalement deux listes (voir Figure 7.10). A gauche se trouvent les feuilles de style du document source que vous venez de sélectionner, tandis qu'à droite apparaît la liste des feuilles de style à importer. Pour importer une feuille de style, cliquez sur son nom présenté dans la liste de gauche puis sur la flèche dirigée vers la droite ; la feuille de style importée apparaît alors dans la seconde liste (son importation peut être annulée en cliquant sur son nom dans la liste de droite puis sur la flèche dirigée vers la gauche). Les feuilles de style à importer étant choisies, cliquez sur **OK**.

5. Si l'importation des feuilles de style entraîne l'importation de données périphériques (méthode de C&J, etc.), une zone de dialogue vous en avertit. Validez-la en cliquant sur OK.

6. Validez l'importation des feuilles de style en cliquant sur **Enregistrer**. A l'issue de l'importation, les feuilles de style importées sont ajoutées à la liste présentée par la zone de dialogue **Styles**. Cliquez sur **Enregistrer** pour valider l'importation. Réitérez l'ensemble de la manipulation si des feuilles de style doivent également être importées depuis un document autre que celui dont vous venez d'importer les feuilles de style. Un document peut ainsi récupérer les feuilles de style depuis plusieurs autres documents.

Figure 7.10

La liste de gauche contient les feuilles de style susceptibles d'être importées tandis que la liste de droite recense les feuilles de style choisies pour l'importation. Les deux flèches permettent les échanges entre les listes. Remarquez les cases Tout inclure et Tout supprimer qui accélèrent les manipulations "en bloc". Notez également la description des articles sélectionnés en bas de la zone de dialogue.

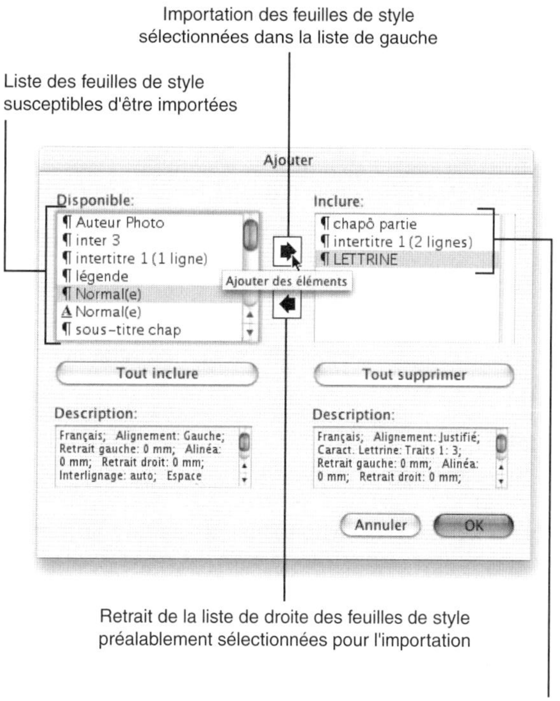

Si vous souhaitez communiquer vos feuilles de style à un autre poste de travail, créez un nouveau document chargé d'importer depuis différents autres documents toutes les feuilles de style nécessaires, puis importez sur un autre poste les feuilles de style contenues dans le nouveau document. Si aucun document n'est ouvert lors de cette seconde importation, les feuilles de style auront le statut de feuilles de style par défaut.

Si vous copiez un texte enrichi par une feuille de style puis le collez dans un autre document, celui-ci est doté de la feuille de style du texte collé. C'est là un moyen très simple d'importer des feuilles de style. La suppression ultérieure du texte collé n'entraîne pas la disparition des feuilles de style qui lui étaient associées.

Application de feuilles de style

Une feuille de style s'applique au texte sélectionné ; plus particulièrement, elle s'applique :

- aux paragraphes sélectionnés au moins partiellement s'il s'agit d'une feuille de style de paragraphe ;
- aux seuls caractères sélectionnés (il ne s'agit pas nécessairement d'un paragraphe) s'il s'agit d'une feuille de style de caractères.

Remarquez qu'une feuille de style de caractères s'applique automatiquement à tous les paragraphes sélectionnés au moins partiellement lors de l'application à ceux-ci d'une feuille de style de paragraphe à laquelle elle est associée.

Le texte devant accueillir une feuille de style étant sélectionné, l'application d'une feuille de style peut être obtenue par :

- la sélection d'un article du sous-menu **Feuille de style de paragraphe** (menu **Style**) s'il s'agit d'une feuille de style de paragraphe (voir Figure 7.11), ou la sélection d'un article du sous-menu **Feuille de style de caractères** (menu **Style**) s'il s'agit d'une feuille de style de caractères ;

Figure 7.11

Le menu Style propose deux sous-menus Feuilles de style, l'un pour les caractères, l'autre pour les paragraphes. Les équivalents clavier associés aux feuilles de style sont annoncés à la suite des feuilles de style concernées.

- un clic sur un nom de feuille de style présenté par la palette **Feuilles de style** (voir Figure 7.12), celle-ci étant affichée à la suite de la sélection de l'article **Afficher les feuilles de style** du menu **Ecran** ;
- la saisie d'un équivalent clavier si un équivalent clavier a été défini pour la feuille de style à mettre en place.

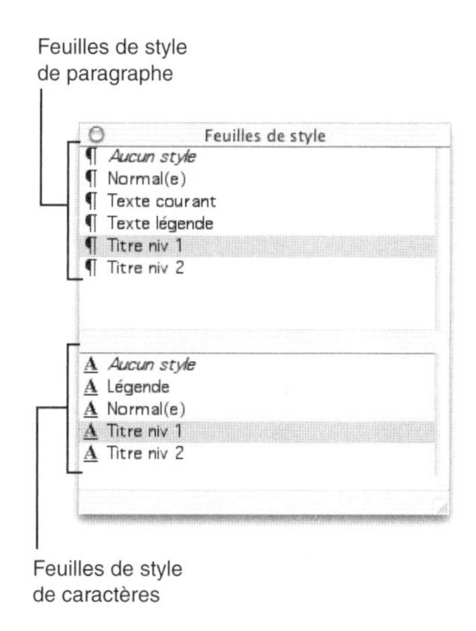

Figure 7.12

La palette des feuilles de style n'est pas affichée par défaut (consultez le menu Ecran).

*Dans la palette **Feuilles de style**, la sélection d'une feuille de style de paragraphe entraîne celle de l'éventuelle feuille de style de caractères qui lui est associée.*

*Les sous-menus **Feuilles de style** du menu **Style** ne sont disponibles que si un bloc de texte est sélectionné avec l'outil Modification.*

Un paragraphe ne peut être enrichi que par une seule feuille de style de paragraphe à la fois. Dans le même esprit, un caractère ne peut accueillir qu'une seule feuille de style de caractères.

Quand un texte a déjà été enrichi, éventuellement à l'aide de feuilles de style, seules certaines caractéristiques de la nouvelle feuille de style seront effectivement appliquées, car XPress semble favoriser les enrichissements "manuels" antérieurs autant que les attributs des feuilles de style antérieures. Tout cela rend hasardeuse et difficilement gérable l'application d'une feuille de style à un texte préalablement enrichi ("manuellement" ou avec une feuille de style). La solution réside dans l'application des feuilles de style

Aucun style (de paragraphe et de caractères) avant l'application d'une feuille de style à un texte enrichi.

L'application des feuilles de style ***Aucun style*** *à un texte ne fait pas perdre à celui-ci ses attributs courants (typographie et formatage des paragraphes), mais elle dissocie le texte sélectionné de ses feuilles de style et permet une application correcte des autres feuilles de style.*

La fonction de recherche-remplacement est un moyen particulier de remplacement des feuilles de style. Pour la mettre en œuvre :

1. Placez le curseur en tête du texte à parcourir.
2. Sélectionnez l'article **Rechercher/Remplacer** du menu **Edition**.
3. Ne cochez ni la case d'option **Ignorer attributs**, ni les deux cases d'options **Texte** (voir Figure 7.13).

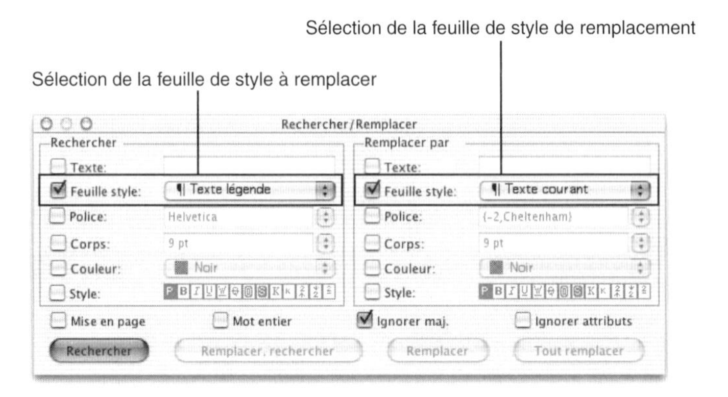

Figure 7.13

Seules les cases d'options Feuille style sont cochées, on ne s'intéresse donc qu'aux feuilles de style dans le cadre de cette recherche-remplacement.

4. Cochez les deux cases **Feuille style** puis sélectionnez les feuilles de style (feuille à rechercher et feuille de remplacement) dans les menus locaux associés à ces cases d'options.
5. Cliquez sur **Rechercher** pour lancer la recherche.
6. La première occurrence de la feuille de style recherchée étant sélectionnée, cliquez sur **Remplacer, rechercher** ou sur **Remplacer**, voire sur **Tout remplacer**.
7. L'application de la fonction rechercher/remplacer étant achevée, cliquez sur la case de fermeture de la zone de dialogue **Rechercher/Remplacer**.

Spécificités des trois types de feuilles de style

Paragraphes

La création d'une feuille de style a déjà été décrite plus haut, nous nous contenterons donc de préciser les spécificités des feuilles de style de type paragraphe. Rappelons toutefois que, pour créer une feuille de style de paragraphe, il faut sélectionner l'article **Paragraphe** du menu local **Créer** de la zone de dialogue **Feuilles de style** (voir Figure 7.2).

La création ou la modification d'une feuille de style de paragraphe permet la modification des paramètres généraux propres aux feuilles de style (nom, équivalent clavier, etc.) et déjà vus dans ce chapitre. Quant au formatage du paragraphe, il est défini à l'aide de trois onglets : **Format**, **Tabulations** et **Filets**. Les caractéristiques définies à l'aide de ces trois onglets sont décrites aux Chapitres 6 (onglets **Format** et **Tabulations**) et 12 (onglet **Filets**).

Les feuilles de style de paragraphe réservent la possibilité de définir un "style suivant" (voir Figure 7.14). Celui-ci est une autre feuille de style de paragraphe qui sera automatiquement appliquée à la suite du texte immédiatement après avoir appuyé sur la touche [←Retour]. Retenez donc qu'appliquer à un texte une feuille de style de paragraphe dotée d'un "style suivant" provoque l'application de ce dernier dès que vous appuyez sur la touche [←Retour], ce qui revient à créer un nouveau paragraphe.

Figure 7.14

L'onglet Générales comprend les caractéristiques générales de la feuille de style (nom et équivalent clavier), mais aussi les liens avec d'autres feuilles de style (feuille de référence, style suivant et style de caractères associé).

Caractères

Précisons maintenant les spécificités des feuilles de style de type caractères. Avant, rappelons que, pour créer une feuille de style de caractères, il faut sélectionner l'article **Caractères** du menu local **Créer** de la zone de dialogue **Feuille de style** (voir Figure 7.2).

La zone de dialogue (voir Figure 7.15) utilisée pour définir ou pour modifier une feuille de style de caractères détermine à la fois les caractéristiques générales (nom, éventuel équivalent clavier et éventuelle feuille de style de référence) et les caractéristiques typographiques. Sur ce point, le contenu de cette zone de dialogue est tout simplement celui de la zone accessible en sélectionnant l'article **Caractère** du menu **Style**. On trouvera donc la description de son contenu au Chapitre 5.

Figure 7.15
Comme pour les feuilles de style de paragraphe, l'équivalent clavier autant que la feuille de style de référence sont facultatifs.

Nous savons comment manipuler les feuilles de style et connaissons leurs deux grands types (paragraphe et caractères). Voyons maintenant comment concilier ces deux types.

Paragraphes et caractères

Apparues avec la version 2.0 de XPress, les feuilles de style n'ont connu jusqu'à la version 3.32 qu'un seul type réunissant les attributs des paragraphes et ceux des caractères. En fait, il s'agissait bel et bien de feuilles de style de paragraphe puisque les attributs typographiques n'étaient pas limités à la sélection, mais étendus à tous les paragraphes partiellement recouverts par la sélection. Depuis sa version 4.0, XPress distingue les feuilles de style de paragraphe de celles consacrées aux seuls caractères. Toutefois, les feuilles de style telles que nous les connaissions auparavant demeurent très utiles, même si la nouvelle organisation permet de gagner une souplesse non négligeable. Pour retrouver les "vieilles" feuilles de style, il suffit de créer une feuille de style de paragraphe et une feuille de style de caractères comprenant les caractéristiques souhaitées, puis d'associer la feuille de style de caractères à la feuille de style de paragraphe, ainsi :

1. La feuille de style de paragraphe étant en cours de création ou de modification, cliquez sur l'onglet **Générales** de la zone de dialogue.
2. A travers les articles du menu local **Style**, sélectionnez l'une des feuilles de style de caractères déjà définies pour le document (voir Figure 7.16).
3. Validez en cliquant sur OK.
4. Validez l'ensemble des modifications en cliquant sur **Enregistrer**.

Lorsqu'une feuille de style de caractères est associée à une feuille de style de paragraphe, l'application de cette dernière entraîne l'application de cette feuille de style de caractères à tous les paragraphes sélectionnés, même partiellement.

A noter :

- L'article **Défaut** du menu local **Style** ignore les attributs des caractères et permet à la feuille de style de paragraphe de ne modifier que le formatage des paragraphes sélectionnés. Dans ce cas, on en reste à une simple feuille de style de paragraphe.
- La case **Créer** (voir Figure 7.16) de la zone **Attributs de caractères** permet de créer une feuille de style de caractères sans qu'il soit nécessaire de quitter l'édition de la feuille de style de paragraphe.
- La case **Modifier** (voir Figure 7.16) de la zone **Attributs de caractères** sert à modifier les caractéristiques de la feuille de style de caractères sélectionnée depuis le menu local **Style**. Cela permet de modifier la feuille de style de caractères sans quitter l'édition de la feuille de style de paragraphe.

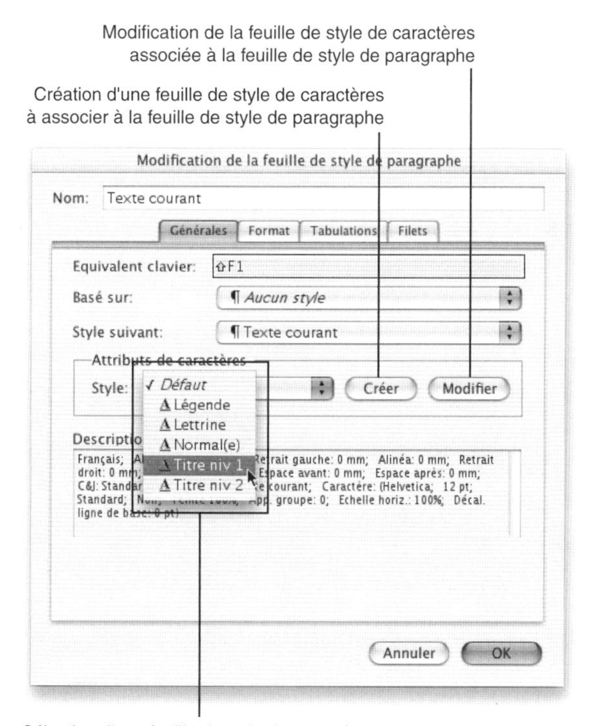

Figure 7.16

Le menu local Style permet d'associer une feuille de style de caractères à une feuille de style de paragraphe.

Comme nous l'avons vu, il est très simple de dupliquer une feuille de style. Créez donc deux versions de vos feuilles de style de paragraphe, l'une d'elles étant associée à une feuille de style de caractères. Vous gagnez ainsi en souplesse d'emploi.

CHAPITRE 8

Les maquettes

Au sommaire de ce chapitre

- Généralités
- Modifier le format
- Blocs de maquette
- Bloc de texte automatique
- Maquettes multiples

Traditionnellement, le terme gabarit désigne l'organisation générale d'un document : format, petit et grand fonds, blancs de pied et de tête, rectangle d'empagement et division en colonnes. Quant au mot maquette, il désigne normalement tous les éléments traduisant l'identité graphique du document : sa charte typographique, le type et la répartition de ses illustrations, etc.

XPress a plus ou moins fait fi des appellations traditionnelles. Avec lui, un gabarit n'est autre qu'un document créant, lors de son ouverture, un nouveau document sans nom (voir Chapitre 2), tandis que les maquettes de XPress sont plutôt des gabarits au sens traditionnel du terme ! Avec XPress, une maquette est une page type chargée de contenir tous les éléments communs aux différentes pages qui se fondent sur elle.

Généralités

Nous l'avons vu au Chapitre 2, un document XPress (appelé "projet" à partir de la version 6) peut être envisagé à deux niveaux :

- le niveau document (pages du document) ;
- le niveau maquette (pages de maquette).

La maquette est chargée d'accueillir tous les éléments communs à :

- l'ensemble des pages (cas d'une maquette unique) ;
- un lot de pages (cas des maquettes multiples).

Une maquette comprend :

- une page, s'il s'agit d'une maquette recto seul ;
- deux pages, s'il s'agit d'une maquette recto verso (pages en regard). Notez que depuis XPress 5.0, les maquettes recto verso sont appelées pages en regard.

Compte tenu de son rôle de page type, une maquette contient des éléments que l'on retrouvera sur chacune des pages fondées sur elle. Une maquette peut être très simple et se résumer à un bloc de texte automatique ou, au contraire, être extrêmement complexe puisqu'elle peut contenir le folio, des éléments graphiques et tous les types de blocs contenant du texte ou des images.

Tout document XPress comprend au moins une maquette, même si celle-ci ne recèle aucun bloc. Toute page d'un document XPress est associée à une maquette.

La création d'une maquette est implicite à la création d'un nouveau document. En effet, la zone de dialogue **Nouveau projet** (anciennement **Nouveau document**) (voir Figure 8.1) contient des cases de saisie définissant le format, les marges, le bloc de texte automatique, la structure recto seul ou la structure recto verso (pages en regard). Ce qui nous est présenté comme les données de base pour la définition du document est en fait une définition de maquette.

Nous l'avons dit, un document peut être vu au niveau de ses pages de document ou au niveau de ses pages de maquette. Pour passer du niveau document au niveau maquette, sélectionnez l'un des articles du sous-menu **Afficher** du menu **Page**. Ce sous-menu donne accès à toutes les maquettes définies pour le document (il existe au moins une maquette par document puisque la création d'un document entraîne la création implicite d'une maquette).

Figure 8.1

La zone de dialogue Nouveau projet définit implicitement la première maquette du document.

Accessible grâce au petit triangle placé dans l'angle inférieur gauche de chaque fenêtre, le menu local de navigation (voir Figure 8.2) donne accès à toutes les pages du document (elles sont représentées par leurs folios) ainsi qu'à toutes ses maquettes (à moins d'être renommées, elles sont représentées par des lettres).

Figure 8.2

Le menu local accessible depuis le bas des fenêtres donne accès aux maquettes ou aux pages du document.

Pour accéder à une maquette ou à une page du document, vous pouvez également double-cliquer sur son icône dans le plan de montage (voir Figure 8.3). Celui-ci n'est autre qu'une palette flottante affichée en sélectionnant **Afficher la disposition de page** dans le menu **Ecran**.

La Figure 8.4 présente les différentes icônes susceptibles d'être présentées par le menu de navigation illustré à la Figure 8.3. Le plan de montage fait également appel à un jeu d'icônes représentant les pages et les maquettes (voir Figure 8.5).

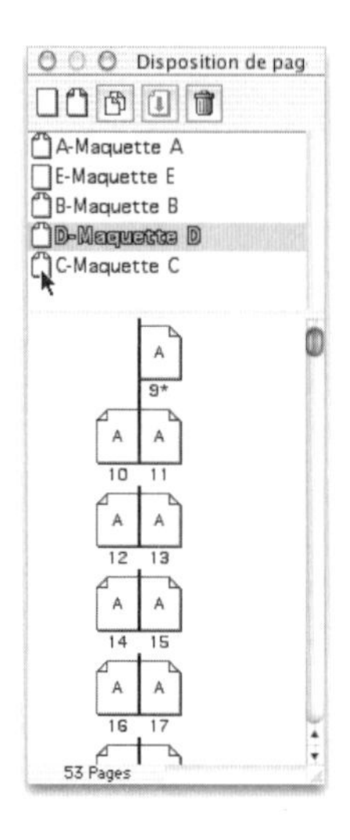

Figure 8.3

Les maquettes et les pages du document sont présentées par le plan de montage et accessibles depuis ce dernier.

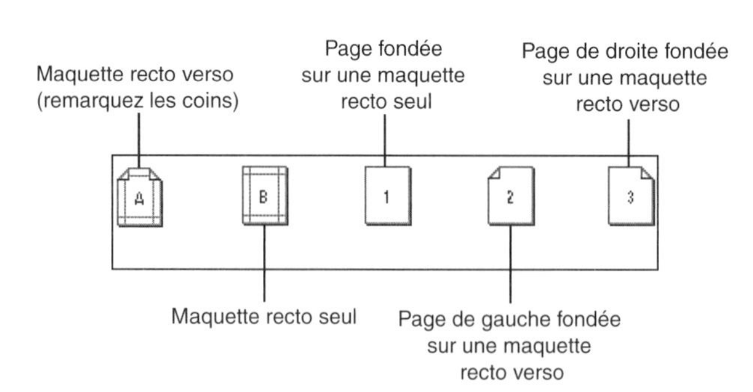

Figure 8.4

Les icônes du menu de navigation.

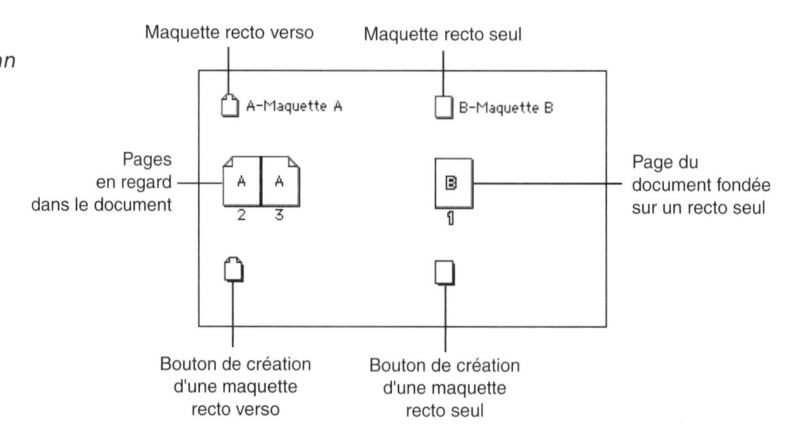

Figure 8.5

Les icônes du plan de montage.

Après avoir sélectionné une maquette (à l'aide du sous-menu **Afficher** du menu **Page** ou avec un double-clic sur son nom dans le plan de montage, voire en sélectionnant son icône dans le menu local de navigation accessible depuis l'angle inférieur gauche de la fenêtre), vous pouvez la renommer en sélectionnant son nom dans l'angle inférieur gauche de la fenêtre, puis en saisissant un nouveau nom (voir Figures 8.6 et 8.7). Vous pouvez également éditer les noms des maquettes directement dans le plan de montage (voir Figure 8.8).

Figure 8.6

La sélection du nom d'une maquette depuis l'angle inférieur gauche de la fenêtre.

Figure 8.7

La saisie du nouveau nom de la maquette.

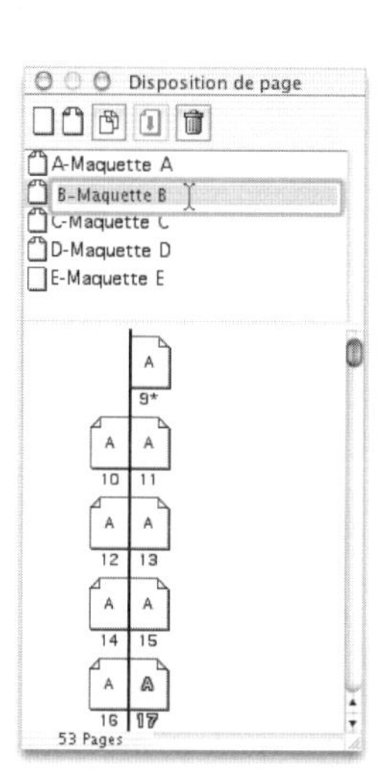

Figure 8.8

Un double-clic sur le nom d'une maquette permet de personnaliser ce nom.

Une maquette comprend des blocs reproduits sur toutes les pages fondées sur elle. Il existe un lien dynamique entre une maquette et les pages qui l'utilisent. En effet, la modification d'un bloc dans la maquette entraîne la modification correspondante dans les pages employant cette maquette. Seule la modification d'un bloc de maquette au niveau du document désactive cette mise à jour automatique.

Après avoir sélectionné une maquette, n'oubliez pas de revenir en mode ***Mise en page****. Pour cela, sélectionnez une page dans le menu de navigation (angle inférieur gauche de la fenêtre) ou activez l'article* ***Mise en page*** *du sous-menu* ***Afficher*** *(menu* ***Page****).*

Par défaut, un document XPress comprend une unique page. Celle-ci est fondée sur la maquette définie à travers la zone de dialogue ***Nouveau projet****.*

Modifier le format

Les choix formulés à travers la zone de dialogue **Nouveau projet** sont susceptibles d'être modifiés. Pour modifier les dimensions du document :

1. Les pages du document étant affichées (vous avez sélectionné l'article **Mise en page** dans le sous-menu **Afficher** du menu **Page**), sélectionnez l'article **Propriétés de la mise en page** dans le menu **Mise en page**.
2. La zone de dialogue (voir Figure 8.9) qui s'ouvre permet de modifier la taille du document, son orientation, et d'activer le mode **Pages en regard** (anciennement mode **Recto Verso**) si cette option n'a pas été précisée à la création du document.
3. Validez vos choix par **OK**.

Figure 8.9
La partie Page de la zone de dialogue Propriétés de la mise en page.

La modification du format du document s'effectue tandis que les pages du document, et non l'une de ses maquettes, sont affichées. En effet, le format du document est indépendant d'une maquette particulière, puisque toutes les pages d'un même document doivent avoir le même format, même si elles ne se fondent pas toutes sur la même maquette.

Comme les dimensions du document, les repères de maquette (non imprimables, affichés par défaut en bleu) sont définis indirectement par la zone de dialogue **Nouveau projet**.

Alors que le format du document concerne l'ensemble des maquettes de celui-ci, les repères de maquette sont propres à chaque maquette. Pour les modifier :

1. Choisissez dans le sous-menu **Afficher** du menu **Page** la maquette dont vous voulez déplacer les repères.
2. Sélectionnez l'article **Repères de maquette** du menu **Page**.
3. Depuis la zone de dialogue **Repères de maquette** (voir Figure 8.10), introduisez les valeurs correspondant aux quatre marges (blancs de tête et de pied, petit et grand fonds) ainsi qu'au nombre de colonnes et à leurs gouttières.
4. Validez en cliquant sur **OK**.

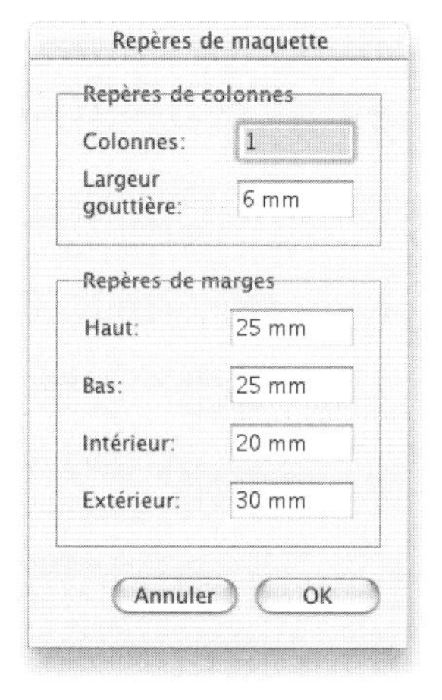

Figure 8.10
Le contenu de cette zone de dialogue a une incidence sur le bloc de texte automatique associé à la maquette en cours d'édition.

Modifier les repères de maquette provoque la réorganisation du bloc de texte automatique qui adopte le nombre de colonnes et les dimensions définis pour les repères de maquette.

Blocs de maquette

Un bloc de maquette est un bloc créé dans une page de maquette. Ce bloc sera reproduit sur toutes les pages fondées sur la maquette considérée.

Un bloc de maquette pourra être modifié :

- **Depuis la maquette.** Dans ce cas, la modification sera répercutée sur toutes les pages fondées sur la maquette (mise à jour dynamique).

- **Depuis l'une des pages du document fondées sur la maquette où il a été défini.** Dans ce cas, la modification ne concerne que le bloc placé sur la page choisie. Une telle modification interdit pour l'avenir la mise à jour du bloc après une modification du bloc correspondant dans la maquette.

Modifier un bloc de maquette depuis une page du document rompt le lien entre la maquette et le bloc modifié. Ce dernier ne répercutera plus les modifications apportées au bloc correspondant dans la maquette.

Figure 8.11
Créons un bloc de texte dans une maquette recto seul…

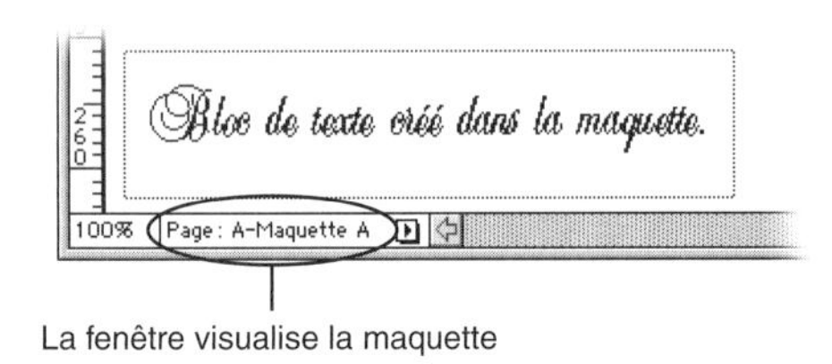

Figure 8.12
… et constatons que ce bloc est reproduit sur toutes les pages du document (il n'aurait été reproduit que sur une page sur deux dans le cas d'une maquette recto verso, car une telle maquette comprend deux pages).

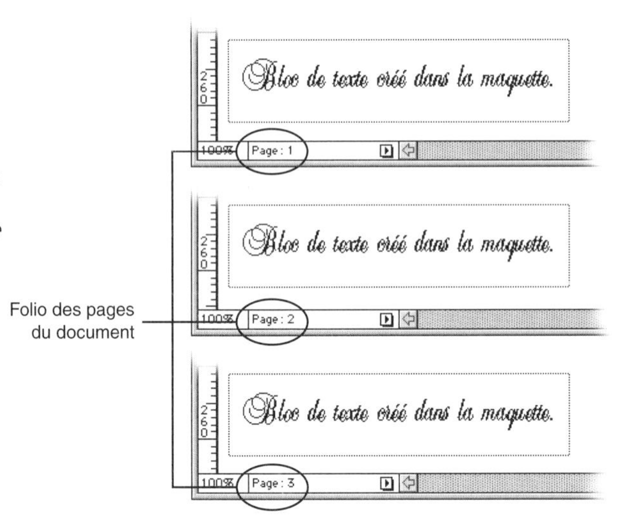

Une maquette recto seul comprend une page, alors qu'une maquette recto verso (pages en regard) en comprend deux (maquette de droite et maquette de gauche). Par exemple, dans le cas d'un recto verso (voir Figure 8.13), un bloc placé sur la maquette de gauche ne sera reproduit que sur les pages paires (pages de gauche). Toujours dans le cas d'une maquette recto verso, le folio détermine la maquette employée (maquette de gauche pour une page paire, maquette de droite pour une page impaire). Par conséquent, la suppression ou l'insertion de pages peut, pour une page particulière, modifier la maquette employée.

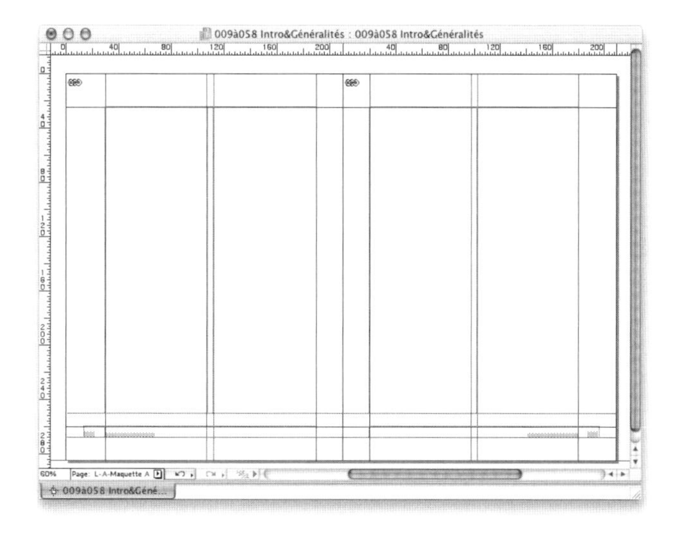

Figure 8.13

Ici, la maquette recto verso employée pour la mise en page d'un ouvrage. Elle comprend un bloc de texte automatique, des filets, des blocs de texte encadrés ou non et des repères.

Lorsque vous travaillez sur la maquette, vous pouvez placer le curseur dans le bloc de texte automatique (en cliquant sur ce dernier avec l'outil Modification), mais il est impossible d'y saisir du texte. Cette latitude est cependant utile pour déterminer depuis la maquette un attribut de style qui sera appliqué au contenu du bloc de texte auto en mode ***Mise en page****.*

Tous les types de blocs peuvent être intégrés à une maquette : bloc de texte, bloc image, filet, chemin de texte, courbe de Bézier, tableaux, etc. Ces blocs peuvent, selon leur type, recevoir du texte ou une image. Seul le bloc de texte automatique ne peut pas avoir de contenu au niveau de la maquette.

Les blocs de maquette sont modifiables en permanence depuis la maquette ou depuis les pages fondées sur la maquette. Cependant, une modification effectuée depuis une page du document interdit à l'avenir, et pour le bloc concerné, une mise à jour de ce bloc à la suite d'une modification du bloc correspondant dans la maquette.

Bloc de texte automatique

Le bloc de texte automatique peut être créé automatiquement depuis la zone de dialogue **Nouveau projet** (voir Figure 8.14) accessible *via* le menu **Fichier**, sous-menu **Nouveau**, article **Projet**. Notez qu'après la création d'un projet (c'est-à-dire d'un document XPress), il est possible de revenir à cette zone de dialogue en choisissant **Propriétés de la mise en page** dans le menu **Mise en page**.

Figure 8.14

Un clic sur la case d'option Bloc de texte auto crée automatiquement un tel bloc, dont les dimensions sont définies par les repères de marge et le nombre de colonnes déterminés par la case Colonnes.

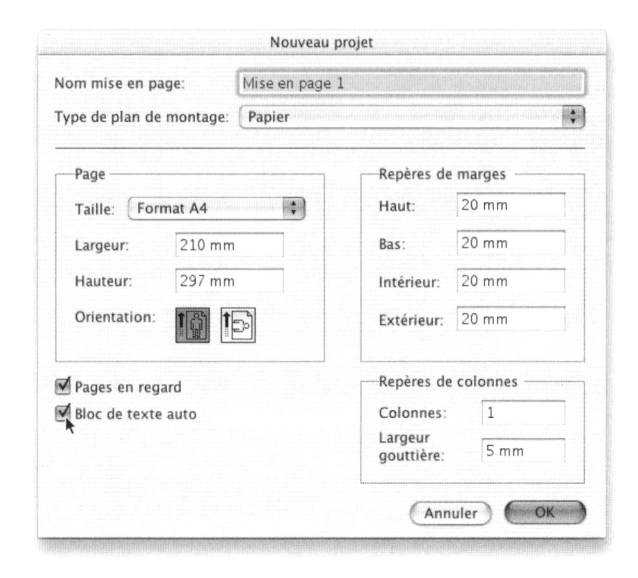

Une maquette comprend au plus un bloc de texte automatique (elle peut également ne pas en contenir). Ce bloc de texte est répété sur toutes les pages faisant appel à la maquette (comme n'importe quel autre bloc de maquette), mais il a la particularité d'être chaîné automatiquement à son homologue de la page suivante. Ainsi, un texte saisi ou importé au niveau du document dans le bloc de texte automatique se répartira de page en page entre les différentes occurrences de ce bloc.

Le bloc de texte automatique peut, sur une même page de maquette, être composé de plusieurs blocs ou chemins de texte chaînés entre eux.

Le bloc de texte automatique de la maquette par défaut fait l'objet d'un chaînage automatique. Si nécessaire, il est possible de désactiver ce chaînage :

1. La maquette étant affichée (depuis le sous-menu **Afficher** du menu **Page**), activez l'outil Séparation (voir Figure 8.15).
2. Cliquez sur l'icône représentant le chaînage en haut à gauche de la page (voir Figures 8.16 et 8.17).

Malgré l'insertion au niveau du document de texte dans le bloc de texte automatique, celui-ci conserve son aptitude à une mise à jour automatique en cas de modification au niveau de la maquette. Cela le distingue des autres blocs de texte placés dans la maquette.

Figure 8.15
L'outil Séparation.

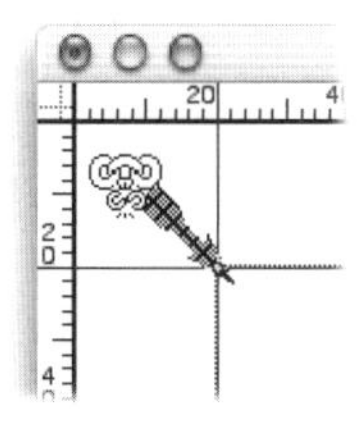

Figure 8.16
L'application de l'outil Séparation au symbole de chaînage du bloc de texte automatique (au niveau de la maquette).

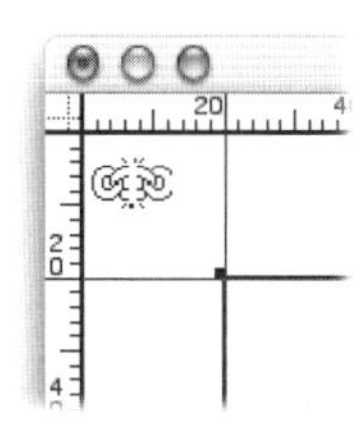

Figure 8.17
En haut à gauche de la page, ce symbole indique que le chaînage des blocs est rompu.

Une maquette vierge ne contient pas de bloc de texte automatique si l'option **Bloc de texte auto** n'a pas été cochée dans la zone de dialogue **Nouveau projet** lors de la création du document. Il est cependant possible de créer un bloc de texte automatique :

1. Créez un bloc de texte (voir Figure 8.18).
2. Cliquez sur l'outil Chaînage (voir Figure 8.19).

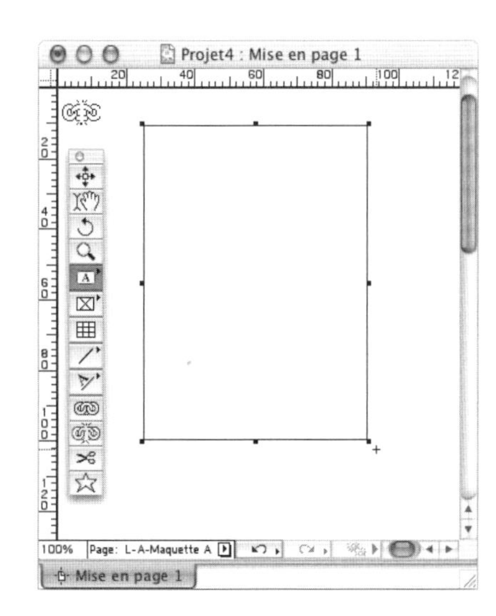

Figure 8.18
Sur une maquette vierge dépourvue de bloc de texte automatique, nous créons un bloc de texte. En haut à gauche de la page, l'icône signale qu'aucun chaînage n'est actif.

Figure 8.19

Le nouveau bloc de texte étant en place sur la maquette, on clique sur l'outil Chaînage de la palette d'outils.

L'icône de chaînage n'apparaît en haut à gauche des pages de maquette que si l'affichage des repères est activé (article ***Afficher les repères*** *du menu* ***Affichage****).*

3. Cliquez sur l'icône de chaînage placée en haut à gauche de la page (voir Figure 8.20).
4. Cliquez sur le bloc de texte. Le chaînage est alors mis en évidence par une flèche (voir Figure 8.21).

Dans le cas d'une maquette recto verso, répétez l'ensemble de ces opérations pour la seconde page de maquette (à moins que les pages paires ou impaires ne doivent pas contenir de bloc de texte automatique).

Figure 8.20

Un clic avec l'outil Chaînage sur l'icône de chaînage, en haut à gauche de la page, active ladite icône.

Figure 8.21

Un clic sur le bloc de texte établit un lien entre l'icône de chaînage et le bloc : celui-ci vient de gagner le statut de bloc de texte automatique.

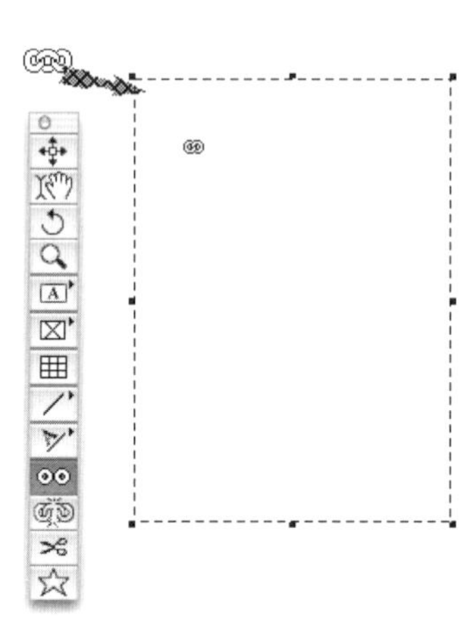

L'existence d'un bloc de texte automatique est mise en évidence par l'icône de chaînage en haut à gauche de la page (voir Figure 8.22).

Dans le cas d'une maquette recto verso (pages en regard), la mise en place d'un bloc de texte automatique sur chacune des deux pages de la maquette suppose le chaînage de chacun des blocs à l'icône de chaînage de leurs pages respectives (voir Figure 8.23).

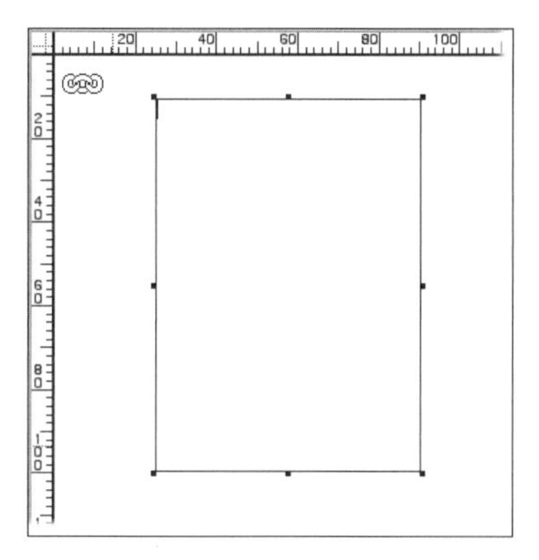

Figure 8.22

Les maillons affichés en haut à gauche annoncent qu'il existe un bloc de texte automatique sur cette page de maquette.

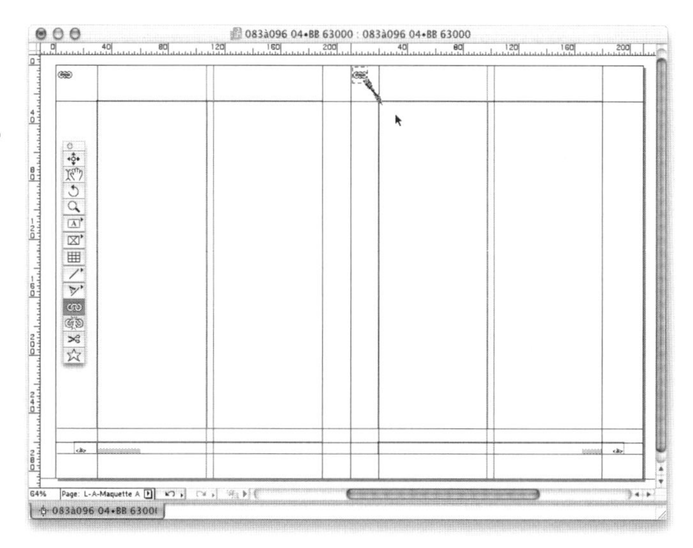

Figure 8.23

Une maquette recto verso comprend deux pages. Il est possible de créer un bloc de texte automatique sur chacune d'elles.

astuce

Rappelons que le bloc de texte automatique peut être un chemin de texte, éventuellement porté par une courbe de Bézier. En outre, le bloc de texte automatique peut être chaîné à un autre bloc ou chemin de texte, l'ensemble chaîné compose alors le bloc de texte automatique de la page (voir Figure 8.24).

Le bloc de texte automatique peut être formé de plusieurs blocs (ou chemins) de texte chaînés les uns aux autres. En fait, seul le bloc lié à l'icône de chaînage placée en haut à gauche de la page est un bloc de texte automatique au sens strict, les autres blocs n'étant que des blocs de maquette chaînés au bloc de texte automatique. Cependant, l'ensemble ainsi créé est assimilable à un bloc de texte automatique. En pratique, on obtient ainsi des compositions intéressantes (colonnes ou pavés isolés, mais chaînés et traités comme un unique bloc de texte automatique).

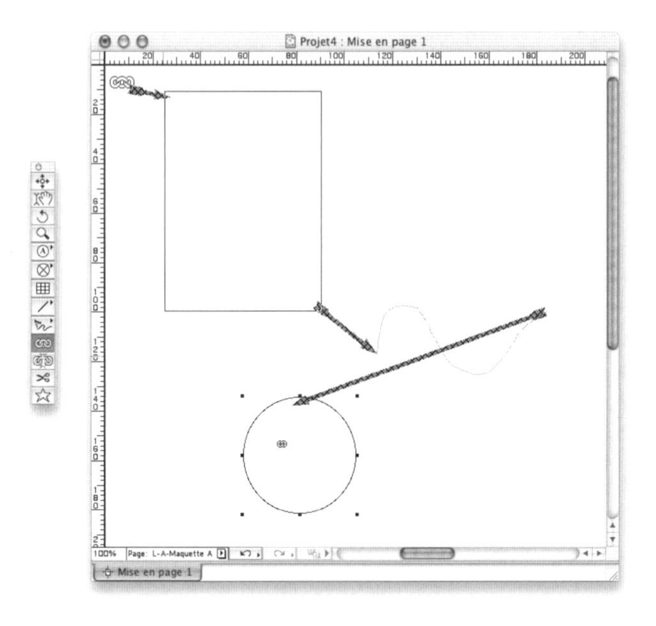

Figure 8.24

Ici, le bloc de texte automatique est en fait un ensemble de blocs et de chemin chaînés entre eux. L'ensemble compose le bloc de texte automatique puisqu'il est chaîné en amont à l'icône de chaînage.

Maquettes multiples

Par défaut, toutes les pages du document adoptent la maquette dont les bases sont définies dans la zone de dialogue **Nouveau projet** (ou **Propriétés de la mise en page**). En fait, il est possible d'appliquer une maquette différente à chaque page du document. Il est même possible de créer plus de maquettes que de pages, certaines maquettes n'étant, dans ce cas, appliquées à aucune page.

Décrite au Chapitre 14, la palette **Disposition de page** (anciennement **Plan de montage**) autorise toutes les manipulations qui vont suivre. Rappelons que le plan de montage est affiché en sélectionnant l'article **Afficher la disposition de page** du menu **Ecran**.

Créer une maquette

Pour créer une maquette :

1. Le plan de montage étant affiché, faites glisser vers la partie "maquette" du plan de montage l'icône de la maquette vierge recto seul si vous désirez une maquette recto seul, ou l'icône de la maquette vierge pages en regard, si vous souhaitez mettre en place une maquette recto verso (voir Figure 8.26).

2. La nouvelle maquette apparaît dans la liste des maquettes présentées dans la palette **Disposition de page** (anciennement, Plan de montage). Si nécessaire, renommez la nouvelle maquette après avoir sélectionné son nom à l'aide d'un double-clic.

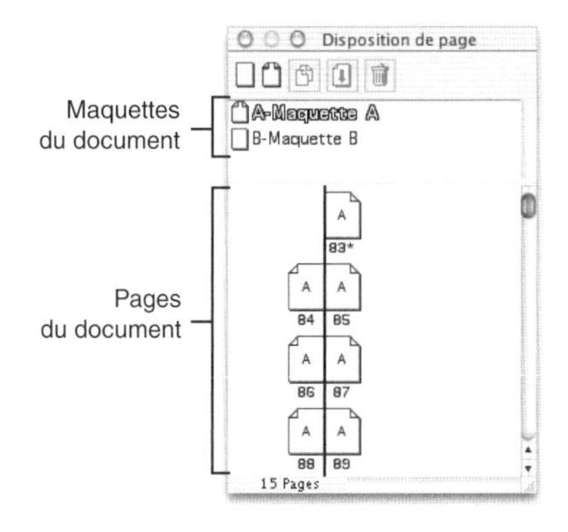

Figure 8.25

Au besoin, modifiez les dimensions de la palette en faisant glisser sa case inférieure droite. Par ailleurs, remarquez qu'il est possible de faire glisser lalimite entre la partie supérieure (maquettes) et la partie inférieure (pages) de la palette.

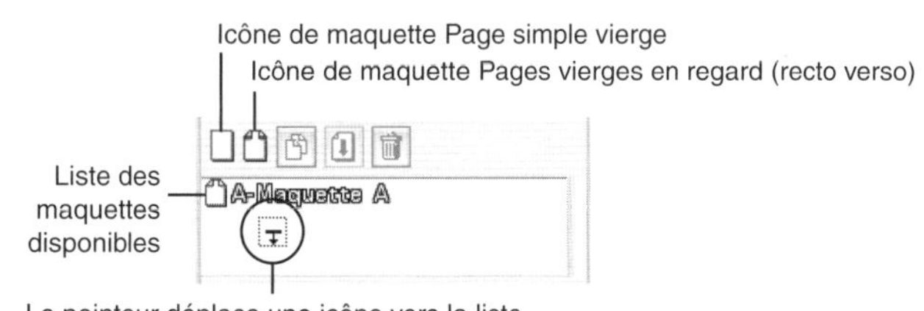

Figure 8.26

On crée une nouvelle maquette en faisant glisser l'une des deux icônes vers la liste des maquettes.

*La création d'une maquette recto verso n'est possible que si la maquette par défaut – définie par **Nouveau projet** ou modifiée par **Propriétés de la mise en page** – est elle-même une maquette recto verso. Il faut donc cocher **Pages en regard** (voir Figure 8.1) pour être autorisé à créer des maquettes recto verso.*

Dupliquer une maquette

Pour dupliquer une maquette :

1. Dans la palette **Disposition de page**, cliquez sur l'icône de la maquette à dupliquer.
2. Cliquez sur le bouton **Dupliquer** (voir Figure 8.27).

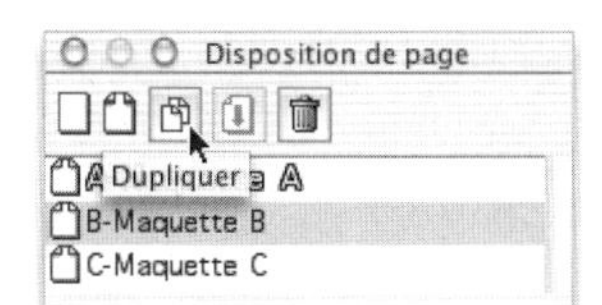

Figure 8.27

La duplication d'une maquette.

3. La nouvelle maquette apparaît dans la liste.

Vous pouvez modifier le nom d'une maquette ; toutefois, XPress préserve son appellation par lettre (A, B, C, etc.), l'ajoute en tête d'un nom personnalisé et l'emploie dans le plan de montage pour indiquer la nature de la maquette employée pour chacune des pages.

Supprimer une maquette

Pour supprimer une maquette :

1. Dans le plan de montage, cliquez sur l'icône de la maquette à supprimer.
2. Comme à la Figure 8.28, cliquez sur l'icône **Supprimer** (corbeille sous Mac OS, croix sous Windows).
3. Si la maquette supprimée est utilisée par au moins une page du document, un message vous demande de confirmer la suppression (voir Figure 8.29).

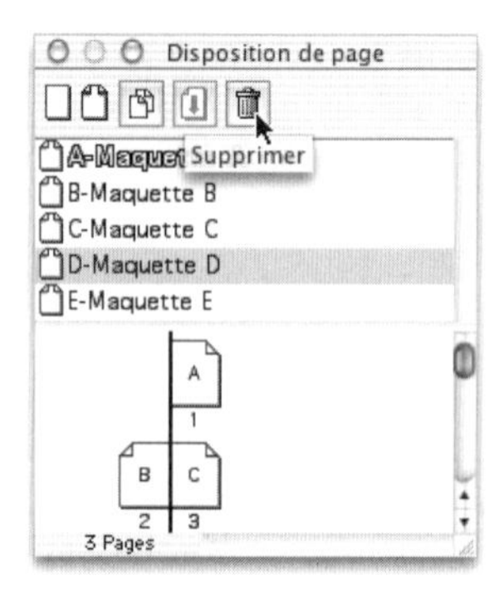

Figure 8.28
Une maquette est sélectionnée (elle est contrastée) et l'on clique sur l'icône de suppression (ici contrastée).

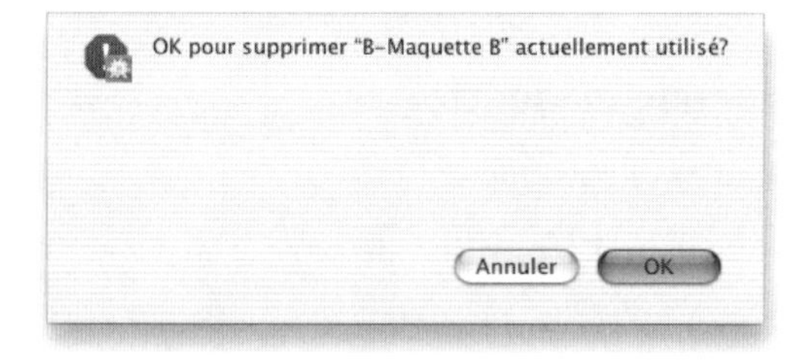

Figure 8.29
XPress signale la suppression d'une maquette utilisée par au moins une page du document.

Si vous confirmez la suppression d'une maquette utilisée par une ou plusieurs pages du document, ces pages ne seront plus associées à une maquette. Notez que vous provoquez ainsi la suppression dans ces pages des blocs créés par la maquette supprimée.

Remplacer une maquette

Pour remplacer une maquette A par une maquette B, glissez l'icône de la maquette B sur l'icône de la maquette A. La substitution a lieu sur l'ensemble des pages munies de la maquette remplacée. La maquette remplacée est supprimée à l'issue de son remplacement (voir Figure 8.30).

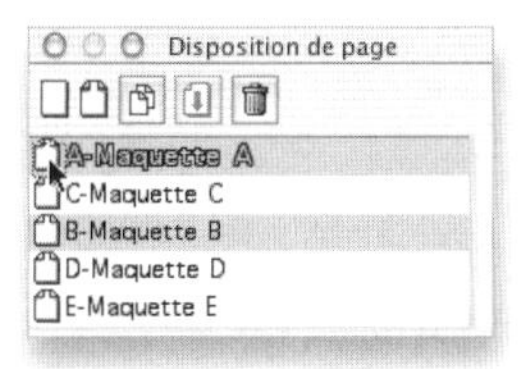

Figure 8.30
Glisser la maquette A sur la maquette C remplacera la maquette C par la maquette A dans les pages du document et supprimera la maquette C.

Appliquer une maquette à une page

Pour appliquer une maquette à une page, glissez l'icône de la maquette sur celle de la page concernée, la manipulation ayant lieu, bien sûr, dans la palette **Disposition de page** (voir Figure 8.31). La page vers laquelle l'icône d'une maquette a été déplacée est enrichie par cette maquette dès le relâchement du bouton de la souris.

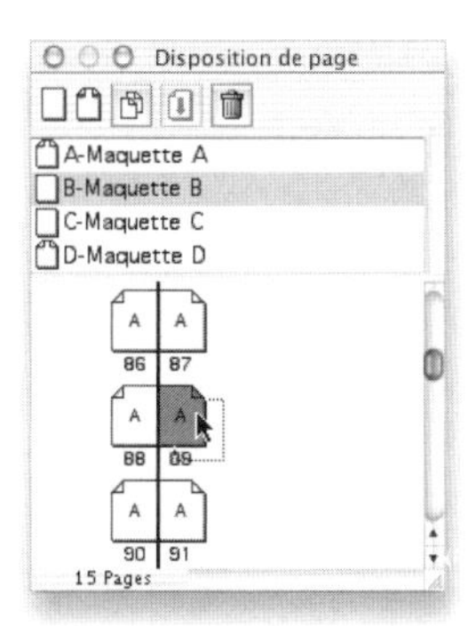

Figure 8.31
L'icône de la maquette B glisse vers une page déjà munie de la maquette A.

L'application d'une maquette à des pages peut avoir lieu lors de leur insertion au document :

1. Le document étant visualisé en mode **Mise en page** et non en mode **Maquette** (voir le sous-menu **Afficher** du menu **Page**), sélectionnez l'article **Insérer** du menu **Page**.
2. Une zone de dialogue s'étant ouverte (voir Figure 8.32), saisissez le nombre de pages à insérer, leur position, mais aussi la maquette sur laquelle elles devront se fonder. La case **Relier à la chaîne courante** ne peut être cochée que si la maquette choisie contient un bloc de texte automatique et si le curseur se trouve actuellement dans un bloc de texte (un bloc de texte doit être sélectionné avec l'outil Modification).
3. Validez en cliquant sur **OK**.

Figure 8.32

Bien qu'il soit possible de réaffecter une maquette à une page grâce au plan de montage, la maquette appliquée à une page peut être définie lors de l'insertion de celle-ci, et ce grâce au menu local Maquette de la zone de dialogue Insertion de pages.

Conservation des blocs de maquette

Lors de l'application d'une maquette à une page déjà munie d'une autre maquette, vous pouvez souhaiter conserver ou supprimer les blocs – non modifiés depuis le document – mis en place par la maquette antérieure.

Pour conserver ou supprimer les blocs de maquette :

- Déroulez le menu **Edition** (ou le menu **QuarkXPress** sous Mac OS X) puis sélectionnez l'article **Préférences**.
- Cliquez sur **Générales**.
- Dans la rubrique **Eléments de maquette**, cliquez sur **Conserver** ou sur **Supprimer** (voir Figure 8.33).
- Validez en cliquant sur **OK**.

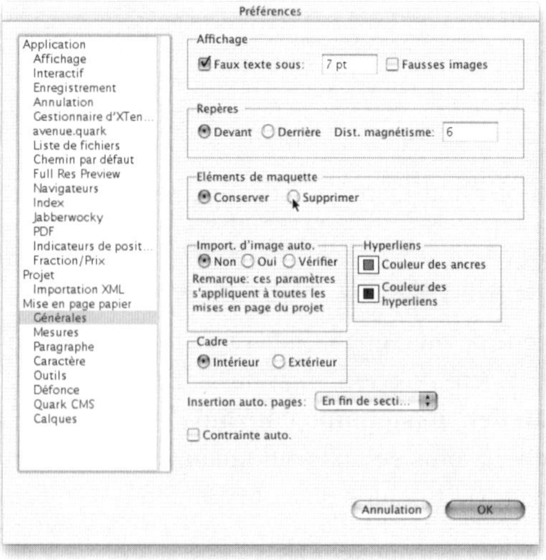

Figure 8.33

Les préférences générales comprennent un choix relatif à la conservation des éléments mis en place par une maquette lorsque celle-ci est remplacée.

CHAPITRE 9

La gestion des blocs

Au sommaire de ce chapitre

- Créer un bloc
- Manipuler les blocs
- Utiliser les calques

Nous l'avons vu aux Chapitres 1 et 2, XPress fonde sa logique "table de montage" sur une juxtaposition de blocs. Tous les éléments ont donc le statut de bloc ; à ce titre, ils ont une position clairement définie sur le document ainsi qu'un niveau d'empilement par rapport aux autres blocs. Nous nous intéressons ici aux caractéristiques générales des blocs et à leur manipulation. Il ne sera question de types de blocs particuliers qu'aux Chapitres 10 à 13.

Créer un bloc

Un bloc peut être mis en place sur :

- **Une page du document** ou, plus précisément, une page de l'une des mises en page faisant partie du projet. Il est alors propre à cette page.
- **Une page de maquette.** Il a alors le statut de bloc de maquette et est reproduit sur toutes les pages du document fondées sur cette maquette.

Par conséquent, avant de mettre en place un bloc, il convient de s'assurer que la page souhaitée est affichée. Le numéro de la page courante ou le nom de la maquette en cours de manipulation est annoncé en bas à gauche de la fenêtre. Dans la même zone se trouvent les onglets permettant de sélectionner l'une des mises en page du projet. Rappelons que vous passez du document (en fait, l'une des mises en page du projet) aux pages de maquette grâce au sous-menu **Afficher** du menu **Page**, à l'aide du menu local disponible en bas à gauche des fenêtres ou encore au moyen du plan de montage (palette **Disposition de page**, voir Chapitre 14). Pour tout ce qui concerne les maquettes, on se reportera utilement au Chapitre 8. Il est vivement conseillé de maîtriser le contenu du Chapitre 2 avant d'aborder le présent chapitre.

*Le seul bloc susceptible d'exister lors de la création d'un nouveau document XPress – dans le cas d'un document non fondé sur un gabarit – est le bloc de texte automatique (voir Chapitre 8) dont les caractéristiques pour la maquette par défaut sont fixées par la zone de dialogue **Nouveau projet**.*

La palette d'outils permet de créer les blocs. Tous les éléments susceptibles d'être placés sur une page sont des blocs. Sont donc considérés comme des blocs :

- les blocs de texte (quelle que soit leur forme) ;
- les blocs images (quelle que soit leur forme) ;
- les filets (traits rectilignes, courbes ou de forme libre) ;
- les tracés (courbes de Bézier) ;
- les chemins de texte ;
- les tableaux.

Outils et types de blocs

Les différents outils ont déjà été présentés au Chapitre 3 avec leurs principes de mise en œuvre (par clics successifs ou en faisant glisser le pointeur). Nous reviendrons néanmoins sur les différents outils chargés de créer les blocs (voir Figure 9.1). Rappelons que, si la palette d'outils n'est pas visible, vous la ferez apparaître en activant **Afficher les outils** dans le menu **Ecran**.

Pour mettre en place un bloc :

1. Affichez la page de document ou la page de maquette devant recevoir le nouveau bloc. L'affichage de cette page pourra notamment être obtenu à l'aide du plan de montage (voir Chapitre 14).

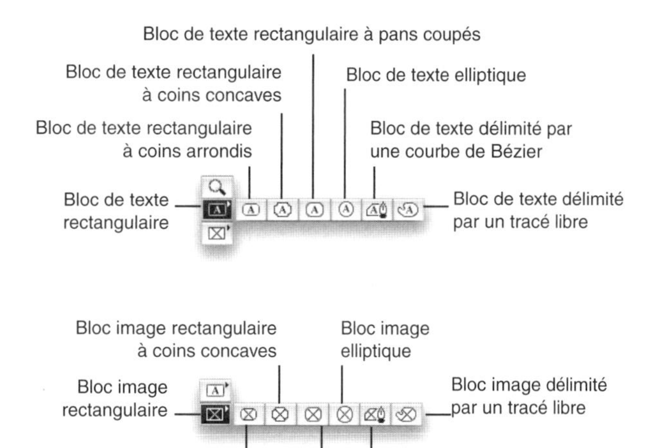

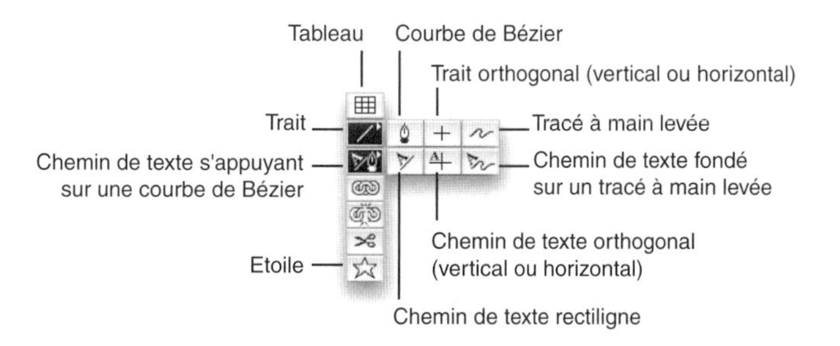

Figure 9.1
Les différents outils chargés de la création des blocs.

2. S'il y a lieu, mettez en place un repère et activez le magnétisme des repères (voir Chapitre 2).
3. Cliquez sur l'outil correspondant au type du bloc à mettre en place (voir Figure 9.1).
4. Selon l'outil choisi à l'étape précédente, cliquez ou faites glisser le pointeur pour tracer le bloc. N'oubliez pas que maintenir la touche ⇧Maj enfoncée provoque une contrainte qui transforme les ellipses en cercles et les rectangles en carrés ou impose aux segments une inclinaison multiple de 45° dans le cas d'un tracé par segments.
5. Si le bloc doit être doté d'un contenu, activez l'outil Modification et cliquez sur le bloc. S'il s'agit d'un bloc de texte, saisissez son contenu ou activez **Importer texte** dans le menu **Fichier**. Dans le cas d'un bloc image, le menu **Fichier** propose **Importer image**. Qu'il s'agisse d'un bloc de texte ou d'un bloc image, le contenu du Presse-papiers peut être collé dans un bloc.

Tous les blocs présentés aux Figures 9.2 à 9.6 sont créés avec les outils illustrés à la Figure 9.1. Tous les blocs sont créés en faisant glisser l'outil correspondant à leur forme et à leur type de contenu, sauf :

- les traits, les courbes de Bézier, les chemins de texte, ainsi que les blocs de texte et les blocs images délimités par un tracé à main levée ou par une courbe de Bézier ;
- les tableaux qui, après leur mise en place obtenue en faisant glisser en diagonale l'outil Tableau, ouvrent une zone de diagonale où est définie la division du tableau en rangées et colonnes ainsi que le type du contenu de chaque cellule.

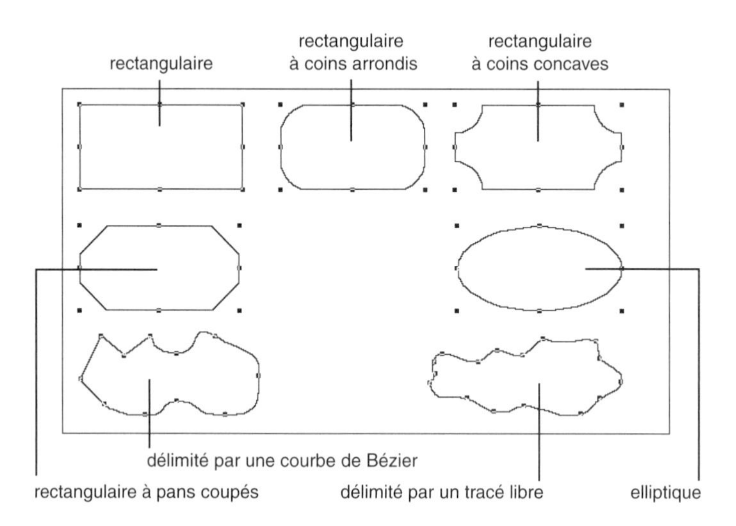

Figure 9.2
Différents types de blocs de texte.

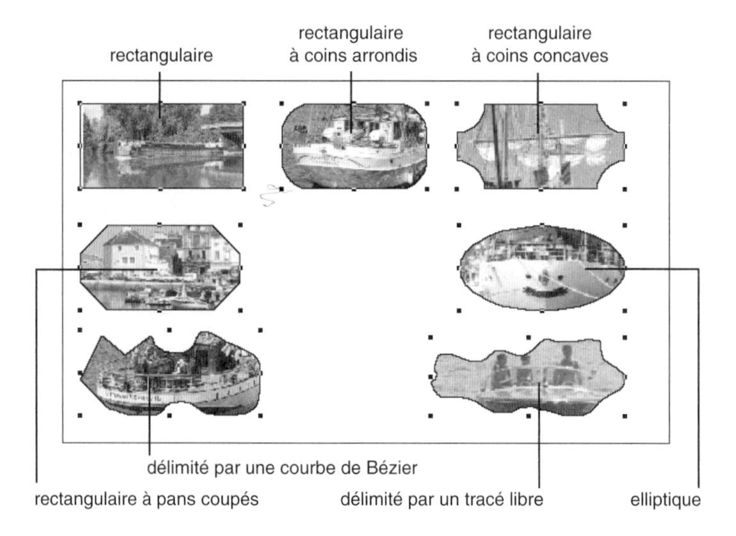

Figure 9.3
Différents types de blocs images.

Figure 9.4

Les cellules d'un tableau peuvent accueillir un texte ou une image.

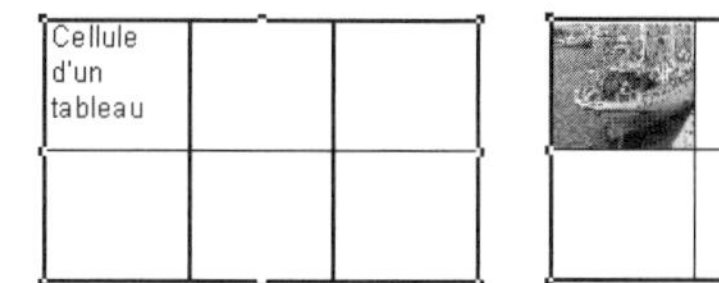

Figure 9.5

Les différents types de filets (traits).

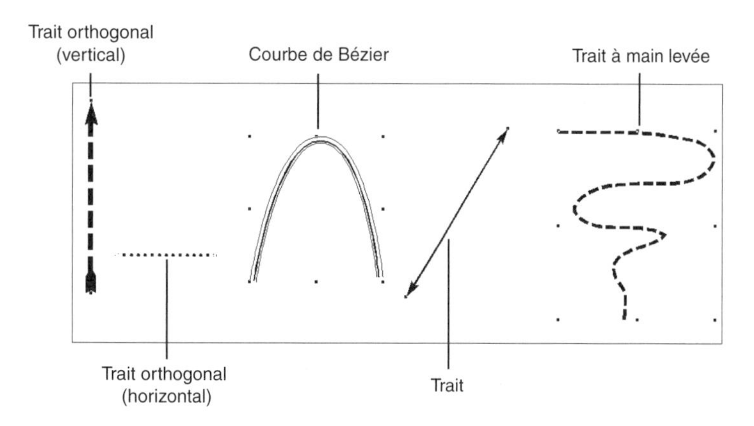

Figure 9.6

Les différents types de chemins de texte.

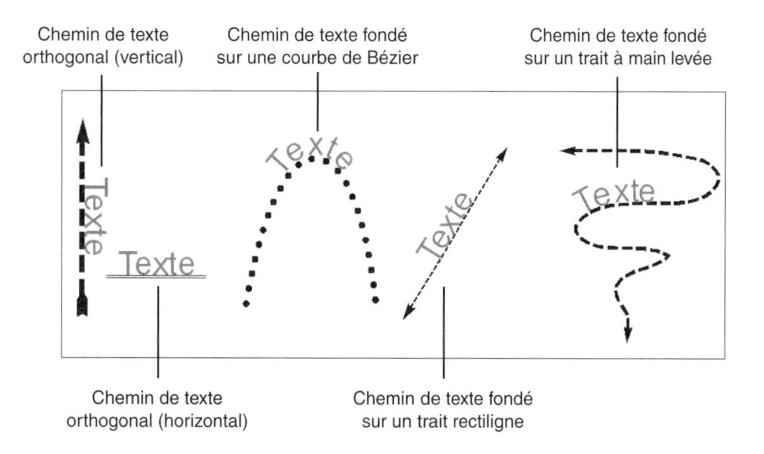

i info

Quand plusieurs outils sont rassemblés dans une palette pop-out – sous-palette signalée par un triangle (voir Figure 9.1) – de la palette d'outils, c'est toujours le dernier outil sélectionné qui apparaît ensuite dans la palette d'outils.

Un double-clic sur un outil dans la palette d'outils donne accès aux préférences relatives aux outils.

Les blocs délimités par une courbe de Bézier peuvent être tracés en cliquant sur chaque point d'ancrage ou en faisant glisser le pointeur afin de transformer un sommet de ligne brisée en point d'inflexion. Tous les blocs aux formes libres doivent être fermés. Pour cela, ramenez le pointeur sur le premier point du tracé et cliquez lorsque le pointeur a l'aspect d'un petit carré (voir Figure 9.7).

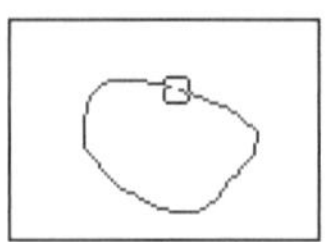

Figure 9.7

Le contour de ce bloc est tracé "à main levée". Lorsque le pointeur est ramené à la position du clic initial, il prend l'aspect d'un carré signalant qu'un clic fermera le tracé.

Modifier le type de forme et le type de contenu d'un bloc

La forme et le contenu d'un bloc sont définis implicitement par l'outil activé lors de la création du bloc. Cependant, il ne s'agit pas de choix définitifs puisqu'un bloc peut changer de forme et de type de contenu.

Pour modifier la forme ou le contenu d'un bloc :

1. Sélectionnez le bloc à modifier à l'aide de l'outil Déplacement ou Modification. Attention ! Ce bloc doit être le seul bloc sélectionné.
2. Déroulez le menu **Bloc** et sélectionnez :
   - la forme de votre choix dans le sous-menu **Forme** (voir Figure 9.8) ;
   - un type de contenu dans le sous-menu **Contenu** (voir Figure 9.9).

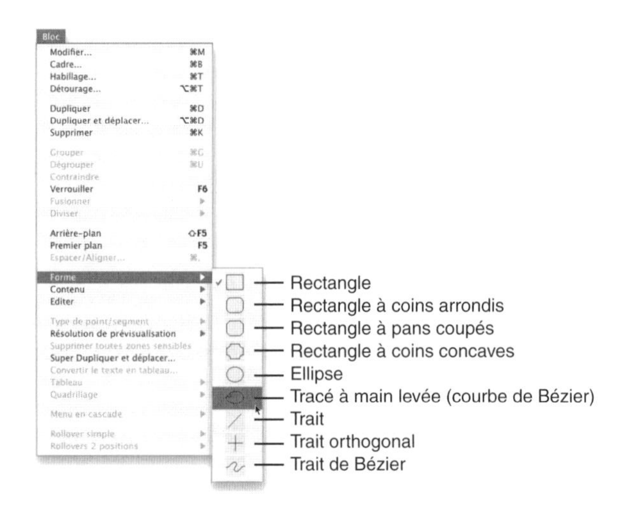

Figure 9.8

Ce sous-menu permet de changer la forme d'un bloc.

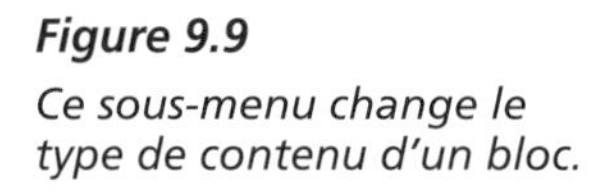

Figure 9.9

Ce sous-menu change le type de contenu d'un bloc.

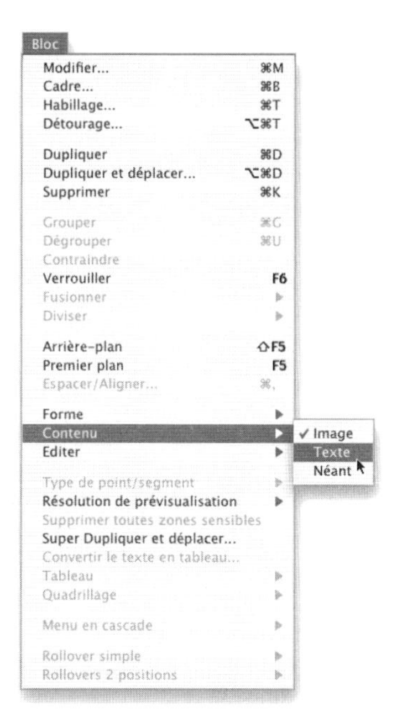

A propos du changement de type de contenu, notez qu'un trait ne peut avoir pour contenu que **Néant** ou **Texte**, mais pas **Image**. Un bloc dont le type de contenu est **Néant** ne peut recevoir ni texte, ni image (d'ailleurs l'article **Importer Texte/Image** du menu **Fichier** est estompé en cas de sélection d'un tel bloc). Ce genre de bloc est utile pour créer des aplats ou toute autre surface faisant appel aux possibilités de la palette **Couleurs** (voir Chapitre 16) qui permet notamment la mise en place de dégradés. A la différence d'un bloc image vide qui est mis en évidence par une croix de Saint-André, un bloc dont le contenu est **Néant** n'est pas caractérisé par une croix. C'est là un moyen simple pour distinguer un bloc image vide (ne contenant pas d'image) d'un bloc dont le type de contenu est **Néant**.

Afin d'être totalement libre de modifier la forme d'un bloc, tous les types de blocs peuvent être considérés comme des courbes de Bézier et profiter ainsi des infinies possibilités de ces dernières :

1. Sélectionnez le bloc concerné.
2. Choisissez **Tracé à main levée (courbe de Bézier)** dans le sous-menu **Forme** du menu **Bloc**.
3. Déroulez le menu **Bloc** et son sous-menu **Editer** où vous sélectionnerez **Forme**.
4. Le bloc se manipule ensuite comme toute courbe de Bézier (voir Chapitre 13).

Tableaux

XPress dispose d'un outil Tableau chargé de créer un bloc particulier de type "tableau". Chaque cellule de ce dernier peut contenir une image ou du texte. Les tableaux sont en quelque sorte des blocs composites puisqu'ils correspondent à l'assemblage de plusieurs cellules qui, chacune, se comporte comme un bloc isolé, au moins en ce qui concerne leurs contenus.

Créer un tableau

La création d'un tableau comprend le tracé du cadre dans lequel il s'inscrit ainsi que la définition du nombre de colonnes verticales et de rangées horizontales qui le composent :

1. Activez l'outil Tableau dans la palette d'outils (voir Figure 9.10).
2. Faites glisser le pointeur en diagonale de façon à tracer le cadre correspondant au contour extérieur du tableau (voir Figure 9.11).
3. Dans la zone de dialogue illustrée à la Figure 9.12, saisissez le nombre de rangées horizontales et de colonnes verticales qui composent le tableau. Par défaut, toutes les cellules ainsi définies ont mêmes largeur et hauteur, mais ces dimensions pourront faire l'objet d'ajustements ultérieurs. Précisez également la nature du contenu des cellules. Celles-ci peuvent contenir du texte ou des images. Lors de la création d'un tableau, choisissez pour toutes les cellules le type de contenu qui sera finalement adopté par la majorité d'entre elles. En effet, vous serez ensuite libre d'affecter indépendamment à chaque cellule un autre type de contenu. Lorsque les cellules sont destinées à contenir du texte, il est possible de les chaîner (option **Lier cellules**) et de définir l'ordre de chaînage. Quant à l'ordre de tabulation, il permet de parcourir un tableau dont les cellules renferment des images. Une cellule d'un tel tableau étant sélectionnée, Ctrl+Tab ou Ctrl+⇧Maj+Tab permettent respectivement de sélectionner la cellule suivante ou la cellule précédente selon l'ordre de tabulation du tableau.
4. La zone de dialogue ouverte à l'étape précédente ayant été refermée en cliquant sur **OK**, le tableau apparaît muni de ses cellules, comme à la Figure 9.13.

Bien que très utile dans le cas général, la zone de dialogue de création de tableau (voir Figure 9.12) peut vous importuner si tous vos tableaux ont les mêmes caractéristiques. Pour éviter l'affichage de cette zone de dialogue, double-cliquez sur l'outil ***Tableau*** *dans la palette d'outils, puis cliquez sur* ***Modifier*** *(zone de dialogue* ***Préférences****) et sur l'onglet* ***Création*** *où vous désactiverez la case* ***Afficher boîte de dialogue de création****. Cet onglet permet également de fixer les caractéristiques par défaut d'un tableau lors de sa création (nombre de rangées et de colonnes, type des cellules).*

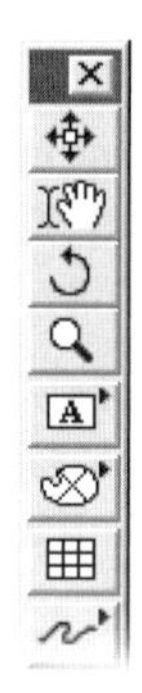

Figure 9.10

Les outils utilisés pour les tableaux.

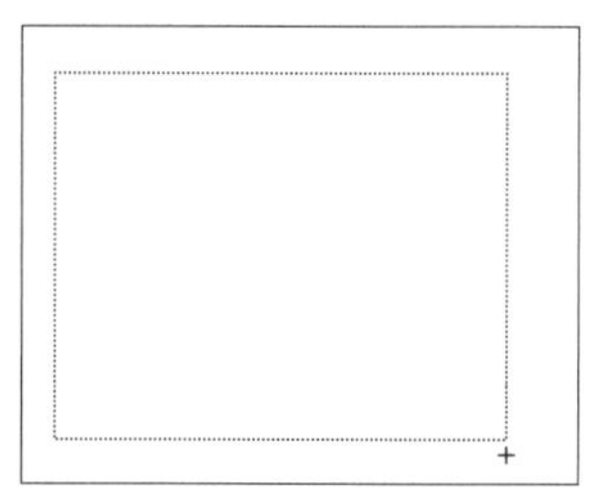

Figure 9.11

Comme pour un bloc rectangulaire, on fait glisser le curseur pour définir le contour d'un tableau.

Figure 9.12

A travers cette zone de dialogue, précisez le nombre de colonnes et de rangées qui composent le tableau. Indiquez le type de contenu initialement affecté à toutes les cellules. Si celles-ci contiennent du texte, vous pouvez les chaîner.

Figure 9.13

A l'issue de sa création, le tableau se résume à des cellules vierges.

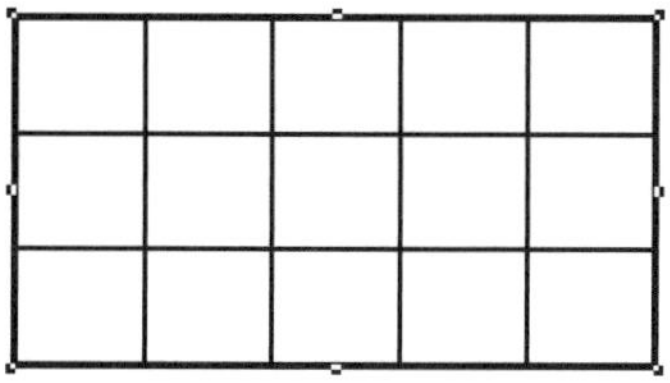

Pour attribuer aux cellules d'un tableau leurs contenus, procédez comme suit :

- S'il s'agit de cellules de texte, cliquez dessus avec l'outil Modification, puis saisissez le texte ou importez-le en activant **Importer texte** dans le menu **Fichier**. Pour passer à la cellule suivante, tapez Cmd+Tab (Mac OS) ou Ctrl+Tab (Windows).
- S'il s'agit de cellules destinées à recevoir des images, cliquez dessus avec l'outil Modification, puis activez **Importer image** dans le menu **Fichier**. Vous pouvez également placer une image dans une cellule à l'aide d'un simple copier-coller.

Même lorsqu'une cellule est vide de tout contenu, il est facile de connaître le type de contenu qu'elle attend. Pour cela, cliquez sur une cellule avec l'outil Modification, et observez :

- si le curseur de texte clignote dans la cellule, celle-ci attend la saisie d'un texte (voir Figure 9.14) ;
- si le contour intérieur de la cellule s'épaissit, celle-ci est destinée à recevoir une image (voir Figure 9.15).

Figure 9.14
Si un clic avec l'outil Modification provoque l'affichage du curseur de texte, la cellule est destinée à recevoir du texte.

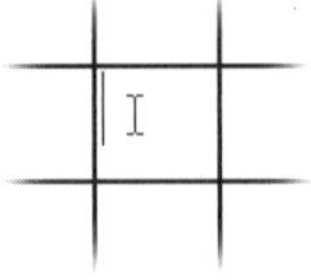

Figure 9.15
Si un clic avec l'outil Modification provoque l'épaississement du contour de la cellule, celle-ci attend l'importation d'une image.

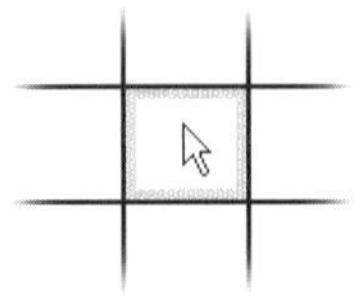

Modifier les attributs du contenu d'une cellule

Une cellule pouvant recevoir du texte ou une image, chaque cellule traite son contenu comme le feraient, respectivement, un bloc de texte (voir Chapitre 10) ou un bloc image (voir Chapitre 11).

Une cellule de texte se comporte comme un bloc de texte

Naturellement, la palette des spécifications présente les caractéristiques du texte sélectionné et permet de modifier celles-ci (voir Figure 9.16). Bien entendu, les attributs de caractères et de paragraphes peuvent être modifiés en sélectionnant respectivement

Caractères (voir Chapitre 5) et **Format** (voir Chapitre 6) dans le menu **Style**. Quant à la cellule de texte, elle dispose des mêmes réglages qu'un bloc de texte (mode d'alignement vertical, etc.). Vous les modifiez en activant **Modifier** dans le menu **Bloc**, puis en cliquant sur l'onglet **Texte** (voir Figure 9.17).

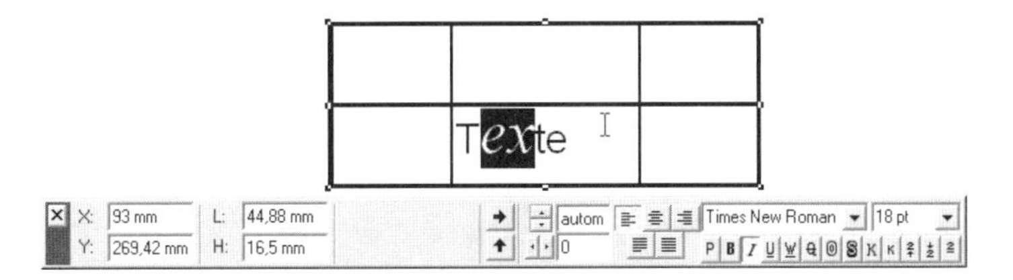

Figure 9.16
La palette des spécifications permet de modifier les attributs du texte sélectionné dans une cellule de tableau.

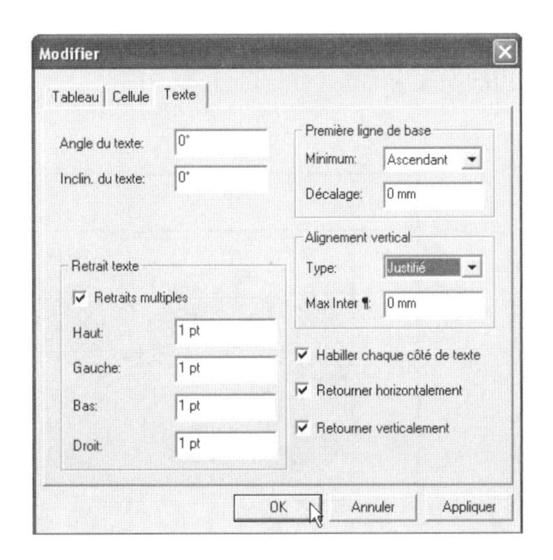

Figure 9.17
L'onglet Texte affiché après sélection d'une cellule de texte dans un tableau est semblable à celui affiché pour un bloc de texte quelconque.

A propos du chaînage des cellules de texte d'un tableau :

- L'outil Chaînage s'applique à un tableau de cellules de texte comme à un bloc de texte. Si les cellules de ce tableau sont déjà liées, le chaînage est obtenu en cliquant sur la première cellule du tableau.
- Dans le cas inverse, l'outil Chaînage permet de lier les cellules de texte selon un ordre totalement libre.
- La suppression du chaînage des cellules s'obtient en utilisant l'outil Séparation comme vous le feriez avec des blocs de texte chaînés.
- Le chaînage en place est rompu si les cellules sont combinées. Celui-ci doit ensuite être rétabli avec l'outil Chaînage.

- Le chaînage est conservé quand une cellule (combinée) est divisée.
- En cas d'enregistrement du projet au format XPress 5.0 (la version 5.0 ne gère pas les cellules de texte liées), vous avez le choix entre **Supprimer le lien** et **Conserver les liens**. Si vous choisissez **Supprimer le lien**, le texte placé dans les cellules y restera, mais celles-ci ne seront plus liées. Avec **Conserver les liens**, le tableau sera converti en blocs de texte liés afin de maintenir le chaînage.

Une cellule d'image se comporte comme un bloc image

Dans le cas d'une cellule d'image, la palette des spécifications propose, pour l'image, les mêmes réglages qu'en cas de sélection d'un bloc image avec l'outil Modification. Ainsi, vous pouvez modifier le taux d'agrandissement ou de réduction d'une image à l'aide des cases **X %** (échelle horizontale) et **Y %** (échelle verticale). La sélection de l'article **Modifier** du menu **Bloc** suivi d'un clic sur l'onglet **Image** offre les mêmes possibilités qu'en cas de sélection d'un bloc image (voir Chapitre 11).

Figure 9.18

La palette des spécifications permet de modifier les attributs de l'image placée dans la cellule sélectionnée.

L'outil Ciseaux ne s'applique pas aux tableaux.

Changer le type d'une cellule

Lors de la création d'un tableau, toutes ses cellules adoptent le même type de contenu. Cependant, ce choix initial peut être revu :

1. Si le changement de type de contenu ne concerne qu'une seule cellule, cliquez dessus avec l'outil Modification. Si ce changement concerne plusieurs cellules, maintenez la touche [⇧Maj] enfoncée pendant que vous cliquez sur chacune des cellules concernées. En cas de sélection de plusieurs cellules, celles-ci se contrastent.

2. Déroulez le menu **Bloc** et son sous-menu **Contenu** où vous activerez **Néant**, **Texte** ou **Image** selon le type de contenu souhaité.

Changer le type de contenu d'une cellule entraîne la perte du contenu initial.

Modifier la hauteur des rangées et la largeur des colonnes

Un tableau se déplace sur la page comme n'importe quel autre bloc : en le faisant glisser avec l'outil Déplacement (voir Figure 9.19). Comme le montrent les Figures 9.20 et 9.21, l'outil Modification permet de modifier la largeur d'une colonne ou la hauteur d'une rangée :

1. Placez l'outil Modification sur un trait séparant deux colonnes ou deux rangées.
2. Lorsque le pointeur a pris l'aspect qu'il revêt aux Figures 9.20 et 9.21, faites-le glisser jusqu'à obtenir les dimensions souhaitées. Si le résultat obtenu ne vous satisfait pas, activez **Annuler** dans le menu **Edition**.

Les outils Déplacement et Modification sont utilisables pour faire glisser les poignées qui ceinturent le tableau lorsqu'il est sélectionné. Le déplacement de ces poignées provoque une modification des dimensions du tableau, mais maintient le rapport entre les largeurs des colonnes ainsi qu'entre les hauteurs des rangées (voir Figure 9.22).

Figure 9.19
L'outil Déplacement permet de déplacer un tableau.

La position et les dimensions d'un tableau peuvent également être modifiées en sélectionnant l'article **Modifier** du menu **Bloc**, puis en cliquant sur l'onglet **Tableau** (voir Figure 9.23). Cet onglet permet de revenir sur les choix formulés lors de la création du tableau (ordre de tabulation, etc.). Si une cellule d'un tableau est sélectionnée avec l'outil Modification, l'article **Modifier** du menu **Bloc** donne accès à un onglet **Cellule** (voir Figure 9.24) où seront saisies la hauteur et la largeur d'une cellule.

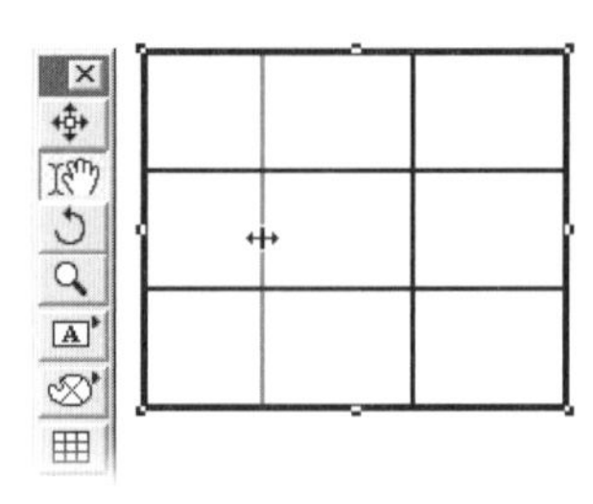

Figure 9.20

L'outil Modification modifie la largeur des colonnes.

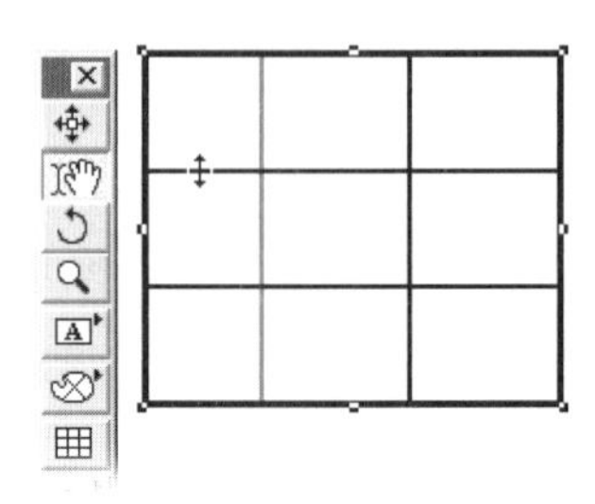

Figure 9.21

De même l'outil Modification fait varier la hauteur des rangées.

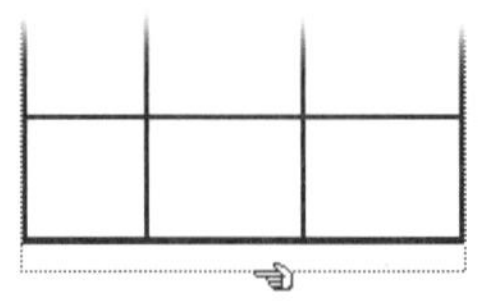

Figure 9.22

Les outils Déplacement et Modification permettent de faire glisser les poignées qui ceinturent un tableau.

*Disponible dans l'onglet **Tableau** (voir Figure 9.23) ou dans le sous-menu **Tableau** du menu **Bloc**, l'option **Maintenir la géométrie** interdit la modification de la largeur et de la hauteur d'un tableau.*

*Le quadrillage d'un tableau est aimanté par les repères si le magnétisme est activé par l'article **Magnétiser les repères** du menu **Affichage**. La distance d'effet du magnétisme est déterminée depuis le volet **Générales** des préférences de l'application.*

Insérer ou supprimer des cellules

Défini lors de la création d'un tableau, le nombre de rangées et de colonnes qui le constituent peut être modifié :

1. Avec l'outil Modification, cliquez sur une cellule destinée à se trouver immédiatement au-dessus, au-dessous, à gauche ou à droite de la rangée ou de la colonne insérée.

2. Déroulez le menu **Bloc** et son sous-menu **Tableau** où vous activerez **Insérer des rangées** ou **Insérer des colonnes**.
3. Dans la zone de dialogue illustrée à la Figure 9.25 (cas de l'insertion de colonnes), saisissez le nombre de colonnes ou de rangées à insérer. Précisez la position des colonnes ou des rangées insérées par rapport à la cellule sélectionnée.

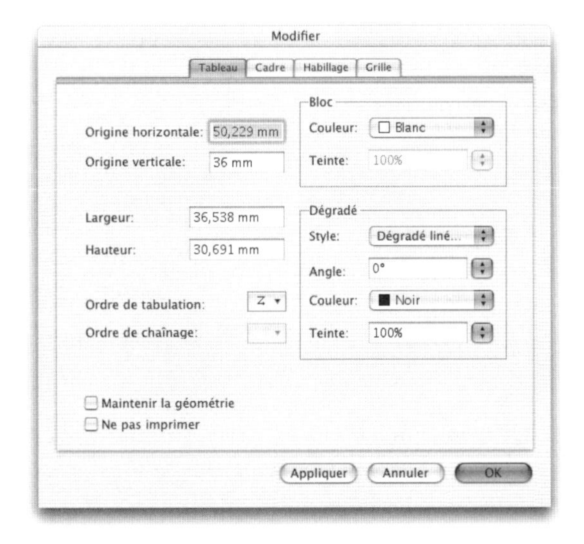

Figure 9.23
L'onglet Tableau de la zone de dialogue Modifier.

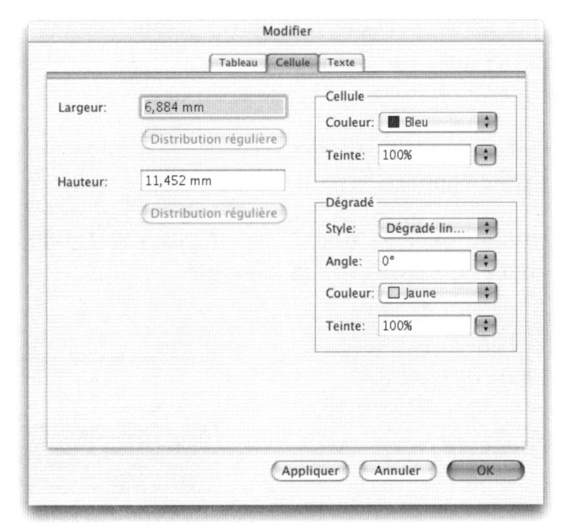

Figure 9.24
L'onglet Cellule est accessible lorsqu'une cellule a été sélectionnée avec l'outil Modification.

4. Validez la zone de dialogue ouverte à l'étape précédente et constatez que les colonnes ou rangées insérées reprennent, selon le cas, les caractéristiques (dimensions, etc.) de la rangée ou de la colonne où se trouve la cellule sélectionnée à la première étape de cette manipulation.

*L'option **Conserver attributs** (voir Figure 9.25) permet aux cellules nouvellement insérées de récupérer les attributs des cellules adjacentes.*

Figure 9.25
L'insertion de colonnes dans un tableau.

La suppression d'une colonne ou d'une rangée n'est possible que si toutes les cellules de la colonne ou de la rangée sont sélectionnées.

Pour supprimer une rangée horizontale ou une colonne verticale de cellules :

1. L'outil Modification étant activé, maintenez la touche ⇧Maj enfoncée pendant que vous cliquez sur chacune des cellules qui composent la rangée ou la colonne à supprimer.
2. Les cellules de la colonne ou de la rangée à supprimer étant sélectionnées, elles apparaissent contrastées (voir Figure 9.26).
3. Déroulez le menu **Bloc** et son sous-menu **Tableau** où vous activerez **Supprimer la rangée** ou **Supprimer la colonne**.

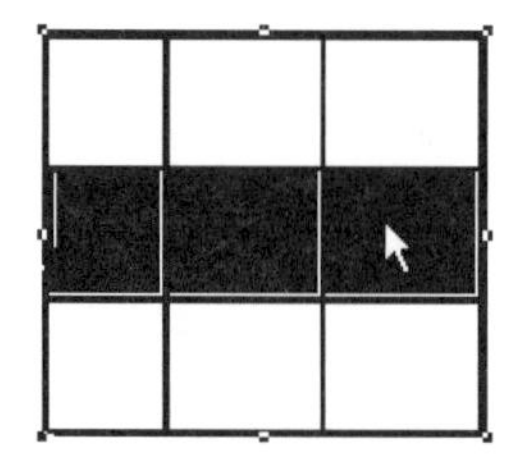

Figure 9.26
Les cellules de la rangée sélectionnée apparaissent contrastées.

La suppression d'une colonne ou d'une rangée provoque, sans avertissement, la perte du contenu des cellules supprimées.

Fusionner les cellules

Afin d'obtenir une nouvelle cellule correspondant à plusieurs cellules réunies, vous avez la possibilité de fusionner plusieurs cellules :

1. L'outil Modification étant activé, maintenez la touche ⇧Maj enfoncée pendant que vous cliquez sur les cellules à fusionner. Pour que la fusion soit possible, les cellules sélectionnées doivent être contiguës et appartenir, soit à la même rangée, soit à la même colonne. Il est également possible de sélectionner des cellules réparties à la fois sur plusieurs rangées et sur plusieurs colonnes, mais, dans ce cas, elles doivent former une surface rectangulaire, comme à la Figure 9.27.
2. Activez **Fusionner les cellules** dans le sous-menu **Tableau** du menu **Bloc**.
3. Résultant de la fusion, une nouvelle cellule a pris place (voir Figure 9.28). Elle reprend le contenu (et donc, aussi, le type de contenu) de la cellule qui se trouvait dans l'angle supérieur gauche de la sélection (voir Figure 9.27).

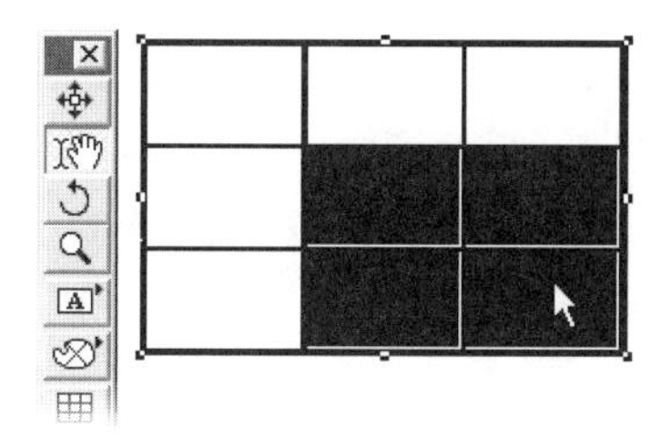

Figure 9.27
Quatre cellules sont sélectionnées afin d'être fusionnées.

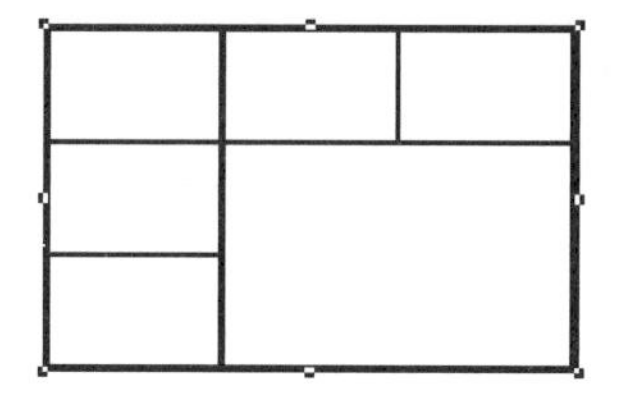

Figure 9.28
Les quatre cellules sélectionnées à la Figure 9.27 ont été fusionnées.

La fusion de cellules non vides place dans la nouvelle cellule résultant de la fusion le contenu de la cellule située en haut à gauche des cellules fusionnées. Le contenu des autres cellules fusionnées est perdu.

Convertir le texte en tableau et inversement

La conversion d'un texte en tableau permet de récupérer facilement sous forme de tableau dans XPress un tableau copié-collé depuis un tableur ou une base de données exportée en texte brut (en séparant les champs avec des Tab *et les enregistrements avec des marques de paragraphes).*

La conversion d'un texte en tableau crée un tableau à partir d'un texte où un caractère particulier code les séparations entre les colonnes tandis qu'un autre correspond aux séparations entre les rangées. Inversement, il est possible de convertir un tableau (dont les cellules contiennent du texte ou des images) en un bloc de texte, les séparations entre les colonnes et les rangées étant alors traduites par des caractères particuliers.

Pour convertir un texte en tableau :

1. Sélectionnez le texte à convertir en tableau (voir Figure 9.29). Ce texte doit avoir été préparé et l'on doit y trouver toujours le même caractère pour séparer les colonnes (habituellement marquées par une Tab) et pour séparer les rangées (usuellement délimitées par des marques de fin de paragraphe ¶).
2. Dans le menu **Bloc**, activez **Convertir le texte en tableau**.
3. Paramétrez la conversion (voir Figure 9.30) :
   - Précisez le caractère chargé de délimiter les rangées (en général, il s'agit de la marque de fin de paragraphe).
   - Choisissez de même le séparateur de colonnes (en général, une base de données ou une feuille de calcul exportée en texte brut sépare ses colonnes avec des Tab).
   - Le nombre de colonnes et de rangées annoncées correspond à ce qu'a détecté XPress dans la sélection. Si vous saisissez des valeurs inférieures à celles proposées, la partie droite ou la partie inférieure de la sélection sera omise lors de la conversion.
   - Précisez l'ordre de remplissage des cellules. Habituellement, le texte est parcouru de gauche à droite et de haut en bas.
4. Validez la zone de dialogue ouverte à l'étape précédente. Un tableau (voir Figure 9.31) est créé en fonction de vos paramètres, mais le texte converti est maintenu dans son bloc.

La manipulation inverse de la précédente est également possible. Autrement dit, un tableau peut être converti en texte. On obtient ainsi un nouveau bloc de texte où les séparations entre rangées et colonnes sont traduites par les caractères de votre choix.

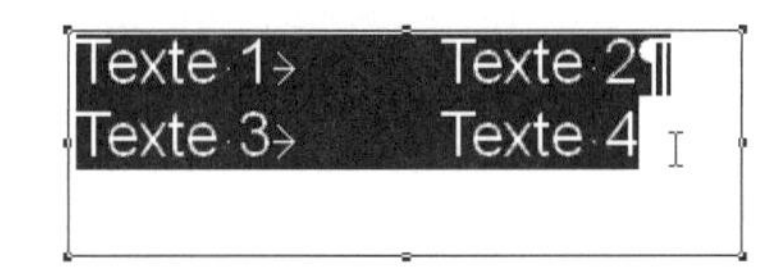

Figure 9.29
Le texte sélectionné va être converti en tableau.

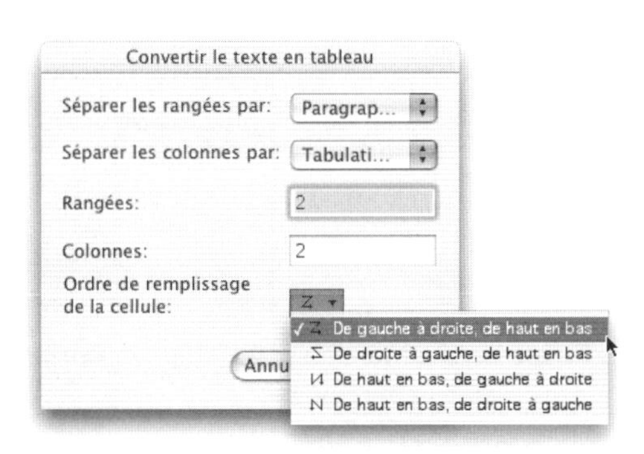

Figure 9.30
Cette zone de dialogue détermine les paramètres de conversion du texte en tableau.

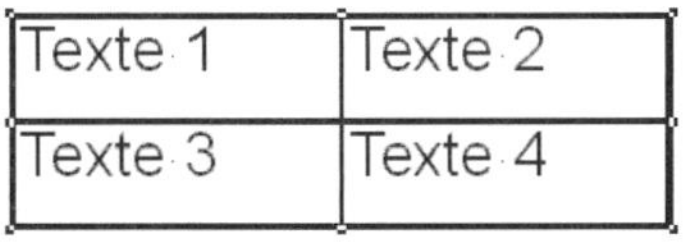

Texte 1	Texte 2
Texte 3	Texte 4

Figure 9.31
Ce tableau résulte de la conversion du texte sélectionné à la Figure 9.29.

Si le tableau converti en texte contient une ou plusieurs images, celles-ci deviennent des blocs ancrés dans le texte résultant de la conversion. Ces blocs ancrés ont, par défaut, les dimensions des cellules qui les accueillaient.

Pour créer un bloc de texte à partir d'un tableau :

1. Cliquez sur le tableau à convertir avec l'outil Déplacement ou avec l'outil Modification (voir Figure 9.32).
2. Activez **Convertir le tableau en texte** dans le sous-menu **Tableau** du menu **Bloc**.
3. Depuis la zone de dialogue illustrée à la Figure 9.33, déterminez :
   – Le caractère chargé de séparer les rangées du tableau.
   – Le caractère chargé de séparer les colonnes.
   – L'ordre dans lequel les cellules du tableau doivent être parcourues.
   – Cochez la case **Supprimer le tableau** si vous voulez le faire disparaître à l'issue de sa conversion.

4. Validez la zone de dialogue ouverte à l'étape précédente. Un bloc de texte apparaît et son contenu est celui du tableau converti en texte. Il est possible que les dimensions du bloc de texte ne permettent pas l'affichage des images ancrées. Dans ce cas, l'indice de débordement (carré barré d'une croix de Saint-André) apparaît et ce menu problème est résolu en étirant l'une des poignées qui borde le bloc de texte.

Figure 9.32
Ce tableau a été sélectionné avec l'outil Déplacement, nous voulons le convertir en texte.

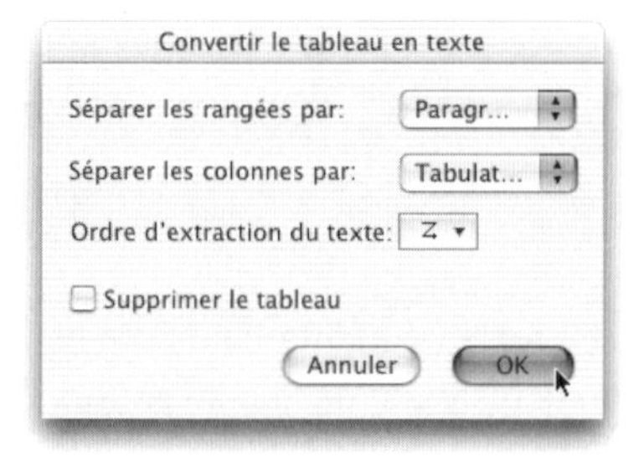

Figure 9.33
Le paramétrage de la conversion d'un tableau en texte.

Figure 9.34
Ce bloc de texte muni d'un bloc image ancré résulte de la conversion en texte du bloc illustré à la Figure 9.32.

Convertir un tableau en blocs

Un tableau peut être converti en blocs. Il s'agit en fait de convertir l'ensemble des cellules d'un tableau en un groupe de blocs. Cette manipulation trouve l'une de ses utilités lors de l'enregistrement d'un document au format XPress 5 (qui ne traite pas les cellules de texte liées).

Pour convertir un tableau en un groupe de blocs :

1. Avec l'outil Déplacement, sélectionnez le tableau.
2. Déroulez le menu **Bloc** et son sous-menu **Tableau** où vous activerez **Convertir tableau en groupe**.
3. Les cellules du tableau sont maintenant des blocs réunis en un groupe. Pour donner à chacun de ces blocs son indépendance, cliquez sur le groupe avec l'outil Déplacement et activez **Dégrouper** dans le menu **Bloc**.

Personnalisation

Pour modifier la couleur de fond d'une cellule :

1. Avec l'outil Modification, cliquez sur la cellule à personnaliser. Si la manipulation concerne plusieurs cellules, maintenez la touche ⇧Maj enfoncée pendant que vous cliquez sur chacune d'elles.
2. Activez **Modifier** dans le menu **Bloc** et cliquez sur l'onglet **Cellule**.
3. Si **Aplat** est choisi dans le menu local **Style**, seule la couleur et la teinte sont paramétrables. En revanche, si vous choisissez un dégradé dans le menu local **Style**, les options de la rubrique **Dégradé** deviennent disponibles (voir Figure 9.35).
4. Validez par **OK**.

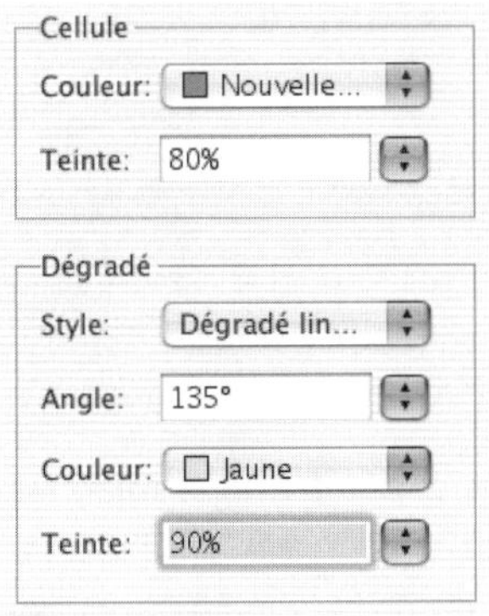

Figure 9.35

Le choix de la couleur ou du dégradé de fond d'une cellule.

La couleur du texte placé dans une cellule est choisie en sélectionnant le texte avec l'outil Modification. Le texte étant contrasté, choisissez sa couleur et sa teinte dans les sous-menus **Couleur** et **Teinte** du menu **Style**.

Pour modifier l'allure des traits de quadrillage d'un tableau :

1. Avec l'outil Déplacement, cliquez sur le tableau à personnaliser.
2. Déroulez le menu **Bloc** et activez **Modifier**. Cliquez sur l'onglet **Grille**.
3. Choisissez d'appliquer vos réglages à tout le quadrillage, ou seulement aux traits verticaux ou horizontaux (voir Figure 9.36).
4. A l'aide des menus locaux **Epaisseur** et **Style**, choisissez le type de trait. La rubrique **Ligne** est toujours disponible pour déterminer la couleur des traits tandis que la rubrique **Intervalle** ne l'est que lorsque le style de trait choisi correspond à des tirets, des rayures ou des pointillés.

Figure 9.36
L'onglet Grille.

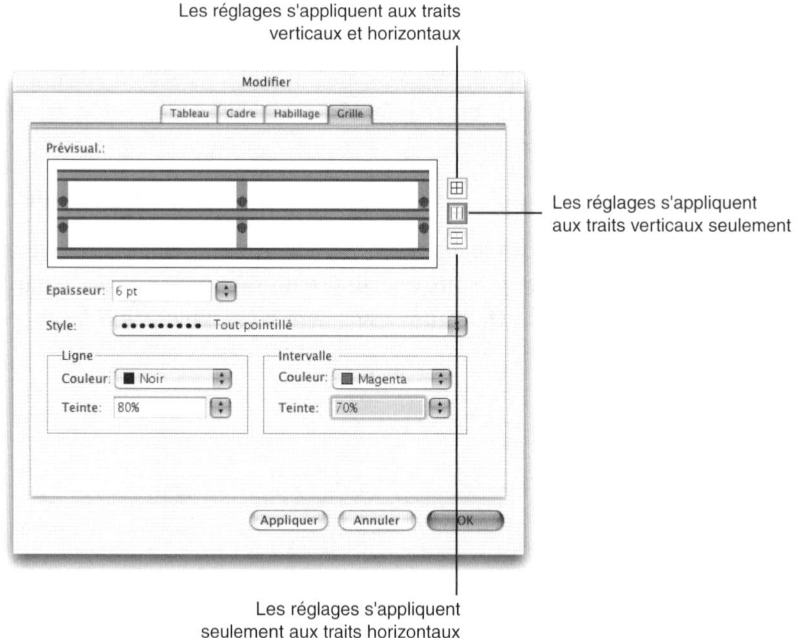

*Pour faire disparaître le quadrillage, saisissez 0 dans la case **Epaisseur** (ou **Largeur**) de l'onglet **Grille**. Toutefois, si le document est ensuite enregistré au format XPress 5, le quadrillage dont l'épaisseur est réglée à 0 sera converti en filet maigre.*

5. Si vous avez choisi à la troisième étape de limiter l'effet de vos réglages aux seuls traits verticaux ou horizontaux, reprenez la manipulation depuis sa troisième étape pour choisir les attributs des autres traits.
6. Validez par **OK**.

*Un double-clic sur l'outil **Tableau** (dans la palette d'outils) suivi d'un clic sur **Modifier** (dans la zone de dialogue **Préférences** qu'a ouvert le précédent double-clic) permet de spécifier la couleur par défaut d'un tableau (onglet **Tableau**), d'une cellule (onglet **Cellule**), ainsi que les caractéristiques du quadrillage par défaut (onglet **Grille**) ou encore le nombre de cellules par défaut, leur type par défaut ou leur chaînage par défaut (onglet **Création**).*

Comme tout bloc, un tableau peut disposer d'un cadre. Ce dernier est défini depuis l'onglet **Cadre** accessible en activant **Modifier** dans le menu **Bloc** après avoir sélectionné le tableau avec l'outil Déplacement.

Manipuler les blocs

Tous les éléments composant les pages ayant le statut de bloc, deux outils, visibles à la Figure 9.37, se révèlent indispensables :

- l'outil Déplacement ;
- l'outil Modification (ou outil d'édition).

Figure 9.37
Les deux premiers outils de la palette d'outils.

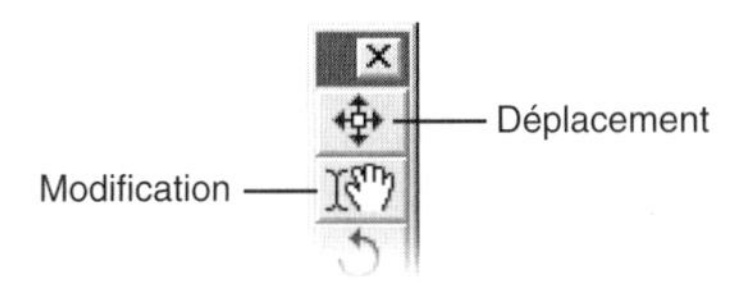

L'outil Déplacement permet, comme son nom l'indique, de déplacer les blocs. Quant à l'outil Modification, il est chargé d'intervenir sur le contenu du bloc. Il sera donc utilisé pour sélectionner le texte accueilli par un bloc de texte, pour faire glisser une image à l'intérieur d'un bloc image, etc.

L'outil Déplacement et l'outil Modification permettent la sélection de blocs. Ils sont également utilisés pour faire glisser les poignées des blocs, et donc pour modifier les dimensions de ces derniers.

Sélectionner un bloc

Un bloc est sélectionné lorsqu'il est muni de ses poignées (voir Figure 9.38).

Pour sélectionner un bloc, activez l'outil Déplacement ou l'outil Modification, puis cliquez sur le bloc à sélectionner. L'outil choisi dépend du but de la sélection. On emploie :

- l'outil Déplacement pour déplacer un bloc ou un groupe de blocs, ou pour modifier les attributs du bloc (habillage, etc.) ;
- l'outil Modification pour intervenir sur le contenu d'un bloc (y importer une image ou un texte, etc.).

Figure 9.38

Lorsqu'il est sélectionné, un bloc s'entoure de ses poignées, matérialisées par des petits carrés noirs.

Il est possible de sélectionner simultanément plusieurs blocs. Pour cela, optez pour l'outil Déplacement ou pour l'outil Modification, maintenez la touche ⇧Maj enfoncée puis cliquez sur les différents blocs à sélectionner. Ceux-ci doivent tous se munir de leurs poignées (voir Figure 9.39) ou d'un cadre d'encombrement si vous sélectionnez des blocs groupés. Tandis que plusieurs blocs sont sélectionnés, vous pouvez désélectionner l'un d'eux en cliquant à nouveau dessus tout en maintenant la touche ⇧Maj enfoncée. La sélection multiple de blocs permet de grouper les blocs sélectionnés ou de les déplacer en même temps tout en préservant leurs positions relatives.

Figure 9.39

Tous les blocs groupés se dotent de leurs poignées.

Informations sur les blocs

Un bloc étant sélectionné, les informations qui le concernent sont présentées par :

- la partie gauche de la palette des spécifications dont la partie droite est consacrée au contenu du bloc sélectionné (voir Figure 9.40) ;
- la zone de dialogue accessible en sélectionnant l'article **Modifier** du menu **Bloc** (voir Figure 9.41).

Figure 9.40

La partie gauche de la palette des spécifications annonce les caractéristiques du bloc et non celles de son contenu.

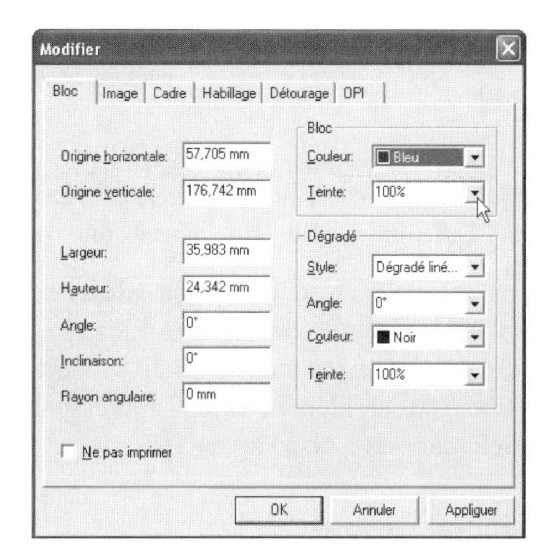

Figure 9.41

Pour tous les blocs rectangulaires (et leurs dérivés à coins particuliers), l'onglet Bloc de la zone de dialogue Modifier présente l'origine, les dimensions, l'angle, l'inclinaison, le rayon angulaire (s'il y a lieu) et la nature du fond (aplat ou dégradé). Pour les filets, chemins de texte et tracés, l'onglet Bloc est remplacé par un onglet Ligne.

La palette des spécifications et la zone de dialogue **Modifier** comprennent des cases de saisie et des menus locaux. La palette des spécifications affiche notamment la position (coordonnées des extrémités ou de l'angle supérieur gauche) et les dimensions tandis que la zone de dialogue **Modifier** rassemble toutes les informations relatives au bloc. Rappelons que la palette des spécifications a été présentée sous ses différentes formes au Chapitre 3.

Supprimer un bloc

Pour supprimer un bloc ou un groupe de blocs :

1. L'outil Déplacement étant sélectionné, cliquez sur le bloc ou le groupe de blocs à supprimer.

2. Activez **Supprimer** dans le menu **Bloc**.

Pour supprimer le contenu d'un bloc :

1. L'outil Déplacement ou l'outil Modification étant sélectionné, cliquez sur le bloc dont le contenu doit être supprimé.
2. Sélectionnez l'article **Effacer** du menu **Edition** ou appuyez sur [←Retour Ar.] (voir Figure 9.42).

Figure 9.42

Appuyer sur [←Retour Ar.] après la sélection d'un bloc image avec l'outil Modification vide le bloc de son contenu, mais ne le supprime pas.

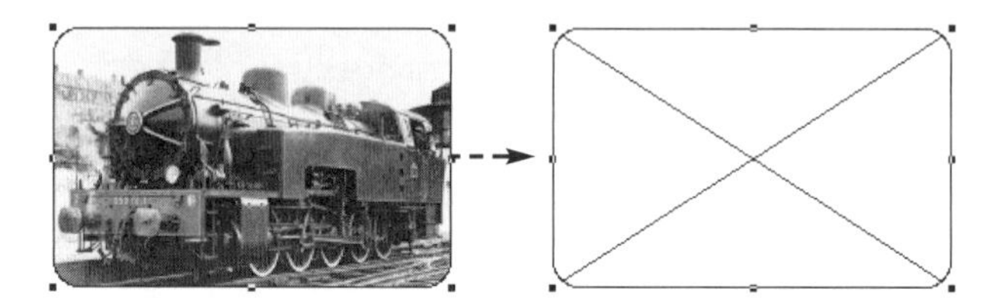

La suppression d'un bloc est réversible, à condition de sélectionner l'article **Annuler** du menu **Edition** immédiatement après une suppression accidentelle.

Remarquez que l'effet de l'article **Effacer** ou de [←Retour Ar.] varie en fonction de l'outil employé pour la sélection du bloc. L'emploi de l'outil Déplacement fait disparaître le bloc tandis qu'une sélection avec l'outil Modification efface le contenu du bloc (suppression de l'image d'un bloc image ou suppression de la sélection ou du caractère précédant le curseur dans un bloc de texte).

Déplacer un bloc

Pour déplacer un bloc ou un groupe de blocs, la méthode la plus simple consiste en une sélection de l'outil Déplacement suivie d'un clic sur le bloc à déplacer que vous ferez ensuite glisser. Lors du déplacement, le contour du bloc accompagne le pointeur. Un groupe de blocs se déplace comme un bloc isolé, à l'aide de l'outil Déplacement.

Pensez à employer les repères (voir Chapitre 2), car leur "magnétisme" est une aide précieuse pour l'alignement des blocs (voir Figure 9.44).

Un bloc peut être déplacé de façon très précise, mais peu souple à l'aide de la palette des spécifications ou à travers l'onglet **Bloc** de la zone de dialogue accessible en sélectionnant l'article **Modifier** du menu **Bloc**. Vous saisissez ainsi les coordonnées précises de l'angle supérieur gauche du bloc déplacé.

Figure 9.43

Le contour du bloc est emmené par le pointeur que vous faites ici glisser.

Figure 9.44

Il suffit de faire glisser le pointeur depuis l'une des règles pour mettre en place un repère "magnétique". Ces repères attirent les blocs et facilitent leur alignement.

L'outil Modification peut être employé pour le déplacement des blocs, à condition de maintenir la touche Cmd *(Mac OS) ou* Ctrl *(Windows) enfoncée. Vous pouvez ainsi déplacer un bloc isolé, comme vous l'auriez fait avec l'outil Déplacement, mais surtout vous pouvez ainsi déplacer un bloc appartenant à un groupe sans déplacer les autres blocs du groupe, ni dissocier du groupe le bloc déplacé.*

Modifier les dimensions

Pour modifier les dimensions d'un bloc sélectionné, vous pouvez :

- faire glisser ses poignées (voir Figure 9.45) ;
- saisir des dimensions directement dans la palette des spécifications (voir Figure 9.46) ou dans le premier onglet de la zone de dialogue accessible en sélectionnant l'article **Modifier** du menu **Bloc**.

Figure 9.45

Le bloc est entouré de ses poignées, c'est en faisant glisser ses poignées que l'on modifiera les dimensions du bloc. Ici, l'utilisateur est en train de faire glisser la poignée inférieure droite.

Figure 9.46

La palette des spécifications permet de saisir directement les dimensions du bloc.

Un bloc peut être contraint pendant que vous faites glisser l'une de ses poignées. Autrement dit, les blocs rectangulaires sont transformés en blocs carrés et les blocs elliptiques en blocs circulaires. Pour contraindre un bloc, il suffit de maintenir la touche [⇧Maj] enfoncée pendant que vous faites glisser l'une de ses poignées. Avec les filets rectilignes (segments de droite créés avec l'outil Trait), la contrainte obtenue à l'aide de la touche [⇧Maj] impose un angle multiple de 45° par rapport à l'horizontale.

Pour adapter automatiquement les dimensions du contenu d'un bloc aux nouvelles dimensions du bloc, maintenez la touche [Cmd] (Mac OS) ou [Ctrl] (Windows) enfoncée et faites glisser l'une des poignées du bloc. Cette manipulation entraîne une modification des proportions du contenu du bloc.

La contrainte et l'adaptation du contenu du bloc peuvent être cumulées. Pour cela, maintenez les touches ⇧Maj et Cmd (Mac OS) ou ⇧Maj et Ctrl (Windows) enfoncées pendant que vous faites glisser l'une des poignées du bloc.

Modifier l'empilement

Par défaut, le dernier bloc créé se place au premier plan, et donc "au-dessus des autres blocs", ainsi que l'illustrent les Figures 9.47 et 9.48. Rappelons que chaque bloc occupe un plan qui lui est propre, deux blocs mêmes groupés ne se trouvent donc pas sur le même plan, d'où un phénomène de superposition des blocs.

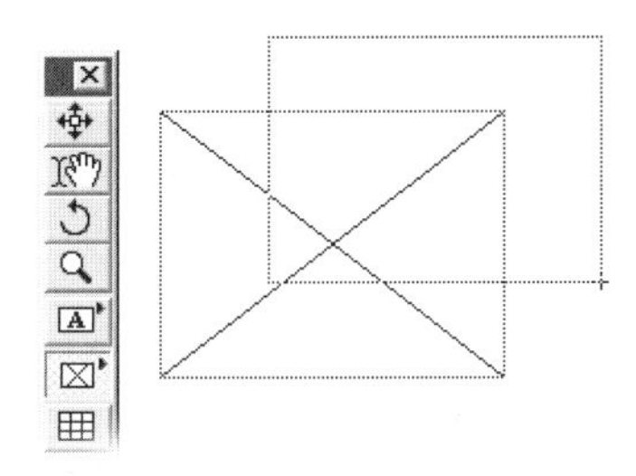

Figure 9.47
L'utilisateur est en train de tracer un nouveau bloc...

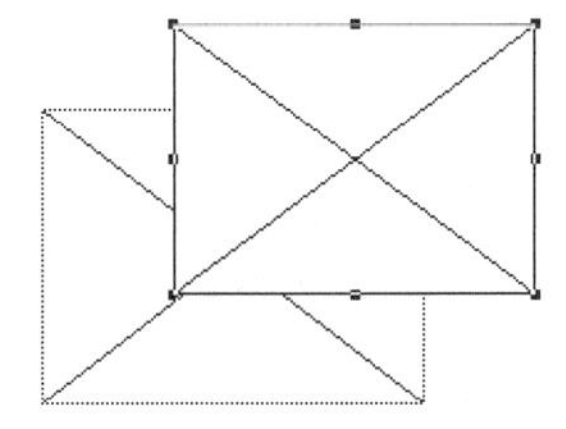

Figure 9.48
... qui prend place au-dessus des blocs existants.

La maquette étant définie avant le montage des pages du document, ses blocs se trouvent "derrière" les blocs placés sur les pages du document.

L'empilement des blocs entraîne deux phénomènes : la transparence ou l'opacité d'une part, l'habillage d'autre part.

Un bloc a par défaut un fond blanc (mais pas translucide) ; le phénomène de transparence est obtenu en choisissant la couleur **Néant** pour le bloc situé vers le premier plan. Un bloc placé au-dessus d'un bloc contenant du texte peut entraîner son propre habillage par le texte recouvert. Dans ce cas, le texte épouse les contours du bloc situé vers le premier plan.

Quant à l'empilement des blocs, vous pouvez :

- **Déplacer un bloc vers le premier plan.** Il est alors "devant" tous les autres.

- **Déplacer un bloc vers l'arrière-plan.** Il est alors "derrière" tous les autres.
- **Rapprocher un bloc d'un plan vers le premier plan.** Le bloc échange alors son niveau avec celui du bloc immédiatement supérieur, même si les deux blocs ne se recouvrent pas et se trouvent sur des pages différentes.
- **Eloigner un bloc d'un plan vers l'arrière-plan.** Le bloc échange alors son niveau avec celui du bloc immédiatement inférieur, même si les deux blocs ne se recouvrent pas et se trouvent sur des pages différentes.

Pour placer un bloc à l'arrière-plan ou au premier plan :

1. Sélectionnez le bloc (ou le groupe de blocs) au moyen de l'outil Déplacement. L'outil Modification est également utilisable, mais uniquement avec les blocs isolés tandis que l'outil Déplacement s'applique aux blocs isolés ou groupés.
2. Déroulez le menu **Bloc** puis, selon le cas, sélectionnez l'article **Premier plan** ou **Arrière-plan**.

Si ces manipulations s'appliquent à un bloc appartenant à un groupe de blocs, sélectionnez le bloc concerné avec l'outil Modification.

Les Figures 9.49 à 9.51 illustrent le déplacement d'un bloc dans la pile des blocs.

Figure 9.49

Ici, trois blocs images se recouvrent partiellement. Le bloc placé à l'arrière-plan est sélectionné et va être manipulé au cours de cet exemple.

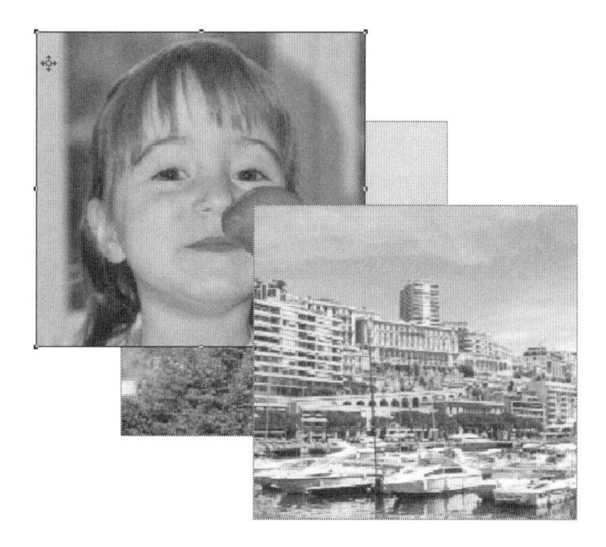

Figure 9.50

Ici, nous avons "rapproché" le bloc auparavant placé à l'arrière-plan.

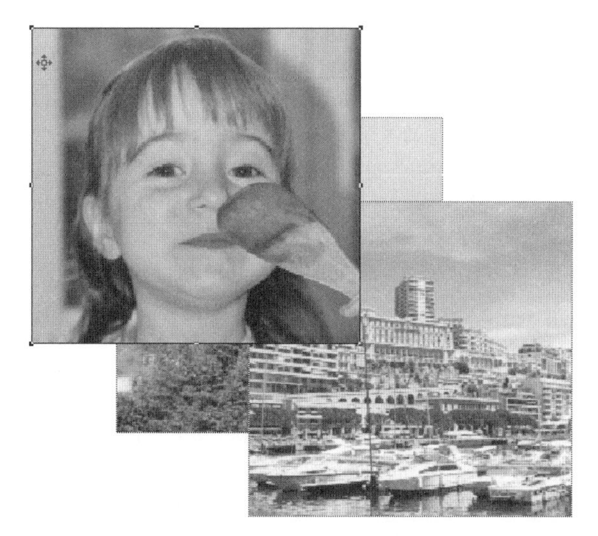

Figure 9.51

Ici, la sélection de l'article Premier plan du menu Bloc place le bloc sélectionné devant tous les autres.

Pour éloigner ou rapprocher un bloc d'un niveau :

1. Sélectionnez le bloc ou le groupe de blocs à l'aide de l'outil Déplacement, l'outil Modification n'étant utilisable qu'avec des blocs isolés.
2. Sous Mac OS uniquement, appuyez sur la touche Alt et maintenez-la enfoncée.
3. Déroulez le menu **Bloc** puis, selon le cas, sélectionnez l'article **Eloigner** ou **Rapprocher**.
4. Sous Mac OS uniquement, relâchez la touche Alt.

La superposition des blocs n'apparaît pas toujours clairement, l'ordre de superposition n'étant mis en évidence que par le recouvrement partiel ou total des blocs (le document étant en deux dimensions, la perspective est inexistante). Ainsi, rien ne permet de situer par rapport au premier plan ou à l'arrière-plan un bloc isolé sur le document. Il est cependant possible d'ordonner les épaisseurs du document en rassemblant ses blocs dans des calques (voir section "Les calques").

Les plans sont gérés pour l'ensemble du document et non pour une page isolée. Les notions de premier plan et d'arrière-plan sont donc communes à toutes les pages du document, et le dernier bloc créé sur l'une des pages du document se place "devant" tous les autres blocs du document.

Un bloc étant intégré à un groupe, vous pouvez modifier son niveau comme vous le feriez avec n'importe quel autre bloc ; toutefois, il convient dans ce cas de sélectionner le bloc à l'aide de l'outil Modification et non de l'outil Déplacement.

Le phénomène d'empilement peut entraîner le masquage total d'un ou de plusieurs blocs par un bloc situé vers le premier plan. Vous pouvez bien sûr faire glisser l'une des poignées du bloc de niveau supérieur pour accéder aux blocs d'arrière-plan, mais cela vous oblige à modifier les dimensions du bloc de niveau supérieur. Il existe donc un meilleur moyen d'accéder aux blocs masqués : il suffit en effet de cliquer sur la zone de superposition tout en maintenant les touches Cmd, Alt et ⇧Maj (Mac OS) ou Ctrl, Alt et ⇧Maj (Windows) enfoncées. En cliquant plusieurs fois, vous accédez à tous les blocs masqués situés "sous" le pointeur.

Dupliquer un bloc

La duplication d'un bloc crée un nouveau bloc identique à son original, placé juste au-dessus de celui-ci et décalé vers l'angle inférieur droit de la page (voir Figure 9.52). Il est possible de dupliquer un bloc de maquette depuis une page du document ; le bloc résultant de la copie appartient alors à une page du document et non à une page de maquette. Notez que XPress interdit la duplication lorsque le nouveau bloc – compte tenu de son décalage – se place hors de la table de montage.

Figure 9.52

Situé vers le premier plan, le bloc résultant de la duplication est, par défaut, décalé vers l'angle inférieur droit de la page.

Pour dupliquer un bloc :

1. Sélectionnez le bloc avec l'outil Déplacement ou Modification (impérativement avec l'outil Déplacement si la duplication concerne un groupe de blocs).
2. Sélectionnez l'article **Dupliquer** du menu **Bloc**.

Dupliquer et déplacer un bloc

Vous avez la possibilité de créer en une seule opération plusieurs copies d'un même bloc tout en contrôlant la position des copies afin d'éviter leur mise en place hors de la table de montage :

1. Sélectionnez le bloc avec l'outil Déplacement ou Modification (impérativement avec l'outil Déplacement si la duplication concerne un groupe de blocs).
2. Sélectionnez l'article **Dupliquer-déplacer**... du menu **Bloc**.
3. Saisissez le nombre de répétitions et les déplacements horizontaux et verticaux s'il y a lieu (voir Figure 9.53). Il s'agit de déplacements relatifs entre une copie et la copie suivante.
4. Validez en cliquant sur **OK**. Vous obtenez ainsi des copies du bloc sélectionné, la dernière copie étant, par défaut, sélectionnée.

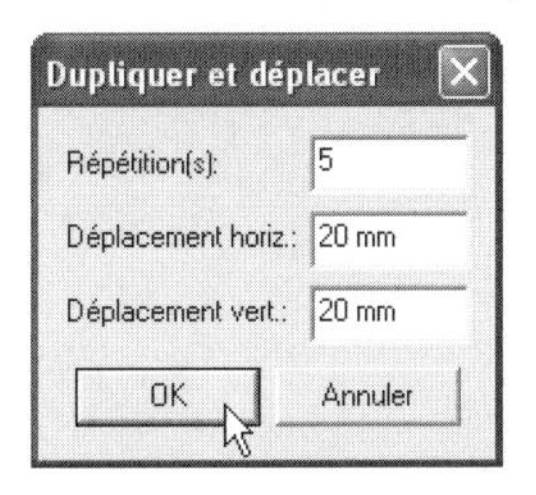

Figure 9.53
Le paramétrage de la duplication assortie à un déplacement.

*Grâce à **Dupliquer-déplacer**, vous créez très facilement une planche rassemblant plusieurs occurrences d'un même bloc ou groupe de blocs, par exemple pour générer une planche de cartes de visite (voir Figures 9.55 à 9.57).*

Super Dupliquer et déplacer

*La fonction **Super Dupliquer et déplacer** ajoute au **Dupliquer-déplacer** traditionnel des possibilités de modifications des blocs au fil des copies réalisées.*

Figure 9.54

L'effet produit par Dupliquer-déplacer.

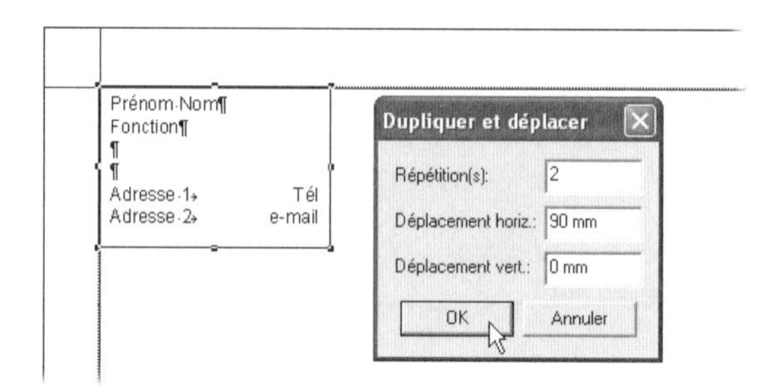

Figure 9.55

Un groupe de blocs est sélectionné et va profiter de deux dupliquer-déplacer. Un premier dupliquer-déplacer est d'abord réalisé avec un décalage vertical nul.

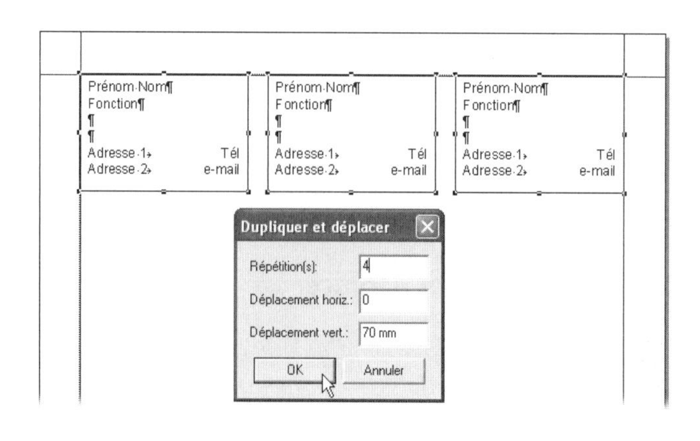

Figure 9.56

Après avoir sélectionné (à l'aide de l'outil Déplacement) tous les blocs créés par la manipulation précédente, un nouveau dupliquer-déplacer est réalisé avec un décalage horizontal nul.

Figure 9.57

On obtient ainsi une planche couverte de plusieurs occurrences d'un même groupe de blocs.

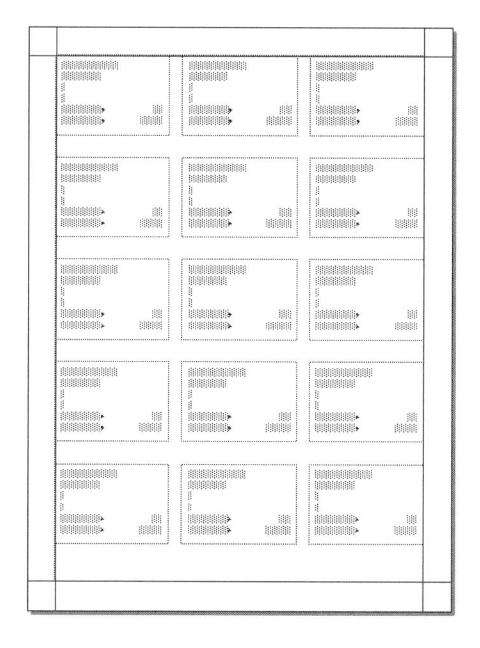

Appliqué au bloc ou au groupe sélectionné en activant **Super Dupliquer et déplacer** dans le menu **Bloc**, le **Super Dupliquer et déplacer** (voir Figures 9.58 et 9.59) permet, comme le **Dupliquer-déplacer** classique, la précision du nombre de répétitions ainsi que des décalages verticaux et horizontaux.

Figure 9.58

Le paramétrage du Super Dupliquer et déplacer.

Super Dupliquer et déplacer

Répétition: 1
Déplacement horiz.: 0 mm
Déplacement vert.: 0 mm
Angle: 0°
Contenu à l'échelle
Epaisseur cadre/ligne de fin: 0 pt
Teinte bloc final: 100%
Teinte bloc final 2: 100%
Echelle bloc final: 100%
Inclinaison bloc final: 0°
Permuter & mettre à l'échelle par rapport à: Centre
Angle supérieur gauche
Centre supérieur
Angle supérieur droit
Centre à gauche
Centre
Centre à droite
Angle inférieur gauche
Centre inférieur
Angle inférieur droit
Point sélectionné

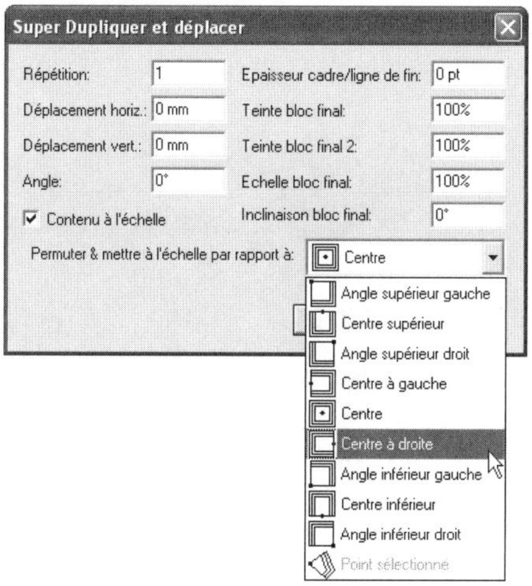

A cela s'ajoutent :

- Le choix de l'échelle du bloc final par rapport au bloc sélectionné.
- La teinte finale du bloc (afin d'obtenir des dégradés au fil des duplications). La case **Teinte bloc final 2** n'est disponible que si la couleur de fond du bloc sélectionné n'est pas un aplat.
- L'épaisseur finale du cadre ou du trait.
- L'inclinaison du bloc final.
- Le type de permutation et de mise à l'échelle.

Toutes ces valeurs évoluent progressivement entre le bloc initial et le dernier bloc issu de la duplication, comme le montre la Figure 9.59.

Figure 9.59

Un exemple de mise en œuvre du Super Dupliquer et déplacer.

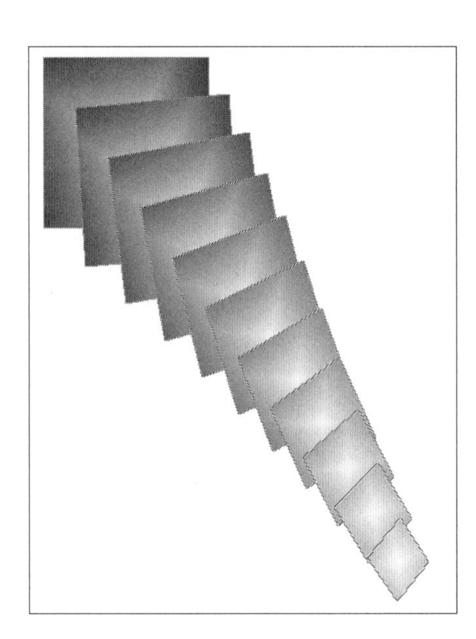

Grouper et dégrouper des blocs

Chacun des éléments manipulés par XPress ayant le statut de bloc, vous avez la possibilité de grouper ces blocs (puis de les dégrouper), et ce afin de déplacer un groupe en maintenant les positions relatives des blocs qui le composent. Comme un bloc isolé, un groupe de blocs peut être dupliqué ou déplacé vers l'arrière-plan ou le premier plan. Appliquées à un groupe de blocs, les commandes **Eloigner**, **Rapprocher**, **Premier plan** et **Arrière-plan** agissent en même temps sur tous les blocs du groupe, chaque bloc du groupe demeurant sur un plan qui lui est propre.

Pour grouper des blocs :

1. Activez l'outil Déplacement.
2. Cliquez sur l'un des blocs à grouper.
3. Appuyez sur la touche ⇧Maj et maintenez-la enfoncée.
4. Cliquez sur les autres blocs devant constituer le groupe. Si un bloc a été sélectionné par erreur, cliquez à nouveau dessus.
5. Tous les blocs à grouper étant entourés de leurs poignées (voir Figure 9.60), relâchez la touche ⇧Maj et sélectionnez l'article **Grouper** du menu **Bloc**.

Figure 9.60

Des blocs de différents types peuvent être groupés. Avant de grouper des blocs, constituez une sélection multiple qui les rassemble.

Figure 9.61

Un groupe est sélectionné grâce à un clic avec l'outil Déplacement. Notez qu'un groupe est sélectionné par défaut à l'issue de sa création.

Un groupe est sélectionné comme le serait un bloc isolé : en cliquant à l'aide de l'outil Déplacement. Ainsi sélectionné, un groupe (voir Figure 9.61) s'entoure de poignées que vous pouvez faire glisser, ce qui entraîne la modification des dimensions de tous les blocs du groupe. Par ailleurs, remarquez que l'article **Modifier** du menu **Bloc** est accessible lorsqu'un groupe est sélectionné. Les réglages effectués à l'aide de la zone de dialogue ainsi ouverte s'appliquent au groupe en tant que tel (position, dimensions, etc.) ou à tous les blocs du groupe (couleur de fond des blocs, cadres, etc.). Pour déplacer ou pour manipuler isolément un bloc intégré à un groupe, maintenez la touche Cmd (Mac OS) ou Ctrl (Windows) enfoncée et employez l'outil Modification.

Pour dégrouper un groupe de blocs :

1. Cliquez sur l'outil Déplacement.
2. Cliquez sur le groupe de blocs qui doit s'entourer de son cadre d'encombrement (en pointillés) et de ses poignées.
3. Sélectionnez l'article **Dégrouper** du menu **Bloc**.
4. Tous les blocs de l'ancien groupe étant sélectionnés, cliquez hors du groupe afin de les désélectionner.

Bien qu'intégré à un groupe, un bloc conserve son individualité et peut toujours faire l'objet de toutes les modifications applicables à un bloc isolé. Il suffit pour cela de sélectionner le bloc souhaité au sein de son groupe :

1. Si le groupe est sélectionné, cliquez hors du groupe afin de le désélectionner.
2. Dans la palette d'outils, cliquez sur l'outil Modification.
3. Cliquez sur le bloc à sélectionner qui doit alors s'entourer de poignées.
4. A ce stade, vous pouvez modifier les dimensions du bloc, son contenu (saisie de texte, importation d'image) ou ses attributs (zone de dialogue **Modifier**) comme vous le feriez avec n'importe quel autre bloc. La seule différence notable se situe au niveau du déplacement du bloc. En effet, un bloc intégré à un groupe ne peut être déplacé qu'après avoir été sélectionné et ce, en employant l'outil Modification tout en maintenant la touche Cmd (Mac OS) ou Ctrl (Windows) enfoncée.

Verrouiller un bloc

Un bloc peut être "verrouillé ". Il est alors impossible de modifier ses dimensions et sa position tant qu'il n'a pas été déverrouillé. Toutefois, vous pouvez modifier le contenu d'un bloc verrouillé (importation d'image, saisie de texte) ainsi que son ordre d'empilement (déplacement vers le premier plan ou l'arrière-plan).

Pour verrouiller un bloc ou un groupe de blocs :

1. Cliquez sur l'outil Déplacement s'il s'agit d'un groupe. Cliquez sur l'outil Modification s'il s'agit d'un bloc particulier au sein d'un groupe. Cliquez indistinctement sur l'un de ces deux outils s'il s'agit d'un bloc isolé.
2. Cliquez sur le bloc ou sur le groupe à verrouiller.
3. Sélectionnez l'article **Verrouiller** du menu **Bloc**.

Notez que l'interdiction de faire glisser un bloc ou l'une de ses poignées est matérialisée par le pointeur qui prend alors la forme d'un cadenas (voir Figure 9.62). Si l'un des blocs d'un groupe est verrouillé, il est impossible de déplacer ledit groupe ou de faire glisser l'une de ses poignées. En revanche, il est possible de manipuler un bloc non verrouillé d'un groupe à l'aide de l'outil Modification assorti en cas de déplacement de la touche [Cmd] (Mac OS) ou [Ctrl] (Windows).

Figure 9.62
Le survol d'un bloc verrouillé par le pointeur donne à ce dernier l'aspect d'un cadenas.

Le verrouillage ne concerne que les modifications (déplacement et redimensionnement) effectuées à l'aide de la souris. Le verrouillage d'un bloc n'interdit pas la modification de sa position ou de ses dimensions par saisie directe de valeurs dans les cases de saisie de la palette des spécifications ou de l'onglet ***Bloc*** *de la zone de dialogue accessible en sélectionnant l'article* ***Modifier*** *du menu* ***Bloc****.*

Le verrouillage de blocs est intéressant pour les blocs de maquette afin d'interdire leur modification depuis une page du document. Rappelons que, modifié depuis une page du document, un bloc de maquette n'est plus mis à jour à l'occasion d'une modification du bloc correspondant au sein de la maquette.

Pour déverrouiller un bloc ou un groupe de blocs, sélectionnez l'élément à déverrouiller comme vous l'avez fait lors du verrouillage puis activez l'article **Déverrouiller** du menu **Bloc**.

Ancrer un bloc

Un bloc, quel que soit son type (texte, image, chemin de texte, filet, courbe de Bézier), peut être intégré à une chaîne de caractères afin d'être traité comme un caractère de ladite chaîne. Cette possibilité est particulièrement intéressante pour les lettrines créées avec une application graphique, pour les symboles indisponibles à travers une police de caractères ou à l'occasion d'une mise en page "au kilomètre" pour laquelle on souhaite maintenir la position d'une illustration par rapport au texte malgré les réaménagements de celui-ci.

Une fois ancré, un bloc se déplace avec le texte. Un bloc ancré est sélectionné comme un simple caractère : en faisant glisser sur lui l'outil Modification. De même, un bloc ancré est supprimé comme n'importe quel autre caractère à l'aide de [←Retour Ar.].

Il est possible d'ancrer un groupe de blocs.

Pour ancrer un bloc :

1. Cliquez sur l'outil Déplacement.
2. Cliquez sur le bloc dont vous voulez ancrer une copie.
3. Sélectionnez l'article **Copier** du menu **Edition** (l'article **Couper** convient également, mais entraîne la perte du bloc original).
4. Cliquez sur l'outil Modification.
5. Cliquez sur le texte de façon à placer le curseur à l'endroit où devra s'insérer le bloc ancré (vous pouvez également sélectionner une portion de texte qui sera remplacée par le bloc ancré).
6. Sélectionnez l'article **Coller** du menu **Edition**.

Sélectionné avec l'outil Modification, un bloc ancré se comporte comme un caractère. En revanche, il retrouve son statut de bloc s'il est sélectionné à l'aide de l'outil Déplacement. Ainsi, un clic sur un bloc ancré avec l'outil Déplacement fait apparaître les poignées du bloc. Vous pouvez alors :

- faire glisser les poignées du bloc afin de modifier ses dimensions ;
- modifier les caractéristiques du bloc à l'aide de la palette des spécifications ou au moyen de la zone de dialogue accessible en sélectionnant l'article **Modifier** du menu **Bloc**.

Retenez qu'un bloc ancré cumule deux statuts : c'est à la fois un caractère qui accompagne le texte auquel il est incorporé et un bloc. A ce titre, il dispose des caractéristiques propres à son type et de possibilités d'habillage particulières à travers son mode d'habillage avec le texte.

Placer un cadre

Un filet est défini entre autres par son style (tiret, pointillé, filet double, triple, etc.). De même, le contour d'un bloc peut être mis en évidence par un cadre qui n'est autre qu'un filet épousant le contour du bloc. Il existe également des cadres bitmap qui autorisent des motifs complexes.

Les filets, les courbes de Bézier et les chemins de texte ne peuvent pas, compte tenu de leur nature, être munis d'un cadre. En revanche, le tracé rectiligne ou non sur lequel le cadre se fonde peut faire l'objet d'un choix de style, d'une épaisseur personnalisée, etc.

Les blocs de texte et les blocs images pouvant être munis de cadre, les cadres disponibles varient en fonction de la forme du bloc :

- Un bloc rectangulaire peut être muni d'un cadre "filet" ou d'un cadre bitmap.
- Un bloc non rectangulaire (ou rectangulaire, mais à pans coupés, coins concaves ou arrondis) ne peut accueillir qu'un cadre "filet".

Un cadre "filet" se résume à un filet épousant le contour du bloc. Tous les types de filets définis pour le document (ou pour l'application) sont disponibles pour ce type de cadre dont l'épaisseur est paramétrable comme le serait celle d'un filet classique. Rappelons à ce propos que XPress comprend un puissant éditeur de filets accessible en sélectionnant l'article **Tirets et rayures** du menu **Edition** (voir Chapitre 12).

Un cadre peut se mettre en place autour du bloc ou à l'intérieur de celui-ci. Dans le premier cas, l'espace interne du bloc (il contient une image ou du texte) est préservé, mais l'encombrement du bloc sur la page est augmenté par le cadre. Dans le second cas, l'encombrement du bloc sur la page reste inchangé, mais son espace interne est réduit. Notez la modification de l'origine et des dimensions du bloc à l'occasion de l'ajout du cadre extérieur. Pour choisir la position des cadres par rapport à leurs blocs :

1. Déroulez le menu **Edition** (ou le menu **QuarkXPress** sous Mac OS X), puis sélectionnez **Préférences**.
2. Cliquez sur **Générales**.
3. Selon votre souhait, cliquez sur **Intérieur** ou sur **Extérieur** dans la rubrique **Cadre** (voir Figure 9.63).
4. Validez en cliquant sur **OK**.

*Ayez à l'esprit que la position des cadres est choisie pour l'ensemble du document et ne fait pas l'objet d'une personnalisation bloc par bloc. Toutefois, le choix formulé à l'aide de la rubrique **Cadre** (voir Figure 9.63) ne concerne que les cadres qui seront mis en place après la validation de la zone de dialogue **Préférences**.*

En revenant à cette zone de dialogue avant chaque mise en place de cadre, vous pouvez, si nécessaire, placer le prochain cadre à l'intérieur ou à l'extérieur de son bloc d'accueil et ainsi mêler dans un même document des cadres "extérieurs" ou "intérieurs".

Figure 9.63
L'onglet Préférences.

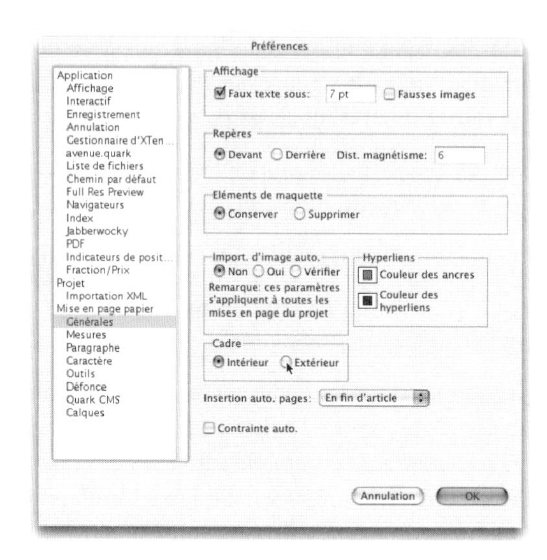

Placer un cadre à l'extérieur d'un bloc entraîne une augmentation des dimensions du bloc. De la sorte, même un cadre "extérieur" semble être placé à l'intérieur de son bloc d'accueil.

Pour appliquer un cadre à un bloc :

1. Sélectionnez le bloc à l'aide de l'outil Déplacement ou Modification (ce dernier étant le seul possible s'il s'agit d'un bloc intégré à un groupe).
2. Sélectionnez l'article **Cadre** du menu **Bloc**.
3. Dans le menu local **Style** (voir Figure 9.64), sélectionnez un style de cadre (cadre "filet" ou bitmap, ces derniers apparaissant en fin de menu).
4. Saisissez l'épaisseur du filet.

Un cadre a par défaut une épaisseur de 0 point, et n'est pas visible car avec cette épaisseur, il n'est pas matérialisé. Pensez donc à augmenter l'épaisseur du cadre afin de rendre celui-ci visible. Inversement, il suffit d'affecter à un cadre une épaisseur de 0 point pour le faire disparaître.

5. Si le noir sur fond translucide (les intervalles sont par défaut remplis avec la couleur **Néant**) choisi par défaut ne vous satisfait pas, la couleur et la teinte du cadre et des intervalles peuvent être personnalisées à l'aide des menus locaux prévus à cet effet en bas de l'onglet **Cadre**.
6. Validez la zone de dialogue en cliquant sur **OK**. Le cadre ceinture dès lors le bloc (voir Figure 9.65).

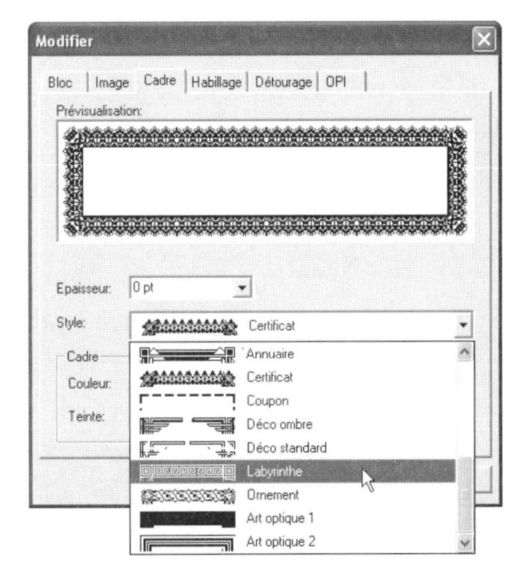

Figure 9.64
L'onglet Cadre détermine le style du cadre qui ceinturera le bloc sélectionné.

Figure 9.65
Ce bloc a été doté d'un cadre.

Appliquer un cadre à un groupe de blocs revient à appliquer en une même opération un même cadre à chacun des blocs composant le groupe.

Lorsque le bloc sélectionné n'est pas rectangulaire, nous ne disposons que de cadres "filets" à choisir parmi ceux du menu local ***Style*** *dont le contenu peut être personnalisé à l'aide de la zone de dialogue ouverte par l'article* ***Tirets et rayures*** *du menu* ***Edition****.*

Fond d'un bloc

Un bloc de texte ou un bloc image accueille un contenu qui – au moins en ce qui concerne les blocs de texte – laisse le plus souvent apparaître le fond du bloc. Le fond peut être :

- Blanc (opaque), il s'agit du cas par défaut, cette couleur ne peut pas être nuancée par une teinte inférieure à 100 %.
- Translucide (couleur **Néant**).
- Constitué d'un aplat dont la couleur et la teinte sont paramétrables.
- Constitué d'un dégradé.

Pour modifier le fond d'un bloc :

1. Sélectionnez le bloc concerné.
2. Activez l'article **Modifier** dans le menu **Bloc**. S'il n'est pas au premier plan, cliquez sur l'onglet **Bloc** et modifiez le contenu de la partie droite de l'onglet.

On obtient un bloc translucide en sélectionnant la couleur **Néant** pour la couleur de bloc. Les Figures 9.69 et 9.70 montrent un bloc de texte dont la couleur de fond est **Néant** afin de laisser apparaître le bloc image situé à l'arrière-plan.

La couleur ou le dégradé de fond comptent parmi les attributs d'un bloc. Ils ne doivent en aucun cas être confondus avec le contenu du bloc, a fortiori lorsque celui-ci est une image. Les Figures 9.66 à 9.68 décrivent l'application d'un dégradé au fond d'un bloc.

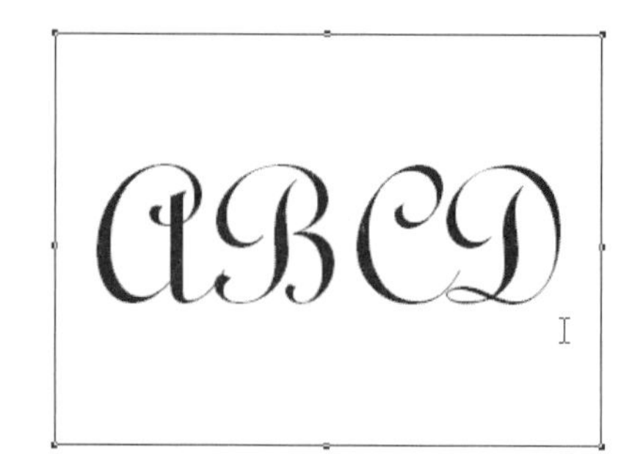

Figure 9.66

Ce bloc de texte a, par défaut, un fond composé d'un aplat blanc (teinte à 100 %).

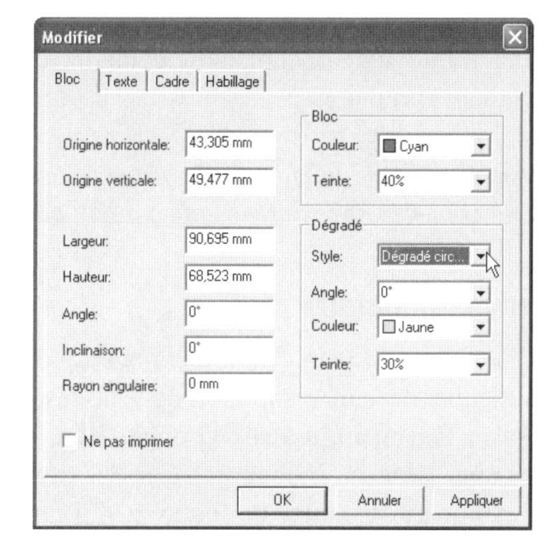

Figure 9.67

Depuis l'onglet Bloc accessible par l'article Modifier du menu Bloc, on choisit ici l'un des dégradés proposés par le menu local Style. La sélection de ce menu active les autres éléments de la zone Dégradé.

Figure 9.68

Le bloc de texte se trouve maintenant doté d'un fond dégradé.

Figure 9.69

En affectant la couleur Néant à un bloc, on laisse apparaître les blocs placés aux niveaux inférieurs. C'est particulièrement utile dans le cadre de la mise en place d'un texte au-dessus d'une image.

Figure 9.70

La sélection d'un texte placé dans un bloc translucide est matérialisée par l'affichage du fond en négatif.

Pour qu'une couleur soit disponible, il faut qu'elle ait été définie pour le document. Le Chapitre 16 décrit l'ajout au document de couleurs extraites de nuanciers ou créées par synthèse de couleurs primaires.

"L'intensité" d'une couleur est contrôlée par sa teinte. Le blanc – qui n'est pas à proprement parler une couleur – ne connaît que la teinte 100 %.

Ajuster le rayon angulaire

Les blocs rectangulaires à pans coupés, coins arrondis ou coins concaves subissent un découpage particulier de leurs coins. L'étendue de ce découpage est définie par le contenu de la case de saisie **Rayon angulaire** de l'onglet **Bloc** accessible en sélectionnant l'article **Modifier** du menu **Bloc** (voir Figure 9.71). Par défaut, le rayon angulaire est fixé à 6,35 mm, soit un quart de pouce. La Figure 9.72 illustre les effets produits par le paramètre **Rayon angulaire**. Rappelons que la forme d'un bloc peut être modifiée depuis le sous-menu **Forme** du menu **Bloc**.

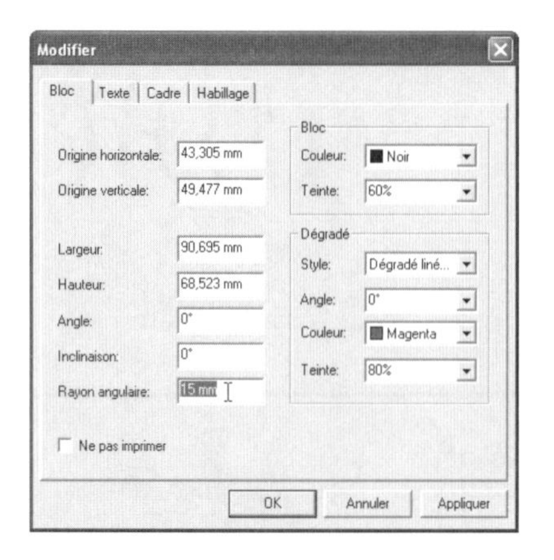

Figure 9.71

La case de saisie Rayon angulaire détermine l'aspect d'un bloc à pans coupés, à coins arrondis ou à coins concaves.

Figure 9.72

L'effet de différents réglages du paramètre Rayon angulaire.

astuce

La zone de dialogue ***Modifier*** *permet la saisie d'un rayon angulaire pour les blocs rectangulaires. Dans leur cas, un rayon angulaire différent de zéro produit un bloc à coins arrondis.*

Rotation et inclinaison

La rotation d'un bloc par rapport à l'horizontale est définie par l'angle placé dans la case de saisie **Angle** de l'onglet **Bloc** (accessible en sélectionnant l'article **Modifier** du menu **Bloc**). Quant à l'angle saisi dans la case **Inclinaison**, il correspond à l'angle (de –75° à 75°) séparant la verticale de l'axe "normalement vertical" du bloc. Le paramètre **Angle** entraîne donc une rotation alors que le paramètre **Inclinaison** provoque une torsion. Les Figures 9.74 à 9.76 illustrent l'effet produit par la modification de l'angle ou de l'inclinaison d'un bloc.

attention

Dans le cas des blocs images, ne confondez pas les cases ***Angle*** *et* ***Inclinaison*** *de l'onglet* ***Bloc*** *avec celles de l'onglet* ***Image****, ces dernières concernant l'image à l'intérieur du bloc et non le bloc en lui-même. De même, distinguez les deux réglages d'angle proposés par la palette des spécifications (voir Figure 9.73).*

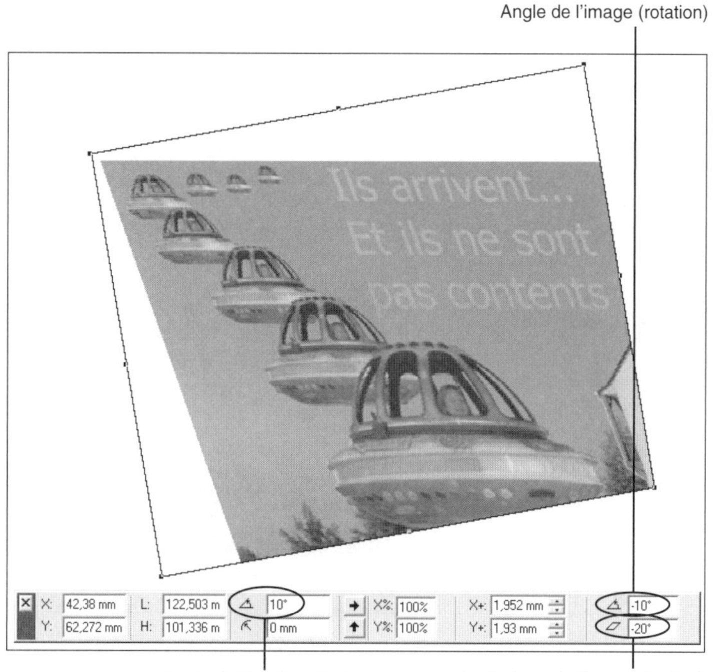

Figure 9.73
La palette des spécifications autorise la saisie de l'angle du bloc et de celui de l'image.

Figure 9.74

Ici, l'angle des blocs de droite vaut 15°.

Figure 9.75

Ici, l'inclinaison des blocs de droite vaut 15°.

Figure 9.76

Ici, l'inclinaison des blocs et l'angle des blocs valent 15°.

Dans le cas des blocs images, la rotation et l'inclinaison du bloc sont complétées par la rotation et l'inclinaison de l'image à l'intérieur du bloc depuis l'onglet **Image** accessible par la commande **Modifier** du menu **Bloc**. La zone de dialogue **Modifier** et la palette des spécifications ne sont pas les seuls moyens de provoquer la rotation d'un bloc. Vous disposez en effet de l'outil Rotation (voir Figure 9.77). Il existe pour cela un outil dédié qui permet notamment de déterminer le point autour duquel le bloc doit tourner. De la sorte, la rotation s'assortit d'un déplacement.

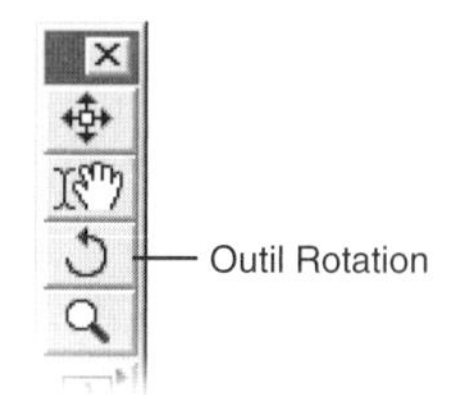

Figure 9.77
La palette d'outils.

Pour mettre en œuvre l'outil Rotation :

1. A l'aide de l'outil Déplacement ou Rotation, sélectionnez le bloc à faire tourner.
2. Cliquez sur l'outil Rotation.
3. Cliquez sur le point autour duquel le bloc doit tourner. Ce point peut être le centre du bloc ou tout autre point.
4. Faites glisser le pointeur pour déployer une sorte de "manivelle" que vous ferez ensuite glisser en décrivant un arc de cercle afin de donner au bloc manipulé l'angle souhaité (voir Figure 9.78). L'angle du bloc au cours du déplacement du pointeur est annoncé dans la palette des spécifications.
5. Relâchez le pointeur afin de donner au bloc sa nouvelle position et son nouvel angle.

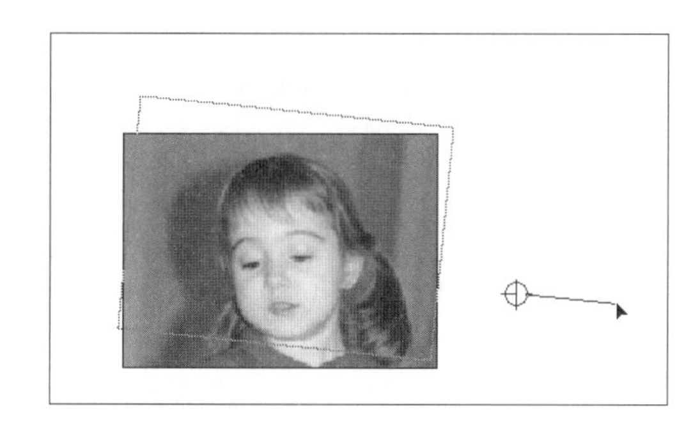

Figure 9.78
La mise en œuvre de l'outil Rotation.

Utiliser les calques

Introduits par XPress 5.0, les calques sont destinés à contenir des blocs. Cette fonction permet, par exemple, de masquer ou d'afficher facilement tous les blocs accueillis par un même calque. Dans leur principe, les calques de XPress sont assez proches de ceux d'Illustrator puisqu'il s'agit de conteneurs d'objets, ces derniers étant ici des blocs. Contrairement à un logiciel comme Photoshop, les calques ne sont, avec XPress, pas liés au niveau d'empilement. La position d'un bloc dans l'empilement des blocs et celle de son calque dans la palette **Calques** sont donc indépendantes.

Les calques sont manipulés depuis la palette **Calques** (voir Figure 9.79) affichée en activant **Afficher les calques** dans le menu **Ecran**. Par défaut, le document ne contient qu'un seul calque appelé **Défaut**.

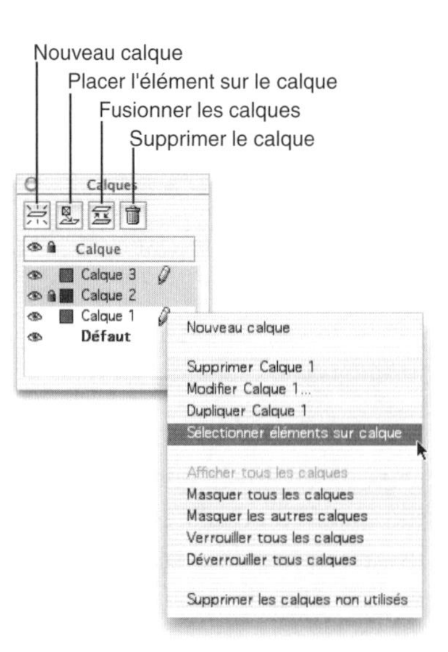

Figure 9.79
La palette Calques.

Déployé à la Figure 9.79, le menu contextuel de la palette **Calques** s'affiche en cliquant du bouton droit (Windows) ou avec Ctrl+clic (Mac OS) sur le nom d'un calque. Remarquez son article **Sélectionner éléments sur calque** qui permet de sélectionner tous les éléments appartenant à un calque.

Créer des calques et y placer des blocs

Pour créer un calque, cliquez sur le bouton **Nouveau calque** (voir Figure 9.79) de la palette **Calques**. Dans la palette **Calques**, cliquez sur un calque pour le sélectionner. Le calque sélectionné apparaît contrasté et muni d'un crayon qui signifie que les blocs que vous allez créer vont se placer sur ce calque. Si vous cliquez sur l'un des blocs visibles sur le plan de travail, vous sélectionnez implicitement son calque. La Figure 9.80 présente les pictogrammes associés aux calques. Un clic dans la colonne de l'œil affiche ou masque un calque tandis qu'un clic dans la colonne du cadenas verrouille ou déverrouille un calque.

Figure 9.80

Les pictogrammes associés aux calques.

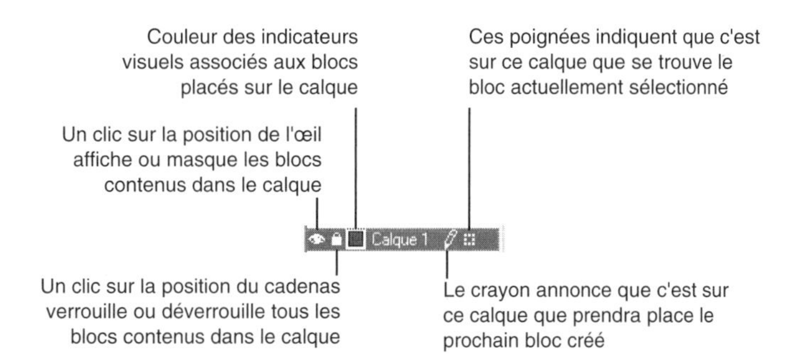

Lorsque vous créez un bloc, il se place sur le calque marqué d'un crayon dans la palette **Calques**. Pour savoir à quels calques appartiennent les blocs, activez **Afficher les indicateurs visuels** dans le menu **Affichage**. A condition que leurs calques soient visibles (un œil apparaît en face de leurs noms, voir Figures 9.79 et 9.80), les blocs se dotent d'un indicateur visuel (voir Figure 9.81) dont la couleur est celle associée au calque. Notez qu'aucun indicateur visuel n'est associé au calque **Défaut** et aux blocs qu'il contient.

Figure 9.81

Les indicateurs visuels sont activés. Ici, les blocs sélectionnés se trouvent sur des calques différents, cela se traduit par un pictogramme en face de chacun des calques dont le bloc est sélectionné.

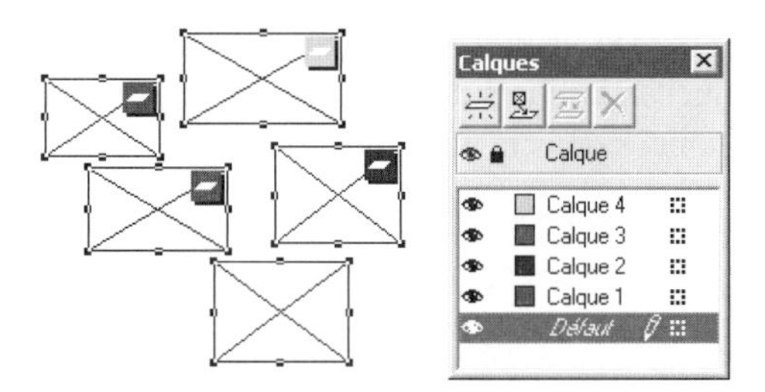

Affecter un bloc à un calque

Créé sur un calque, un bloc peut ensuite être déplacé vers un autre calque :

1. Activez l'outil Déplacement.
2. Sélectionnez les blocs à déplacer.
3. Cliquez sur le bouton **Placer l'élément sur le calque** (voir Figure 9.79).

4. Déroulez le menu local de la zone de dialogue pour y choisir le calque de destination (voir Figure 9.83), puis validez par **OK**.
5. Si, comme à la Figure 9.82, l'affichage des indicateurs visuels est activé, la couleur de ceux-ci traduit le changement de calque.

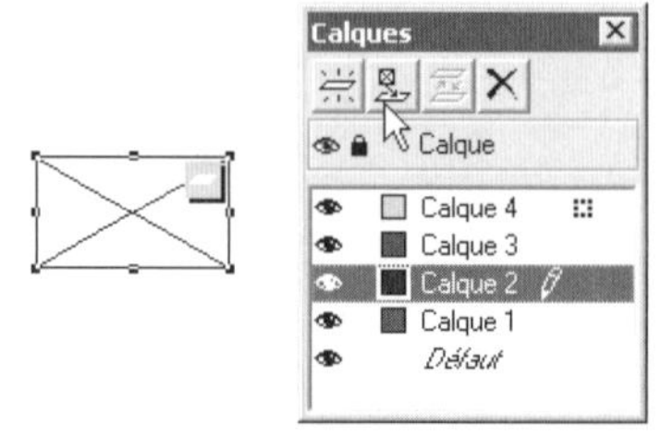

Figure 9.82

Le bloc sélectionné va être déplacé vers un calque autre que celui auquel il appartient pour l'instant.

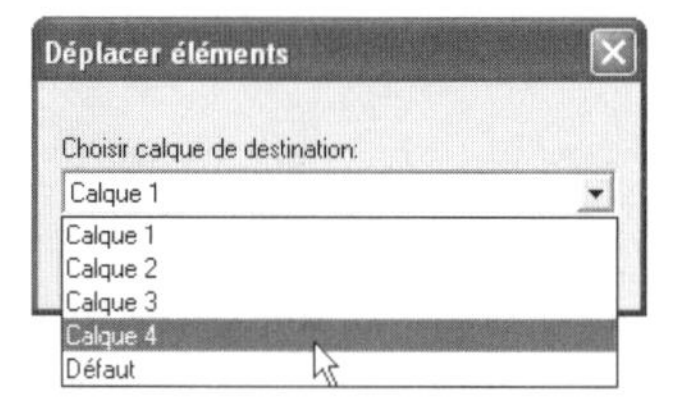

Figure 9.83

La sélection du calque de destination pour les blocs sélectionnés.

Modifier les attributs d'un calque

Pour modifier les attributs d'un calque, double-cliquez sur son nom dans la palette **Calques**. Vous accédez ainsi à la zone de dialogue **Attributs** (voir Figure 9.84) depuis laquelle le nom du calque peut être modifié, de même que la couleur de ses indicateurs visuels. Pour changer la couleur de ces derniers, cliquez sur **Couleur du calque**, puis sélectionnez une couleur dans le nuancier. Vous disposez en outre des options :

- **Visible.** Active par défaut, cette option provoque l'affichage (ou le masquage en cas de désactivation) des blocs contenus dans le calque.
- **Verrouillé.** Désactivée par défaut, cette option verrouille tous les blocs d'un calque et interdit la fusion de celui-ci. Quand un calque est verrouillé, il est impossible de sélectionner ou de modifier les blocs qui le composent. Si vous décidez par la suite de déverrouiller le calque, le verrouillage sera maintenu pour les blocs du calque pour lesquels vous aurez préalablement activé la commande **Verrouiller** du menu **Bloc**.
- **Ne pas imprimer.** Désactivée par défaut, cette option interdit l'impression (mais pas l'affichage à l'écran) de tous les blocs appartenant au calque.
- **Conserver l'habillage**. Active par défaut, cette option préserve l'habillage entre les blocs.

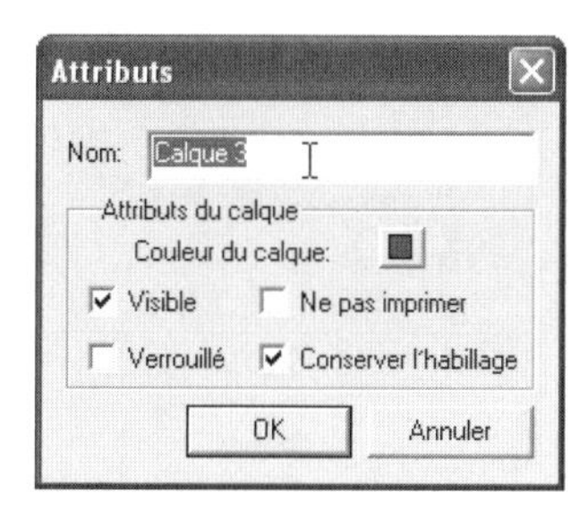

Figure 9.84
Les attributs d'un calque.

*L'option **Ne pas imprimer** d'un calque affecte tous les blocs que contient ce dernier, même si cette même option n'est pas activée pour ces blocs dans l'onglet accessible par l'article **Modifier** du menu **Bloc**.*

Supprimer un calque ou le fusionner avec un autre

Pour supprimer un calque :

1. Dans la palette **Calques**, cliquez sur le calque à supprimer.
2. Cliquez sur le bouton **Supprimer le calque**.
3. Si le calque contient au moins un bloc, la zone de dialogue illustrée à la Figure 9.85 vous laisse le choix entre la suppression de ce bloc et son déplacement vers un autre bloc à choisir dans un menu local. Notez que ce dernier ne propose pas les calques verrouillés.

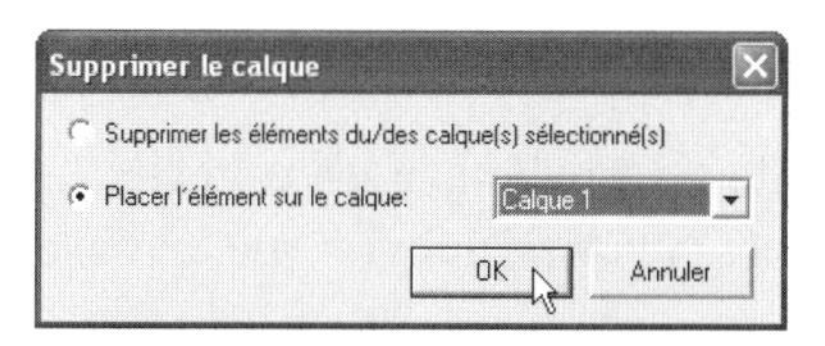

Figure 9.85
La suppression d'un calque s'accompagne de la suppression de ses blocs ou de leur déplacement vers un autre calque.

*Le menu local déroulé par Ctrl+clic (Mac OS) ou par un clic droit (Windows) sur un nom de calque propose l'article **Supprimer les calques non utilisés** (voir Figure 9.86).*

Pour réunir plusieurs calques en un seul, faites appel à la fusion :

1. Dans la palette **Calques**, sélectionnez les calques à fusionner. Pour cela, maintenez la touche Cmd (Mac OS) ou la touche Ctrl (Windows) enfoncée, puis cliquez sur les différents calques à fusionner (voir Figure 9.87). Notez qu'il n'est pas possible de fusionner un calque verrouillé.

Figure 9.86

La suppression des calques non utilisés n'est possible que depuis le menu contextuel.

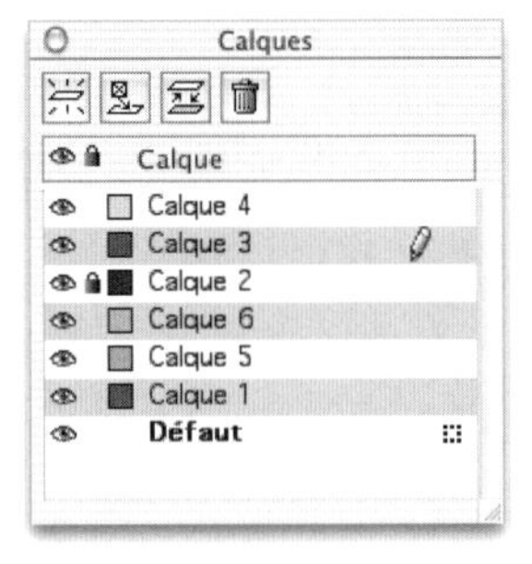

Figure 9.87

La sélection des calques à fusionner.

2. Cliquez sur le bouton **Fusionner les calques** (voir Figure 9.79).
3. Dans la zone de dialogue **Fusionner les calques**, sélectionnez dans le menu local celui des calques sélectionnés qui doit recevoir les blocs des autres calques à fusionner (voir Figure 9.88).
4. Validez la zone de dialogue et constatez que les tous les calques fusionnés (à l'exception de celui qui reçoit le contenu des autres) ont disparu. Tous les blocs placés dans ces calques sont réunis dans le calque choisi à l'étape précédente.

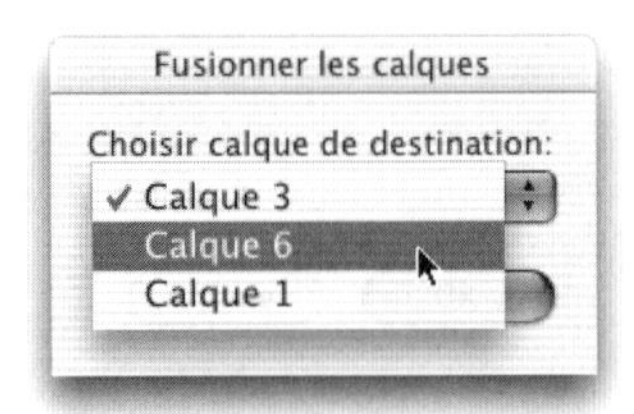

Figure 9.88

La sélection du calque de destination pour les blocs des calques fusionnés.

CHAPITRE 10

Les blocs de texte

Au sommaire de ce chapitre

- Attributs d'un bloc de texte
- Chaînage des blocs
- Chemins de texte

Nous avons vu aux Chapitres 4, 5 et 6 comment manipuler et enrichir le texte, au Chapitre 9 les caractéristiques générales des blocs. Nous allons maintenant développer les spécificités des blocs de texte. La conversion du texte en blocs (notamment en blocs images) est décrite au Chapitre 11.

Attributs d'un bloc de texte

Pour accéder aux attributs d'un bloc de texte :

1. Sélectionnez un bloc de texte à l'aide de l'outil Modification ou de déplacement.
2. Déroulez le menu **Bloc** et sélectionnez son article **Modifier**.
3. Cliquez sur l'onglet **Texte**.

L'onglet **Texte** de la zone de dialogue **Modifier** (voir Figure 10.1) présente les attributs du bloc de texte sélectionné. Depuis cet onglet, vous déterminez entre autres :

- le nombre de colonnes de texte qui composent le bloc et la largeur des gouttières qui séparent ces colonnes ;
- l'angle et l'inclinaison du texte ;
- les retraits latéraux du texte ;
- le mode d'alignement vertical.

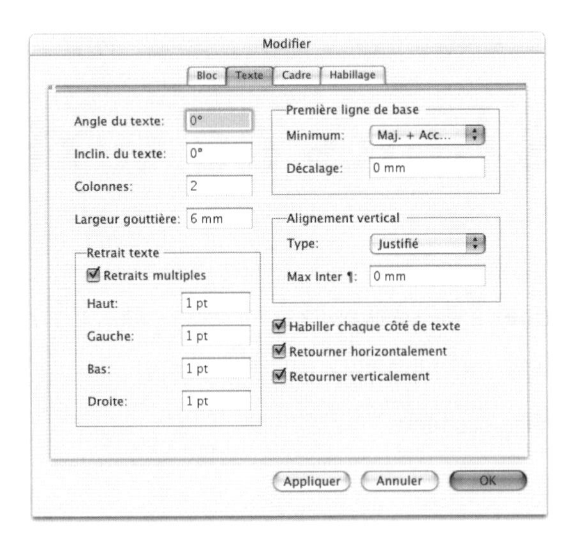

Figure 10.1
L'onglet Texte de la zone de dialogue Modifier.

Division d'un bloc en colonnes

Un même bloc de texte peut contenir plusieurs colonnes. Celles-ci sont séparées par un espace vierge appelé gouttière.

Par défaut, un bloc de texte ne contient qu'une seule colonne. Pour le bloc sélectionné, vous pouvez choisir le nombre de colonnes et la largeur des gouttières (voir Figure 10.1). Notez que toutes les colonnes d'un bloc ont la même largeur. Il en est de même pour les gouttières. La Figure 10.2 montre l'intérieur d'un livre dont le bloc de texte automatique est divisé en deux colonnes.

La largeur des colonnes se déduit de celle du bloc. Ainsi, l étant la largeur du bloc, l'' la largeur d'une gouttière et n le nombre de colonnes, la largeur l' d'une colonne est :

$$l' = (l - (n - 1) \times l'') \div n$$

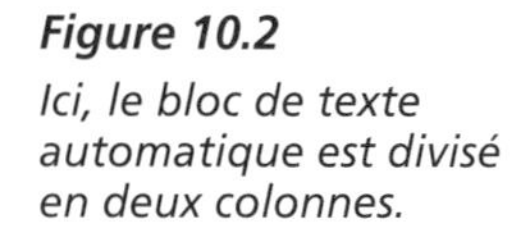

Figure 10.2
Ici, le bloc de texte automatique est divisé en deux colonnes.

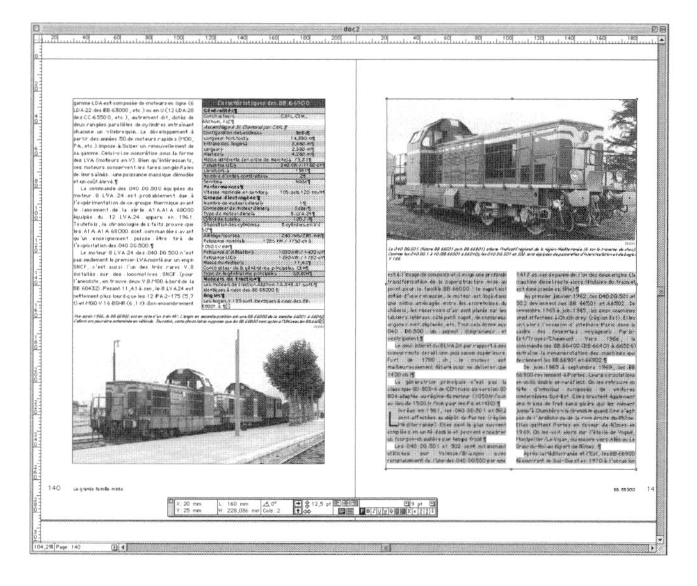

L'onglet **Texte** étant au premier plan (voir Figure 10.1), les colonnes du bloc de texte sélectionné sont définies par les cases de saisie :

- **Colonnes.** Contient un nombre entier correspondant au nombre de colonnes.
- **Largeur gouttière.** Chargée d'accueillir la largeur des gouttières (exprimée par défaut en millimètres).

Il convient de rappeler la différence entre le saut de colonne (saisi avec la touche [Entrée] du pavé numérique), qui place le curseur en tête de la colonne suivante, et le saut de bloc (saisi avec la touche [⇧Maj] et la touche [Entrée] du pavé numérique), positionnant le curseur en tête du prochain bloc chaîné en ignorant les éventuelles dernières colonnes du bloc de texte courant.

Dans un même bloc de texte, toutes les colonnes partagent la même largeur. De même, toutes les gouttières séparant ces colonnes ont la même épaisseur. Pour répartir le texte sur une même page, mais sur plusieurs colonnes de hauteurs et de largeurs différentes, créez un bloc pour chaque colonne puis chaînez ces blocs. Vous êtes ainsi totalement libre quant à la forme des colonnes et des gouttières (voir plus loin la section "Chaînage des blocs").

Le bloc de texte automatique peut voir le nombre de ses colonnes modifié, cependant :

- Le nombre de colonnes du bloc de texte automatique gagne à être défini dès la création d'un nouveau document. En effet, les zones de dialogue **Nouveau projet** (menu

Fichier, sous-menu **Nouveau**, article **Projet**) et **Propriétés de la mise en page** (menu **Mise en page**) proposent la saisie du nombre de colonnes et de l'épaisseur des gouttières du bloc de texte automatique. Rappelons que ce bloc s'inscrit dans les marges définies dans cette zone de dialogue. En outre, des repères de colonnes sont automatiquement placés autour des colonnes du bloc de texte automatique si elles sont définies à la création d'un nouveau document.

- Pour que cette modification soit reportée à toutes les occurrences du bloc de texte automatique, elle doit être effectuée depuis la maquette (à sélectionner depuis le sous-menu **Afficher** – anciennement Visualiser – du menu **Page**). Si elle est réalisée depuis une page du document, elle ne concerne que le bloc sélectionné sur l'une des pages du document.

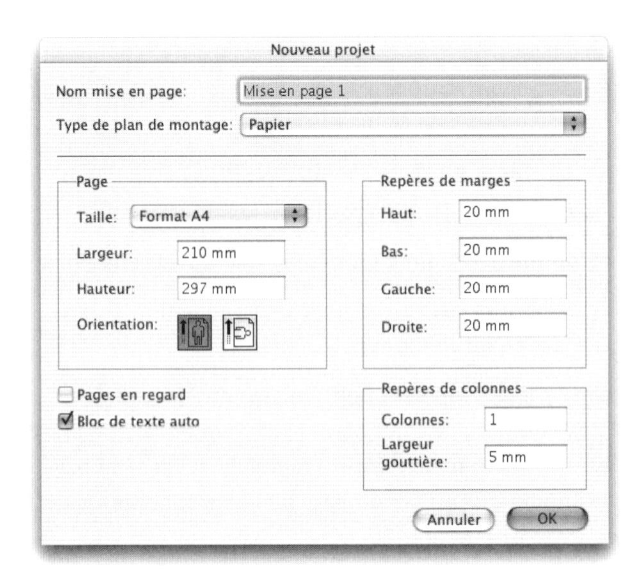

Figure 10.3

La zone de dialogue Nouveau projet détermine l'emplacement (à partir des marges) du bloc de texte automatique ainsi que le nombre de ses colonnes et l'épaisseur de ses gouttières.

Retrait du texte

Nous savons qu'un paragraphe peut faire l'objet de retraits particuliers à droite ou à gauche (voir Chapitre 6). Toutefois, il est par ailleurs possible de définir un blanc tournant propre à un bloc de texte. La largeur de ce retrait est définie pour le bloc de texte sélectionné.

Vous pouvez soit affecter une valeur de retrait commune aux quatre côtés d'un bloc de texte, soit assigner une valeur particulière à chaque côté.

Depuis l'onglet **Texte** (voir Figure 10.1), ne pas cocher **Retraits multiples** entraîne l'activation d'une case **Tous les côtés** destinée à recevoir la valeur de retrait commune aux quatre côtés du bloc de texte. Par défaut, les quatre côtés ont un retrait égal à 1 point. En revanche, si vous cochez **Retraits multiples**, les cases **Droite**, **Gauche**, **Haut** et **Bas** sont activées et autorisent la saisie de valeurs de retraits différentes pour chaque côté du bloc de texte (voir Figures 10.4 et 10.5).

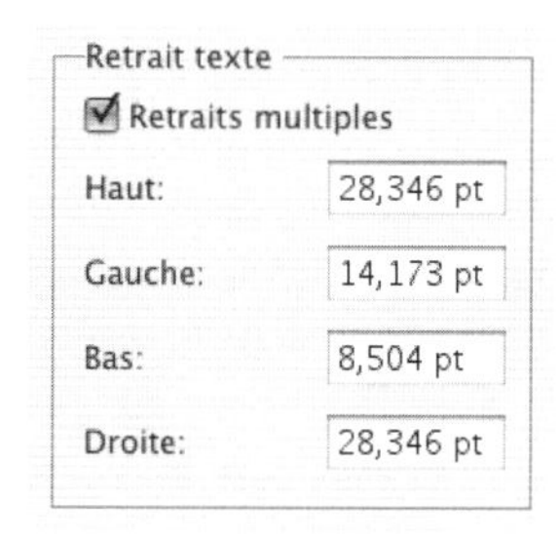

Figure 10.4
Vous pouvez utiliser toutes les unités reconnues par XPress dans les différentes cases de saisie.

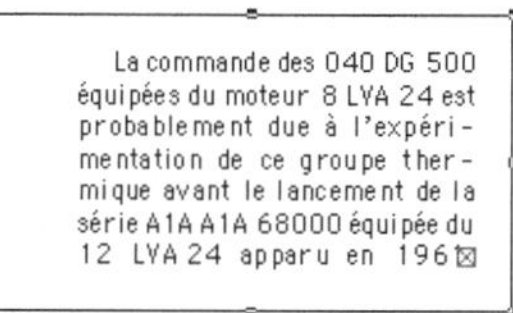

Figure 10.5
Ici, les retraits multiples sont activés, chaque côté dispose donc d'un retrait qui lui est propre.

Angle et inclinaison du texte

Vous pouvez définir un angle et une inclinaison pour un bloc. De même, vous pouvez définir un angle et une inclinaison pour le texte du bloc sélectionné à l'aide des cases de saisie **Angle du texte** et **Inclin. du texte** de l'onglet **Texte** (voir Figure 10.1).

*Les cases de saisie **Angle du texte** et **Inclin. du texte** de l'onglet **Texte** ne doivent pas être confondues avec les cases de saisie **Angle** et **Inclinaison** proposées par l'onglet **Bloc** de la zone de dialogue **Modifier**. En effet, les réglages de l'onglet **Texte** concernent le contenu d'un bloc de texte alors que ceux de l'onglet **Bloc** affectent le bloc.*

L'angle du texte correspond à l'inclinaison de la ligne de base par rapport au bord inférieur du bloc alors que l'inclinaison du texte n'est autre qu'une forme paramétrable de l'italique (voir Figure 10.6). Notez la possibilité d'employer des angles négatifs. Cela permet par exemple d'inverser l'inclinaison de l'italique…

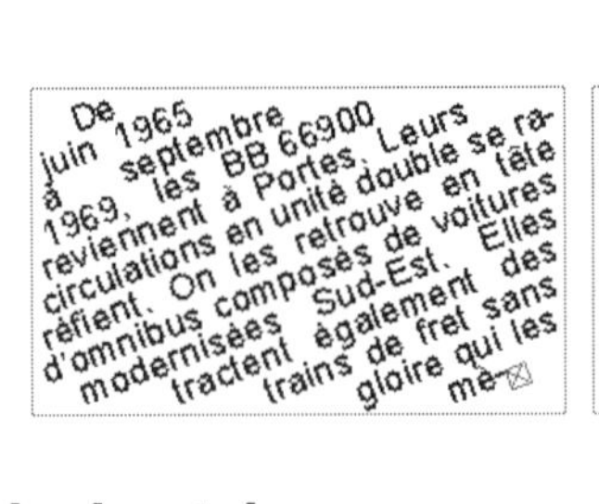

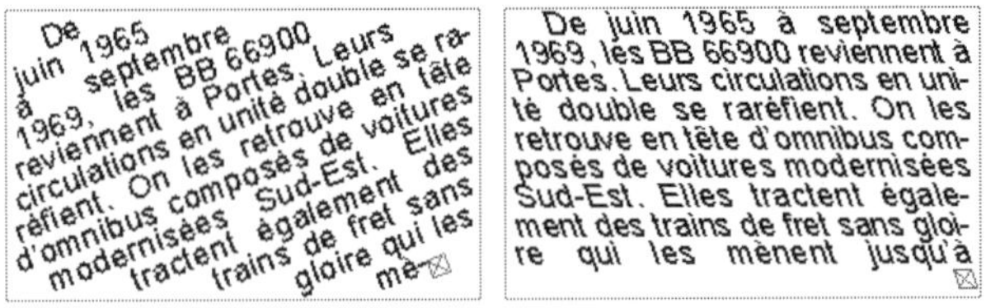

De juin 1965 à septembre 1969, les BB 66900 reviennent à Portes. Leurs circulations en unité double se raréfient. On les retrouve en tête d'omnibus composés de voitures modernisées Sud-Est. Elles tractent également des trains de fret sans gloire qui les mè-
De juin 1965 à septembre 1969, les BB 66900 reviennent à Portes. Leurs circulations en unité double se raréfient. On les retrouve en tête d'omnibus composés de voitures modernisées Sud-Est. Elles tractent également des trains de fret sans gloire qui les mènent jusqu'à

Figure 10.6

L'angle du texte de gauche vaut 20° alors que l'inclinaison du texte correspond à –20° pour le bloc de droite.

Retournement vertical ou horizontal

Vous pouvez appliquer une symétrie axiale au contenu d'un bloc de texte. L'axe de symétrie est vertical dans le cas d'un retournement horizontal, il est horizontal dans le cas d'un retournement vertical. Ces deux symétries peuvent être cumulées (voir Figure 10.7). Par exemple, dans le cas d'un retournement horizontal, le bloc est vu comme si vous étiez "derrière" la page.

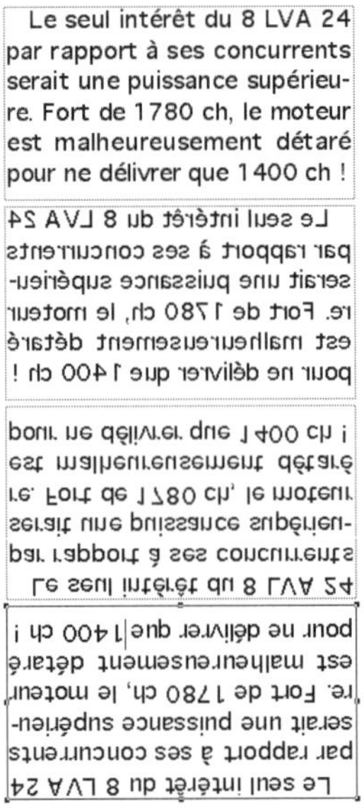

Le seul intérêt du 8 LVA 24 par rapport à ses concurrents serait une puissance supérieure. Fort de 1780 ch, le moteur est malheureusement détaré pour ne délivrer que 1400 ch !

Figure 10.7

D'abord, le bloc ne subit aucun retournement, puis on le retourne horizontalement, puis verticalement et, enfin, verticalement et horizontalement.

Les symétries axiales sont obtenues en cochant les cases d'option **Retourner verticalement** ou **Retourner horizontalement** de l'onglet **Texte** de la zone de dialogue **Modifier** (voir Figure 10.1). Ces opérations sont également accessibles, depuis la palette des spécifications (voir Figure 10.8).

X: -10 mm
L: 160 mm
0°
18 pt
Y: 100 mm
H: 37 mm
Cols: 1
0

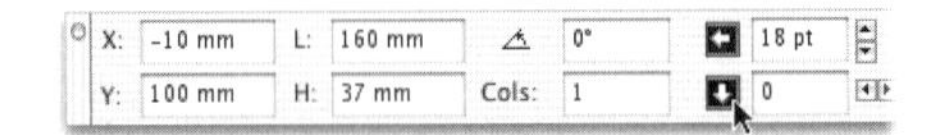

Figure 10.8

Les icônes contrastées contrôlent le retournement du bloc sélectionné.

Position de la ligne de base

La position de la première ligne de base du texte peut être ajustée depuis la partie **Première ligne de base** de l'onglet **Texte** (voir Figure 10.1). La position de cette ligne peut se fonder sur l'ascendante du texte ou sur la hauteur d'une majuscule voire sur celle d'une majuscule accentuée. Ce choix s'effectue à l'aide du menu local **Minimum**. Il peut être complété par un décalage dont la valeur est précisée dans la case de saisie **Décalage** (voir Figures 10.9 et 10.10).

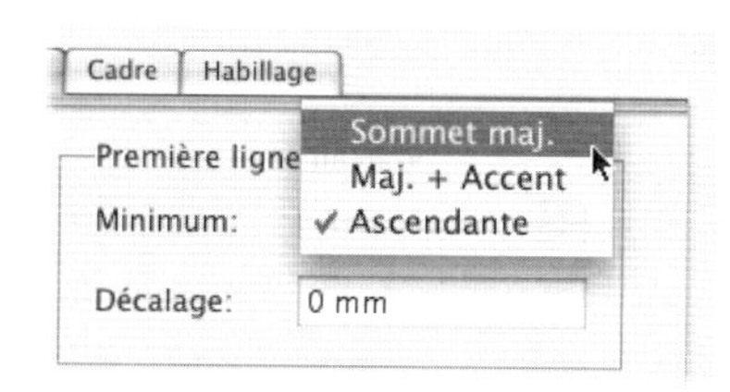

Figure 10.9
Le paramétrage de la position de la première ligne de base.

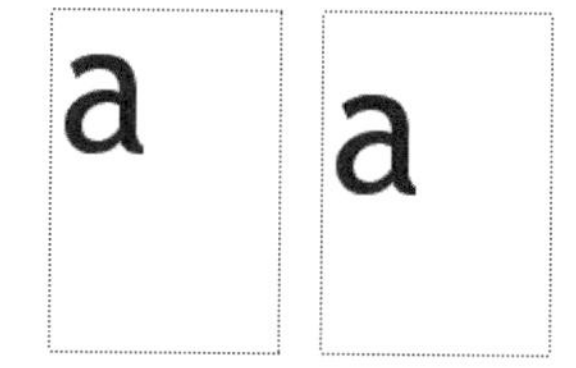

Figure 10.10
A gauche, la première ligne de base est positionnée en mode Ascendante ou Sommet maj. (ces deux modes créent le plus souvent des résultats équivalents). En revanche, à droite, c'est le mode Maj+accent qui est utilisé.

Type d'alignement vertical

L'alignement horizontal est un attribut de paragraphe ; le texte peut ainsi être aligné à gauche ou à droite, être centré ou justifié. Le mode d'alignement d'un paragraphe est choisi depuis la palette des spécifications.

De même, vous pouvez contrôler l'alignement vertical qui correspond à une caractéristique de bloc et non à un attribut de ligne logique. L'alignement vertical est contrôlé par le menu local **Alignement vertical** de l'onglet **Texte** (voir Figure 10.1). Ses articles sont :

- **Haut.** Pour un alignement vertical en tête de colonne. Il s'agit du mode d'alignement par défaut.
- **Bas.** Pour un alignement vertical en pied de colonne.
- **Centré.** Pour maintenir le texte à égale distance des limites inférieures et supérieures du bloc.

- **Justifié.** Pour moduler l'interlignage de façon à aligner verticalement à la fois en tête et en pied. Ce type d'alignement vertical active la case de saisie **Max Inter ¶** où vous pouvez placer la distance maximale qui pourra être ajoutée entre les paragraphes (voir Figure 10.11). Cette distance vaut par défaut 0 mm (XPress ne module alors que l'interlignage) et est limitée à 381 mm.

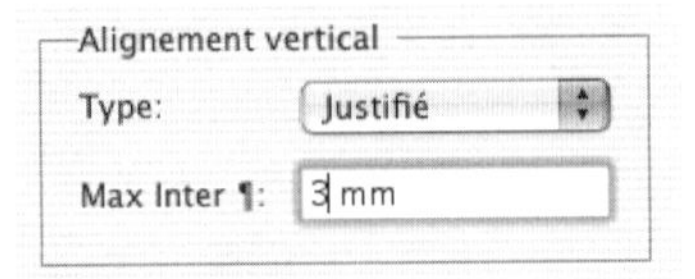

Figure 10.11

Max Inter ¶ contient l'espace maximal pouvant être ajouté entre les paragraphes.

La Figure 10.12 présente les différents cas d'alignement vertical.

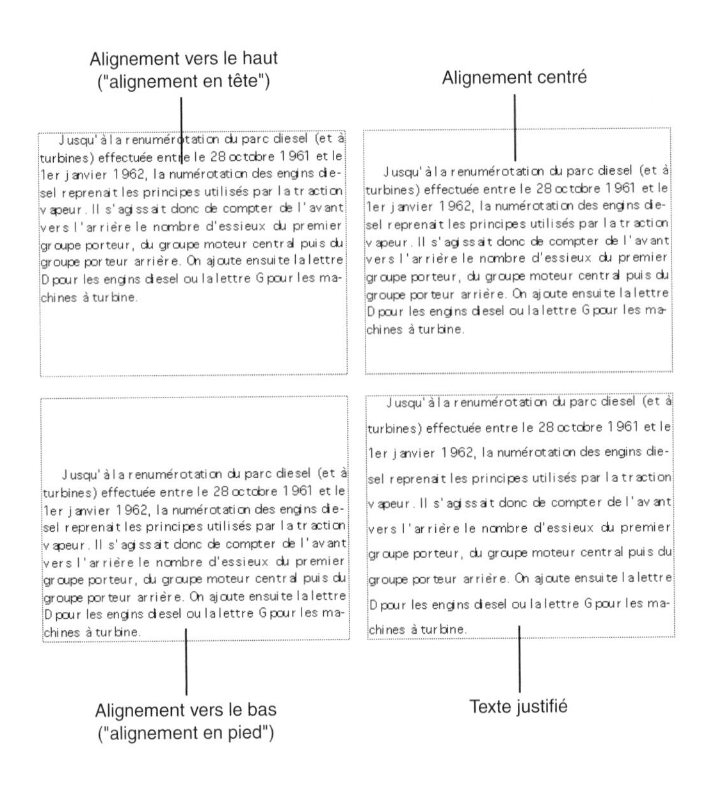

Figure 10.12

Les quatre modes d'alignement vertical.

N'oubliez pas que des marques de fin de paragraphe oubliées en fin de texte ("¶" obtenues avec la touche ←Retour) sont traitées comme des lignes logiques et parasitent donc les alignements en pied, centré ou justifié.

Habillage bilatéral

Un texte peut épouser les contours d'un bloc placé au-dessus de lui. On parle alors d'habillage de ce bloc par le texte. Le mode d'habillage est un attribut du bloc habillé et non du bloc de texte dont le contenu se charge de l'habillage. Toutefois, la répartition du texte d'une même colonne de chaque côté d'un bloc habillé est un réglage effectué pour le bloc de texte au niveau de l'onglet **Texte** de la zone de dialogue **Modifier** (voir Figure 10.1). L'habillage bilatéral est activé en cochant la case d'option **Habiller chaque côté de texte** (voir Figures 10.13 et 10.14). Avec ce mode, les lignes de texte commencent à gauche de l'image habillée et se poursuivent de l'autre côté, ce qui peut rendre la lecture difficile.

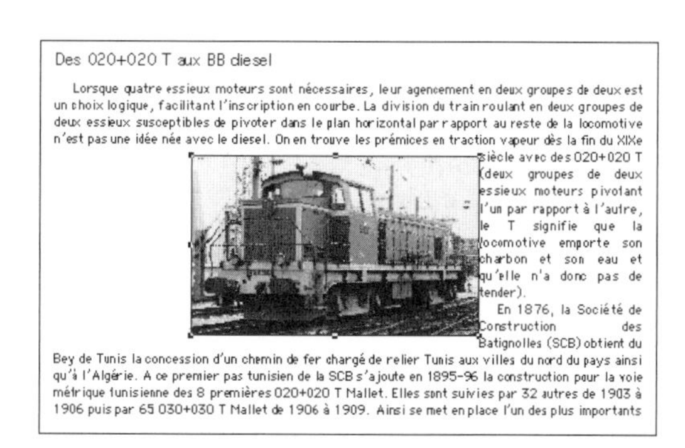

Figure 10.13

Activé par défaut, le mode d'habillage Bloc place le texte sur la plus large partie libre de la colonne.

Figure 10.14

Si vous cochez la case Habiller chaque côté du texte (voir Figure 10.1), le texte sera réparti sur les deux côtés de l'image. Notez que le mode d'alignement (ici, texte justifié) est respecté de chaque côté de l'image.

Rappels :

- Le mode d'habillage est choisi en sélectionnant le bloc habillé, puis en ouvrant l'onglet **Habillage** de la zone de dialogue **Modifier** accessible depuis le menu **Bloc**.
- L'habillage bilatéral d'un bloc par un texte situé à l'arrière-plan s'obtient en sélectionnant le bloc de texte chargé de l'habillage, puis en cochant l'option **Habiller chaque côté de texte** dans l'onglet **Texte** de la zone de dialogue **Modifier**.

Chaînage des blocs

L'informatique traite le texte comme une chaîne de caractères. On trouve parmi ces derniers les lettres, les chiffres et les symboles de ponctuation classiques, mais aussi les caractères spéciaux et dits "invisibles" que sont les marques de fin de paragraphe, les tabulations et autres sauts de blocs.

Un bloc de texte accueille le texte saisi ou importé. Lorsque la chaîne de caractères est trop longue pour prendre place dans le bloc de texte courant, elle se poursuit dans le prochain bloc chaîné. Quand aucun bloc n'est chaîné au bloc courant et que la fin de la chaîne de caractères est masquée, l'angle inférieur droit du bloc est occupé par l'indice de débordement (voir Figure 10.15).

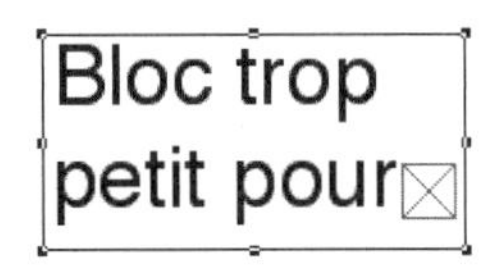

Figure 10.15
Si tout le texte saisi ou importé ne peut être intégralement affiché dans un bloc, l'indice de débordement s'affiche en bas à droite du bloc.

A moins d'être un utilisateur expérimenté, il est vivement déconseillé de modifier, depuis une page du document, le chaînage des blocs de texte créés depuis la maquette. Notez que le bloc de texte automatique fait, par défaut, l'objet d'un chaînage automatique sur lui-même (voir Chapitre 8).

Pour chaîner un bloc de texte à un autre bloc de texte :

1. Cliquez sur l'outil Chaînage (voir Figure 10.16).
2. Cliquez sur le bloc – vide ou occupé, avec un indice de débordement ou non – dont le texte doit déborder vers un autre bloc. Après ce clic, le bloc est ceinturé de pointillés animés (voir Figure 10.17).
3. Cliquez sur le bloc de texte – impérativement vide – vers lequel le texte peut couler (voir Figure 10.18).
4. Répétez si nécessaire les trois étapes précédentes en cliquant d'abord sur le dernier bloc ajouté à la chaîne, puis sur le nouveau bloc ajouté à la chaîne.

La sélection de l'outil Chaînage ou de l'outil Séparation entraîne l'affichage de flèches non imprimables représentant les liens existant entre les blocs chaînés.

Figure 10.16
Pour chaîner deux blocs de texte, cliquez sur l'outil Chaînage.

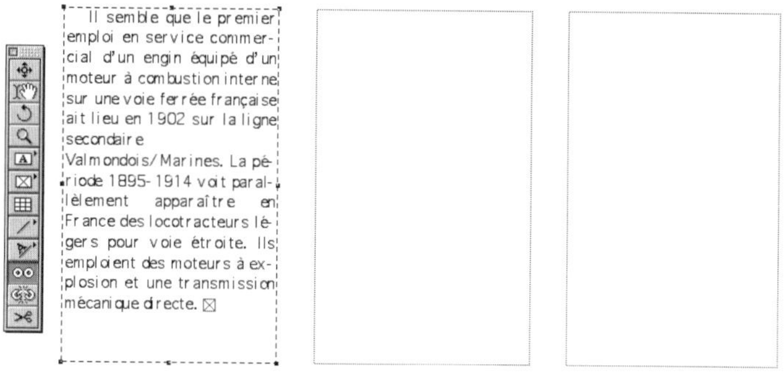

Figure 10.17

Avec l'outil Chaînage, un clic sur un bloc de texte entoure celui-ci de pointillés. Ce bloc va être à l'origine du lien.

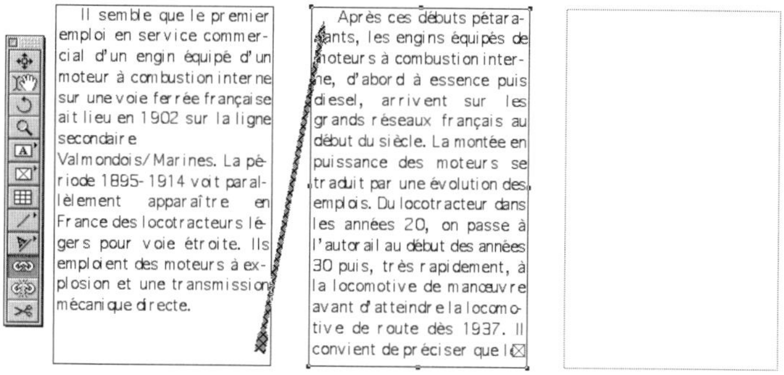

Figure 10.18

Après avoir cliqué avec l'outil Chaînage sur un bloc contenant du texte, un nouveau clic avec cet outil sur un bloc vide fait couler le texte d'un bloc à l'autre. Après la mise en place du chaînage, l'activation de l'outil Chaînage dans la palette d'outils met en évidence les liens établis entre les blocs.

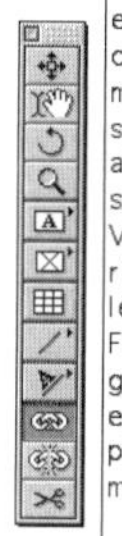

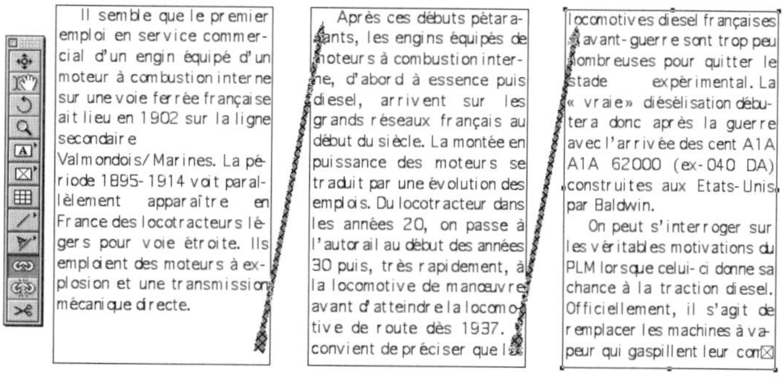

Figure 10.19

Le chaînage peut ensuite être établi entre le dernier bloc ajouté à la chaîne et un bloc de texte vide.

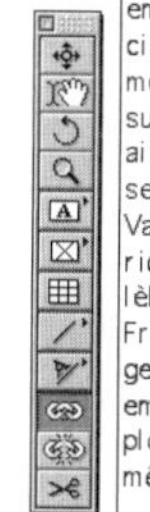

Notez que, pour éviter les fausses manœuvres, l'outil Chaînage ne reste pas sélectionné après l'établissement d'un lien entre deux blocs. Il doit donc être sélectionné chaque fois que vous voulez chaîner deux blocs.

Pour rompre le lien entre deux blocs chaînés :

1. Activez l'outil Séparation (voir Figure 10.20).

2. Appuyez sur la touche [⇧Maj] et maintenez-la enfoncée.
3. Cliquez sur le bloc à ôter de la chaîne.
4. Relâchez la touche [⇧Maj].

Figure 10.20
L'outil Séparation.

L'emploi de l'outil Séparation rompt le chaînage entre deux blocs. Lorsque au moins trois blocs sont chaînés, l'application de l'outil Séparation au deuxième bloc entraîne une cicatrisation du chaînage entre le premier et le troisième bloc. D'une façon générale, dans une suite de blocs chaînés, l'application de l'outil Séparation au bloc *n+1* entraîne un nouveau chaînage entre les blocs *n* et *n+2*. Si la situation de départ correspond à celle illustrée à la Figure 10.19, l'application de l'outil Séparation au bloc central provoque un gel du chaînage entre le premier et le troisième bloc ainsi que le montre la Figure 10.21.

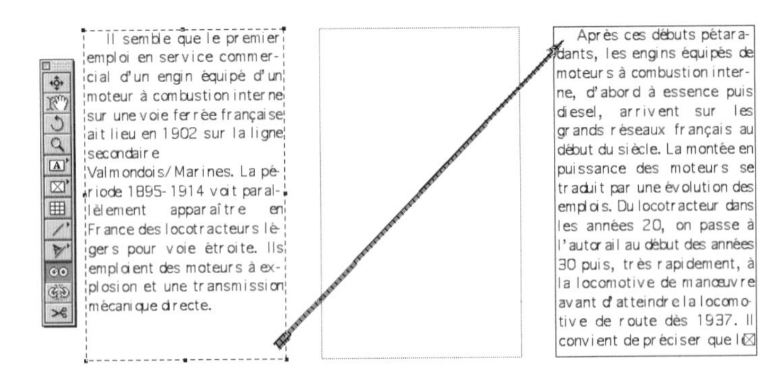

Figure 10.21
Appliquer l'outil Séparation à un bloc chaîné en amont et en aval entraîne la cicatrisation du chaînage entre les blocs amont et aval.

Considérons maintenant que la situation initiale est celle illustrée à la Figure 10.21. Nous souhaitons insérer un bloc dans une chaîne déjà établie. Après avoir cliqué sur l'outil Chaînage (voir Figure 10.16), cliquez sur le bloc qui se trouvera en amont du bloc inséré dans le chaînage, puis cliquez sur le bloc à insérer. Constatez que le bloc est inséré dans la chaîne des blocs. Vous rétablissez ainsi la situation illustrée à la Figure 10.19.

Chemins de texte

Les chemins de texte sont à la fois des tracés (assimilables selon leur forme à des filets ou à des courbes de Bézier) et des blocs de texte.

La mise en place des chemins de texte et la modification de leur forme font appel aux principes utilisés pour les filets (voir Chapitre 12) ou pour les courbes de Bézier (voir Chapitre 13). Quant à la saisie, l'importation ou la sélection du texte, elles se pratiquent avec les chemins de texte comme avec les blocs de texte, et ce au moyen de l'outil Modification. Comme un bloc de texte, un chemin de texte peut faire l'objet de chaînages (en amont et en aval) avec d'autres chemins ou d'autres blocs de texte. Les outils chargés de la mise en place des chemins de texte sont illustrés à la Figure 10.22. Pour mettre en place un chemin de texte :

1. Activez l'un des outils illustrés à la Figure 10.22.
2. Faites glisser le pointeur (ou cliquez, selon l'outil) pour mettre en place le chemin.
3. Le curseur clignotant sur le chemin de texte, saisissez le texte. N'oubliez pas que la palette des spécifications permet ici aussi de choisir le mode d'alignement et les attributs des caractères.

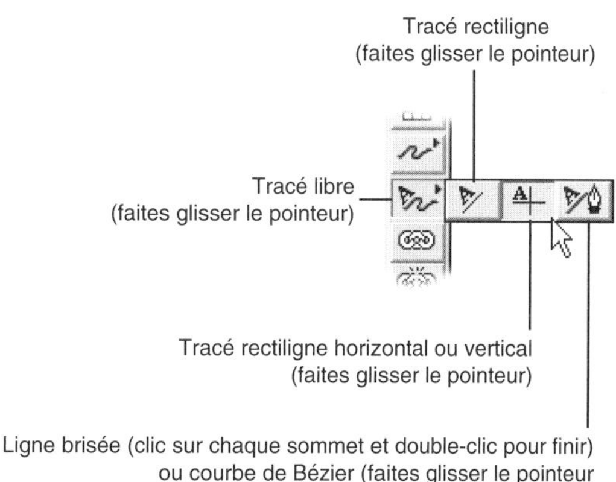

Figure 10.22
Les outils de mise en place des chemins de texte.

La sélection d'un chemin de texte avec l'outil Déplacement est très différente de celle obtenue avec l'outil Modification. En effet :

- L'outil Déplacement sélectionne le chemin en tant que bloc et permet notamment la manipulation des points d'inflexion. La palette des spécifications permet, dans ce cas, de définir le type de trait (épaisseur, tiret ou rayure, extrémité) comme le montre la Figure 10.23.
- L'outil Modification permet la modification et la sélection du texte guidé par le chemin (voir Figure 10.24).

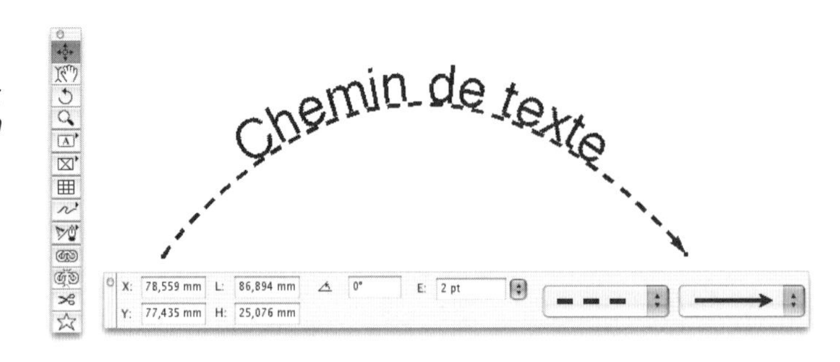

Figure 10.23

La sélection à l'aide de l'outil Déplacement permet la modification du tracé (position, nature du trait, etc.).

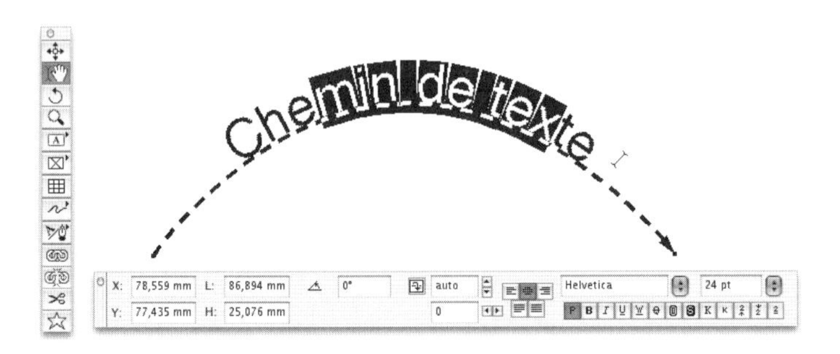

Figure 10.24

La sélection avec l'outil Modification permet l'édition du texte.

Un chemin de texte étant sélectionné, l'article **Modifier** du menu **Bloc** ouvre une zone de dialogue dont l'onglet **Chemin de texte** (voir Figure 10.25) définit :

- l'orientation du texte (voir Figure 10.26) ;
- l'alignement du texte ;
- le retournement du texte (par rapport au chemin).

Outre l'adaptation du dessin des caractères au tracé, il est possible de contrôler la position des caractères à l'aide de deux menus locaux : **Aligner texte** et **Aligner sur ligne** (voir Figure 10.25). Le menu local **Aligner texte** propose quatre modes d'alignement mis en évidence à la Figure 10.27.

La case d'option **Retourner texte** de l'onglet **Chemin de texte** (voir Figure 10.25) et le bouton **Retourner texte** de la palette des spécifications – telle qu'elle s'affiche lorsque le texte du chemin est sélectionné – permettent de faire passer le texte de l'autre côté du chemin comme s'il avait pivoté autour sur 180° (voir Figure 10.28).

Par défaut, le tracé matérialisant le chemin de texte est invisible (non imprimé), puisque sa couleur est **Néant** (anciennement, **Aucune**). Pour définir une autre couleur, sélectionnez le chemin puis activez l'article **Modifier** du menu **Bloc** avant de cliquer sur l'onglet **Ligne** où un menu local est consacré à la couleur du tracé (voir Figure 10.29).

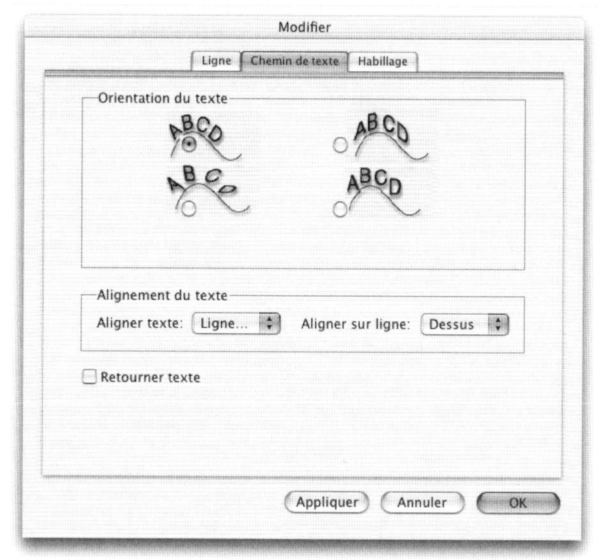

Figure 10.25

L'onglet Chemin de texte définit la position du texte par rapport au chemin qui le porte.

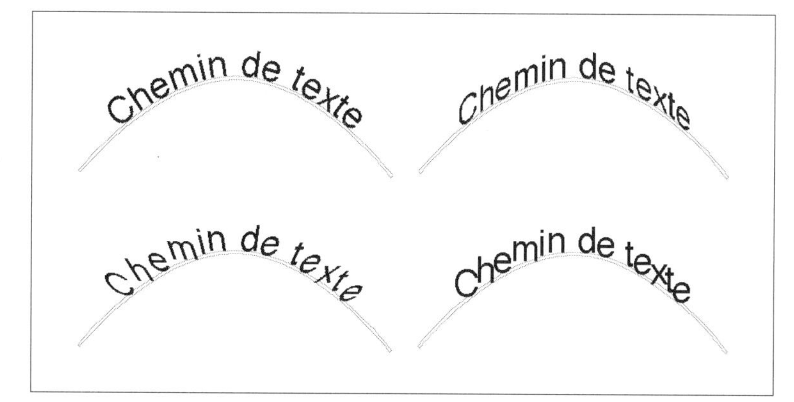

Figure 10.26

Les quatre orientations possibles du texte sur un chemin de texte.

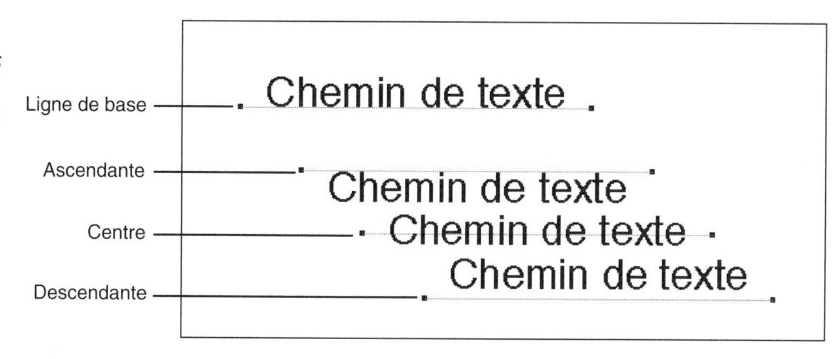

Figure 10.27

Les quatre modes d'alignement du texte par rapport au chemin de texte.

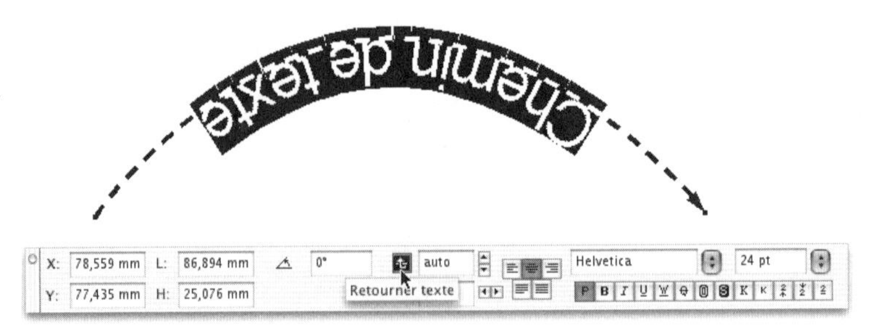

Figure 10.28
L'option Retourner texte est ici activée.

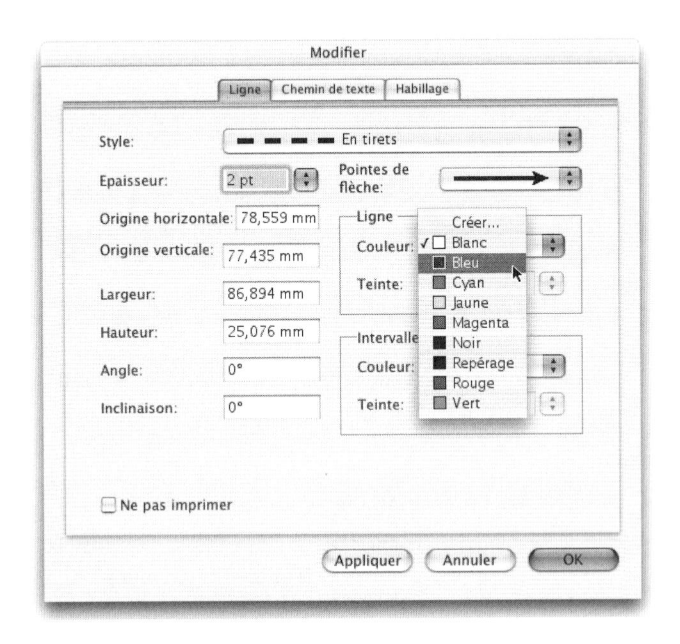

Figure 10.29
Quels que soient son style, son épaisseur et ses extrémités, un tracé est invisible si sa couleur est Néant.

a
attention

La couleur du chemin de texte et celle du texte qu'il porte sont totalement indépendantes. Pour modifier la couleur d'un texte sélectionné, choisissez cette couleur dans le sous-menu ***Couleur*** *du menu* ***Style****.*

Sélectionnez le chemin avec l'outil Déplacement afin de pouvoir modifier son épaisseur, son style et ses extrémités depuis la palette des spécifications (voir Figure 10.30).

astuce

Le style de trait étant défini par un menu local (voir Figure 10.30), des styles personnalisés peuvent être ajoutés à ce menu. Définissez-les à l'aide de la zone de dialogue accessible avec l'article ***Tirets et rayures*** *du menu* ***Edition****.*

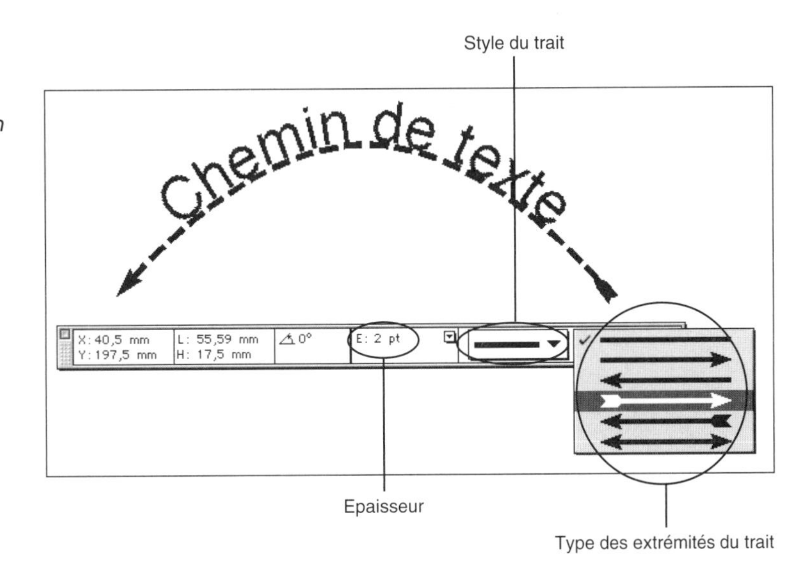

Figure 10.30
La modification de l'aspect du trait d'un chemin de texte depuis la palette des spécifications.

Par défaut, les chemins de texte ne sont pas habillés par le texte en arrière-plan (mode d'habillage Néant par défaut). Bien entendu, vous pouvez activer l'habillage en sélectionnant un mode d'habillage dans l'onglet **Habillage** de la zone de dialogue accessible depuis l'article **Modifier** du menu **Bloc**.

Pour activer l'habillage d'un chemin de texte par un bloc de texte situé derrière lui :

1. Avec l'outil Déplacement, sélectionnez le chemin de texte à habiller.
2. Activez l'article **Modifier** du menu **Bloc**.
3. Cliquez sur l'onglet **Habillage** puis choisissez **Bloc** dans le menu local **Type**. La valeur saisie dans **Réserve ext.** est l'espace laissé libre de chaque côté du tracé, indépendamment du texte porté par le chemin (voir Figure 10.31).

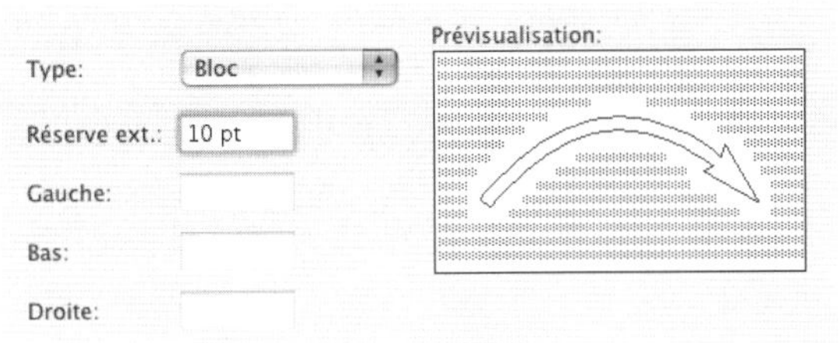

Type: Bloc
Réserve ext.: 10 pt
Gauche:
Bas:
Droite:
Prévisualisation:

Figure 10.31
L'activation de l'habillage en mode Bloc.

A la Figure 10.32, l'habillage en mode **Bloc** est activé… mais n'est pas très convaincant !

Figure 10.32

Ici, le texte n'habille qu'un seul côté du bloc.

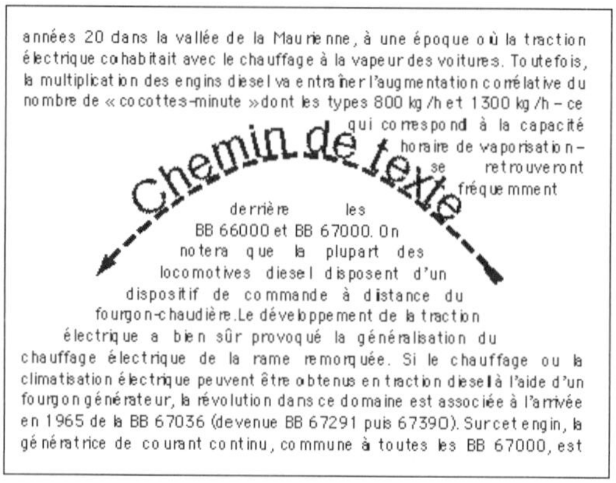

années 20 dans la vallée de la Maurienne, à une époque où la traction électrique cohabitait avec le chauffage à la vapeur des voitures. Toutefois, la multiplication des engins diesel va entraîner l'augmentation corrélative du nombre de « cocottes-minute » dont les types 800 kg /h et 1300 kg /h – ce qui correspond à la capacité horaire de vaporisation – se retrouveront fréquemment derrière les BB 66000 et BB 67000. On notera que la plupart des locomotives diesel disposent d'un dispositif de commande à distance du fourgon-chaudière. Le développement de la traction électrique a bien sûr provoqué la généralisation du chauffage électrique de la rame remorquée. Si le chauffage ou la climatisation électrique peuvent être obtenus en traction diesel à l'aide d'un fourgon générateur, la révolution dans ce domaine est associée à l'arrivée en 1965 de la BB 67036 (devenue BB 67291 puis 67390). Sur cet engin, la génératrice de courant continu, commune à toutes les BB 67000, est

Chemin de texte

Pour l'améliorer :

1. Cliquez sur le bloc de texte en arrière-plan.
2. Sélectionnez **Modifier** dans le menu **Bloc**.
3. Cliquez sur l'onglet **Texte**, puis cochez la case **Habiller chaque côté du texte**.
4. Sélectionnez ensuite le chemin de texte avec l'outil Déplacement.
5. Activez l'article **Modifier** du menu **Bloc**.
6. Cliquez sur l'onglet **Chemin de texte**.
7. Si le trait du chemin a pour couleur Néant, sélectionnez l'article **Centre** du menu local **Aligner Texte**.
8. Cliquez sur l'onglet **Habillage** et sélectionnez **Bloc** dans le menu local **Type**. Introduisez une valeur de réserve en rapport avec la typographie du chemin.

On obtient ainsi un habillage du chemin de texte semblable à celui illustré à la Figure 10.33.

Figure 10.33

L'habillage des deux côtés a été activé.

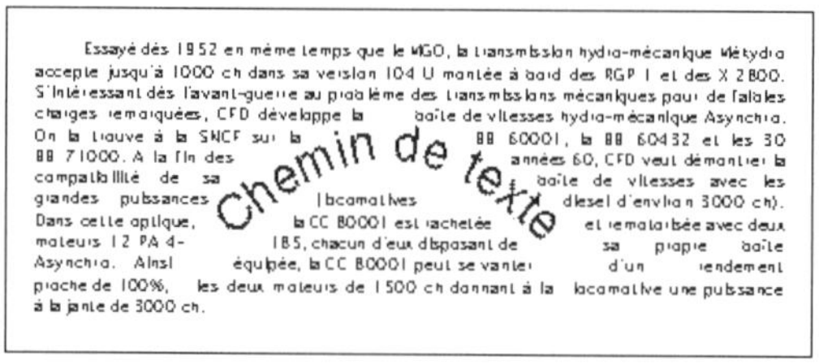

Essayé dès 1952 en même temps que le MGO, la transmission hydro-mécanique Mekydro accepte jusqu'à 1000 ch dans sa version 104 U montée à bord des RGP 1 et des X 2800. S'intéressant dès l'avant-guerre au problème des transmissions mécaniques pour de faibles charges remorquées, CFD développe la boîte de vitesses hydro-mécanique Asynchro. On la trouve à la SNCF sur la BB 60001, la BB 60432 et les 30 BB 71000. A la fin des années 60, CFD veut démontrer la compatibilité de sa boîte de vitesses avec les grandes puissances locomotives diesel d'environ 3000 ch). Dans cette optique, la CC 80001 est rachetée et remotorisée avec deux moteurs 12 PA 4-185, chacun d'eux disposant de sa propre boîte Asynchro. Ainsi équipée, la CC 80001 peut se vanter d'un rendement proche de 100%, les deux moteurs de 1500 ch donnant à la locomotive une puissance à la jante de 3000 ch.

Chemin de texte

CHAPITRE 11

Les blocs images

Au sommaire de ce chapitre

- Créer et importer
- Attributs d'un bloc image
- Couleur, trame, négatif et contraste
- Habillage
- Fusion de blocs
- Conversion d'un texte en bloc image

Une image ne se promène pas seule sur une page. Elle est incorporée à un élément de page de type bloc image. De tels blocs ont été vus dès le Chapitre 2 et leurs caractéristiques communes à l'ensemble des blocs ont été présentées au Chapitre 9. Nous allons donc maintenant nous intéresser à leurs spécificités.

Créer et importer

Rappels

On distingue deux grandes catégories d'images :

- les images vectorielles ;
- les images en mode point (ou bitmap).

Les premières sont indépendantes de la résolution alors que les secondes se fondent en fait sur une grille de points. Ces derniers sont appelés pixels (acronyme de *picture elements*).

La définition d'une image correspond au nombre de points qui la composent, par exemple 800 pixels en largeur et 600 en hauteur. La résolution traduit, quant à elle, la précision de l'image affichée ou imprimée en mettant en relation un nombre de pixels et une longueur. On aura par exemple une résolution de 600 ppp (600 dpi) avec 600 pixels par pouce. Une image composée de 1 200 pixels en largeur et de 2 400 pixels en hauteur mesure 5,08 cm de largeur sur 10,16 cm de hauteur si elle est imprimée en 600 ppp (sachant que 1 pouce égale 2,54 cm).

Une image, qu'elle soit vectorielle ou en mode point, est codée selon une convention nommée format. Voici les formats d'images les plus courants :

- **EPS** (*Encapsuled PostScript*). Format vectoriel très répandu.
- **TIFF** (*Taggued Image File Format*). Format bitmap courant et parfois associé à l'algorithme de compression LZW.
- **JPEG** (*Joint Photographic Expert Group*). Format bitmap à compression destructrice très utilisé sur le Web, mais inadapté à l'enregistrement de versions successives d'une même image en cours de travail.

EPS et TIFF comptent parmi les formats graphiques reconnus par XPress. Des images codées à l'aide de ces formats pourront donc être facilement importées dans un document XPress, puis manipulées dans celui-ci.

Créer un bloc image

Nous avons vu aux Chapitres 3 et 9 comment manipuler les différents outils. Nous nous contenterons donc ici de passer rapidement en revue les outils (voir Figure 11.1) dédiés à la création de blocs images dont les différentes formes sont illustrées à la Figure 11.2. La Figure 11.3 présente un exemple de mise en page mêlant texte et image.

Figure 11.1
Les outils de création de blocs images.

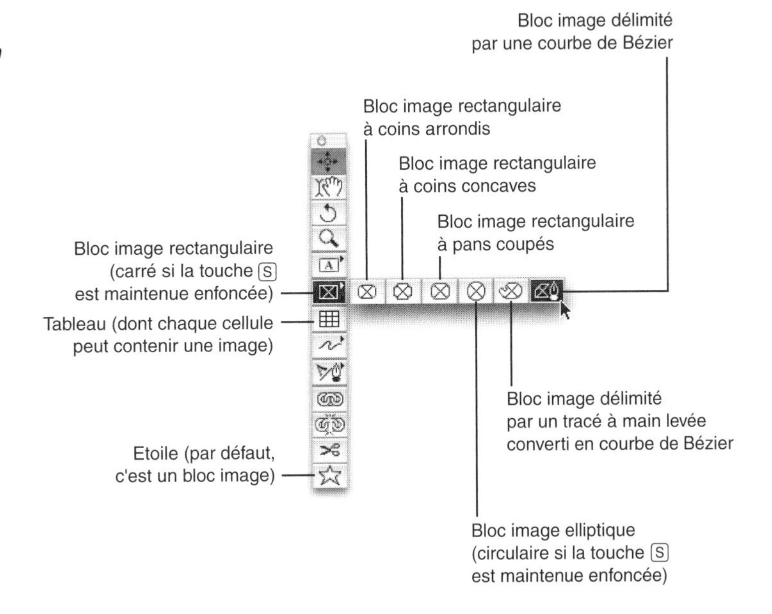

Figure 11.2
Les différentes formes de bloc image.

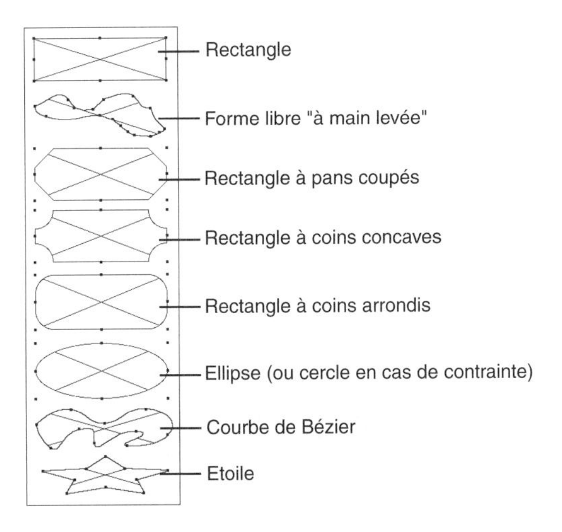

Rappelons que la nature du contenu d'un bloc (texte, image ou néant) est déterminée – pour le bloc sélectionné – en choisissant un article du sous-menu ***Contenu*** *du menu* ***Bloc****. Bien entendu, les outils chargés de mettre en place des blocs images créent de tels blocs, mais rien n'empêche de convertir la nature de leur contenu grâce au sous-menu* ***Contenu****.*

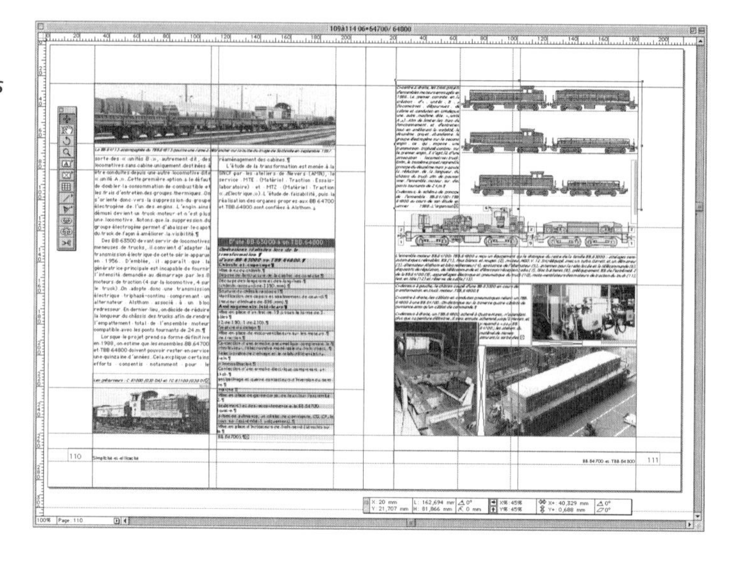

Figure 11.3
Une double page intérieure d'un livre mis en page avec XPress. On y distingue l'emploi de blocs de texte et de blocs images.

Sélectionner un bloc image

Un bloc image étant créé à l'aide de l'un des outils dédiés à cette tâche (voir Figure 11.1), les outils Déplacement et Modification permettent tous les deux de sélectionner un bloc image, mais à des fins différentes :

- L'outil Déplacement est utilisé pour déplacer le bloc image (voir Figure 11.4).

Figure 11.4
L'outil Déplacement permet de faire glisser le bloc.

- L'outil Modification permet de faire glisser l'image à l'intérieur de son bloc (voir Figure 11.5).

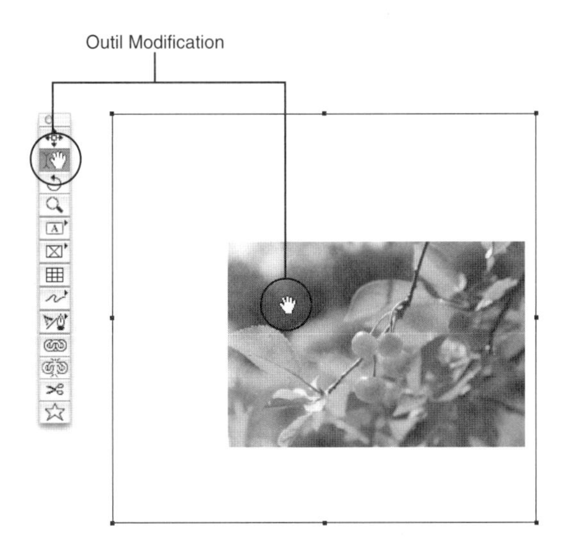

Figure 11.5
L'outil Modification sert à faire glisser l'image dans son bloc.

Les deux outils permettent de faire glisser les poignées du bloc afin de modifier ses dimensions.

Importer une image

Un bloc image étant créé, vous pouvez y importer une image :

1. Cliquez sur l'outil Modification (voir Figure 11.5). L'outil Déplacement est aussi utilisable, sauf pour les blocs intégrés à des groupes.
2. Cliquez sur le bloc image chargé de recevoir l'image importée. Si le bloc n'est pas vide, l'image qu'il contient sera remplacée par l'image importée (écrasement de l'ancienne image par la nouvelle). Sélectionné, le bloc s'entoure de ses poignées.
3. Sélectionnez l'article **Importer image** du menu **Fichier**.
4. Une zone de dialogue de catalogue s'étant ouverte, sélectionnez l'image à importer (le nom de son fichier est contrasté par un clic) puis cliquez sur **Ouvrir** (voir Figure 11.6).
5. Une fois l'image en place (voir Figure 11.7), vous pourrez la faire glisser dans son bloc, modifier ses échelles horizontale et verticale depuis la palette des spécifications, etc.

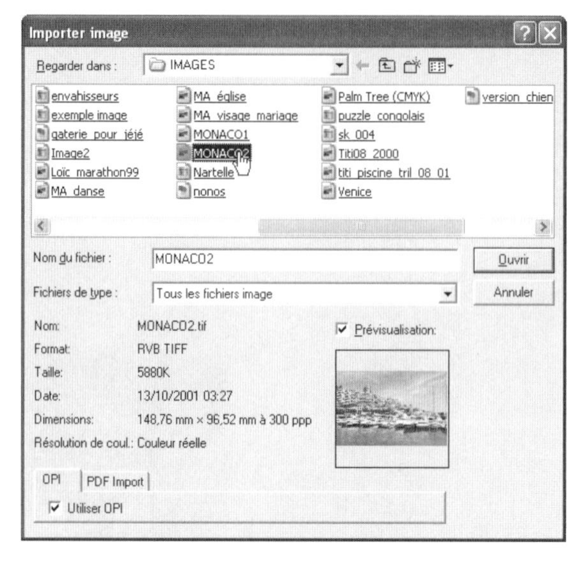

Figure 11.6

Cette zone de dialogue permet la sélection de l'image importée. Remarquez la prévisualisation et les informations relatives à l'image sélectionnée.

Figure 11.7

Par défaut, l'image importée a les dimensions définies par son fichier. Il sera ensuite possible de faire varier les échelles verticale et horizontale. Cela aura pour effet une variation corrélative des résolutions verticale et horizontale.

Même les images numérisées et retouchées dans les meilleures conditions pourront vous sembler de piètre qualité une fois importées. Afin de ne pas afficher des pages contenant des éléments trop "lourds", XPress n'affiche qu'une image dite "de placement" ou "de prévisualisation". Cette image est en basse résolution (effet granuleux) et ses couleurs sont souvent faussées. Tout cela est normal, la qualité optimale étant rétablie lors de l'impression. Néanmoins, à partir de XPress 6, il est possible d'obtenir des prévisualisations de bonne qualité appelées, à tort, "pleine résolution".

XPress n'intégrant dans ses documents que des prévisualisations d'images importées, le logiciel aura donc besoin, lors de l'impression, du fichier graphique importé et ce afin d'obtenir la meilleure image possible. Il est donc vivement conseillé de placer les fichiers graphiques (images) utilisés par un document XPress dans le même dossier que le document XPress concerné. On évite ainsi les problèmes de fichiers rendus introuvables en raison d'un chemin d'accès modifié.

Outre l'importation d'images qui se contente en fait d'établir un lien entre le document XPress et un fichier graphique, vous avez la possibilité de coller dans un bloc image une image copiée dans la fenêtre d'une application graphique telle que Photoshop. De la sorte, on évite l'établissement d'un lien avec un fichier graphique.

Si deux blocs images du même document doivent recevoir la même image, il n'est pas nécessaire d'importer deux fois celle-ci :

1. L'image étant importée dans le premier bloc, cliquez sur l'outil Modification (voir Figure 11.5) s'il n'est pas déjà sélectionné.
2. Sélectionnez l'article **Copier** du menu **Edition**.
3. Cliquez sur le second bloc qui doit alors se munir de poignées.
4. Sélectionnez l'article **Coller** du menu **Edition**.

Ainsi, les deux blocs sont liés au même fichier graphique sans qu'il soit nécessaire d'importer deux fois le fichier graphique qu'ils partagent.

Le copier-coller d'une image entre deux blocs d'un même document évite une seconde importation, mais, surtout, il préserve les réglages appliqués à l'image (échelles horizontale et verticale, etc.) et évite ainsi une nouvelle saisie. C'est appréciable avec les éléments graphiques répétitifs (icônes de balisage du texte, etc.).

Prévisualisation pleine résolution

Afin d'obtenir des prévisualisations de bonne qualité, activez la prévisualisation pleine résolution avec l'article **Afficher prévisualisations pleine résolution** du menu **Affichage**. Pour les blocs images sélectionnés, la prévisualisation pleine résolution est spécifiée avec l'article **Pleine résolution** accessible par le sous-menu **Résolution de prévisualisation** du menu **Bloc**. Cependant, cette commande est inopérante avec les fichiers codés en GIF, PICT et WMF.

Malgré l'affichage "pleine résolution" d'une prévisualisation d'image, celle-ci peut revêtir un aspect granuleux si le taux d'agrandissement (affichage ou échelles horizontale et verticale de l'image dans son bloc) provoque l'affichage de moins d'un pixel d'image sur chaque pixel de l'écran.

Supprimer une image

Pour supprimer l'image placée dans un bloc image et retrouver de la sorte un bloc vierge :

1. Cliquez sur l'outil Modification.
2. Cliquez sur le bloc image à vider de son contenu.
3. Appuyez sur ←Retour Ar. ou sélectionnez l'article **Effacer** du menu **Edition**.

La suppression d'une image ne correspond pas à la suppression du bloc qui la contient. La manipulation que nous venons de décrire n'entraîne la suppression du bloc image (et donc, aussi, celle de son contenu) que si l'outil Déplacement est choisi à la place de l'outil Modification.

Déplacer une image dans son bloc

On déplace un bloc image comme n'importe quel autre bloc : en le faisant glisser à l'aide de l'outil Déplacement. Si vous tentez de faire glisser un bloc avec l'outil Modification (hormis le cas particulier que constitue le maintien des touches Cmd sous Mac OS ou Ctrl sous Windows), ce n'est pas le bloc que vous déplacerez, mais l'image qu'il contient. Vous pouvez donc faire glisser l'image à l'intérieur du bloc à l'aide de l'outil Modification qui, pour l'occasion, prend la forme d'une main, comme à la Figure 11.8.

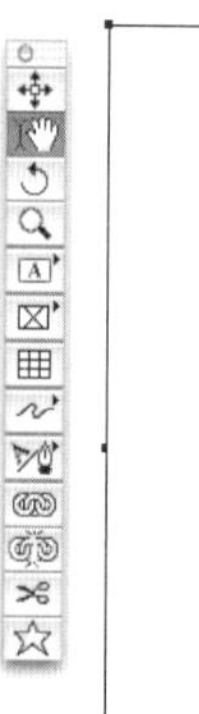

Figure 11.8
L'outil Modification est sélectionné, vous pouvez donc faire glisser l'image dans le bloc sélectionné.

Les quatre touches fléchées de déplacement sont, elles aussi, applicables aux blocs images. Elles permettent :

- le déplacement du bloc si l'outil Déplacement est sélectionné ;
- le déplacement de l'image à l'intérieur du bloc si l'outil Modification est sélectionné.

Deux équivalents clavier utiles :

- Cmd+⇧Maj+M sous Mac OS ou Ctrl+⇧Maj+M sous Windows, centre l'image par rapport aux limites du bloc (voir Figure 11.9).
- Cmd+⇧Maj+Alt+F sous Mac OS ou Ctrl+Alt+⇧Maj+F sous Windows centre l'image et l'adapte aux dimensions du bloc sans la rogner, ni modifier son rapport largeur/hauteur (voir Figure 11.10).

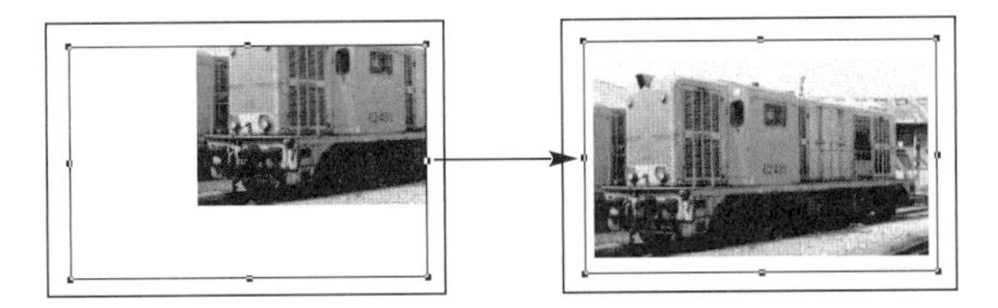

Figure 11.9
Le centrage par rapport aux limites du bloc.

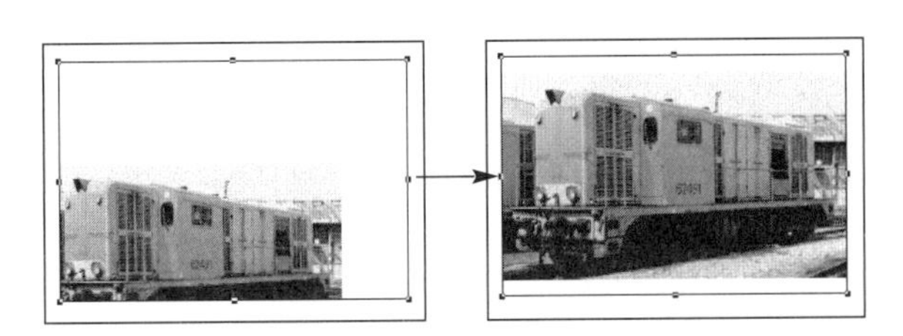

Figure 11.10
Le centrage de l'image et l'adaptation des dimensions du bloc.

Pour ajuster les dimensions du bloc image à celles de l'image, sélectionnez ***Adapter le bloc aux dimensions de l'image*** *dans le menu* ***Style****.*

Attributs d'un bloc image

Nous allons maintenant passer en revue les possibilités offertes par l'onglet **Image** (voir Figure 11.11) de la zone de dialogue accessible au moyen de l'article **Modifier** du menu **Bloc**, déroulé tandis qu'un bloc image est sélectionné. Toutefois, la plupart des cases de saisie de cet onglet ayant un équivalent dans la palette des spécifications (voir Figure 11.12), on emploiera plutôt cette dernière.

Figure 11.11

L'onglet Image apparaît dans la zone de dialogue Modifier si le bloc sélectionné est un bloc image.

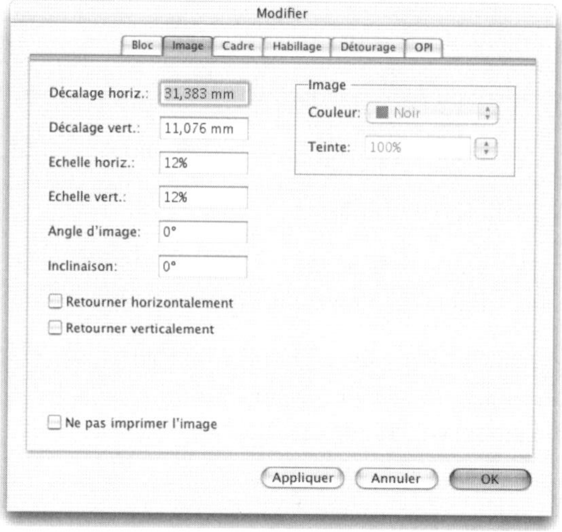

Modifier
Bloc
Image
Cadre
Habillage
Détourage
OPI
Décalage horiz.: 31,383 mm
Décalage vert.: 11,076 mm
Echelle horiz.: 12%
Echelle vert.: 12%
Angle d'image: 0°
Inclinaison: 0°
Retourner horizontalement
Retourner verticalement
Ne pas imprimer l'image
Image
Couleur: Noir
Teinte: 100%
Appliquer
Annuler
OK

Figure 11.12

Le contenu de l'onglet Image est en grande partie reproduit dans la palette des spécifications lorsqu'un bloc image est sélectionné.

X: 190 mm
Y: 45,616 mm
L: 130,377 mr
H: 87,457 mm
0°
0 mm
X%: 12%
Y%: 12%
X+ 31,383 mm
Y+ 11,076 mm
0°
0°

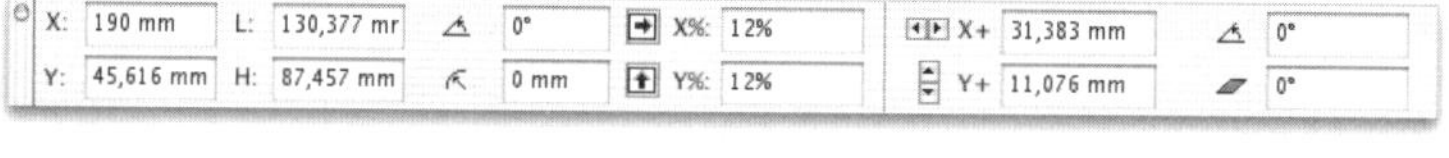

Décalage de l'origine

Le décalage horizontal correspond à la différence entre l'abscisse de l'angle supérieur gauche du bloc et celle de l'angle supérieur gauche de l'image. Le décalage vertical correspond, quant à lui, à la différence entre les ordonnées de ces deux angles supérieurs gauche. Les Figures 11.13 à 11.15 illustrent la mise en œuvre des décalages.

Figure 11.13

Les décalages.

Décalage vertical
Décalage horizontal

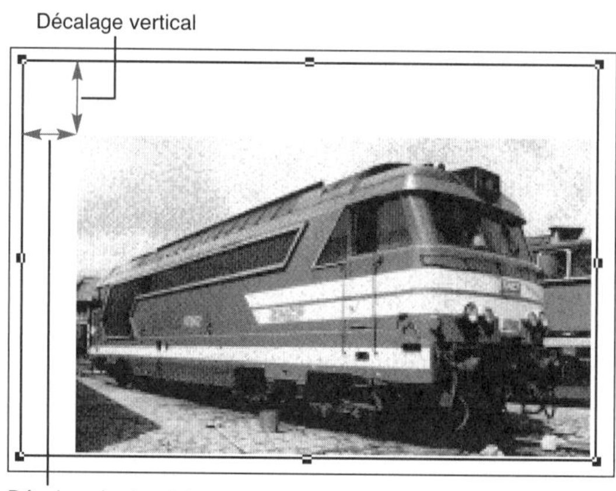

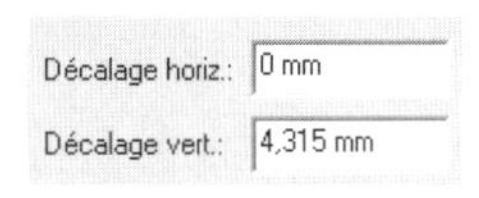

Figure 11.14
Les cases de saisie de l'onglet Image.

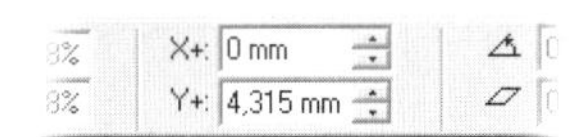

Figure 11.15
Les cases de défilement (flèches) et les cases de saisie de la palette des spécifications.

En faisant glisser l'image à l'intérieur de son bloc, vous modifiez son décalage par rapport à l'origine. Notez que le décalage peut être négatif lorsque les parties supérieure ou latérale droite sont masquées. Avec leurs effets de miroir, les retournements verticaux ou horizontaux de l'image "déplacent" l'angle supérieur gauche original et modifient donc les décalages par rapport à l'origine.

Echelles verticale et horizontale

Les dimensions d'une image – ainsi que sa résolution pour une image bitmap – sont définies à l'aide du logiciel utilisé pour créer l'image. Ces dimensions correspondent à des échelles horizontale (X %) et verticale (Y %) égales à 100 %. L'utilisateur a la possibilité de faire varier l'échelle horizontale (et donc la résolution horizontale) ainsi que l'échelle verticale (et donc la résolution verticale) entre 10 % et 1 000 %. L'échelle verticale pouvant être différente de l'échelle horizontale, on peut obtenir des déformations des proportions de l'image. En pratique, les échelles verticale et horizontale sont utilisées pour ajuster les dimensions de l'image à celles du bloc (voir Figures 11.16 à 11.19).

Figure 11.16
Ici, l'image a ses dimensions réelles (X % = Y % = 100 %).

Figure 11.17

Les dimensions du bloc étant toujours les mêmes, l'image est maintenant réduite à 70 % de sa taille réelle (X % = Y % = 70 %).

Figure 11.18

La déformation peut ne pas préserver les proportions. C'est le cas si X % est différent de Y %.

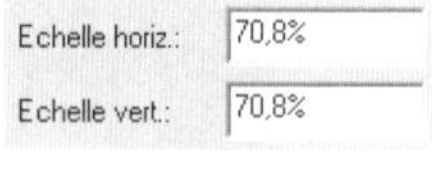

Echelle horiz.: 70,8%
Echelle vert.: 70,8%

Figure 11.19

Les cases de saisie de l'onglet Image.

Angle et inclinaison

Vous pouvez définir un angle de rotation et un angle d'inclinaison pour un bloc depuis l'onglet **Bloc** de la zone de dialogue accessible par l'article **Modifier** du menu **Bloc**. De même, vous pouvez définir ces mêmes angles pour l'image placée dans un bloc (voir Figures 11.20 à 11.24).

Figure 11.20

Par défaut, l'angle de l'image et son inclinaison valent 0°.

Figure 11.21

L'angle de rotation vaut ici 10° (sens antihoraire).

Figure 11.22

L'inclinaison vaut ici 10° (angle entre la verticale et l'axe initialement vertical de l'image).

Retournement de l'image

L'image peut faire l'objet d'une symétrie axiale avec un axe vertical (retournement horizontal) ou horizontal (retournement vertical). Ces deux types de retournement peuvent être cumulés comme le montrent les Figures 11.25 à 11.29.

Figure 11.23
L'angle de l'image et son inclinaison peuvent être cumulés.

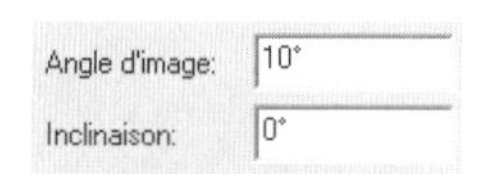

Figure 11.24
Les cases de saisie de l'onglet Image.

Figure 11.25
Par défaut, l'image ne fait l'objet d'aucun retournement (les deux petites icônes ne sont pas contrastées).

Figure 11.26
Le retournement horizontal.

Figure 11.27
Le retournement vertical.

Figure 11.28
Les retournements horizontal et vertical.

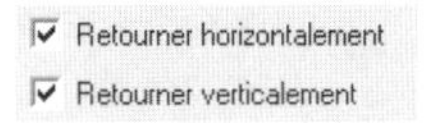

Figure 11.29
Les cases d'option de l'onglet Image.

Interdire l'impression

Vous pouvez interdire l'impression d'une image. Pour cela, cliquez avec l'outil Modification sur le bloc qui la contient, ouvrez l'onglet **Image** de la zone de dialogue accessible depuis l'article **Modifier** du menu **Bloc** et cochez la case d'option **Ne pas imprimer l'image**. Cette possibilité est particulièrement utile lors de la mise au point d'un document puisqu'elle permet de ne pas ralentir l'impression avec le traitement d'une illustration "lourde".

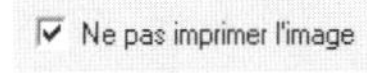

Figure 11.30
Lorsque cette case est cochée, l'image n'est pas imprimée.

Couleur, trame, négatif et contraste

Les fonctions de XPress relatives à la couleur de l'image, à la teinte, au contraste, à la trame et à la conversion en négatif (voir Figure 11.31) ne sont accessibles qu'avec certains formats d'image :

- L'affectation d'une couleur à l'image est possible avec les formats Paint (dessin au trait), TIFF (dessin au trait, demi-tons) et PICT2 (dessin au trait).
- Le contrôle de la teinte est possible avec les formats Paint (dessin au trait), TIFF (dessin au trait) et PICT2 (dessin au trait).
- L'obtention d'un négatif est possible avec les formats TIFF (dessin au trait, demi-tons, couleurs) et PICT2 (demi-tons, couleurs).
- Le contrôle du contraste est possible avec les formats TIFF (demi-tons, couleurs) et PICT2 (demi-tons, couleurs).
- Le contrôle de la trame (demi-teintes) est possible avec les formats Paint (dessin au trait), TIFF (trait, demi-tons).

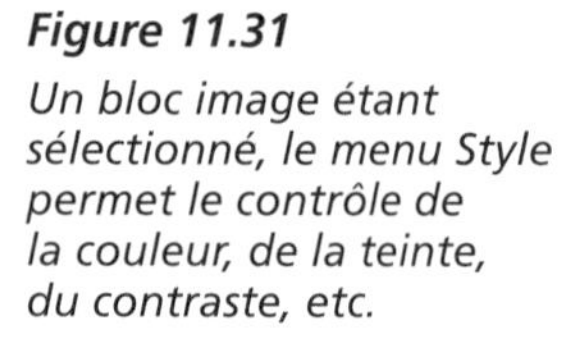

Figure 11.31
Un bloc image étant sélectionné, le menu Style permet le contrôle de la couleur, de la teinte, du contraste, etc.

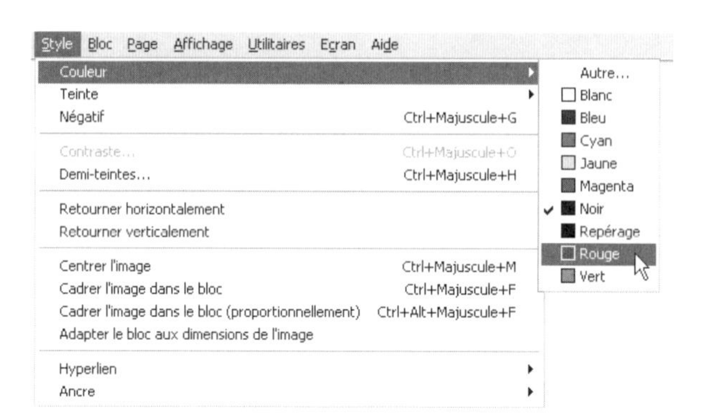

XPress autorise l'affectation d'une couleur et d'une teinte à un dessin au trait. Celui-ci s'affichera et s'imprimera depuis XPress avec sa nouvelle nuance, mais son fichier d'origine restera inchangé (dans certains cas – format Paint notamment –, le format d'origine n'autorise pas la précision d'une couleur).

La Figure 11.32 présente une image "bitmap" au sens auquel l'entend Photoshop. Il s'agit donc d'une image 1 bit/pixel composée exclusivement de noir et de blanc. Importée dans un bloc image de XPress, cette image peut y être colorée :

- Les parties noires sont colorées par les sous-menus **Couleur** et **Teinte** du menu **Style**.

Figure 11.32

Cette image bitmap a été colorée dans Photoshop.

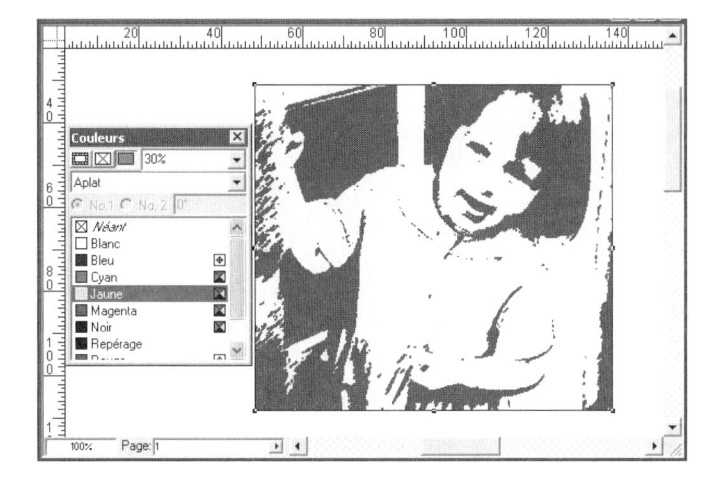

- Les parties blanches sont colorées avec la palette **Couleurs** (affichée après activation de **Afficher les couleurs** dans le menu **Ecran**). Cette palette permet également d'ajuster la teinte depuis son menu local, voire de convertir l'aplat en dégradé.

La définition des couleurs personnalisées est décrite au Chapitre 16. Ces nouvelles couleurs ne demandent qu'à être ajoutées à votre palette.

*La commande **Négatif** (voir Figure 11.33) se charge d'inverser les contrastes. Elle ne modifie en aucun cas le fichier graphique importé, mais assure sa restitution sous forme de négatif lors de l'affichage et de l'impression du document.*

Figure 11.33

Ici, la commande Négatif est appliquée à une image TIFF en millions de couleurs.

Le contraste d'une image traduisant pour celle-ci la proportion de tons clairs, de tons moyens et de tons foncés, vous pouvez modifier le contraste pour certains formats d'image. Un bloc image étant sélectionné, l'article **Contraste** du menu **Style** ouvre une zone de dialogue (voir Figure 11.34) qui permet autant l'application de l'un des types de contraste prédéfinis que la création d'un contraste personnalisé.

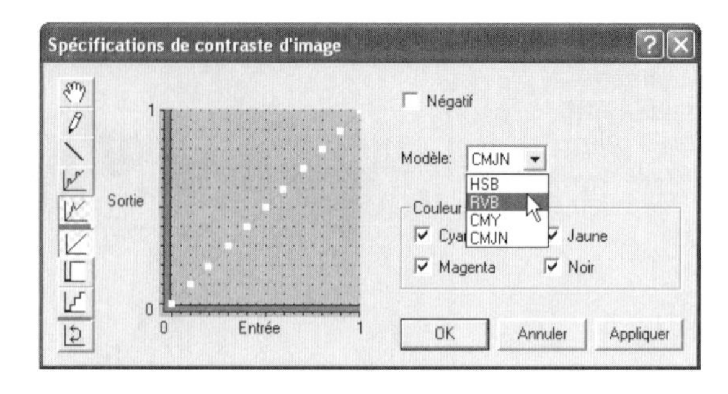

Figure 11.34

Le menu local Modèle détermine le modèle colorimétrique. Les cases d'option Couleur permettent de limiter la gestion du contraste à certaines composantes du modèle choisi.

La zone de dialogue **Spécifications de contraste** d'image dispose d'une palette d'outils (voir Figure 11.35) qui permettent de modifier la courbe **Entrée/Sortie** :

- **Main.** Utilisée pour déplacer la courbe tout en conservant un angle de 45°.
- **Crayon.** Utilisé pour tracer à main levée une courbe de contraste.
- **Trait.** Utilisé pour remplacer la courbe par une ligne brisée.
- **Postérisation.** Met en place des poignées sur la courbe ; on déploie des colonnes (histogrammes) en faisant glisser ces poignées.
- **Crête.** Met en place des poignées sur la courbe ; on déploie des crêtes en faisant glisser ces poignées.
- **Normal.** Trace la courbe par défaut.
- **Contrasté.** Transforme en blanc le gris inférieur à 30 % de noir et en noir le gris supérieur.
- **Postérisé.** Crée un histogramme à six paliers.
- **Inverse.** Retourne la courbe courante.

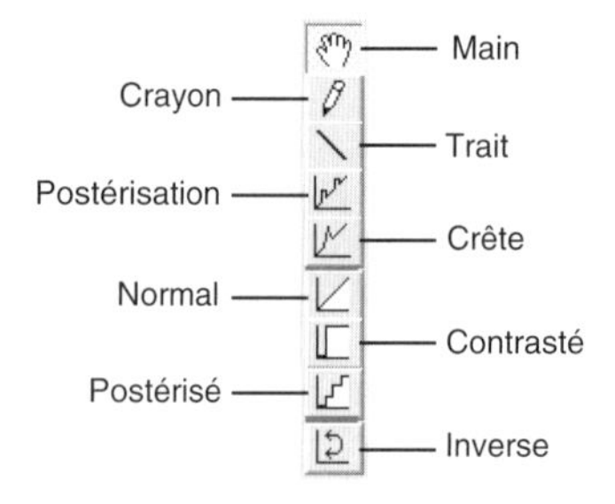

Figure 11.35

La palette d'outils de la zone de dialogue Spécifications de contraste d'image.

La Figure 11.36 présente quatre modes de contraste proposés par la zone de dialogue Spécifications de contraste de l'image.

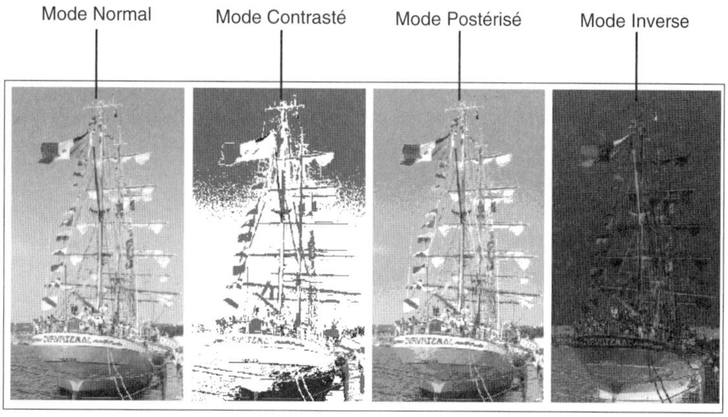

Figure 11.36

Les quatre exemples de modes de contraste.

Pour certains formats de fichiers graphiques, XPress vous permet de définir la trame (demi-teintes). La zone de dialogue **Demi-teintes** (voir Figure 11.37), accessible à l'aide de l'article du même nom dans le menu **Style**, permet d'ajuster :

- la linéature, autrement dit le nombre de lignes imprimées par pouce (1 lpp = 1 ligne par pouce) ;
- l'angle de la trame, c'est-à-dire l'inclinaison des lignes de trame ;
- la fonction qui correspond aux motifs constituant la trame.

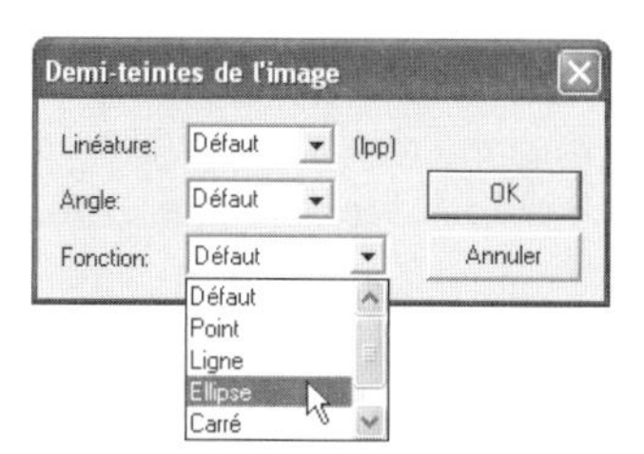

Figure 11.37

La zone de dialogue Demi-teintes ajuste la linéature, l'angle et le motif de trame.

Habillage

Un bloc – qu'il contienne une image ou du texte – est susceptible d'être "habillé" par le texte placé dans un bloc en arrière-plan. Le contrôle de l'habillage s'effectue à deux niveaux :

- Après avoir sélectionné avec l'outil Modification le bloc à habiller, l'onglet **Habillage** (voir Figure 11.38) est accessible par l'article **Habillage** du menu **Bloc** et permet de choisir le type d'habillage.

- Après avoir sélectionné avec l'outil Modification le bloc de texte dont le contenu se charge de l'habillage, la case d'option **Habiller chaque côté de texte** de l'onglet **Texte** de la zone de dialogue **Modifier** active la répartition du texte de chaque côté du bloc habillé, et pas seulement sur le plus large côté laissé libre.

Retenez que l'habillage fait intervenir un premier bloc de type quelconque situé vers le premier plan et un second bloc – impérativement un bloc de texte ! – situé, par rapport au premier, vers l'arrière-plan.

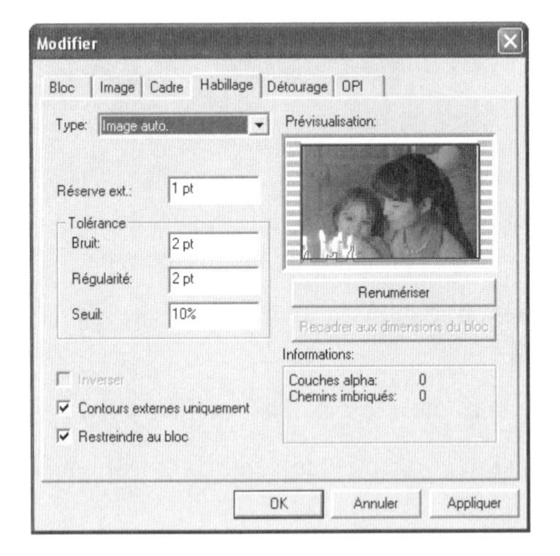

Figure 11.38

Pour accéder à cet onglet qui contrôle l'habillage, cliquez sur le bloc à habiller avec l'outil Modification, puis sélectionnez Habillage dans le menu Bloc.

*Après l'organisation d'un habillage, le contour habillé peut être modifié en sélectionnant **Habillage** dans le sous-menu **Editer** du menu **Bloc**.*

Absence d'habillage

En sélectionnant **Néant** dans le menu local **Type** de l'onglet **Habillage** (voir Figure 11.38), on autorise le texte à rester "sous" les blocs placés sur des plans supérieurs (vers le premier plan). A la Figure 11.39, le texte passe sous l'image et est donc masqué par celui-ci.

Habillage par blocs

Par défaut, l'habillage s'effectue "par blocs" ; autrement dit, le texte respecte le contour des blocs situés vers le premier plan. Ce type d'habillage peut être imposé en sélectionnant l'article **Bloc** du menu local **Type** (voir Figures 11.40 et 11.41). Il vous permet de contrôler les retraits (marges laissées libres) sur les côtés du bloc habillé. Par défaut, ces retraits valent 1 point.

Figure 11.39

L'image n'est pas habillée. Le texte passe "dessous".

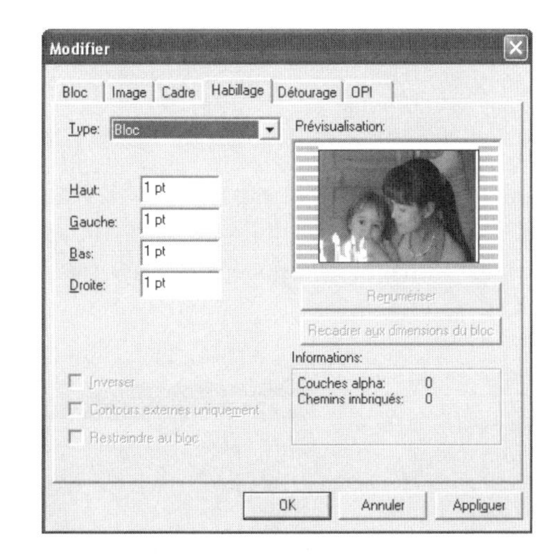

Figure 11.40

Le type Bloc étant choisi, quatre cases de saisie définissent les différents retraits latéraux.

Figure 11.41

Ici, la case Habiller chaque côté de texte n'a pas été cochée sur l'onglet Texte de la zone de dialogue Modifier ouverte après sélection du bloc de texte. Si tel avait été le cas, le texte aurait pris place sur les deux côtés de l'image, et pas seulement sur le côté le plus large.

Limites de l'image

Sur l'onglet **Habillage**, l'article **Limites de l'image** du menu **Type** offre la possibilité de respecter les limites de l'image et non celles du bloc. Notez qu'il s'agit bien sûr des limites de l'image compte tenu des échelles horizontale et verticale choisies pour l'image.

L'intérêt de ce type d'habillage réside dans le respect des dimensions de l'image sans imposer l'affichage complet de celle-ci puisque l'affichage de l'image reste limité au bloc image. Par ailleurs, on obtient un contour d'habillage rectangulaire indépendant du bloc image (le texte peut pénétrer dans le bloc image s'il est plus grand que l'image ou, au contraire, être tenu largement en retrait). Ici encore, quatre retraits sont ajustables.

La case d'option **Restreindre au bloc** limite le contour d'habillage aux bordures du bloc, mais ne lui interdit pas d'être largement plus petit que le bloc image.

Image auto

La fonction de détourage automatique est activée très simplement en sélectionnant l'article **Image auto.** du menu **Type**. La tolérance (relation entre le contour d'habillage et le contour détecté pour l'image) est ajustée au moyen de trois cases de saisie (voir Figures 11.42 et 11.43).

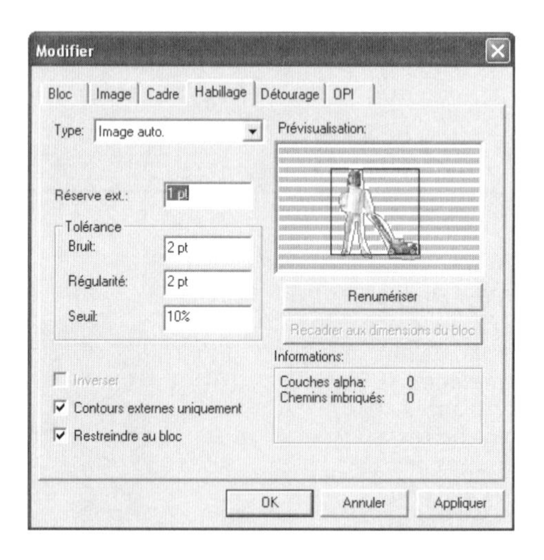

Figure 11.42

En ne cochant pas Restreindre au bloc, on obtient une image débordant de son bloc, si elle est plus grande que ce dernier.

En ne cochant pas la case d'option **Restreindre au bloc**, on s'affranchit de celui-ci et on peut générer un contour d'habillage débordant du bloc et autorisant l'affichage de l'image hors de son bloc. En ne cochant pas la case d'option **Contours externes uniquement**, on autorise l'organisation de contours d'habillage intérieurs à l'image (parties "creuses" de l'image).

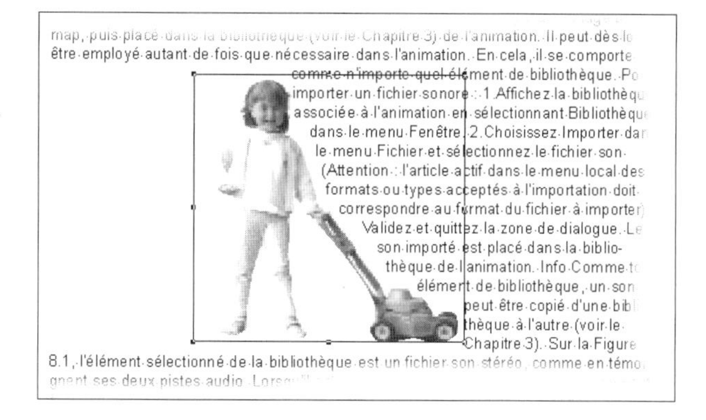

Figure 11.43

Ici, l'option Habiller chaque côté de texte n'a pas été activée pour le bloc de texte.

Figure 11.44

Un tel habillage est obtenu avec le type Image auto. en ne cochant pas la case d'option Contours externes uniquement et en activant pour le bloc de texte l'alignement justifié et la case d'option Habiller chaque côté de texte. L'option Restreindre au bloc n'est pas cochée et donc l'image sort des limites de son bloc.

Le type de détourage ***Image auto.*** *opère un détourage qui ignore les parties les plus claires. Le niveau de clarté à partir duquel l'image est rognée est défini par la case de saisie* ***Seuil****.*

Zones non blanches

Le type **Zones non blanches** est une prolongation du type **Image auto.** auquel il ajoute notamment la possibilité d'inverser les contours d'habillage au moyen de la case d'option **Inverser**. Ainsi, lorsque le dessin habillé a un trait assez épais, on peut placer le texte sur les traits du dessin, d'où un intéressant effet de réserve. Pour cela, il faut également cocher la case **Habiller chaque côté de texte** après avoir sélectionné le bloc de texte chargé de l'habillage.

Détourage

L'habillage permet à un texte placé à l'arrière-plan d'épouser les contours d'un bloc ou de l'image qu'il contient. Le détourage vise, pour sa part, à rendre transparentes certaines parties de l'image contenue dans un bloc, le but étant de laisser apparaître l'arrière-plan d'un bloc.

L'habillage permet à un texte en arrière-plan d'épouser les contours d'une image. De même, il peut être intéressant de contrôler la superposition de deux images à l'aide de la fonction de détourage, qui présente de notables similitudes avec la fonction d'habillage. Bien qu'elles soient très proches, les fonctions d'habillage et de détourage peuvent être antagonistes. Choisissez donc le type d'habillage **Néant** afin d'avoir les mains libres pour procéder au détourage :

1. Sélectionnez un bloc image avec l'outil Modification.
2. Sélectionnez l'article **Habillage** du menu **Bloc** et activez **Néant** dans le menu **Type**.
3. Cliquez sur l'onglet **Détourage**.

Il existe cinq modes de détourage (voir Figure 11.45) à activer dans le menu local **Type** de l'onglet **Détourage** :

- **Bloc.** Mode par défaut. Il s'agit en fait d'une absence de détourage (voir Figure 11.46).
- **Zones non blanches.** Elimine la frange blanche autour de la partie utile de l'illustration. Il s'agit du mode de détourage le plus utilisé (voir Figure 11.47).

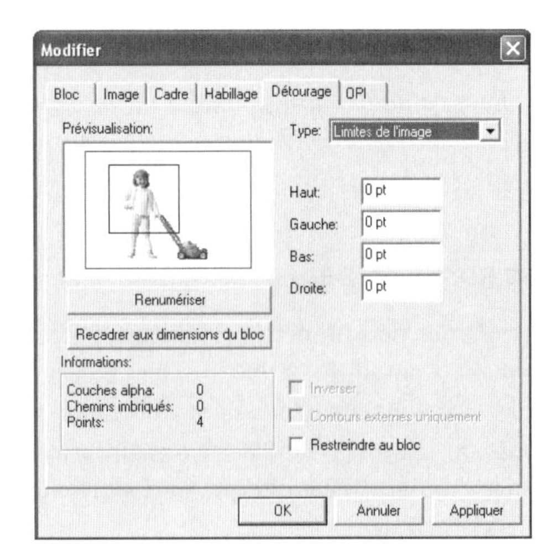

Figure 11.45

Le menu local Type détermine le mode de détourage. La case de saisie Réserve ext., la zone Tolérance et les cases d'option Inverser, Contours externes uniquement et Restreindre au bloc sont équivalentes à leurs homologues de l'onglet Habillage.

Figure 11.46

Choisi par défaut, le mode de détourage Bloc correspond en fait à l'absence de détourage. Notez que l'absence d'habillage fait passer le texte "sous" l'image.

Figure 11.47

Par défaut, le détourage en mode Zone non blanche ne traite que les contours externes (remarquez la zone blanche créée par la rambarde).

- **Limite de l'image.** Etend le recouvrement à la taille réelle de l'image indépendamment des dimensions du bloc.
- **Chemin imbriqué** et **Couche alpha.** Ne sont disponibles que pour certains types d'images propices à la définition de chemins imbriqués ou comprenant des couches alpha.

*En ne cochant pas la case **Contours externes uniquement**, on autorise le détourage des zones blanches intérieures (remarquez les rambardes).*

Un détourage étant défini, pourquoi ne pas l'exploiter pour habiller un texte partiellement recouvert par l'image ? Le bloc image à habiller étant sélectionné, ouvrez l'onglet **Habillage** (menu **Bloc**, article **Habillage**). Sélectionnez l'article ***Idem* détourage** du menu **Type** et validez en cliquant sur **OK** (voir Figure 11.48).

Figure 11.48

L'image ayant un fond blanc, elle a été détourée par XPress. Le bloc image d'arrière-plan est donc visible à travers les anciennes zones blanches du bloc image détouré. Par ailleurs, l'habillage par le texte se fonde sur le chemin de détourage.

Après l'organisation d'un détourage, le contour de détourage peut être modifié en sélectionnant ***Chemin de détourage*** *dans le sous-menu* ***Editer*** *du menu* ***Bloc****.*

Fusion de blocs

Les fonctions de fusion des blocs sont accessibles lorsqu'au moins deux blocs sont sélectionnés. Rappelons qu'il faut maintenir la touche [⇧Maj] enfoncée et cliquer avec l'outil Déplacement pour sélectionner simultanément plusieurs blocs. Les fonctions de fusion sont ensuite accessibles à travers le sous-menu **Fusionner** du menu **Bloc**.

Tous les articles du sous-menu **Fusionner** s'appliquent à une sélection comprenant au moins deux blocs et créent un nouveau bloc, ce dernier pouvant contenir plusieurs parties isolées. Remarquez que les fonctions de fusion sont également relatives aux filets, aux courbes de Bézier et aux blocs de texte, mais pas aux tableaux. Dans le cas des blocs de texte, une union ne doit pas être confondue avec un chaînage.

Les blocs créés par les fonctions du sous-menu **Fusionner** sont délimités par des courbes de Bézier. Vous pouvez donc éditer leurs points d'ancrage (sommets de lignes brisées ou points d'inflexion à lignes directrices mobiles).

Intersection

La fonction **Intersection** crée un nouveau bloc correspondant aux parties recouvertes du bloc d'arrière-plan (voir Figure 11.49). Pour créer une intersection :

1. Sélectionnez les blocs concernés à l'aide de l'outil Déplacement tout en maintenant la touche [⇧Maj] enfoncée.
2. Déroulez le menu **Bloc**, puis son sous-menu **Fusionner** avant de sélectionner l'article **Intersection**.

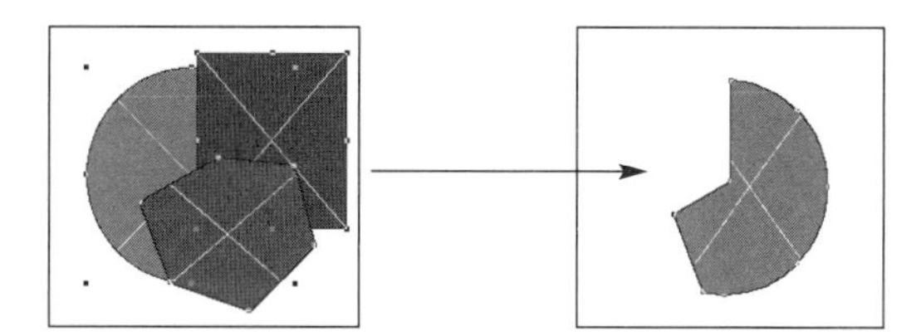

Figure 11.49
L'intersection de trois blocs.

Union

La fonction **Union** crée un nouveau bloc correspondant à la réunion des blocs sélectionnés (voir Figure 11.50). Pour créer une union :

1. Sélectionnez les blocs concernés à l'aide de l'outil Déplacement tout en maintenant la touche [⇧Maj] enfoncée.
2. Déroulez le menu **Bloc**, puis son sous-menu **Fusionner** avant de sélectionner l'article **Union**.

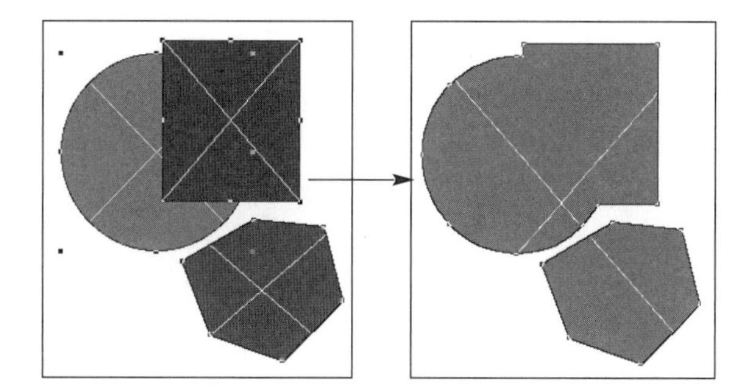

Figure 11.50
La réunion de trois blocs. Notez que le bloc résultant est composé de plusieurs parties. Il s'agit pourtant du même bloc.

Différence

La fonction **Différence** crée un nouveau bloc correspondant à la partie non recouverte du bloc d'arrière-plan (voir Figure 11.51). Pour créer une différence :

1. Sélectionnez les blocs concernés à l'aide de l'outil Déplacement tout en maintenant la touche [⇧Maj] enfoncée.
2. Déroulez le menu **Bloc**, puis son sous-menu **Fusionner** avant de sélectionner l'article **Différence**.

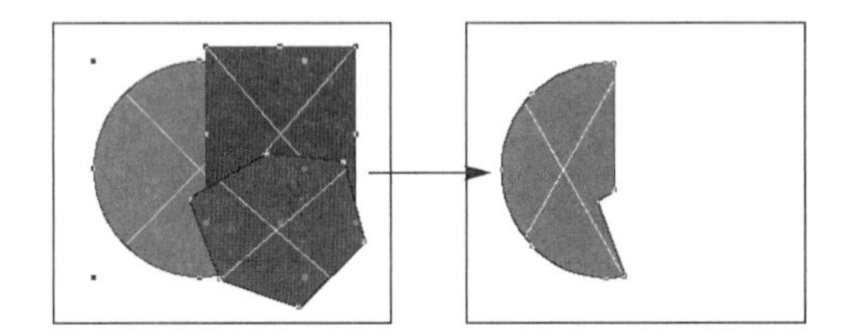

Figure 11.51

Seule subsiste la partie non recouverte du bloc d'arrière-plan.

Inverser différence

La fonction **Inverser différence** crée un nouveau bloc correspondant aux parties des blocs de premier plan non superposées au bloc d'arrière-plan (voir Figure 11.52). Pour créer une différence inversée :

1. Sélectionnez les blocs concernés à l'aide de l'outil Déplacement tout en maintenant la touche [⇧Maj] enfoncée.
2. Déroulez le menu **Bloc**, puis son sous-menu **Fusionner** avant de sélectionner l'article **Inverser la différence**.

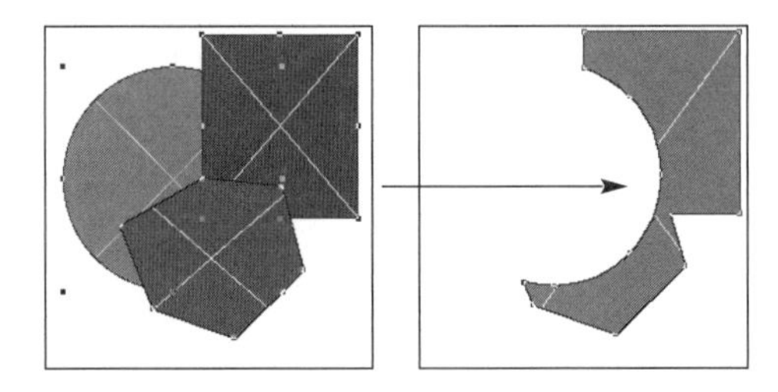

Figure 11.52

Seules subsistent les parties des blocs de premier plan qui ne recouvrent pas le bloc d'arrière-plan.

Ou exclusif

La fonction **Ou exclusif** crée un nouveau bloc correspondant aux parties non superposées des différents blocs sélectionnés (voir Figure 11.53). Pour créer un bloc par "ou exclusif" :

1. Sélectionnez les blocs concernés à l'aide de l'outil Déplacement tout en maintenant la touche [⇧Maj] enfoncée.
2. Déroulez le menu **Bloc** puis son sous-menu **Fusionner** avant de sélectionner l'article **Exclusif Ou**.

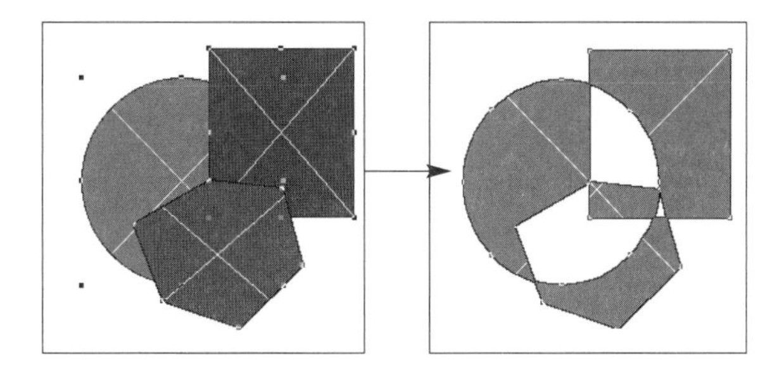

Figure 11.53

Il ne reste que les zones couvertes par un nombre impair de blocs.

Combiner

La fonction **Combiner** crée un nouveau bloc correspondant aux parties non superposées des différents blocs sélectionnés, la différence avec le "ou exclusif" réside dans l'emploi de tracés non interrompus au niveau des intersections (voir Figure 11.54). Pour créer un bloc combiné :

1. Sélectionnez les blocs concernés à l'aide de l'outil Déplacement tout en maintenant la touche [⇧Maj] enfoncée.
2. Déroulez le menu **Bloc** puis son sous-menu **Fusionner** avant de sélectionner l'article **Combiner**.

Exploiter les fonctions de fusion

Les fonctions de fusion permettent notamment :

- une création facile de blocs complexes par empilement de blocs aux formes élémentaires ;
- la création de blocs comprenant des parties vides ;
- un "chaînage" de blocs images, une même image pouvant être répartie entre plusieurs parties séparées d'un même bloc image.

Figure 11.54

A gauche, le résultat d'un "ou exclusif", à droite celui d'une combinaison. Notez les différences au niveau des tracés.

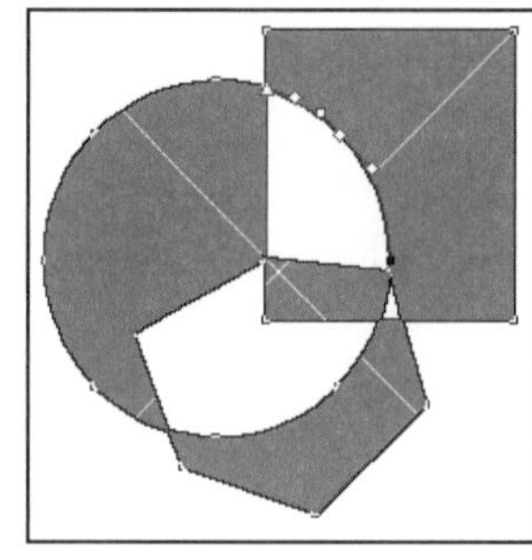

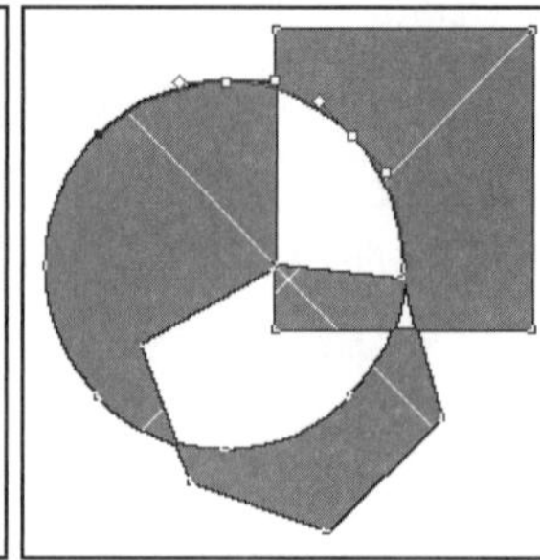

Les Figures 11.55 à 11.63 illustrent l'emploi qui peut être fait des fonctions de fusion.

Figure 11.55

On effectue la différence de deux blocs.

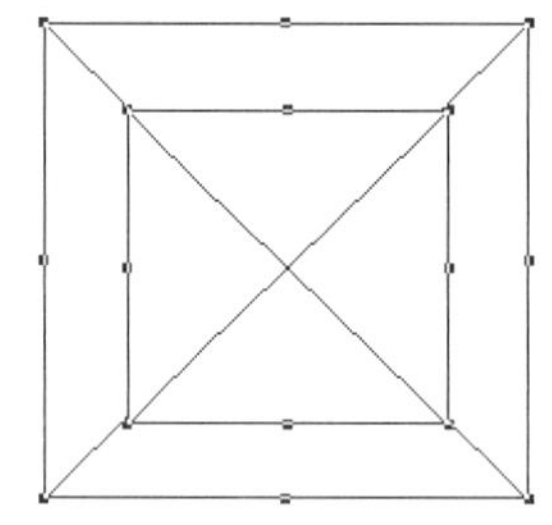

Figure 11.56

On fusionne le bloc résultant avec un nouveau bloc placé dans la partie évidée.

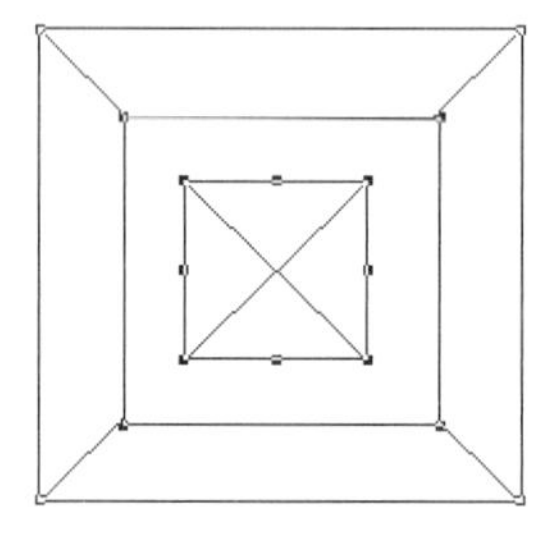

Figure 11.57

Le bloc résultant est constitué de deux parties séparées. On lui applique ensuite un fond dégradé incliné à 45°.

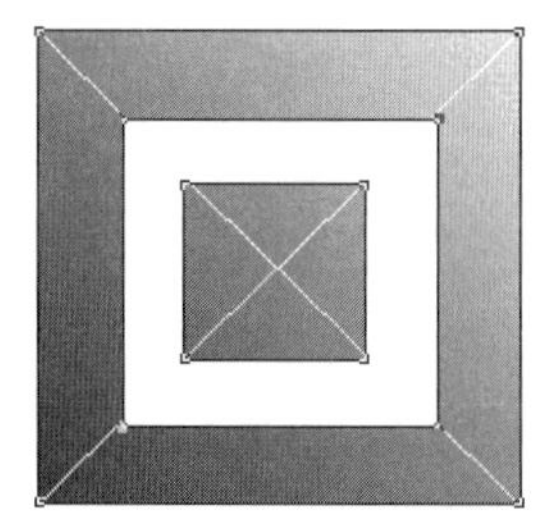

Figure 11.58

On place un bloc vierge sur un bloc image.

Figure 11.59

On crée des copies du bloc vierge à l'aide de l'article Dupliquer et déplacer du menu Bloc.

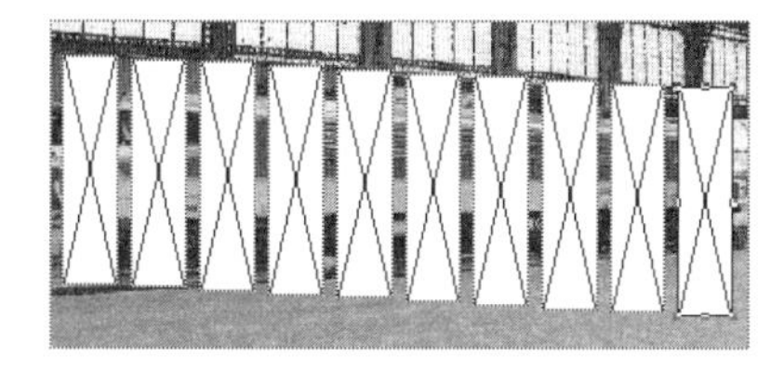

Figure 11.60

En maintenant la touche ⇧Maj enfoncée, on sélectionne tous les blocs.

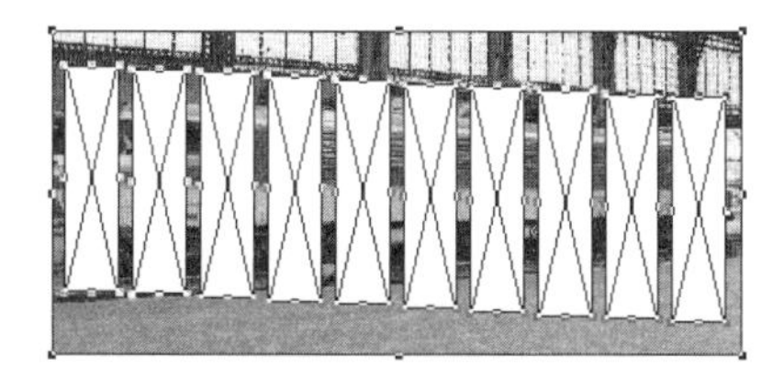

Figure 11.61

La fonction Intersection se charge ensuite de supprimer le bloc d'arrière-plan et de reporter son contenu dans le nouveau bloc composite.

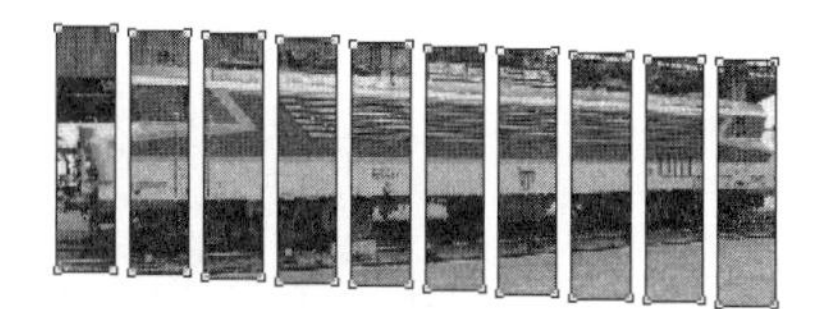

Figure 11.62

Ici, on applique la fonction Union à deux blocs de texte qui, ainsi, n'en forment plus qu'un.

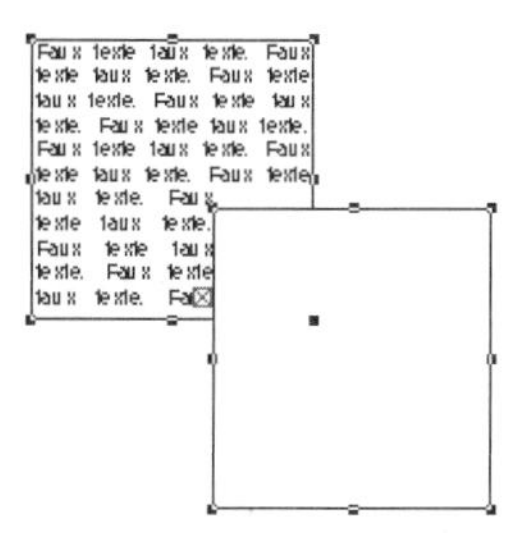

Figure 11.63

Présenté dans le cadre des blocs images, le contenu du sous-menu Fusionner est applicable à tous les types de blocs.

Remarquez que les blocs résultant de la mise en œuvre des fonctions du sous-menu ***Fusionner*** *reprennent les attributs du bloc d'arrière-plan (bloc d'arrière-plan dans le cadre de la sélection multiple de blocs).*

Diviser les chemins

Hormis l'annulation demandée *via* le premier article du menu **Edition**, la création d'un bloc composite à partir d'autres blocs n'est réversible que dans quelques cas particuliers. Toutefois, il est possible de séparer les tracés créés par les fonctions de fusion. Pour cela :

1. Sélectionnez le bloc composite résultant d'une fonction de fusion.
2. Déroulez le menu **Bloc**, puis son sous-menu **Diviser** et sélectionnez l'article **Chemins extérieurs** pour limiter la division à l'individualisation des différents "sous-blocs" séparés, ou sélectionnez **Tous chemins** pour séparer les tracés intérieurs de leurs homologues extérieurs. Les Figures 11.64 à 11.68 illustrent la division.

Figure 11.64

Le bloc de fusion est constitué d'éléments séparés, mais ceux-ci se déplacent simultanément si on les fait glisser avec l'outil Déplacement.

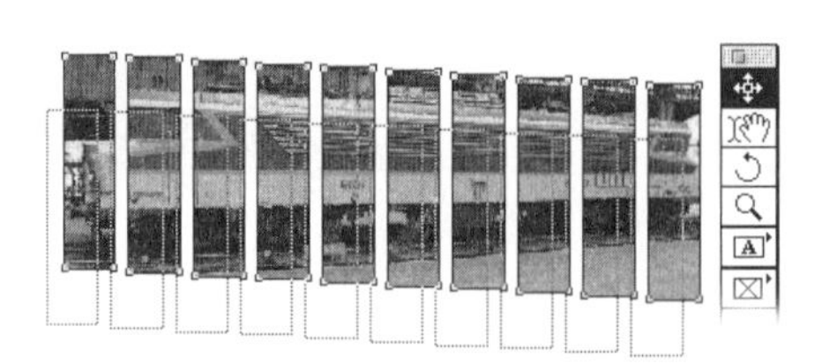

Figure 11.65

La division des chemins donne à chaque élément son individualité et donc le statut de bloc. Si le bloc divisé contenait une image, remarquez qu'une nouvelle origine pour l'image importée est créée dans chacun des nouveaux blocs.

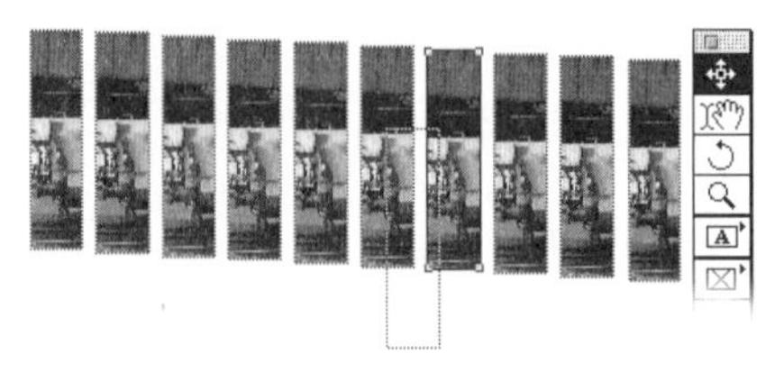

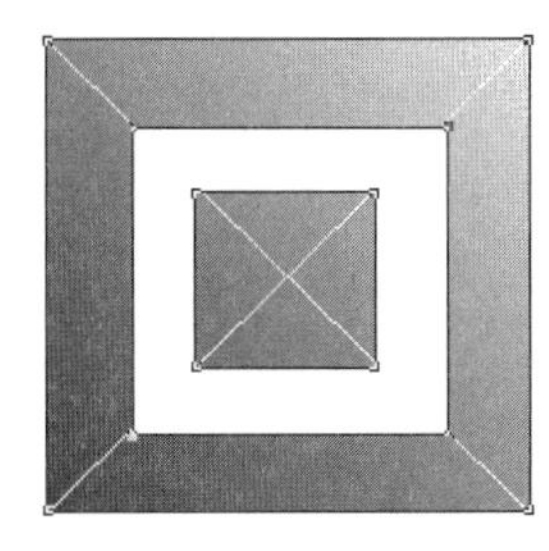

Figure 11.66

Voyons maintenant la division Tous chemins avec des chemins intérieurs.

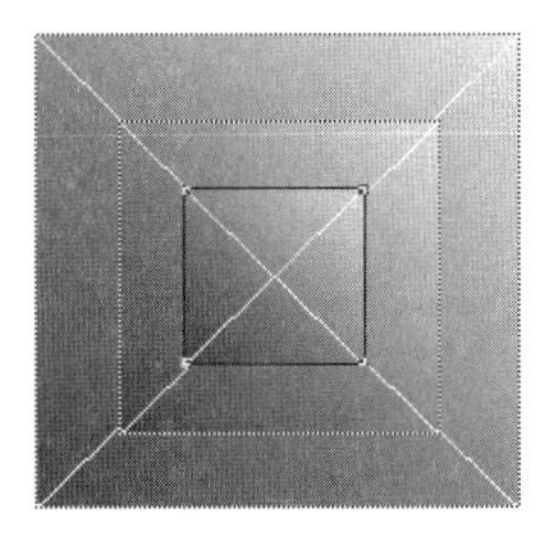

Figure 11.67

Tous les tracés intérieurs deviennent des blocs.

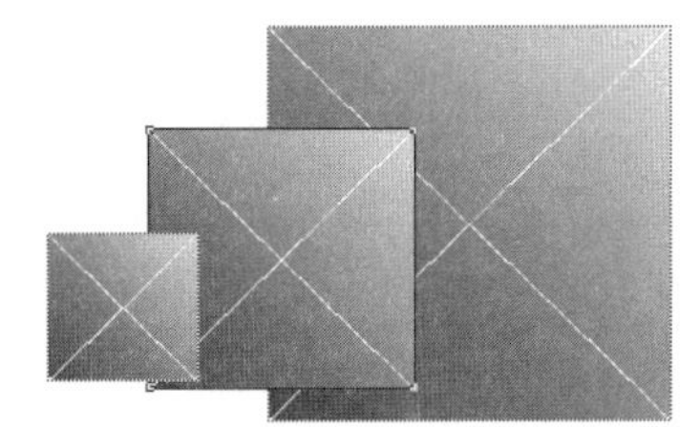

Figure 11.68

L'espace libre entre les deux volumes est devenu un bloc muni du même fond que le bloc composite divisé.

Images utilisées

Pour connaître les images (fichiers graphiques) utilisées par un document XPress :

1. Sélectionnez l'article **Utilisées** (anciennement **Usage**) du menu **Utilitaires**.
2. Cliquez sur l'onglet **Images**.

Présentée à la Figure 11.69, la zone de dialogue **Usage** :

- Contient la liste des fichiers graphiques utilisés par le document.
- Permet de sélectionner le bloc contenant l'image choisie.
- Permet la mise à jour des images.

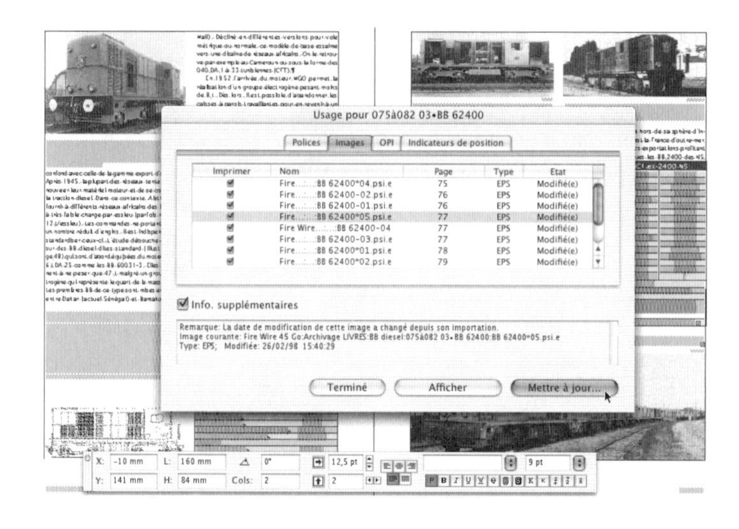

Figure 11.69

La zone de dialogue Utilisées annonce les polices et les images utilisées. C'est très utile en vue du flashage du document.

L'onglet **Images** de la zone de dialogue **Utilisées** présente une liste à cinq colonnes. On trouve de gauche à droite :

- Une coche signalant que la case d'option **Ne pas imprimer l'image** (onglet **Image** de la zone de dialogue **Modifier** accessible par le menu **Bloc**) n'est pas cochée.
- Le nom du fichier graphique précédé de son chemin d'accès (éventuellement abrégé).
- La page sur laquelle se trouve l'image (chaque emploi d'une même image génère un article de la liste).
- Le type de l'image (il correspond au format du fichier, par exemple TIFF ou EPS).
- L'état de l'image.

L'état de l'image est l'information la plus intéressante. Une image peut être :

- **OK.** Rien à signaler, le fichier graphique est disponible.
- **Modifiée.** Le fichier graphique est disponible, mais XPress a détecté une modification depuis l'importation de l'image. Il convient donc de mettre à jour l'image.
- **Manquante.** Le fichier graphique est introuvable, il faut donc indiquer à XPress où se trouve le fichier graphique correspondant à l'image.

Pour aller à la page contenant une image et sélectionner le bloc qui l'accueille :

1. Cliquez sur le nom de l'image.
2. Cliquez sur **Afficher**.

Pour mettre à jour une image modifiée ou manquante :

1. Cliquez sur le nom de l'image.
2. Cliquez sur le bouton **Mettre à jour**. Si l'image a simplement été modifiée, contentez-vous de valider le message d'alerte. En revanche, si l'image est manquante, une zone de dialogue de catalogue (semblable à celle utilisée pour l'importation des images) vous permet d'indiquer la position du fichier graphique correspondant à l'image.

Vous pouvez demander à XPress une mise à jour automatique des images modifiées (les images manquantes ne peuvent pas être traitées automatiquement). Pour cela, déroulez le menu **Edition** (ou le menu **QuarkXPress** sous Mac OS X) et sélectionnez **Préférences**. Cliquez ensuite sur **Générales** et activez une option dans le menu **Import. d'image auto.** (voir Figure 11.70), vous avez le choix entre :

- **Non.** Choix par défaut. Correspond à une absence de contrôle de l'état des images lors de l'ouverture.
- **Oui.** Entraîne une mise à jour automatique des images modifiées. Cette mise à jour a lieu lors de chaque ouverture du document.
- **Vérifier.** Entraîne lui aussi une mise à jour automatique, mais demande à l'utilisateur une confirmation.

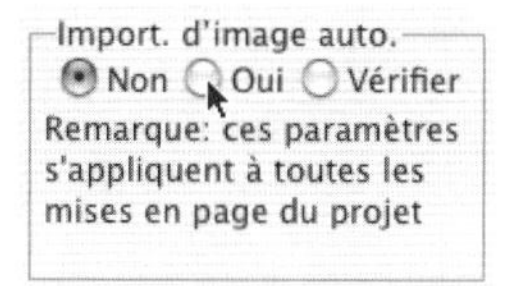

Figure 11.70

Le contrôle de la mise à jour automatique des images (choix pour le document courant ou pour l'application en général si aucun document n'est ouvert).

Conversion d'un texte en bloc image

Des caractères sélectionnés peuvent être convertis en bloc image :

1. Sélectionnez les caractères à convertir en bloc à l'aide de l'outil Modification.
2. Sélectionnez l'article **Convertir texte en bloc** du menu **Style**.
3. Vous obtenez alors une union de blocs qui constitue en fait un unique bloc image (ses "caractères" pourront être séparés à l'aide des articles du sous-menu **Diviser**).

Comme tout bloc image, le bloc résultant peut disposer d'un fond, accueillir une image, se doter d'un cadre comme le montrent les Figures 11.71 à 11.74.

Le bloc obtenu avec **Convertir texte en bloc** *est, par défaut, un bloc image, mais il peut également contenir du texte, voire rien. Pour choisir le contenu du bloc sélectionné, sélectionnez le bloc concerné et activez l'un des articles dans le sous-menu* **Contenu** *du menu* **Bloc***.*

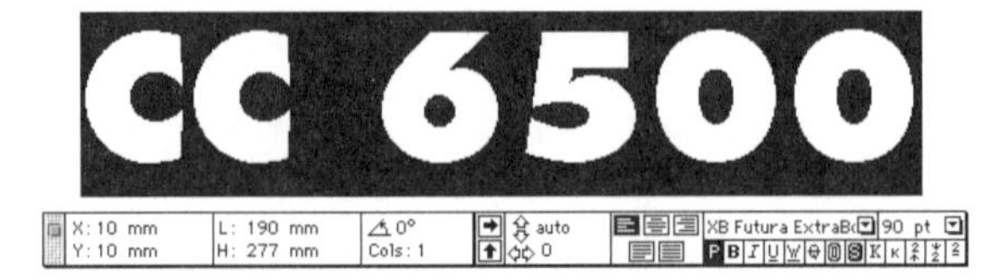

Figure 11.71

Sélectionnez les caractères à convertir puis sélectionnez l'article Convertir texte en bloc du menu Style.

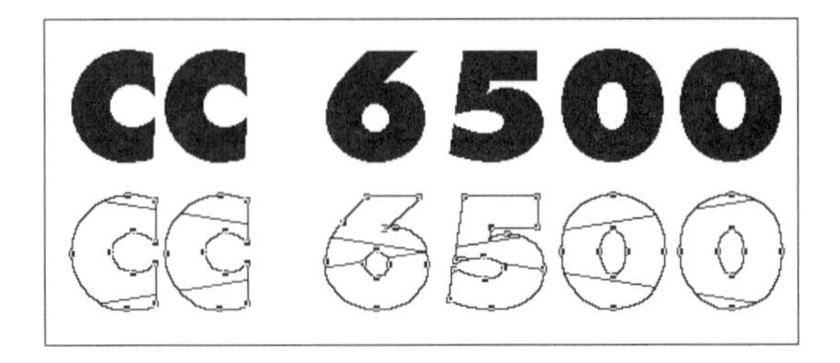

Figure 11.72

L'union de blocs résultante est un bloc image vide…

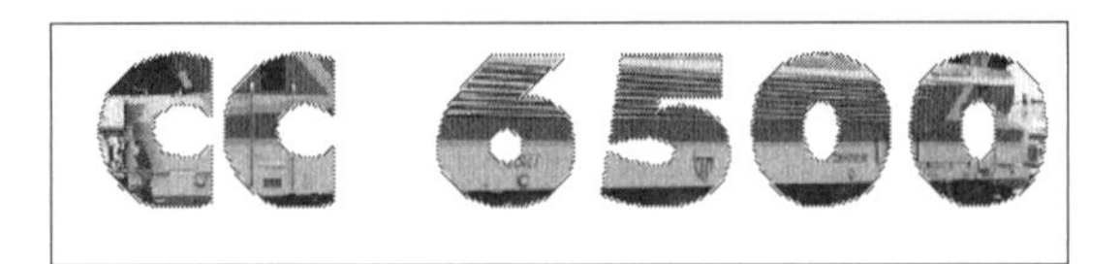

Figure 11.73

… dans lequel vous pouvez placer une image…

Figure 11.74

… et que vous pourrez doter d'un cadre !

CHAPITRE 12

Les filets

Au sommaire de ce chapitre

- Les filets en tant que blocs
- Les filets en tant qu'attributs de paragraphe
- Les tirets et les rayures

Un filet – ou trait – peut prendre deux formes dans un document XPress, puisqu'il est, selon le cas, un attribut de paragraphe ou un bloc. Rappelons que les attributs de paragraphe ont été vus au Chapitre 6 alors que les généralités relatives aux blocs ont été présentées au Chapitre 9. En tant que traits particuliers, les courbes de Bézier créées par les outils Trait de Bézier et Trait à main levée sont développées au Chapitre 13.

Les filets en tant que blocs

Un filet est un trait généralement fin et chargé d'enrichir la composition en la structurant.

XPress extrapole ses flèches et ses pointillés à partir de ses filets. Un filet peut être un élément indépendant sur la page. Il a alors, bien sûr, le statut de bloc et peut être déplacé, habillé, etc.

Créer un filet

Nous avons présenté aux Chapitres 3 et 9 les outils chargés de la création des filets, mais la Figure 12.1 vous les remémore.

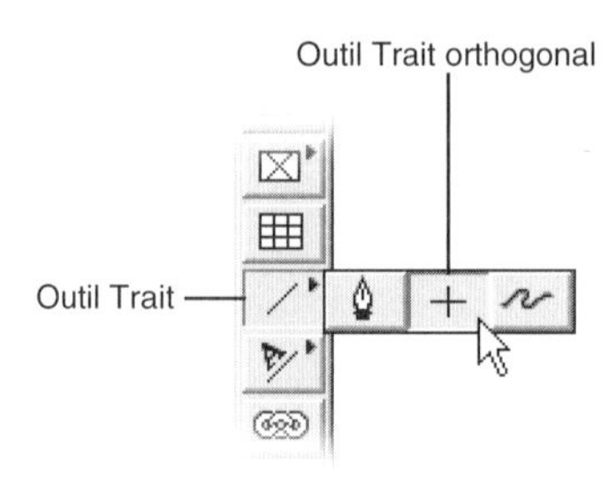

Figure 12.1
Les outils chargés de mettre en place des filets.

L'outil Trait crée un filet quelconque (incliné avec un angle multiple de 45° si la touche ⇧Maj est maintenue enfoncée pendant l'élaboration du filet). Quant à l'outil Trait orthogonal, il met en place un filet vertical ou horizontal. L'un de ces deux outils étant sélectionné, faites glisser le pointeur afin de mettre en place le filet (voir Figure 12.2).

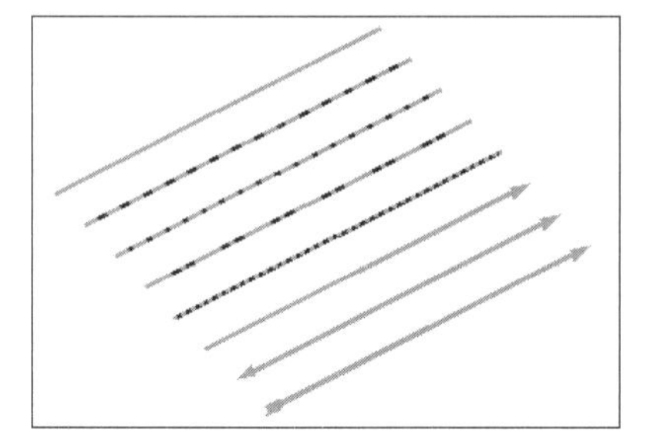

Figure 12.2
Quelques exemples de filets.

Sélectionner et déplacer un filet

Les filets peuvent être sélectionnés avec l'outil Déplacement ou avec l'outil Modification (ce dernier se mue en outil Déplacement à proximité d'un filet). Un filet sélectionné est signalé par ses poignées extrêmes matérialisées par des petits carrés noirs. Un filet étant sélectionné, vous pouvez :

- Le déplacer en le faisant glisser, comme à la Figure 12.3 (si vous pointez sur le filet hors de l'une de ses poignées, le pointeur prend l'aspect de l'outil Déplacement).
- Modifier ses dimensions et/ou son orientation en faisant glisser l'une de ses poignées (voir Figure 12.4).

Figure 12.3
L'outil Déplacement et l'outil Modification permettent de faire glisser un filet.

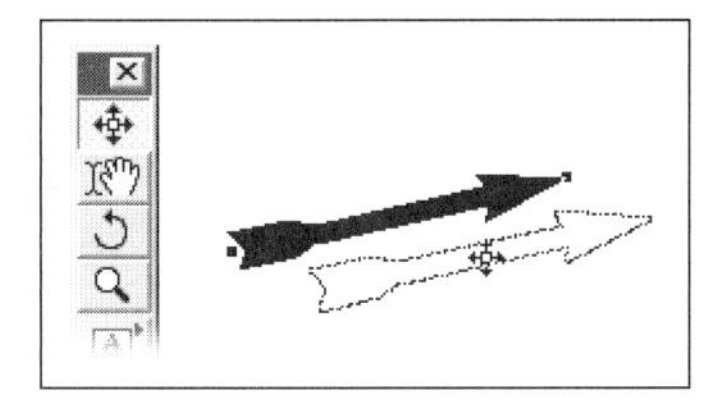

Figure 12.4
Le bloc étant sélectionné, faites glisser l'une de ses deux poignées pour modifier sa longueur ou son inclinaison.

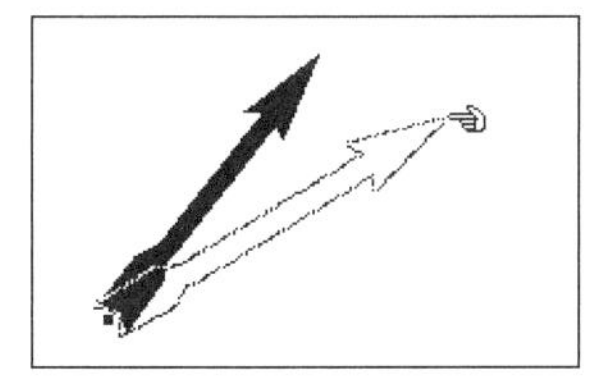

a astuce

En maintenant la touche ⇧Maj *enfoncée pendant que vous faites glisser l'une des poignées d'un filet, vous imposez à ce dernier une orientation dont l'angle est multiple de 45°.*

Comme tous les autres blocs, les filets peuvent être groupés (entre eux ou avec des blocs d'un autre type), dupliqués, etc. Comme pour les autres types de blocs, une sélection multiple s'obtient en cliquant sur les blocs avec l'outil Déplacement tout en maintenant la touche ⇧Maj enfoncée à partir du deuxième clic (voir Figure 12.5).

Figure 12.5
Ici, trois filets sont groupés. Deux d'entre eux sont munis d'une flèche. Des repères magnétiques ont facilité leur mise en place. Parce que les filets sont groupés, l'outil Déplacement les déplace ensemble en maintenant leurs espacements relatifs.

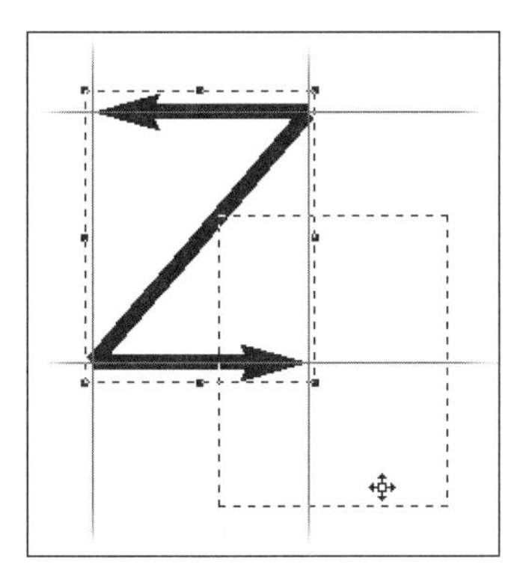

Introduction aux attributs des filets

Un filet est un bloc sans contenu. En effet, contrairement à un bloc de texte, à un chemin de texte ou à un bloc image, un filet est un bloc pour lequel la notion de contenu – texte ou image – n'existe pas. La gamme des attributs d'un filet est donc un peu particulière.

Pour modifier les attributs d'un filet :

1. Sélectionnez le filet à modifier avec l'outil Déplacement ou avec l'outil Modification.
2. Sélectionnez l'article **Modifier** du menu **Bloc** (voir Figure 12.12) ou faites appel aux cases de saisie et aux menus locaux de la palette des spécifications (voir Figure 12.6).

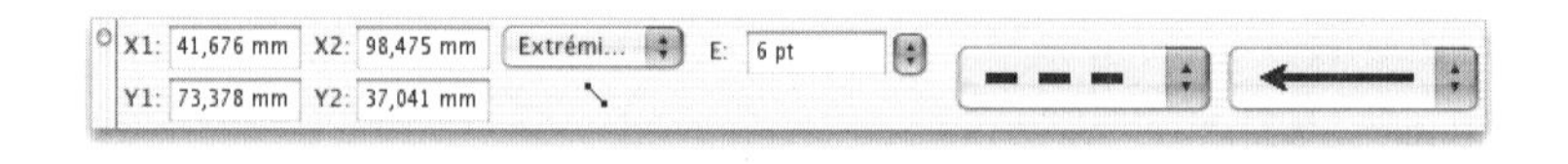

Figure 12.6
La palette des spécifications (avec un filet sélectionné).

La partie gauche de la palette des spécifications présente la position et, éventuellement, l'angle et les dimensions du filet sélectionné (voir Figures 12.8 à 12.11). Notez qu'un menu local (voir Figure 12.7) détermine la nature des informations affichées quant à la position et aux dimensions.

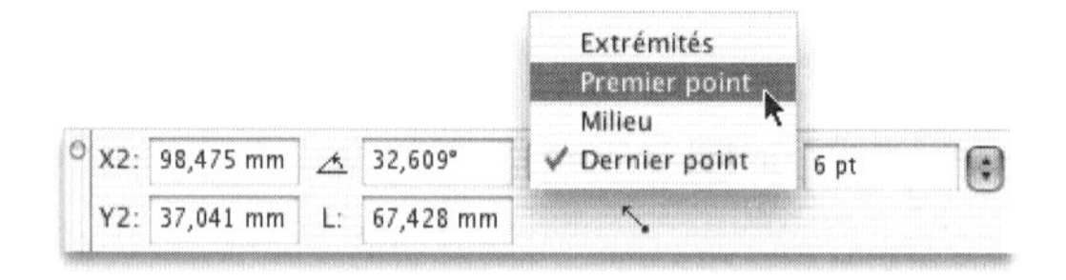

Figure 12.7
Ce menu local détermine les informations affichées.

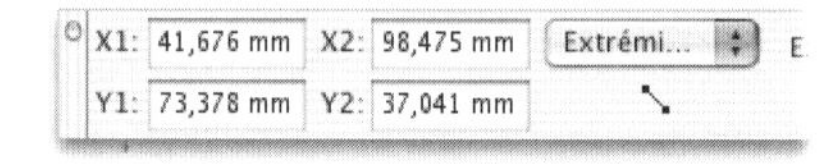

Figure 12.8
Les coordonnées des extrémités.

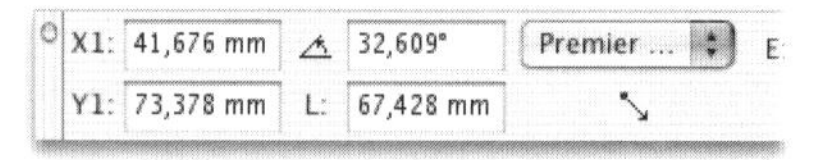

Figure 12.9
Les coordonnées de la première extrémité.

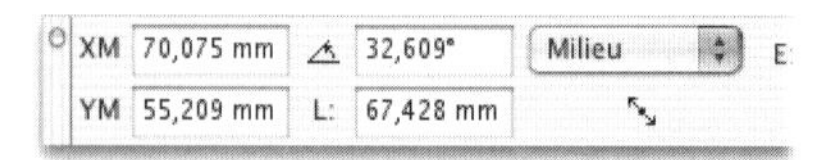

Figure 12.10
Les coordonnées du milieu.

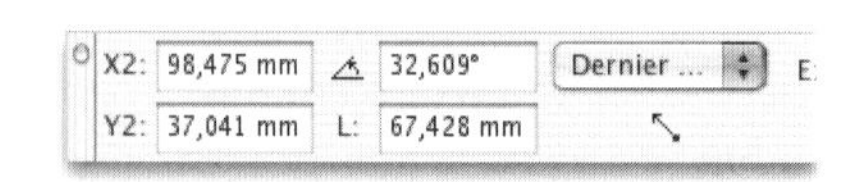

Figure 12.11
Les coordonnées de la seconde extrémité.

Abréviations :

- X1 et Y1, coordonnées de la première extrémité ;
- X2 et Y2, coordonnées de la seconde extrémité ;
- XM et YM, coordonnées du milieu ;
- L, longueur du filet ;
- secteur angulaire : angle du filet.

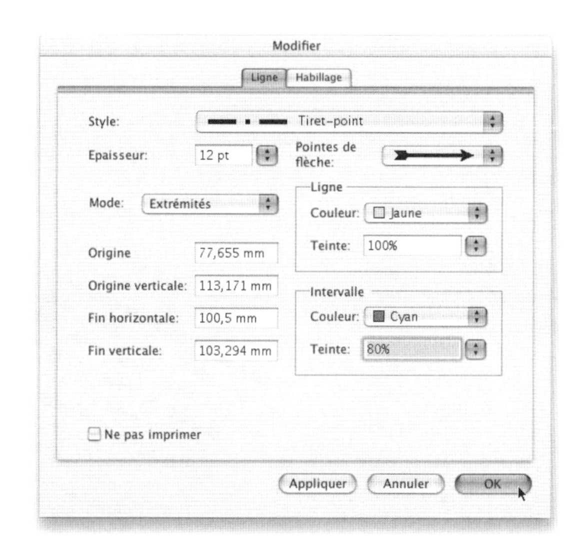

Figure 12.12

L'onglet Ligne de la zone de dialogue Modifier rassemble les attributs du filet sélectionné. Remarquez le menu local Mode, chargé – comme son homologue de la palette des spécifications – de déterminer les informations relatives à la position et aux dimensions.

En cochant la case ***Ne pas imprimer****, vous pouvez créer des filets destinés à être utilisés comme des repères de mise en page et non comme des filets.*

Style et extrémité

La nature du trait (pointillé, rayure, trait simple, double ou triple) constitue le style du filet (voir Figure 12.14). XPress propose par défaut une dizaine de styles, mais, comme nous le verrons plus loin, l'éditeur de tirets et de rayures permet de créer des styles personnalisés. Par défaut, un filet est un trait simple sans pointe de flèche.

Le menu **Style** (voir Figure 12.13) de l'onglet **Ligne** accessible avec l'article **Modifier** du menu **Bloc** détermine la nature du trait tandis que le menu local **Pointes de flèche** (voir Figure 12.15) se charge de la mise en place des pointes et des empennes de flèche (voir Figure 12.16).

Bien entendu, vous pouvez créer différentes associations entre les styles de trait et les pointes de flèche.

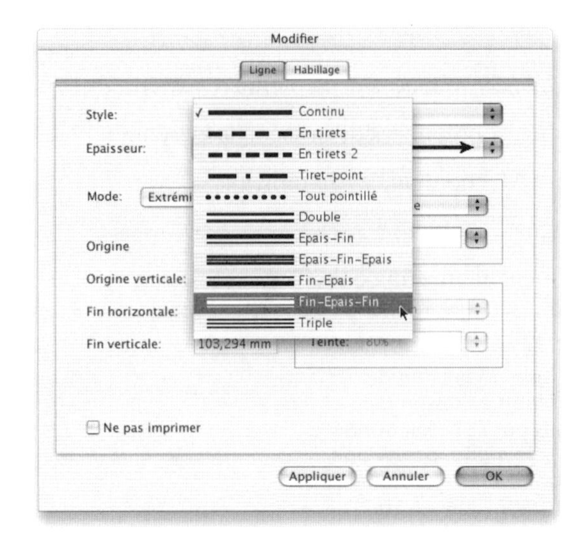

Figure 12.13

Le menu local Style de l'onglet Ligne a un équivalent dans la palette des spécifications. Le contenu par défaut de ces menus locaux peut être complété par des styles personnalisés créés avec l'éditeur de tirets et de rayures.

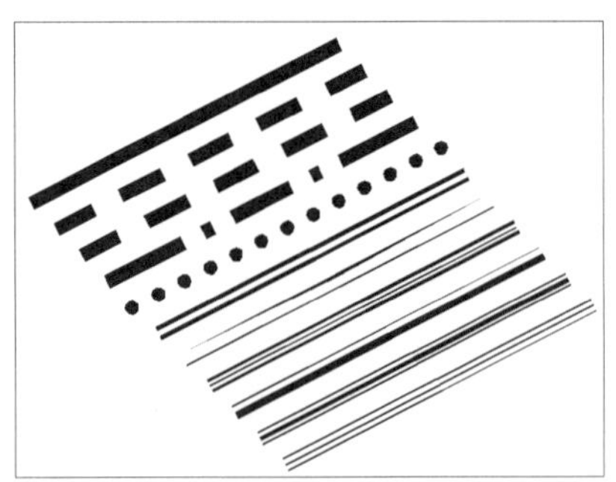

Figure 12.14

Les styles de filets définis par défaut.

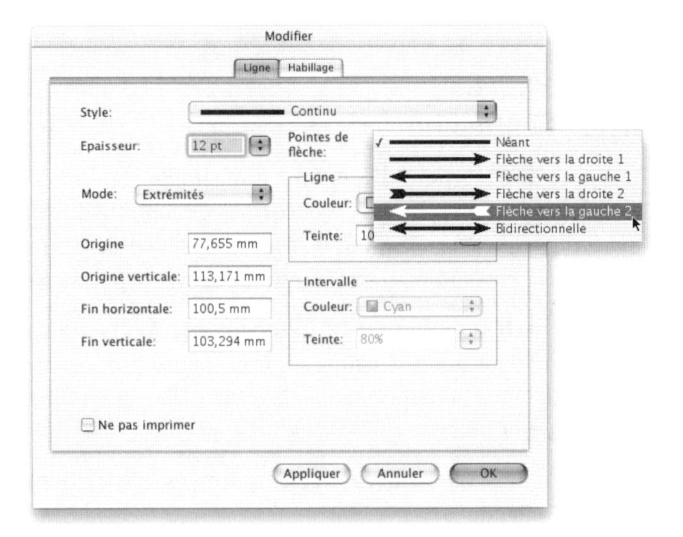

Figure 12.15

Le choix de la nature des extrémités depuis le menu Pointes de flèche (zone de dialogue accessible par Bloc/Modifier).

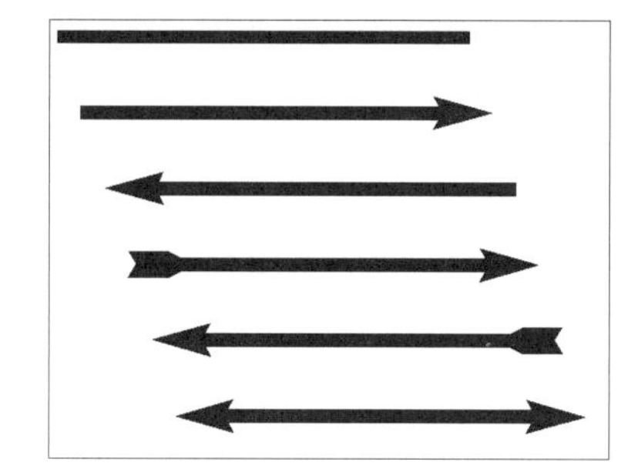

Figure 12.16
Un trait peut être muni de pointes de flèche ou pas. Il peut également recevoir une empenne.

Epaisseur

Par défaut, l'épaisseur d'un filet est de 1 point, mais vous pouvez saisir une autre valeur comprise entre 0 et 864 points (si vous employez une autre unité – millimètre, centimètre –, celle-ci sera automatiquement convertie en points). Parmi les épaisseurs proposées par défaut dans le menu local **Epaisseur** (voir Figures 12.17 et 12.18) figure l'article **Filet maigre**.

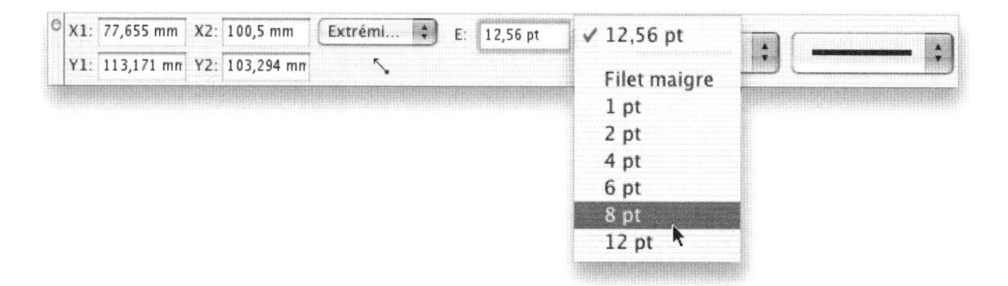

Figure 12.17
La saisie ou la sélection de l'épaisseur depuis la palette des spécifications.

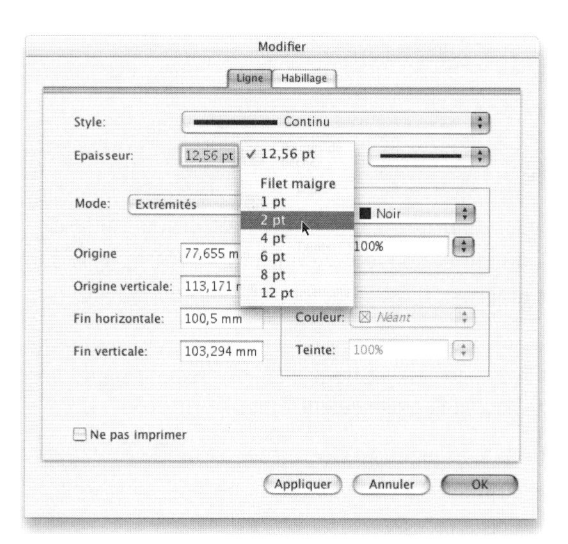

Figure 12.18
L'épaisseur peut être sélectionnée dans le menu local Epaisseur (valeurs prédéfinies) ou saisie directement dans la case associée au menu local.

En fait, il s'agit d'un filet de 0,25 point que l'on n'emploiera qu'avec prudence en raison de son risque de disparition lors de l'impression. Précisons que, avec 864 points, le plus épais filet disponible a une épaisseur supérieure à 30 cm ! Consultez les quelques exemples présentés à la Figure 12.19.

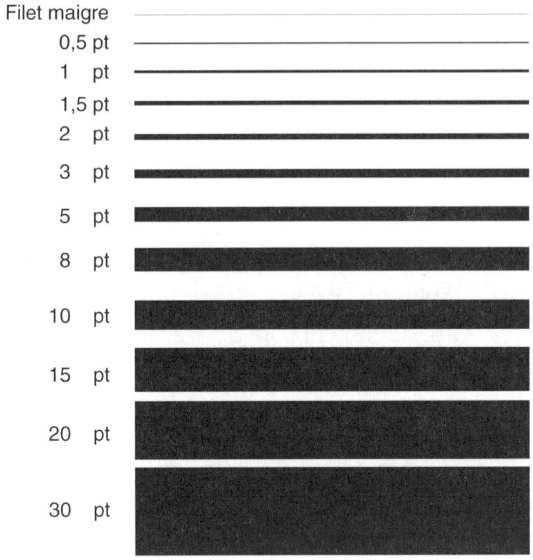

Figure 12.19
Quelques exemples d'épaisseur de filet.

Notez qu'une épaisseur trop faible interdit la mise en évidence des rayures lorsque le style en contient.

D'une façon générale, un filet "élégant" se contente d'un simple trait de 0,5 point.

Couleur et teinte

Un bloc classique peut disposer d'une couleur et d'une teinte de fond. De même, vous pouvez définir une couleur et une teinte pour un filet. Si le style comprend des intervalles (cas des tirets et des rayures), il est également possible d'en préciser la couleur et la teinte.

Chacun des deux menus locaux **Couleur** est associé à un menu local **Teinte** (voir Figures 12.20 et 12.21). La zone Intervalle n'est active que lorsque le style sélectionné comprend des intervalles (cas des tirets sélectionnés ici).

Un filet étant sélectionné, le menu **Style** permet de modifier certains de ses attributs. Toutefois, la couleur et la teinte choisies par son intermédiaire sont celles de la ligne et non celles de l'intervalle.

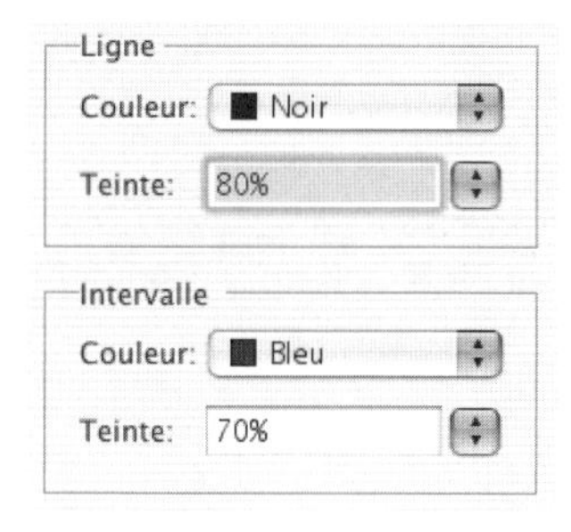

Figure 12.20

La zone de dialogue accessible par Bloc/Modifier propose l'association de couleurs aux lignes et aux intervalles d'un filet.

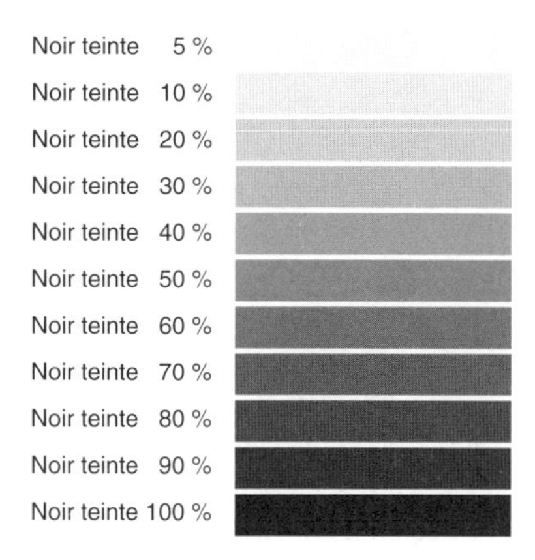

Figure 12.21

Des filets noirs de 12 points d'épaisseur vus avec différentes teintes.

*La couleur **Néant** semble rendre inutiles les filets qui l'emploient. En fait, elle permet notamment de rendre invisible un filet utilisé pour un habillage particulier du texte.*

Habillage

L'habillage d'un bloc étant le respect de ses contours par un texte placé en arrière-plan, un filet ne fait pas, par défaut, l'objet d'un habillage (voir Figures 12.22 et 12.23). Toutefois, vous pouvez activer l'habillage pour le filet sélectionné en choisissant l'article **Habillage** du menu **Bloc** (voir Figure 12.24).

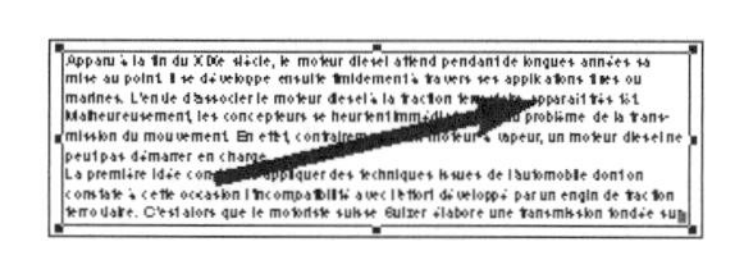

Figure 12.22

Par défaut, un filet n'est pas habillé par le texte qu'il peut donc masquer.

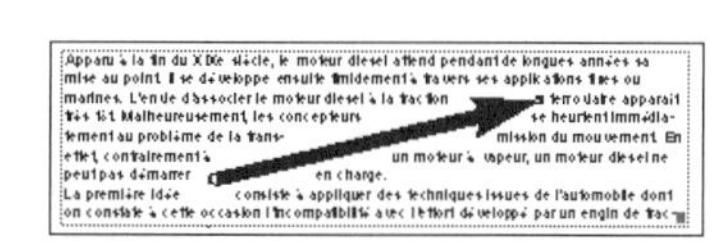

Figure 12.23

Ici, l'habillage a lieu en mode Bloc avec activation pour le bloc de texte de la case d'option Habiller chaque côté de texte.

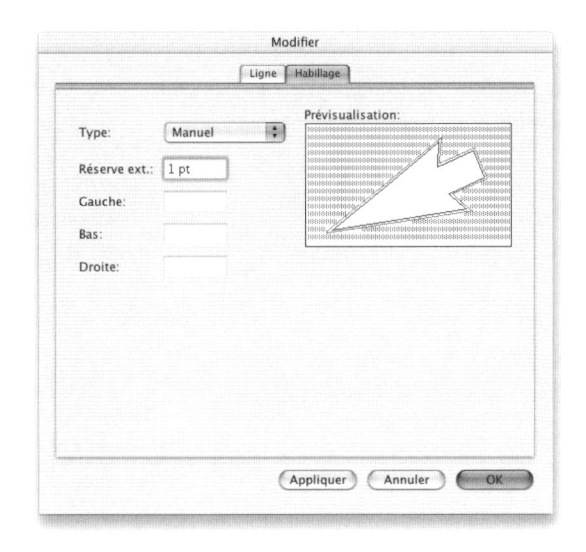

Figure 12.24

Le menu local Type permet notamment d'activer ou de désactiver l'habillage. La case de saisie Réserve ext. contient la valeur du retrait du texte.

Les filets en tant qu'attributs de paragraphe

Perçus jusqu'à maintenant comme des blocs, les filets ont également la faculté d'enrichir un paragraphe. Certains y verront une sorte de gestion automatique des filets comme des blocs ancrés. Pour un paragraphe, on distingue :

- le filet supérieur qui se place au-dessus de la première ligne du paragraphe ;
- le filet inférieur qui prend place après la dernière ligne du paragraphe.

Les filets peuvent être incorporés aux feuilles de style de paragraphe. Un paragraphe dispose au plus d'un filet supérieur et d'un filet inférieur. Un ou plusieurs paragraphes étant sélectionnés, vous les doterez de filets en sélectionnant l'article **Filets** du menu **Style**. En fait, vous ouvrez ainsi l'onglet **Filets** de la zone de dialogue **Attributs de paragraphe** (voir Figure 12.25).

La création des feuilles de style a été décrite au Chapitre 7. La définition des filets associés à une feuille de style est confiée à l'onglet **Filets** (voir Figure 12.26) de la zone de dialogue affichée tandis qu'une feuille de style de paragraphe est sélectionnée. Rappelons que l'édition des feuilles de style est obtenue en sélectionnant l'article **Feuilles de style** (anciennement **Styles**) du menu **Edition**.

Passons en revue les différents paramètres ajustables pour les filets de paragraphe :

- **Longueur.** Peut correspondre à la largeur de la colonne utilisable par le texte (article **Retraits**), ou être limitée à la largeur occupée par les caractères (article **Texte**) de la première ligne du paragraphe (filet supérieur) ou de la dernière ligne (filet inférieur).

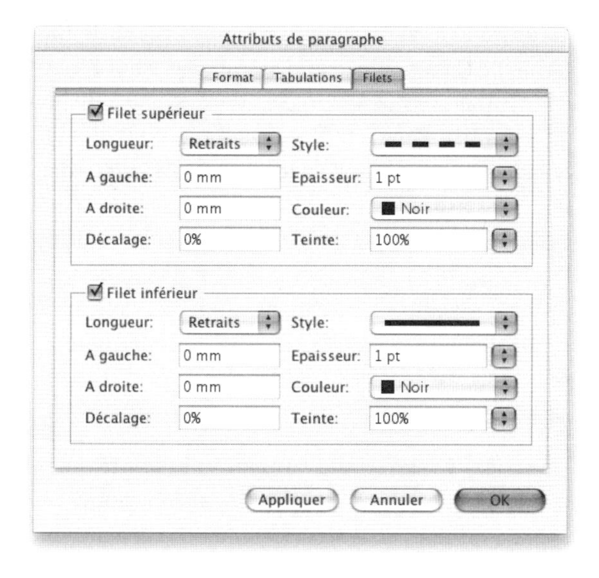

Figure 12.25

Ici, l'onglet Filets est affiché après la sélection de l'article Filets du menu Style. Les cases d'option Filet supérieur et Filet inférieur activent les menus locaux et les cases de saisie des zones correspondantes.

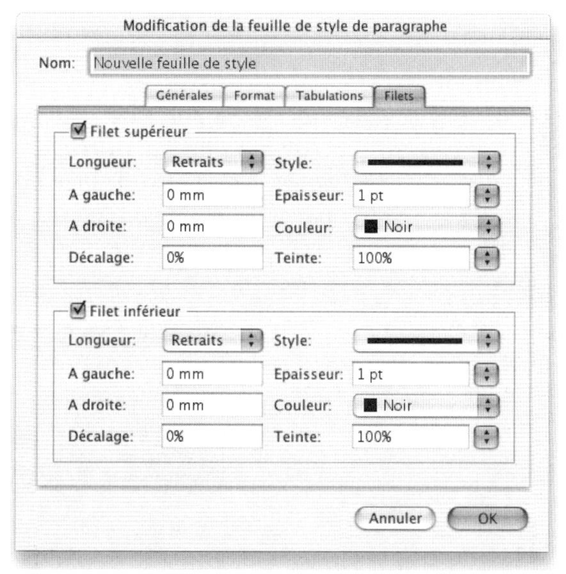

Figure 12.26

Voici l'onglet Filets affiché dans le cadre de la création ou de la modification d'une feuille de style de paragraphe.

- **A gauche et A droite.** Correspondent aux retraits vers l'intérieur imposés au filet. Il s'agit donc de réduire d'une valeur fixe – à droite et/ou à gauche – la longueur précisée dans le menu local **Longueur**. Les retraits sont convertis en millimètres si une autre unité est employée.
- **Décalage.** Peut accueillir une hauteur (qui sera convertie en millimètres si elle n'est pas introduite avec cette unité) ou un taux (pourcentage). Une hauteur positive

correspond à un décalage vers le haut pour le filet supérieur et à un décalage vers le bas pour le filet inférieur. Des valeurs négatives pour la hauteur produisent, bien sûr, des résultats opposés. Un taux correspond à un pourcentage de l'espace libre entre les paragraphes. Par exemple, dans le cas d'un filet inférieur, un décalage de 20 % placera le filet de sorte que son centre (vertical) se trouve à une distance correspondant à 20 % de celle séparant la descendante du plus grand caractère de la dernière ligne et l'ascendante du plus grand caractère de la première ligne du paragraphe suivant. Dans le même esprit, un taux appliqué à un filet supérieur correspond à un pourcentage de la distance séparant l'ascendante du plus grand caractère de la première ligne et la descendante du plus grand caractère de la dernière ligne du paragraphe précédent. Retenez donc que les sens des décalages positifs sont opposés pour les filets inférieur et supérieur.

- **Le style, l'épaisseur, la couleur et la teinte.** Se manipulent comme leurs équivalents des filets perçus en tant que blocs (se reporter au début de ce chapitre). Des menus locaux permettent la sélection de ces attributs, deux cases de saisie étant par ailleurs disponibles pour l'introduction de valeurs particulières pour l'épaisseur et pour la teinte.

On notera deux différences par rapport aux filets blocs. Non seulement il est impossible de préciser la nature des extrémités, mais, de plus, la couleur des intervalles n'est pas paramétrable et correspond donc à celle employée pour le fond du bloc de texte accueillant les paragraphes dotés de filets supérieurs ou inférieurs.

Figure 12.27

La création d'un tableau à partir de filets de paragraphe.

Tableau technique	
Longueur	10,5 m
Largeur	2,5 m
Masse	10,2 t
Empattement	7,2 m
Charge utile	5,6 t
Autonomie	1 200 km

En pratique, les filets inférieurs et supérieurs sont surtout utilisés pour créer des tableaux. Chaque ligne du tableau illustré à la Figure 12.27 a le statut de paragraphe, puisque les lignes se terminent toutes par un passage à la ligne suivante (touche ↵Retour). Les caractères ayant un corps de 8 points, les paragraphes ont les caractéristiques suivantes :

- Interligne de 9,5 points.
- Filet supérieur (**Longueur** = retrait, **A gauche** = 0 mm, **A droite** = 0 mm, **Décalage** = –0,85 mm, **Epaisseur** = 9,5 points, **Style** = Continu, **Couleur** = Noir, **Teinte** = 15 %,

30 % ou 100 % selon le cas). Notez que l'on donne aux caractères la couleur blanche lorsque la teinte du filet atteint 100 %.

- Filet inférieur (**Longueur** = retrait, **A gauche** = 0 mm, **A droite** = 0 mm, **Décalage** = 12 %, **Epaisseur** = 0,3 point, **Style** = Continu, **Couleur** = Noir, **Teinte** = 100 %).

Les tirets et les rayures

A l'exception du style ***Continu****, les styles de filets correspondent à des tirets ou à des rayures. La distinction entre tirets et rayures se fonde sur la position des intervalles (voir Figure 12.28).*

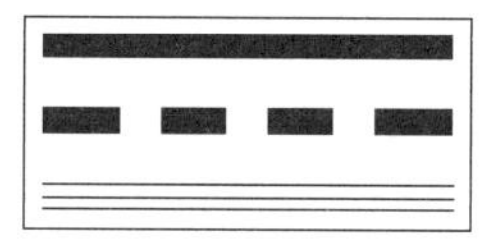

Figure 12.28

De haut en bas, on distingue le style Continu suivi de tirets et de rayures.

XPress vous permet de définir vos propres tirets et rayures. Ceux-ci seront disponibles pour vos filets, mais aussi pour les cadres des blocs, sans oublier les courbes de Bézier et les chemins de texte, voire les filets qui séparent les colonnes et les rangées d'un tableau. Pour créer ou pour modifier un motif de tirets ou de rayures, sélectionnez l'article **Tirets et rayures** du menu **Edition**. Dans la zone de dialogue illustrée à la Figure 12.29, remarquez le menu local **Afficher** permettant de limiter l'affichage à un type de motifs, ou aux motifs utilisés ou non. Les modifications effectuées à partir de la zone de dialogue **Tirets et rayures** ne seront prises en considération que si vous quittez ladite zone de dialogue en cliquant sur **Enregistrer**.

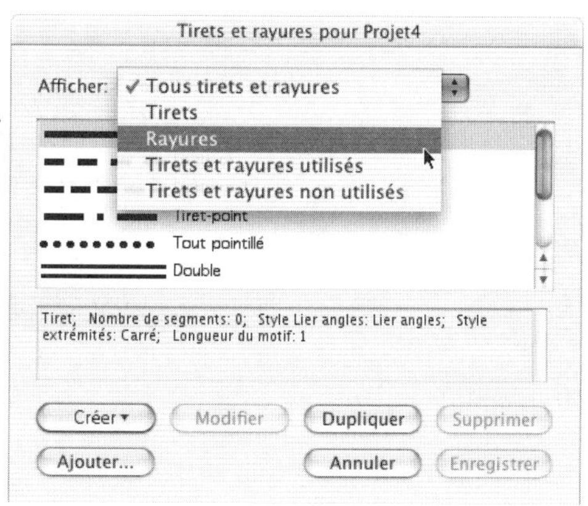

Figure 12.29

La zone de dialogue Tirets et rayures permet de créer, de modifier, d'ajouter, de dupliquer et de supprimer les tirets et les rayures.

Créer un motif

Pour créer un motif de tirets ou de rayures :

1. La zone de dialogue **Tirets et rayures** étant ouverte, cliquez sur **Créer**.
2. Un menu local s'étant déroulé, sélectionnez **Tirets** ou **Rayures** (voir Figure 12.30) selon la nature du motif à créer.
3. Les Figures 12.31 à 12.40 décrivent ensuite pas à pas la création d'un motif.

Pour supprimer un segment (rayure ou tiret), faites glisser sa flèche vers la gauche (rayures) ou vers le haut (tirets).

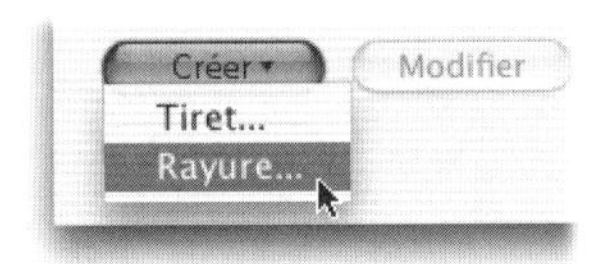

Figure 12.30

Pour créer un nouveau motif, commencez par sélectionner son type dans le menu local déroulé en cliquant sur le bouton Créer.

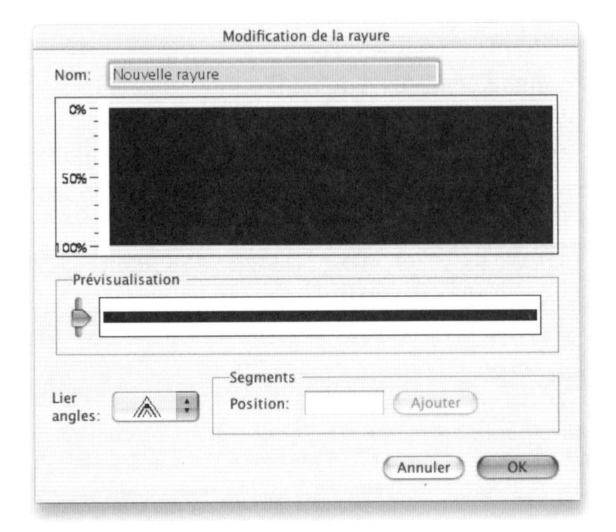

Figure 12.31

Saisissez le nom du nouveau motif dans la case prévue à cet effet.

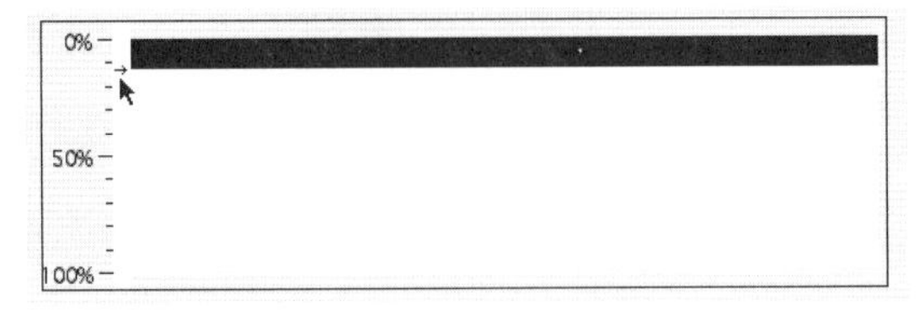

Figure 12.32

Un clic sur la règle graduée place une flèche. Celle-ci délimite un tiret ou une rayure, selon le cas.

Figure 12.33

Cliquez pour placer une flèche…

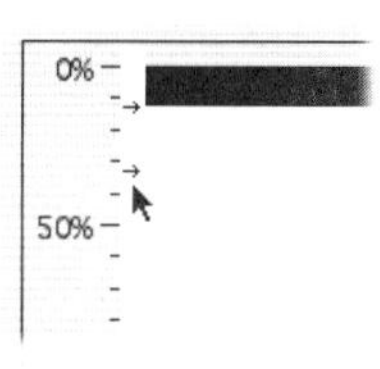

Figure 12.34

… faites-la glisser et constatez qu'elle se dédouble en donnant naissance à une rayure ou à un tiret selon le type du motif.

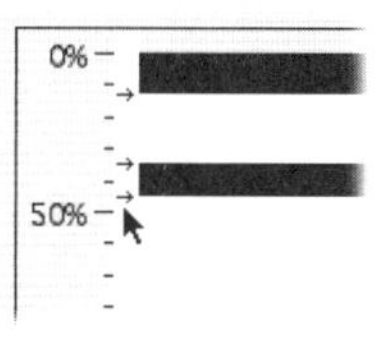

Figure 12.35

Vous pouvez également saisir directement la position du tiret ou de la rayure dans la case de saisie Position. Dans ce cas, cliquez sur Ajouter pour confirmer.

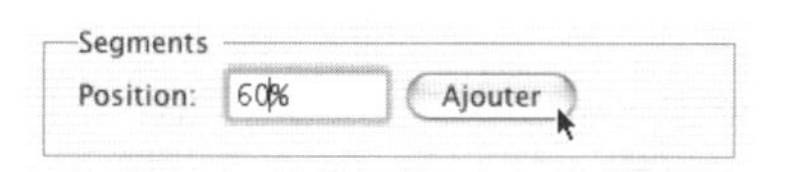

Figure 12.36

Faire glisser les flèches permet d'épaissir les rayures ou les tirets.

Figure 12.37

Ici, plusieurs rayures ont été mises en place.

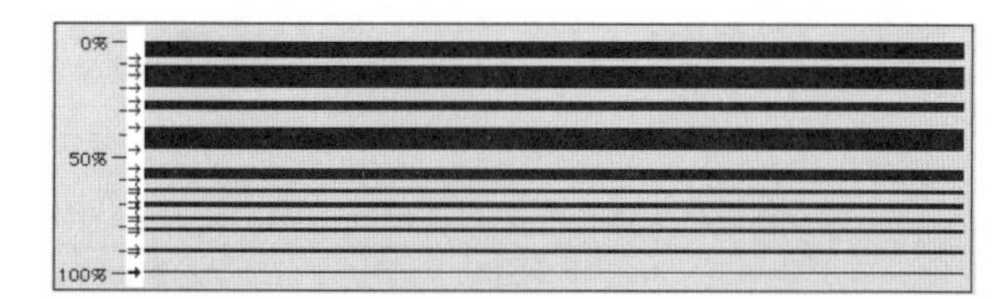

Figure 12.38

Le curseur permet de faire varier l'épaisseur du motif prévisualisé.

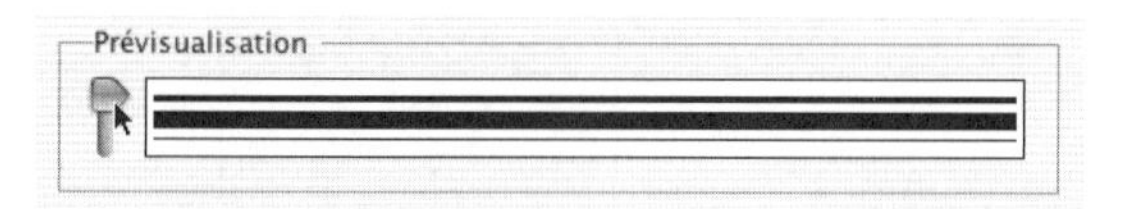

Figure 12.39

Le menu local Lier angles détermine la nature des angles (emploi pour un cadre, etc.).

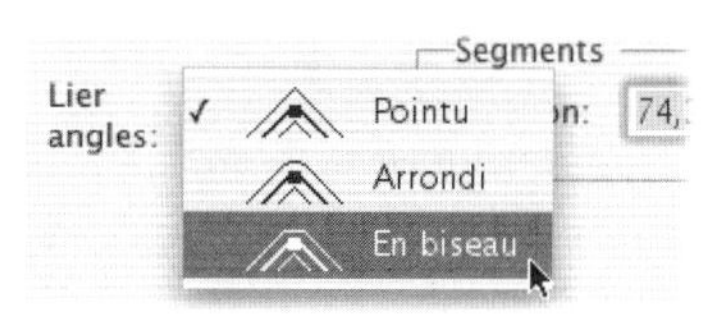

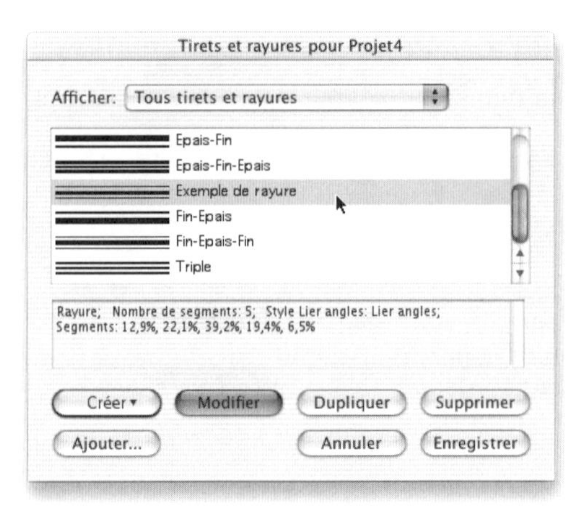

Figure 12.40

Le motif étant défini, validez-le en cliquant sur OK. Il apparaît alors dans la liste des motifs, mais il vous reste encore à cliquer sur Enregistrer pour le rendre disponible.

La mise en place des segments de tirets se pratique comme celle des segments de rayures : en cliquant sur la règle pour mettre en place des flèches que l'on fera glisser. Faites glisser une flèche vers le haut (tirets) ou vers la gauche (rayures) pour la supprimer.

Figure 12.41

La création d'un tiret.

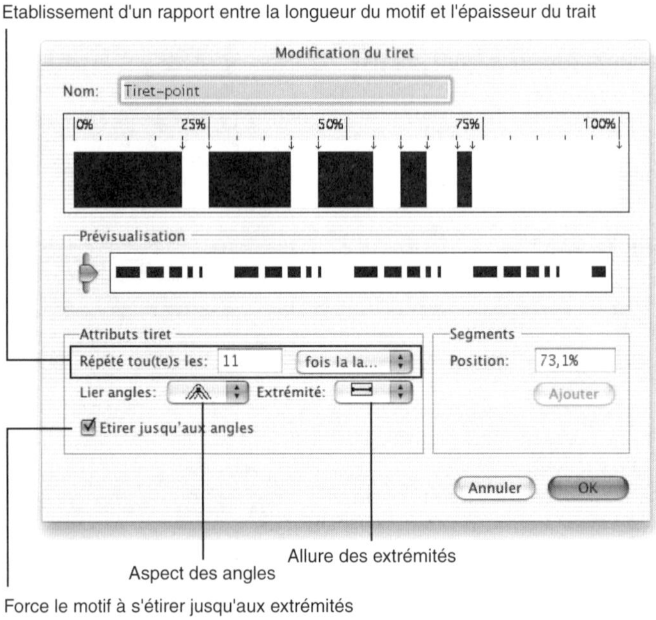

Etablissement d'un rapport entre la longueur du motif et l'épaisseur du trait

Modification du tiret

Nom: Tiret-point

0% 25% 50% 75% 100%

Prévisualisation

Attributs tiret

Répété tou(te)s les: 11 fois la la...

Lier angles: Extrémité:

Etirer jusqu'aux angles

Segments

Position: 73,1%

Ajouter

Annuler OK

Allure des extrémités

Aspect des angles

Force le motif à s'étirer jusqu'aux extrémités

Remarquez que la définition d'un motif ne prend en considération ni la couleur des lignes, ni celle des intervalles. En effet, ces couleurs sont des attributs du filet, du cadre, de la courbe de Bézier ou du chemin qui emploie le motif.

Modifier, dupliquer, supprimer, ajouter un motif

Pour modifier, pour dupliquer ou pour supprimer un motif de tirets ou de rayures :

1. La zone de dialogue **Tirets et rayures** étant ouverte, cliquez sur le motif à modifier après avoir, si nécessaire, activé l'article du menu **Afficher** permettant de visualiser le motif désiré.
2. Choisissez la fonction à appliquer au motif sélectionné :
   - Cliquez sur le bouton **Modifier** afin de retrouver la zone de dialogue qui a permis la création du motif et qui va maintenant servir à le modifier.
   - Cliquez sur **Dupliquer** pour obtenir un nouveau motif identique au motif sélectionné et portant son nom précédé de "Copie de". Ce nouveau motif est immédiatement ouvert dans la zone de dialogue d'édition de motif (voir Figures 12.31 et 12.41).
   - Cliquez sur **Supprimer** pour éliminer le motif. Si celui-ci est utilisé par des traits, une zone de dialogue propose d'attribuer un nouveau motif aux traits enrichis avec le motif supprimé (voir Figure 12.42).
3. Validez vos manipulations par **OK**, puis par **Enregistrer**.

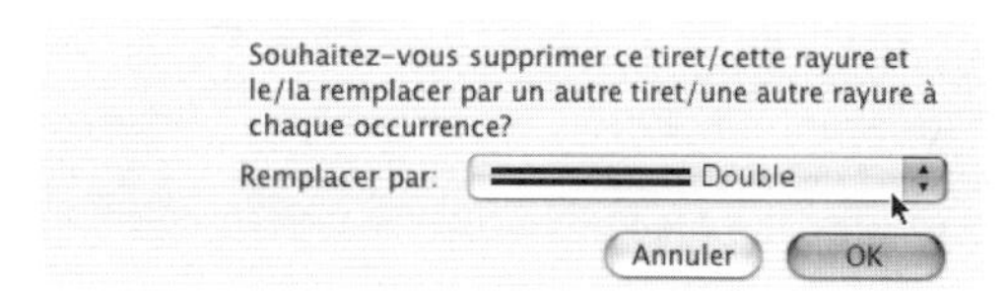

Figure 12.42

Le menu local de cette zone de dialogue permet de choisir le motif qui sera appliqué aux traits utilisant le motif supprimé.

La duplication de motifs facilite la création d'un nouveau motif peu différent d'un motif existant.

L'ajout de motifs revient à une importation vers le document courant ou vers les choix par défaut de l'application si aucun document n'est ouvert. De la sorte, on permet à un document de profiter des motifs définis pour un autre document.

Pour ajouter un motif de tirets ou de rayures :

1. La zone de dialogue **Tirets et rayures** étant ouverte, cliquez sur le bouton **Ajouter**. Un clic sur **Ajouter** entraîne l'importation de motifs depuis un document à sélectionner à l'aide d'une zone de dialogue de catalogue. Les motifs importés compléteront ceux du document courant ou s'ajouteront aux motifs par défaut si aucun document n'est ouvert.

2. Sélectionnez le document à partir duquel l'importation doit avoir lieu.
3. Cliquez sur un motif à importer puis sur la flèche dirigée vers la droite. La liste de gauche présente les motifs du document sélectionné à l'étape précédente, tandis que la liste de droite rassemble les motifs à importer dès la validation de la zone de dialogue. La flèche dirigée vers la droite importe le motif sélectionné à gauche, alors que la flèche dirigée vers la gauche annule l'importation d'un motif sélectionné dans la liste de droite (voir Figure 12.43).
4. Validez par **OK**.
5. Les motifs importés étant apparus dans la liste de droite, validez celle-ci en cliquant sur **OK**.
6. Les motifs importés apparaissent ensuite dans la liste de la zone de dialogue **Tirets et rayures**. Toutefois, ils ne seront effectivement disponibles que si cette zone de dialogue est quittée à l'aide d'un clic sur **Enregistrer**.

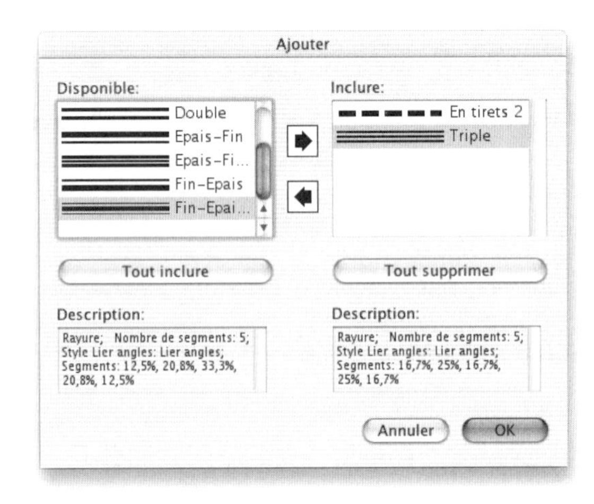

Figure 12.43

Pour sélectionner un motif, cliquez sur son nom ou sur sa représentation, ils doivent alors se contraster. Le motif sélectionné est décrit en bas de la zone de dialogue. Remarquez les cases Tout inclure et Tout supprimer qui permettent de manipuler chacune des listes "en bloc".

CHAPITRE 13

Les courbes de Bézier

Au sommaire de ce chapitre

- Introduction
- Création d'une courbe de Bézier
- Sélection et modification
- Fusion de courbes

Les courbes de Bézier constituent un puissant outil mathématique utilisé pour traduire de façon vectorielle – et donc en s'affranchissant de la résolution – n'importe quel dessin à main levée. Depuis la version 4 de XPress, elles ont fait l'objet d'une profonde intégration à toutes les facettes de l'application. Ainsi les courbes de Bézier servent en tant que tracés isolés, pour délimiter un bloc quelconque, comme chemins de texte, comme contours de détourage, etc.

Introduction

En tant que tracés, les courbes de Bézier sont des blocs correspondant à un tracé vectoriel. A travers elles, nous allons présenter les principes communs aux différents blocs employant des courbes de Bézier et ce, qu'il s'agisse de blocs résultant d'une opération de fusion, d'un chemin de texte, d'un bloc de texte ou d'un bloc image délimité par une courbe de Bézier. Les Figures 13.1 à 13.4 présentent différents aspects de la manipulation d'une courbe de Bézier.

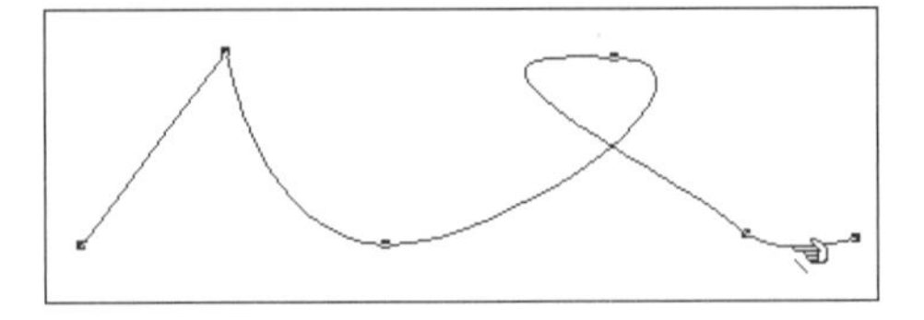

Figure 13.1
Lorsqu'elle est sélectionnée, une courbe de Bézier affiche ses points d'ancrage.

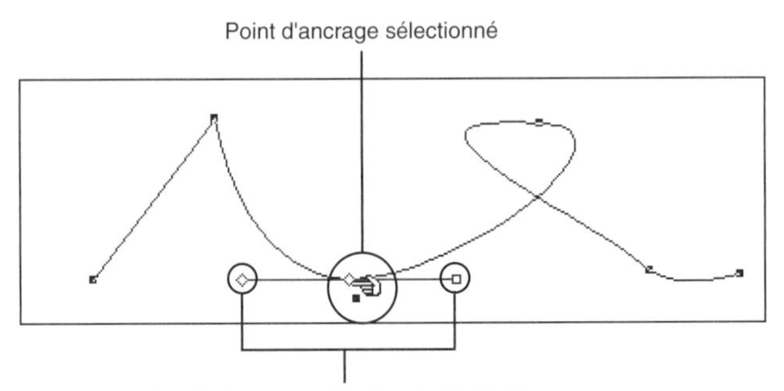

Figure 13.2
La sélection d'un point d'ancrage fait apparaître deux tangentes (ou lignes directrices), elles-mêmes munies de poignées (ou points directeurs).

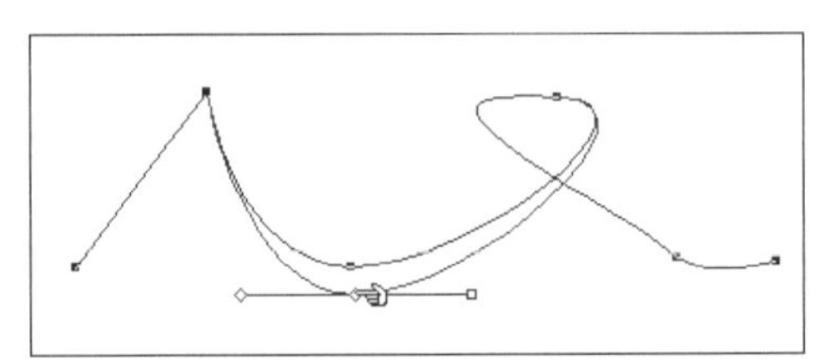

Figure 13.3
C'est en faisant glisser les points d'ancrage ou les points directeurs que vous modifiez l'allure de la courbe.

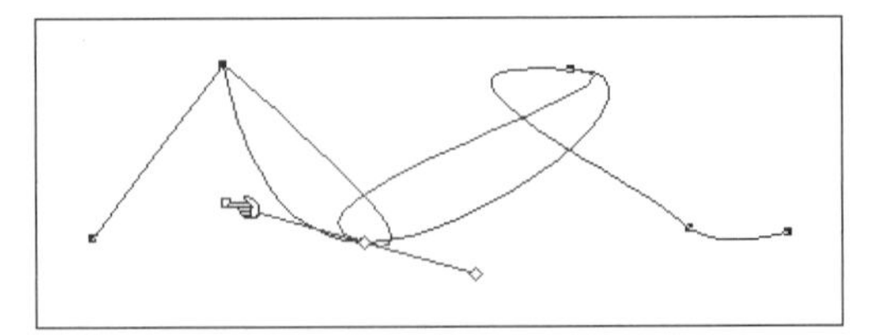

Figure 13.4
Ici, on fait tourner un point directeur autour du point d'ancrage dont il dépend.

Selon le cas, les points d'ancrage sont :

- des points d'inflexion munis de lignes directrices, elles-mêmes orientées par leurs points directeurs ;
- des sommets de ligne brisée.

Outre les blocs de type courbes de Bézier que nous allons aborder dans ce chapitre, rappelons que d'autres types de blocs font appel aux principes de ces courbes. Les Figures 13.5 à 13.10 illustrent les différents types de blocs dotés de contenus et définis à l'aide de courbe de Bézier. En effet, en tant que bloc, une courbe de Bézier n'a pas de contenu.

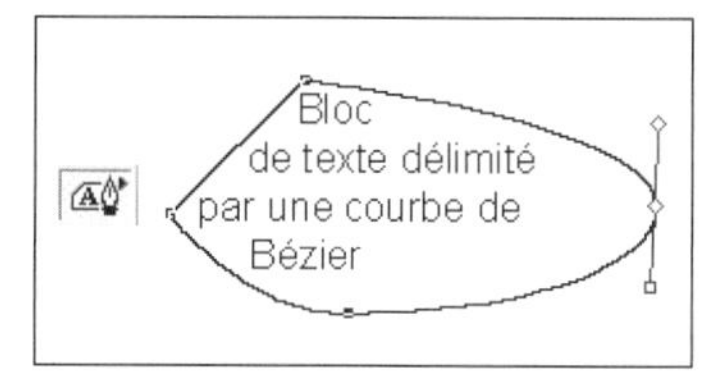

Figure 13.5
Le bloc de texte délimité par une courbe de Bézier.

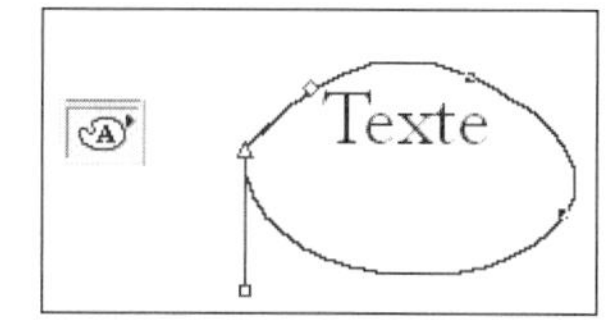

Figure 13.6
Le bloc de texte délimité par un tracé libre.

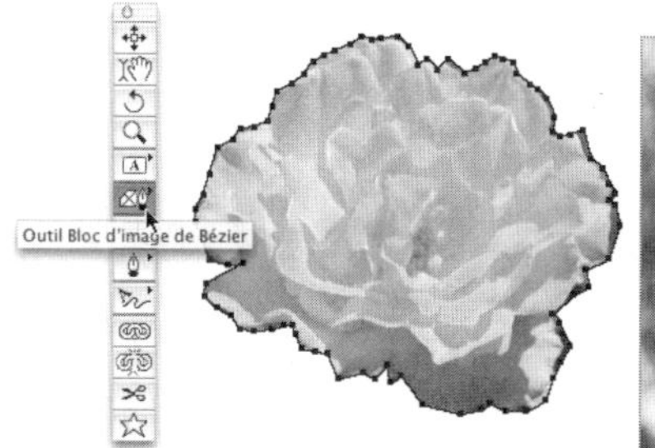

Figure 13.7
Le bloc image de gauche est délimité par une courbe de Bézier (ligne brisée ou courbe). Le bloc de droite contient la même image, mais il s'agit ici d'un simple bloc rectangulaire.

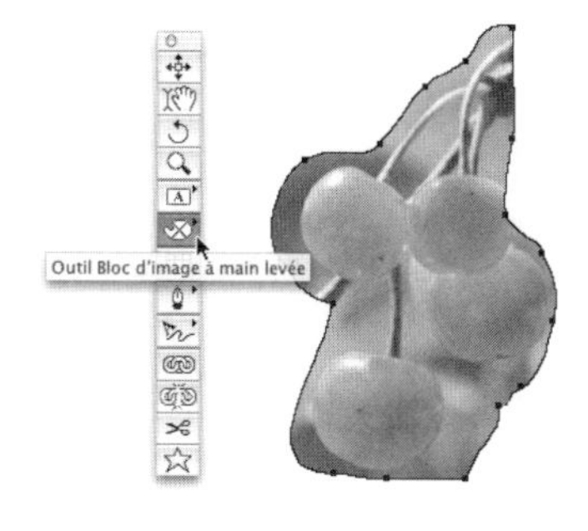

Figure 13.8
Le bloc image délimité par un tracé libre.

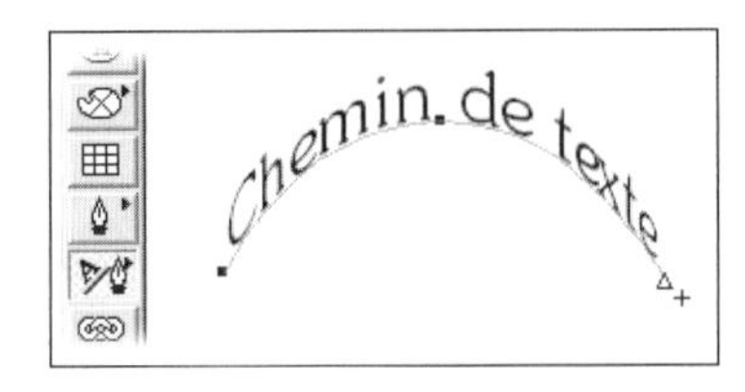

Figure 13.9
Le chemin de texte fondé sur une courbe de Bézier.

Figure 13.10
Le chemin de texte fondé sur un tracé libre.

Pour placer une image dans un bloc délimité par une courbe de Bézier et respectant ses contours, commencez par importer l'image dans un bloc image rectangulaire, puis ajustez les échelles horizontale et verticale. Activez l'outil Bloc image de Bézier ou Bloc image à main levée et créez un bloc en suivant le contour du sujet de l'image. Activez ensuite l'outil ***Modification****, cliquez sur le bloc rectangulaire initialement créé et choisissez* ***Copier*** *dans le menu* ***Edition****, puis* ***Supprimer*** *dans le menu* ***Bloc****. Cliquez alors sur le nouveau bloc et activez* ***Coller*** *dans le menu* ***Edition****. Ajustez la position de l'image dans ce bloc avec l'outil Modification.*

Tous les blocs définis par un tracé libre "à main levée" sont en fait convertis en courbes de Bézier. Ils sont lissés lors de cette conversion.

Tous les outils illustrés aux Figures 13.5 à 13.10 génèrent une courbe de Bézier particulière, puisque employée pour délimiter un bloc ayant un contenu. Les points d'ancrage de ces courbes de Bézier se manipulent comme ceux des courbes de Bézier utilisées comme traits, que nous allons maintenant aborder.

Création d'une courbe de Bézier

Hormis les outils mettant en place des courbes de Bézier pour délimiter un bloc ayant un contenu (texte ou image), deux outils (voir Figure 13.11) sont consacrés à la création de courbes de Bézier.

Avec l'outil Trait à main levée, contentez-vous de faire glisser le pointeur pour mettre en place un tracé (voir Figure 13.12) qui sera automatiquement muni de poignées dès que vous relâcherez le bouton de la souris (voir Figure 13.13).

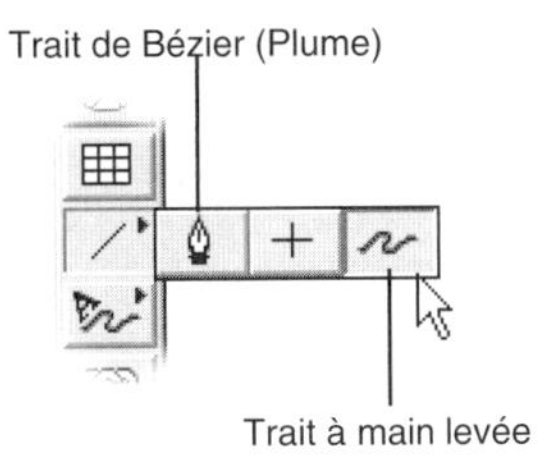

Figure 13.11
Les outils créant des courbes de Bézier en tant que traits.

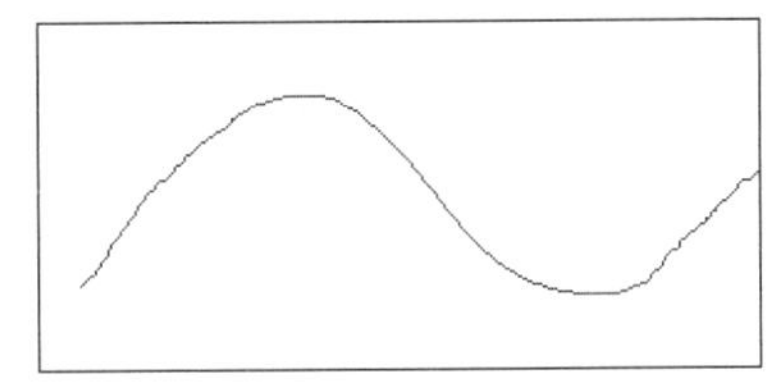

Figure 13.12
Le pointeur suit l'outil Trait à main levée...

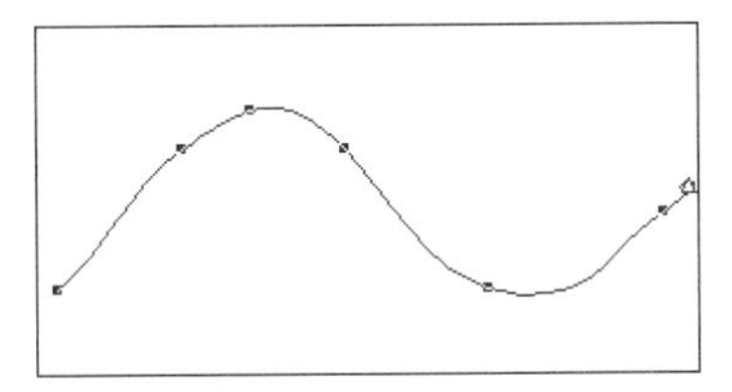

Figure 13.13
... et le tracé à main levée est vectorisé dès le relâchement du bouton de la souris.

La mise en place d'une courbe de Bézier avec l'outil Trait de Bézier (également appelé "Plume", voir Figure 13.11) suppose une manipulation un peu plus complexe :

1. Après avoir activé l'outil Trait de Bézier (Plume), contentez-vous de cliquer pour mettre en place un point angulaire (effet de ligne brisée). Le point d'ancrage ainsi créé est un sommet de ligne brisée (voir Figure 13.14).
2. Faites glisser le pointeur au niveau de chaque minimum, de chaque maximum ou de chaque point d'inflexion pour obtenir une courbe. Le point d'ancrage ainsi créé est un point d'inflexion (voir Figure 13.15).
3. Double-cliquez pour achever le tracé. Avec l'outil Plume, tant que vous n'avez pas achevé le tracé par un double-clic, le dernier point d'ancrage mis en place apparaît sous la forme d'un carré vide.

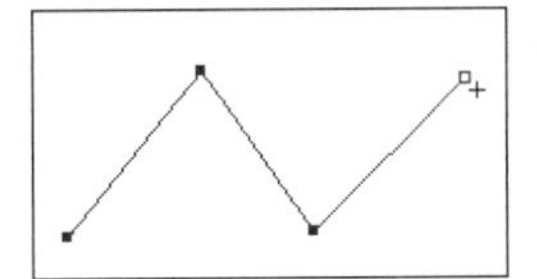

Figure 13.14
Cliquer avec l'outil Plume met en place des sommets de ligne brisée.

Figure 13.15

Maintenir le bouton de la souris enfoncé et faire glisser le pointeur après avoir placé un point d'ancrage permet de créer un point d'inflexion.

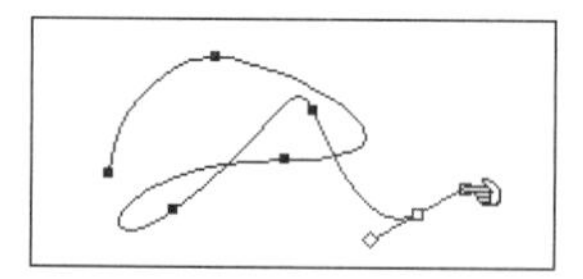

L'outil Trait de Bézier n'est pas prévu pour réaliser des tracés fermés. Pour créer un tracé fermé, utilisez un bloc image défini par une courbe de Bézier (voir Figure 13.7). Ce bloc étant sélectionné, activez ***Modifier*** *dans le menu* ***Bloc****, puis, dans l'onglet* ***Bloc*** *de la zone de dialogue, activez l'article* ***Néant*** *du menu local* ***Couleur*** *(rubrique* ***Bloc*** *de l'onglet). Vous obtenez ainsi un bloc à fond transparent qui est assimilable à un tracé fermé.*

Comme le montre la Figure 13.16, une courbe de Bézier mise en place avec l'outil Trait de Bézier (également appelé "Plume", voir Figure 13.11) peut mêler des points d'ancrage organisés par de simples clics (sommets de ligne brisée) avec d'autres créés en faisant glisser le pointeur (points d'inflexion).

Figure 13.16

Cette courbe de Bézier comprend différents types de points d'ancrage.

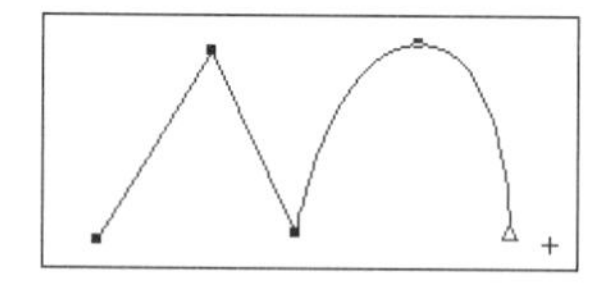

Quel que soit l'outil employé – Trait à main levée ou Trait de Bézier (Plume) –, on obtient une courbe définie par ses points d'ancrage. Dans le cas de la Plume, l'utilisateur définit lui-même les points d'ancrage alors que, avec l'outil Trait à main levée, c'est XPress qui crée les points d'ancrage à partir du parcours du pointeur sur l'écran.

Sélection et modification

Pour sélectionner une courbe de Bézier, cliquez dessus avec l'outil Déplacement (voir Figure 13.17). Réservez l'outil Modification à la sélection du contenu des blocs employant une courbe de Bézier comme délimitation. La sélection est matérialisée par l'affichage des points d'ancrage symbolisés par les poignées que vous pouvez faire glisser.

Figure 13.17

La sélection d'une courbe de Bézier avec l'outil Déplacement.

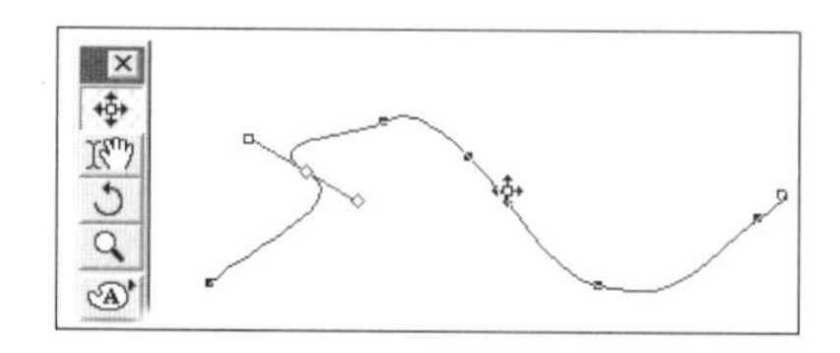

Faire glisser une courbe, un point d'ancrage, un point directeur ou un segment

La courbe étant sélectionnée, plusieurs types de déplacements sont envisageables avec l'outil Déplacement :

- En maintenant la touche Cmd (Mac OS) ou Ctrl (Windows) enfoncée, vous pouvez faire glisser la courbe dans son ensemble (voir Figure 13.18) et, ainsi, la déplacer. Dans ce cas, le pointeur a l'aspect de l'outil Déplacement.
- En cliquant sur un point d'ancrage, puis en faisant glisser le pointeur (voir Figure 13.19), on déplace le point d'ancrage et on modifie les segments de la courbe qui encadrent le point déplacé. Si le point d'ancrage est de type point lisse ou point symétrique, deux tangentes apparaissent autour du point d'ancrage. Chaque tangente (ligne directrice) se termine par une poignée (point directeur) que vous pouvez aussi faire glisser afin de modifier l'allure des segments autour du point déplacé (voir Figure 13.20). Le pointeur a l'aspect d'un doigt pointé, complété soit par un petit carré noir si le point d'ancrage est désigné (voir Figure 13.21), soit par un petit carré vide si le point directeur d'une tangente est à proximité immédiate du pointeur (voir Figure 13.22).
- En pointant entre deux points d'ancrage (c'est-à-dire sur un segment droit ou courbe), puis en cliquant, on sélectionne le segment séparant les deux points d'ancrage les plus proches. Vous pouvez alors déplacer le segment. Dans ce cas, le pointeur a l'aspect d'un doigt pointé complété par un trait oblique (voir Figures 13.23 et 13.24).

Comme le montrent les Figures 13.24 et 13.25, faire glisser un segment entraîne une modification de l'allure des segments adjacents. En fait, ce sont les lignes directrices des points d'ancrage qui sont redéfinies tandis que les points d'ancrage restent immobiles lors du déplacement d'un segment.

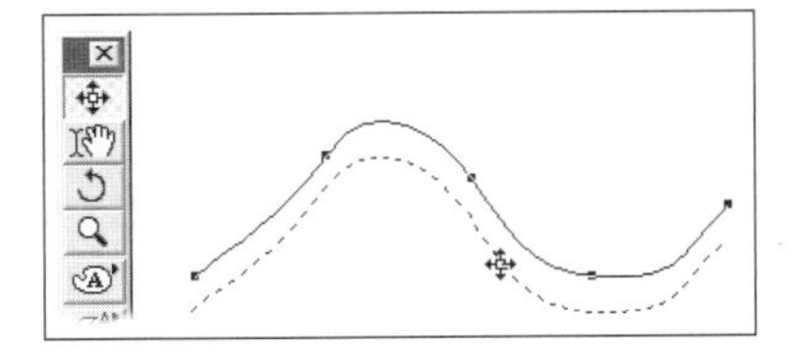

Figure 13.18

Associée à l'outil Déplacement, la touche Cmd (Mac OS) ou Ctrl (Windows) permet de déplacer la courbe.

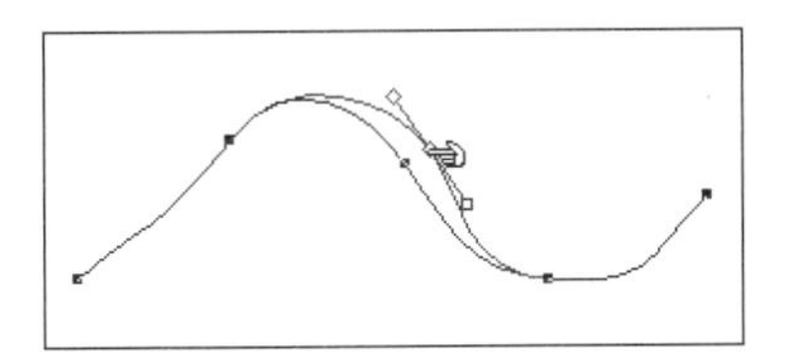

Figure 13.19

Après avoir cliqué sur un point d'ancrage, faire glisser celui-ci provoque une modification des segments adjacents.

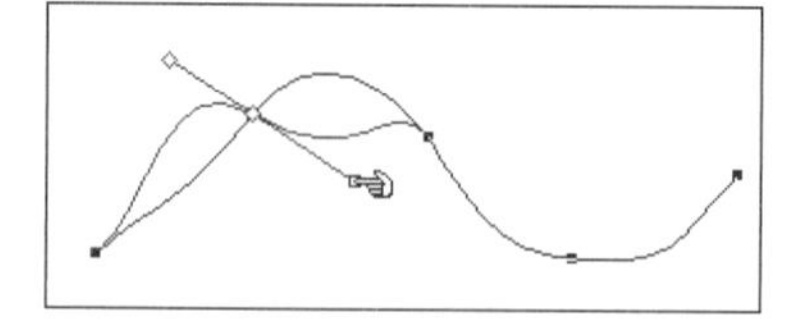

Figure 13.20

Ici, ce n'est pas le point d'ancrage que l'on fait glisser, mais le point directeur de l'une des lignes directrices.

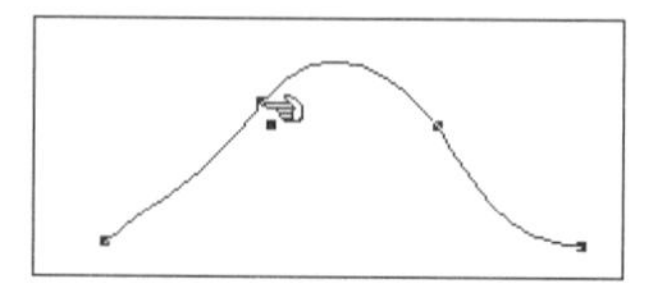

Figure 13.21

L'outil Déplacement pointe sur un point d'ancrage.

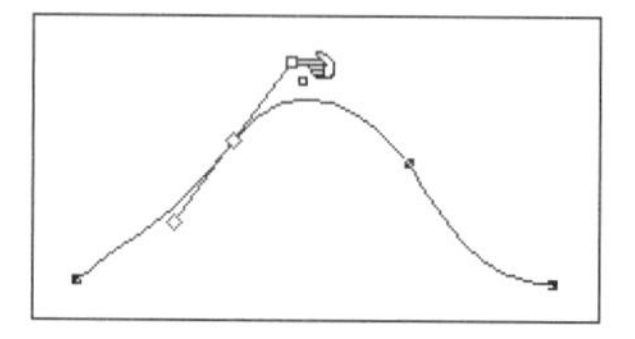

Figure 13.22

Un carré vide indique que le pointeur désigne le point directeur d'une ligne directrice.

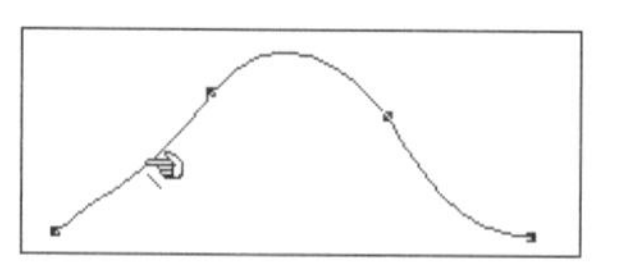

Figure 13.23

Le trait qui complète le doigt pointé indique qu'un segment est désigné par le pointeur.

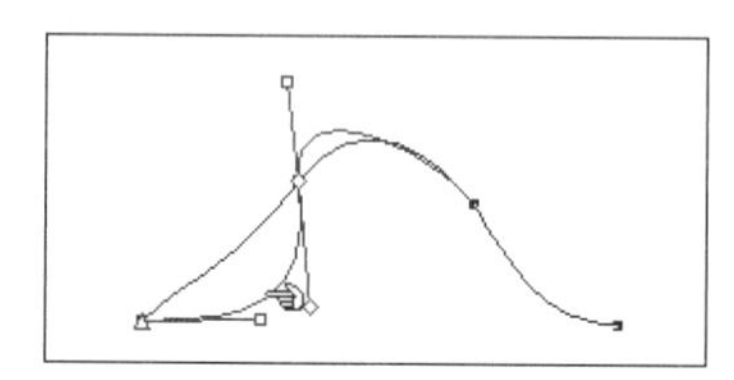

Figure 13.24

Ici, le pointeur fait glisser un segment.

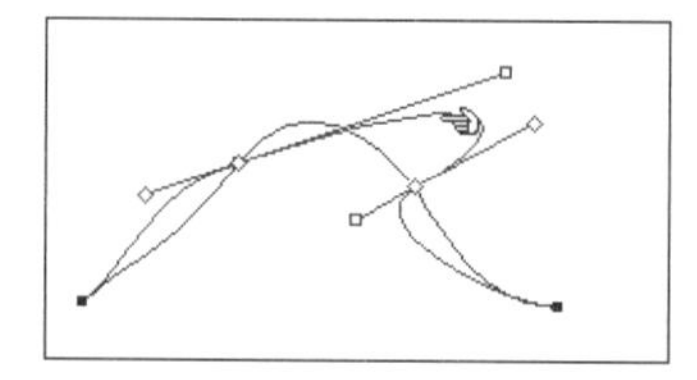

Figure 13.25

Faire glisser un segment modifie les segments adjacents, mais ne déplace aucun point d'ancrage.

Retenez que la forme du pointeur traduit la nature de l'élément susceptible d'être déplacé :

- forme "outil Déplacement", déplacement du trait dans son ensemble (voir Figure 13.18) ;
- forme "doigt pointé et trait oblique", déplacement d'un segment (voir Figure 13.23) ;
- forme "doigt pointé et petit carré noir", déplacement d'un point d'ancrage (voir Figure 13.21) ;
- forme "doigt pointé et petit carré vide", déplacement d'une poignée de tangente (voir Figure 13.22).

On distingue trois types de points d'angle :

- les points angulaires (sommets de lignes brisées, etc.) ;
- les points lisses (dotés de tangentes, c'est-à-dire de lignes directrices) ;
- les points symétriques (dont les deux lignes directrices sont opposées et symétriques).

Contrairement aux deux autres types de points d'ancrage, les points angulaires ne sont pas toujours dotés de tangentes et sont représentés par un triangle (voir Figure 13.26) tandis que les autres le sont par un carré (point symétrique) ou par un losange (point lisse) lorsque le trait qu'ils définissent est sélectionné par l'outil Déplacement (voir Figures 13.27 et 13.28).

astuce

Pour sélectionner ensemble plusieurs points d'ancrage, maintenez la touche ⇧Maj enfoncée et cliquez sur les points d'ancrage avec l'outil Déplacement qui a alors l'aspect d'un doigt pointé complété d'un carré noir.

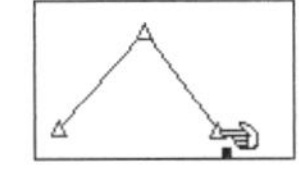

Figure 13.26
Ici, des points angulaires sont sélectionnés.

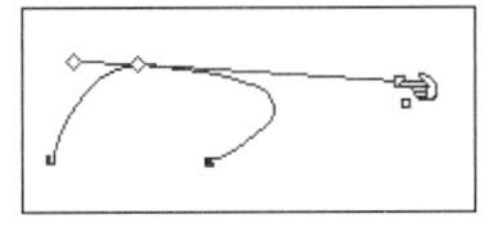

Figure 13.27
Lorsqu'il est sélectionné, un point lisse est doté de ses lignes directrices et est représenté par un petit losange.

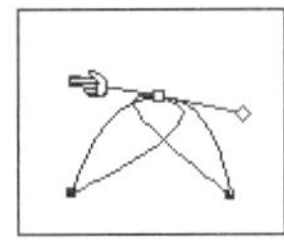

Figure 13.28
Matérialisé par un petit carré, un point symétrique se distingue d'un point lisse par ses lignes directrices de mêmes longueurs et solidaires quant à leur direction.

Changer le type d'un point d'ancrage

La façon dont vous avez mis en place la courbe de Bézier – nature de l'outil, mise en place clic par clic ou en faisant glisser – détermine la nature des points d'ancrage. Cependant, rien ne vous empêche de modifier le type d'un point d'ancrage :

1. Cliquez sur l'outil Déplacement.
2. Cliquez sur la courbe de Bézier afin de faire apparaître ses points d'ancrage.
3. Pointez sur le point d'ancrage à modifier. Le pointeur ayant maintenant la forme d'un doigt pointé associé à un petit carré noir, cliquez. Le point d'ancrage est sélectionné et son aspect traduit son type (triangle pour un point angulaire, losange pour un point lisse ou carré pour un point symétrique).
4. Dans la palette des spécifications, cliquez sur l'une des trois petites icônes consacrées au type du point d'ancrage (voir Figure 13.29).

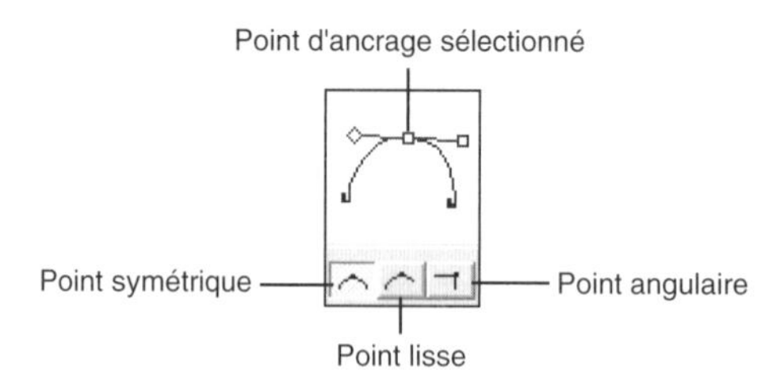

Figure 13.29
Le changement du type d'un point d'ancrage.

Quand un point d'ancrage est sélectionné, la partie droite de la palette des spécifications présente :

- les coordonnées du point d'ancrage sélectionné (XP et YP) ;
- l'angle et la longueur de la première tangente ;
- l'angle et la longueur de la seconde tangente.

Notez que les deux dernières informations sont affichées et ont un sens pour les points angulaires, bien qu'aucune tangente n'apparaisse pour ce type de point angulaire lorsqu'il est encadré par deux segments droits.

Le type du point d'ancrage impose certaines contraintes aux tangentes :

- Les deux tangentes sont de directions opposées, mais parallèles, et de même longueur pour les points symétriques.
- Les deux tangentes sont parallèles et de directions opposées, mais peuvent être de longueurs inégales pour les points lisses.

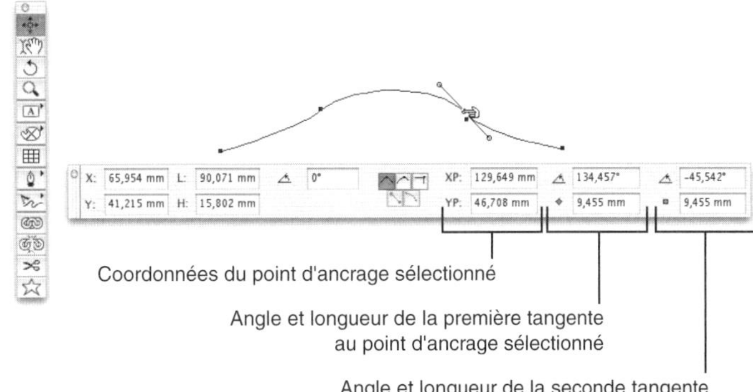

Figure 13.30
La palette des spécifications lorsqu'un point d'ancrage est sélectionné.

- Les deux tangentes peuvent être quelconques pour les points angulaires (voir Figure 13.31). Notez cependant qu'un point angulaire est dépourvu de tangentes s'il est encadré par d'autres points angulaires. En effet, deux points angulaires encadrent nécessairement un segment droit.

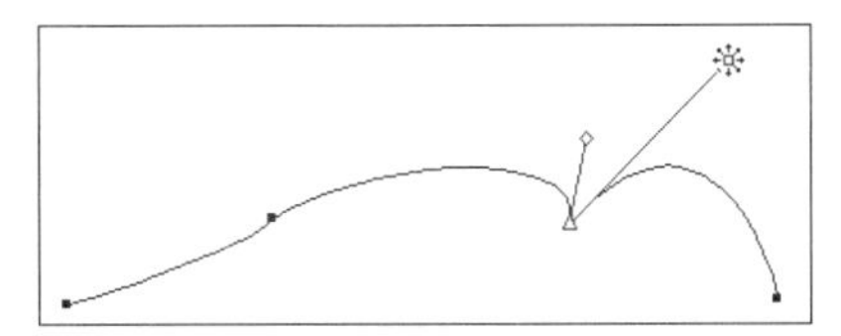

Figure 13.31
Encadré par des segments courbes, un point angulaire vous laisse libre de placer ses tangentes à votre guise (absence de contraintes).

Changer le type d'un segment

Les trois types de points d'ancrage sont complétés par deux types de segments :

- segment droit (segment de droite) ;
- segment courbe.

Comme les points d'ancrage, les segments peuvent changer de type :

1. Cliquez sur l'outil Déplacement.
2. Cliquez sur la courbe de Bézier afin de faire apparaître ses points d'ancrage.
3. Pointez sur le segment à modifier. Le pointeur ayant l'aspect d'un doigt pointé associé à un trait oblique, cliquez sur le segment. Les points d'ancrage qui le délimitent sont alors mis en évidence ainsi que leurs tangentes s'il y a lieu.
4. Dans la palette des spécifications, cliquez sur l'icône segment droit ou sur l'icône segment courbe (voir Figure 13.32).

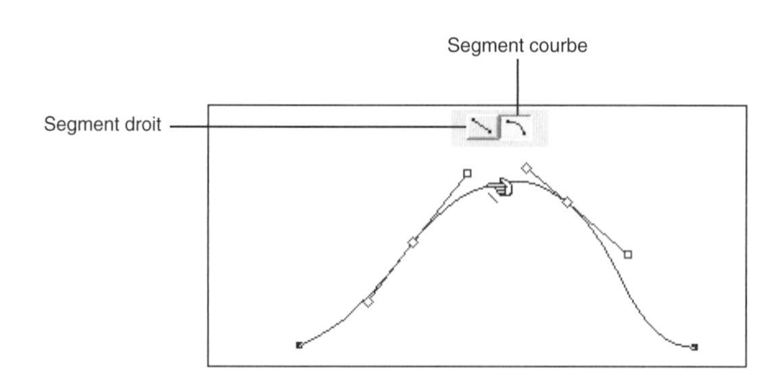

Figure 13.32
Le changement du type d'un segment.

La sélection d'un segment est matérialisée par la sélection des points d'ancrage qui l'encadrent et par l'aspect du pointeur qui figure dans ce cas un doigt pointé complété d'un segment oblique.

Changer le type d'un segment modifie également le type des points d'ancrage qui l'encadrent.

Ajouter et supprimer des points d'ancrage

Après avoir décrit la création des courbes, les divers déplacements et la modification du type des points d'ancrage ou des segments, voyons comment ajouter ou comment supprimer un point d'ancrage à une courbe de Bézier existante.

Pour ajouter un point d'ancrage :

1. Cliquez sur l'outil Déplacement.
2. Cliquez sur la courbe de Bézier dont tous les points d'ancrage doivent alors être matérialisés par des poignées.
3. Appuyez sur la touche [Alt] et maintenez-la enfoncée.
4. Pointez sur l'un des segments du tracé sélectionné à l'endroit où devra se placer le nouveau point d'ancrage.
5. Le pointeur ayant pris l'aspect d'un carré à coins arrondi, cliquez pour mettre en place le nouveau point d'ancrage (voir Figure 13.33).
6. Relâchez la touche [Alt].
7. Le nouveau point d'ancrage prend place sur la courbe qu'il ne modifie pas tant que vous ne déplacez ni lui, ni ses tangentes.

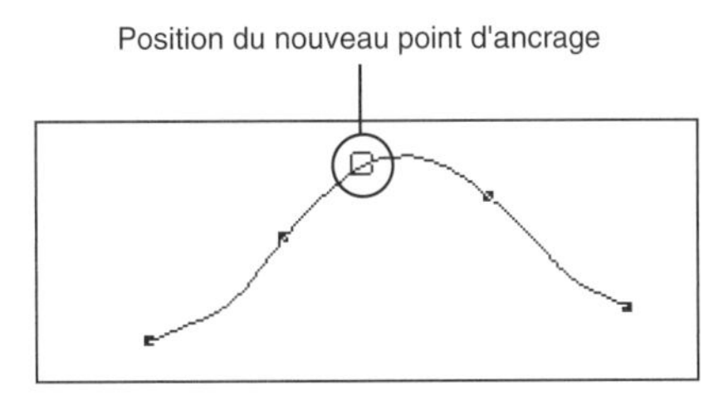

Figure 13.33
La mise en place du nouveau point d'ancrage.

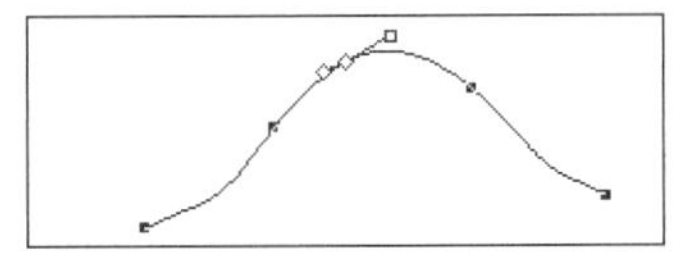

Figure 13.34
Par rapport à la Figure 13.33, un nouveau point d'ancrage prend place.

Pour supprimer un point d'ancrage :

1. Cliquez sur l'outil Déplacement.
2. Si les points d'ancrage n'apparaissent pas, cliquez sur la courbe de Bézier dont un point d'ancrage doit être supprimé.
3. Pointez sur le point d'ancrage à supprimer.
4. Le pointeur ayant la forme d'un doigt pointé associé à un petit carré noir, cliquez pour sélectionner le point d'ancrage.
5. Appuyez sur ←Retour Ar. (*backspace*).
6. La courbe est recomposée à partir des lignes directrices dont sont dotés les points d'ancrage encadrant le point d'ancrage supprimé.

Style et extrémité d'un trait de Bézier

Une courbe de Bézier peut disposer d'un style, d'une épaisseur, d'extrémités personnalisées ou d'une couleur particulière. En cela, une courbe de Bézier se comporte exactement comme un filet (trait rectiligne). Nous nous contenterons donc de revoir très rapidement ce qui a déjà été présenté au Chapitre 12 au sujet des filets.

Le style d'une courbe de Bézier préalablement sélectionnée avec l'outil Déplacement est déterminé par :

- les sous-menus du menu **Style** ;
- la zone de dialogue accessible *via* l'article **Modifier** du menu **Bloc** (voir Figure 13.35) ;
- la palette des spécifications.

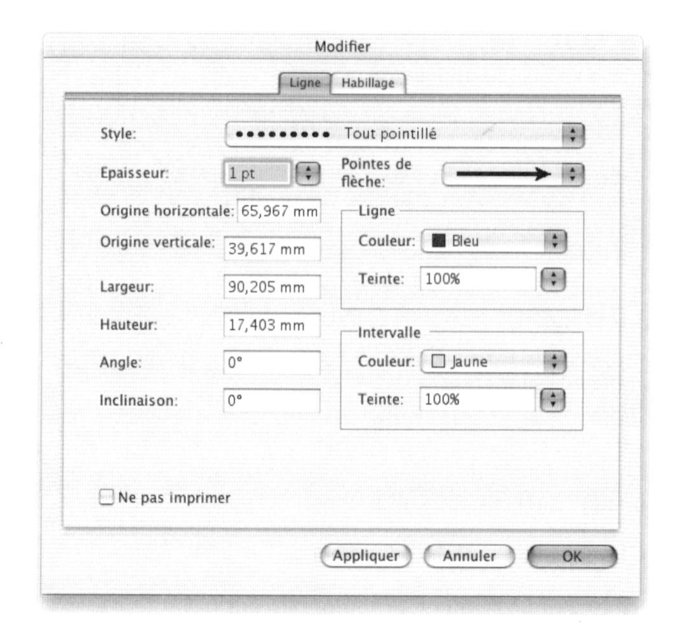

Figure 13.35
La zone de dialogue Modifier, la palette des spécifications et le menu Style sont semblables à ceux affichés en cas de sélection d'un filet. Remarquez la possibilité de déterminer la couleur des intervalles lorsque le style de trait correspond à des tirets ou à des rayures.

Comme un filet, une courbe de Bézier ne fait pas, par défaut, l'objet d'un habillage. Ce dernier doit donc être activé en sélectionnant l'un des articles du menu local **Type**, accessible en sélectionnant l'article **Habillage** du menu **Bloc** ou en cliquant sur l'onglet **Habillage** de la zone de dialogue ouverte par l'article **Modifier** du menu **Bloc** (voir Figure 13.36).

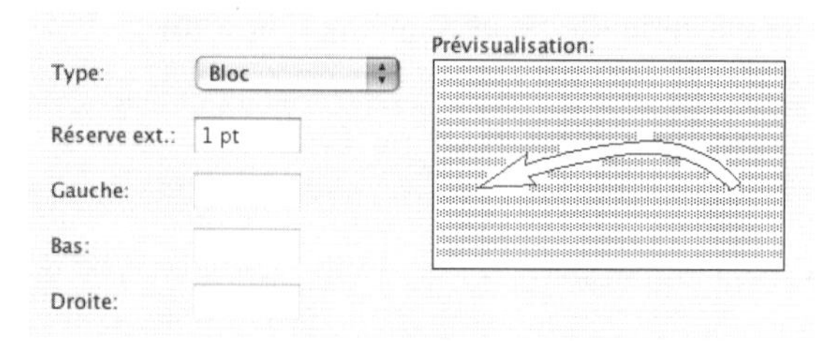

Figure 13.36
L'onglet Habillage.

*Une courbe de Bézier de couleur Néant est invisible, mais permet de modeler facilement un texte grâce à l'habillage en mode **Bloc** (voir Figure 13.37).*

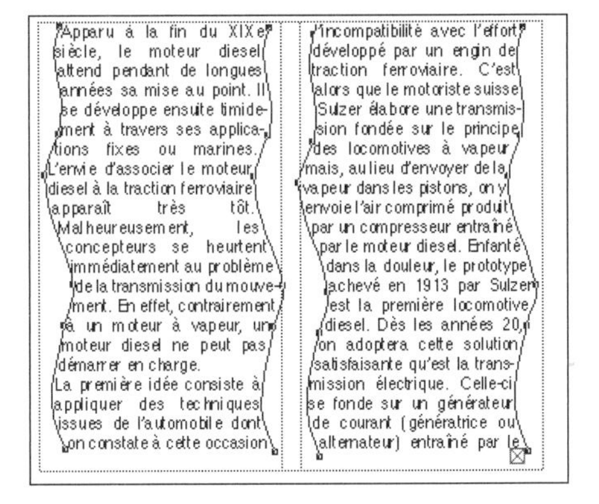

Figure 13.37

Ici, une courbe de Bézier dupliquée trois fois (afin de disposer de quatre occurrences) a été placée au-dessus de deux colonnes de texte. L'habillage de type Bloc est activé pour chacune des courbes.

Fusion de courbes

Vous pouvez créer une nouvelle courbe de Bézier par fusion de deux courbes existantes (de même, vous pouvez fusionner deux chemins de texte, éventuellement fondés sur une courbe de Bézier). On emploie pour cela l'article **Joindre extrémités**, accessible depuis le sous-menu **Fusionner** du menu **Bloc**. On obtient de la sorte une courbe de Bézier correspondant à la juxtaposition des deux courbes fusionnées et reprenant les attributs de la courbe d'arrière-plan.

Pour qu'il soit possible de joindre les extrémités, il faut que l'une des extrémités de la première courbe soit au contact de l'une des extrémités de la seconde courbe. On emploie donc des repères dont le magnétisme facilite le rapprochement des éléments à fusionner.

Lorsque le magnétisme des repères est activé, l'intersection de deux repères (l'un vertical, l'autre horizontal) permet de positionner facilement sur un même point les extrémités de deux tracés.

Pour joindre les extrémités :

1. En les faisant glisser depuis les règles, mettez en place deux repères (voir Chapitre 2) dont l'intersection tiendra lieu de point de contact pour les deux courbes (voir Figure 13.38).
2. Déplacez les courbes de façon à placer une extrémité de chacune des deux courbes sur l'intersection des repères (voir Figure 13.39).
3. L'outil Déplacement étant activé, cliquez sur la première courbe, puis appuyez sur la touche [⇧Maj] et maintenez-la enfoncée.

4. Cliquez sur la seconde des deux courbes à fusionner.
5. Les deux courbes étant sélectionnées, relâchez la touche [⇧Maj].
6. Déroulez le menu **Bloc**, puis son sous-menu **Fusionner** et sélectionnez l'article **Joindre extrémités** (voir Figure 13.40).

Figure 13.38
Pour faciliter le rapprochement de leurs extrémités, on met en place deux repères.

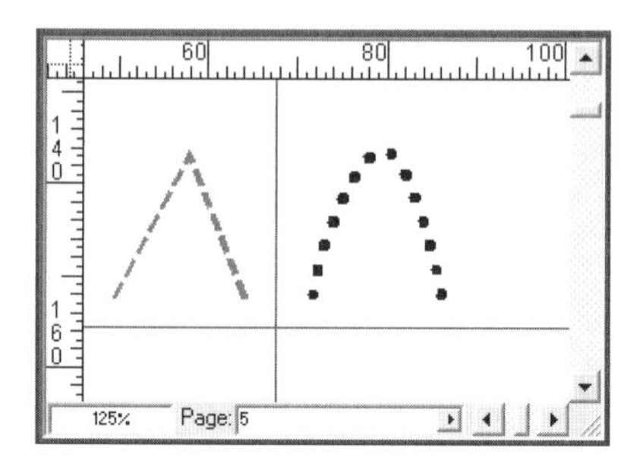

Figure 13.39
On fait glisser l'une des extrémités de chaque courbe vers l'intersection des repères.

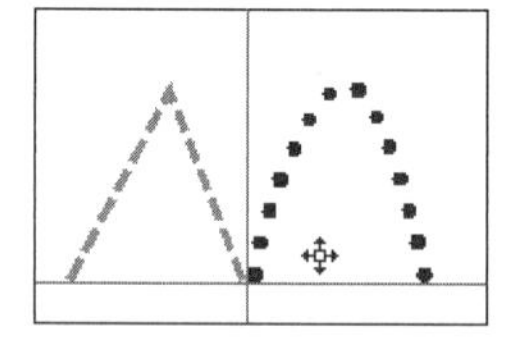

Figure 13.40
Le résultat est une nouvelle courbe (notez la nouvelle forme de l'ancien point de contact des courbes) qui reprend le style de la courbe d'arrière-plan.

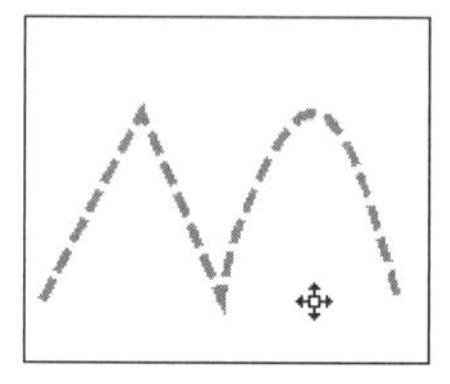

attention

*La fonction **Joindre extrémités** ne peut s'appliquer qu'à deux courbes de Bézier ou à deux chemins de texte. C'est la seule fonction du sous-menu **Fusionner** qui ne traite que les courbes de Bézier (et, par extension, les chemins de texte).*

CHAPITRE 14

Les pages et le plan de montage

Au sommaire de ce chapitre

- Plan de montage
- Insérer des pages
- Numéroter les pages
- Supprimer des pages
- Déplacer des pages
- Aller vers une page

Lors de sa création, tout document XPress comprend une unique page. Nous allons maintenant voir comment insérer, comment déplacer et comment supprimer des pages. Notez que l'affectation d'une maquette à une page *via* le plan de montage a été vue au Chapitre 8.

Plan de montage (ou disposition de page)

*A partir de XPress 6, la palette **Plan de montage** est rebaptisée **Disposition de page**. Cependant, l'appellation "plan de montage" étant communément admise et employée par les utilisateurs de XPress, nous resterons fidèles à celle-ci.*

Le plan de montage met en évidence l'enchaînement des pages composant le document. Il permet l'insertion, la suppression et le déplacement des pages.

Pour afficher la palette **Disposition de page** (anciennement **Plan de montage**) présentée à la Figure 14.1, sélectionnez l'article **Afficher la disposition de page** du menu **Ecran**. Cette palette permet de réorganiser les pages, mais elle constitue aussi un moyen d'accès rapide aux pages et aux maquettes du document. Ainsi, pour afficher une maquette ou une page, il suffit d'un double-clic sur son icône dans le plan de montage. Avant l'apparition du plan de montage avec XPress 2.11, on passait des pages du document à la maquette par le sous-menu **Visualiser** (rebaptisé **Afficher**) du menu **Page**.

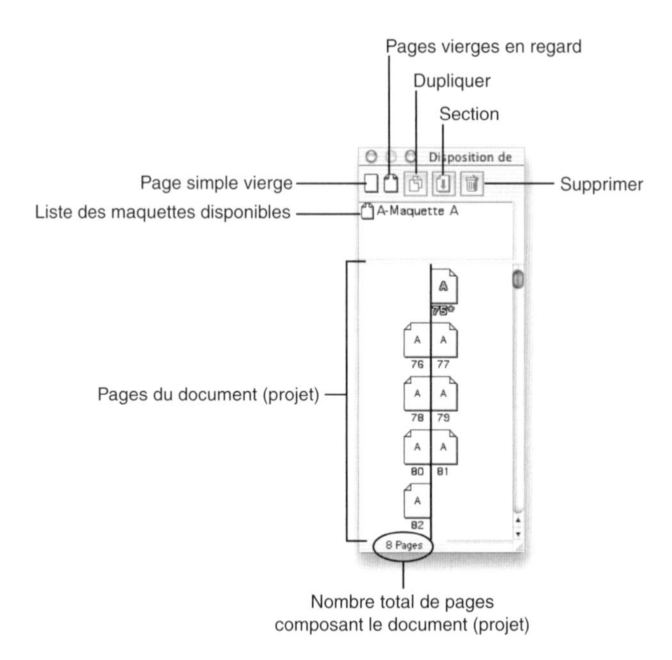

Figure 14.1
Les pages du document sont accessibles depuis le plan de montage.

Nous avons vu au Chapitre 8 comment utiliser le plan de montage pour la création, pour l'application et pour la suppression des maquettes.

Depuis XPress 6, il est possible de créer un début de section de numérotation des pages via *la palette* ***Disposition de page****. Pour cela, cliquez sur l'une des pages présentées par cette palette, puis sur le bouton* ***Section****.*

Insérer des pages

L'insertion de nouvelles pages à un document peut être :

- **Automatique.** Lorsque le texte saisi ou importé déborde du bloc de texte automatique.
- **Manuelle.** Si elle est réalisée avec le plan de montage (c'est-à-dire la palette **Disposition de page**) ou à travers l'article **Insérer** du menu **Page**.

Insertion manuelle

Pour insérer des pages à l'aide de la zone de dialogue **Insertion de pages** :

1. Si les pages à ajouter au document doivent être chaînées à des pages existantes, cliquez avec l'outil Modification sur l'un des blocs de texte automatique de ces pages. Ainsi, vous placez le curseur dans la chaîne de caractères qui coule entre les occurrences du bloc de texte automatique. Au contraire, si les nouvelles pages ne doivent pas être chaînées à la chaîne accueillie par les occurrences du bloc de texte automatique, cliquez hors de ces blocs pour vous assurer qu'ils ne sont pas sélectionnés.
2. Sélectionnez l'article **Insérer** du menu **Page**.
3. Saisissez le nombre de pages à insérer dans la case de saisie **Insérer** (voir Figure 14.2).
4. Trois options sont proposées pour la position des pages insérées : **avant page**, **après page** ou **à la fin du document**. Si vous choisissez **avant page** ou **après page**, vous devez également saisir le numéro de la page avant ou après laquelle doit avoir lieu l'insertion.

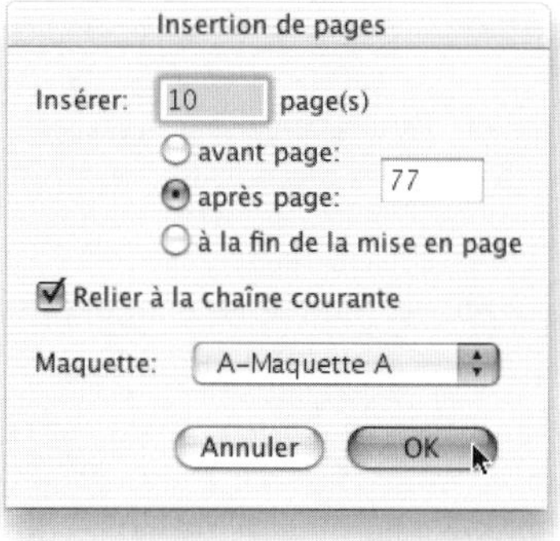

Figure 14.2

En cochant la case d'option Relier à la chaîne courante, vous ne rompez pas la continuité du document.

5. Le curseur se trouvant dans un bloc de texte de l'une des pages déjà en place, cocher la case d'option **Relier à la chaîne courante** permet de relier le bloc de texte automatique des pages insérées à la chaîne où se trouve pour l'instant le curseur.
6. S'il y a lieu, sélectionnez dans le menu local **Maquette** la maquette sur laquelle devront se fonder les pages insérées. Remarquez dans ce menu local les articles consacrés aux maquettes vierges (**Page simple vierge** pour un recto seul, **Pages vierges en regard** pour un recto verso).
7. Validez en cliquant sur **OK**.

Au cours d'une même opération d'insertion, le nombre de pages insérées est limité à 1 999 (au lieu de 800 jusqu'à XPress 5), mais les insertions peuvent, bien sûr, être répétées. Un même document peut ainsi contenir jusqu'à deux mille pages.

En pratique, cliquez sur l'un des blocs de texte auto des pages existantes avant de cocher **Relier à la chaîne courante**. Cette case d'option n'est disponible que si la maquette choisie dans le menu local **Maquette** (voir Figure 14.2) comprend un bloc de texte automatique.

Insertion *via* le plan de montage

La partie supérieure de la palette **Disposition de page** (anciennement **Plan de montage**) contient les maquettes, tandis que sa partie inférieure présente les pages du document. L'insertion de pages à partir du plan de montage s'effectue page par page en faisant glisser l'une des icônes représentant une maquette (voir Figure 14.3) vers la partie "pages" de la palette (partie inférieure). La maquette que vous faites glisser insère une page dans le document. Lors du déplacement d'une page sur le plan de montage, l'aspect du pointeur indique la façon dont serait insérée la page dans le document en cas de relâchement du bouton de la souris (voir Figure 14.4).

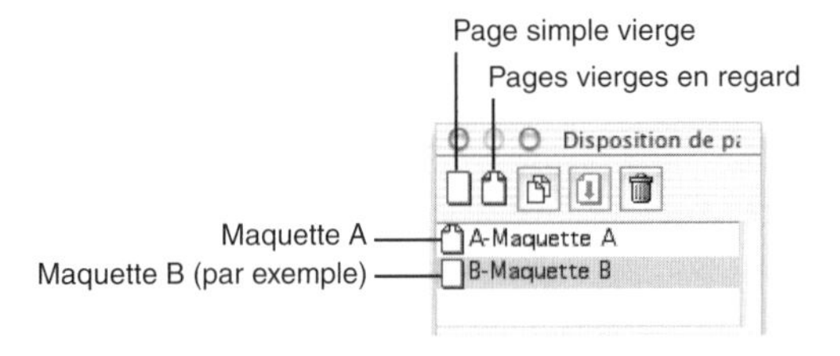

Figure 14.3

Faites glisser ces icônes vers la partie "pages" de la palette pour y créer de nouvelles pages fondées sur des maquettes.

Pour créer une maquette depuis le plan de montage, glissez l'icône **Page simple vierge** ou **Pages vierges en regard** vers la zone présentant les maquettes déjà créées (A-Maquette A et B-Maquette B dans le cas de la Figure 14.3). Pour ajouter au document des pages fondées sur une maquette, faites glisser l'une des icônes représentant une maquette (voir Figure 14.3) vers la partie du plan de montage qui présente les pages du document.

La Figure 14.4 montre les formes prises par le pointeur lorsqu'il déplace une page ou insère une nouvelle page dans le document.

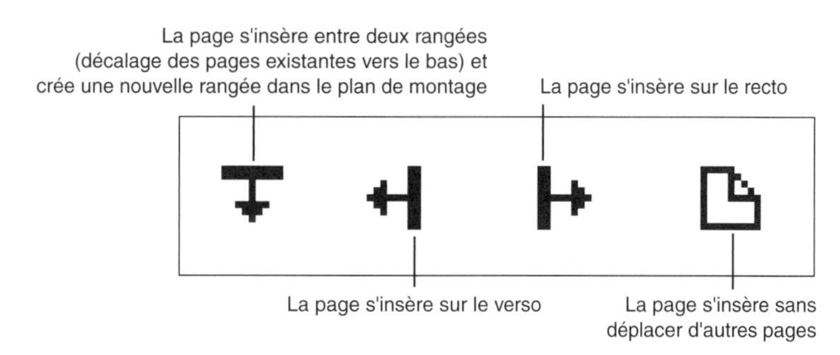

Figure 14.4
Les formes du pointeur lors de ses déplacements sur le plan de montage.

En permettant à plusieurs rectos ou versos de se suivre, le plan de montage propose une gestion de l'insertion des pages plus puissante que celle de la zone de dialogue ***Insertion de pages****.*

Insertion automatique

L'insertion automatique de pages est possible :

- Si elle est activée. Vérifiez-le en activant **Préférences** dans le menu **Edition** (ou dans le menu **QuarkXPress** sous Mac OS X). Choisissez ensuite le volet **Générales** des préférences du document. Sur ce volet, le menu local **Insertion auto. pages** détermine le mode d'insertion automatique des pages et, éventuellement, désactive l'insertion automatique (voir Figure 14.5).
- Si le chaînage automatique des pages a été défini dans la maquette courante (l'icône de chaînage apparaît dans ce cas en haut à gauche des pages de maquette).
- Si le texte déborde d'un bloc chaîné ou du bloc de texte automatique (un carré barré d'une croix de Saint-André annonce alors le dépassement à la fin du bloc de texte).

Depuis le menu local **Insertion auto. pages**, l'insertion automatique peut être désactivée (article **Non**), ce qui est utile pour la mise en page de documents à chemin de fer rigide (magazine, etc.). L'insertion automatique peut également avoir lieu :

- **En fin d'article.** Les pages se placent immédiatement à la suite de celle contenant le bloc dont le texte déborde.
- **En fin de section.** Les pages s'insèrent à la suite de la section courante (lot de pages numérotées séquentiellement). Une fin de section est en fait la page précédant une page définie comme début de section.
- **En fin de document.** Les pages se placent après la dernière page du document.

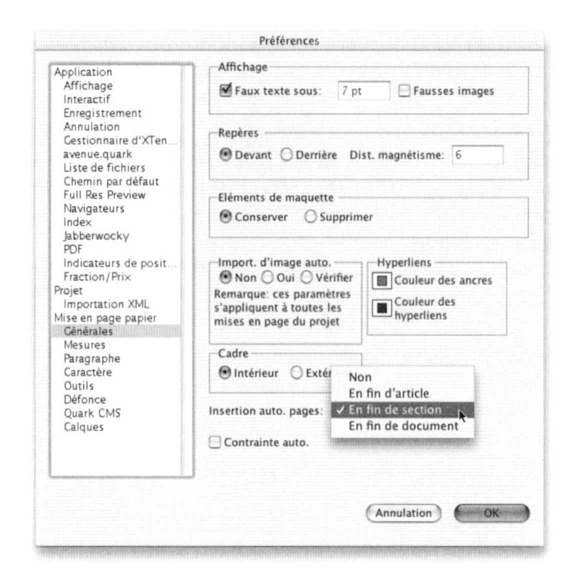

Figure 14.5

Le choix formulé concerne les prochaines insertions de pages. Il ne remet pas en cause celles déjà effectuées et ce, quel que soit le type d'insertion utilisé.

Il est fréquent qu'un document ne comprenne qu'une seule section. Dans ce cas, les choix **En fin de section** et **En fin de document** sont équivalents.

Numéroter les pages

Nous avons vu au Chapitre 2 comment faire apparaître sur les pages leurs numéros (folios). Voyons maintenant comment fixer la valeur du premier folio, ce qui revient à définir un début de section. Par section, il faut comprendre une suite de pages numérotées de façon séquentielle (sans discontinuité ni chevauchement). D'une façon générale, le début de section est constitué par la première page du document.

On ne fixe que le numéro de la page tenant lieu de début de section. Toutes les pages suivantes (jusqu'à la fin du document ou jusqu'au début d'une autre section) se numérotent automatiquement en séquence selon leurs positions respectives.

Pour numéroter les pages :

1. Faites du début de section la page courante (c'est elle qui occupe l'angle supérieur gauche de la fenêtre), par exemple à l'aide d'un double-clic sur l'icône de cette page dans la palette **Disposition de page**.

*Si la numérotation commence à la première page du document, sélectionnez l'article **Première** du menu **Page** pour remonter à la première page.*

2. Sélectionnez l'article **Section** du menu **Page** pour ouvrir la zone de dialogue **Section** (voir Figure 14.6).
3. Cochez la case d'option **Début de section** pour convertir la page courante (celle dont le numéro s'affiche en bas à gauche de la fenêtre) en début de section.

Si un document est intégré à un livre (voir Chapitre 15), sélectionner sa première page, puis ouvrir la zone de dialogue ***Section*** *et ne pas cocher la case* ***Début de section*** *entraîne la validation implicite de la case* ***Début de chapitre****. Si aucun début de section n'existe dans un chapitre de livre (voir Chapitre 15), l'option* ***Début de chapitre*** *provoque la numérotation en séquence des pages qui composent les différents chapitres du livre.*

4. Saisissez un éventuel préfixe (limité à quatre caractères) dans la case prévue à cet effet. Ce préfixe est un texte qui précédera le folio.
5. Saisissez le folio de la page de début de section dans la case de saisie **Numéro**.
6. S'il y a lieu, choisissez l'un des formats proposés par le menu local **Format**.
7. Validez en cliquant sur **OK**.

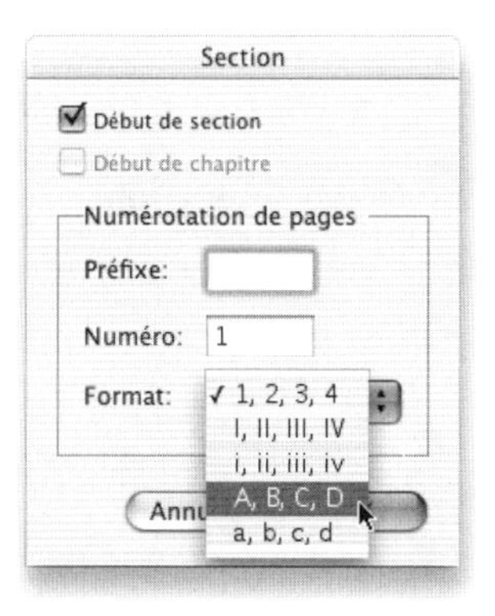

Figure 14.6
Les formats de folios sont présentés par un menu local.

Pour accélérer la numérotation des pages, double-cliquez sur l'icône de la page de début de section dans la palette ***Disposition de page****. Toujours dans cette palette, cliquez sur le bouton* ***Section*** *pour ouvrir la zone de dialogue du même nom.*

Le numéro de la page courante est affiché en bas à gauche de la fenêtre présentant le document (voir Figure 14.7). *A priori*, on pourrait penser que la page courante est celle où se trouve le point d'insertion ou celle qui occupe le plus de place sur l'écran. En fait, la page courante est celle qui occupe la partie supérieure gauche de l'écran. Tant que sa zone de table de montage empiète sur la partie supérieure – ou, à défaut, sur la partie gauche – de l'écran, une page est considérée comme page courante. La Figure 14.8 montre l'aspect que peut prendre un folio. Il s'agit là du folio identifiant la page depuis le coin inférieur gauche de la fenêtre. Ce folio sera répété sur les hirondelles de repérage, mais il ne sera présent sur le document que si vous l'insérez dans un bloc (bloc de texte défini au niveau de la maquette). Cette insertion a été décrite au Chapitre 2.

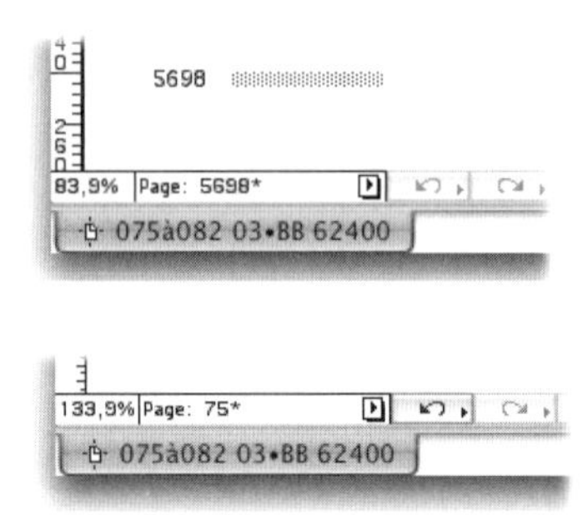

Figure 14.7
Le folio est annoncé en bas à gauche.

Figure 14.8
La page tête de section se munit de son nouveau folio et d'un astérisque signalant son statut de tête de section. Le préfixe ("page") n'est pas propre à la tête de section et est répété sur toutes les pages.

Pour faire perdre à une page son statut de tête de section :

1. Faites-en la page courante (par exemple, avec un double-clic sur son icône dans le plan de montage).
2. Depuis le menu **Page**, ouvrez la zone de dialogue **Section** (voir Figure 14.6).
3. Désactivez la case d'option **Début de section**.

Si une page n'est pas un début de section, vous ne pouvez imposer son folio puisque celui-ci est déterminé par les pages précédentes.

Supprimer des pages

Toutes les pages d'un document sont susceptibles d'être supprimées, à l'exception de la première page si elle est l'unique page du document puisque XPress impose au moins une page à tous ses documents.

Pour supprimer une page :

1. Sélectionnez l'article **Supprimer** du menu **Page**.
2. La zone de dialogue contient deux cases de saisie. La première contient le folio de la page supprimée (par défaut, la page courante) ou celui de la première page de l'intervalle à supprimer. Quant à la seconde case, elle contient, s'il y a lieu, le folio de la dernière page de l'intervalle à supprimer (voir Figure 14.9).

Figure 14.9

Attention, les pages se manipulent en respectant le préfixe et le format du folio... D'où, pour certaines, la saisie fastidieuse de nombres romains !

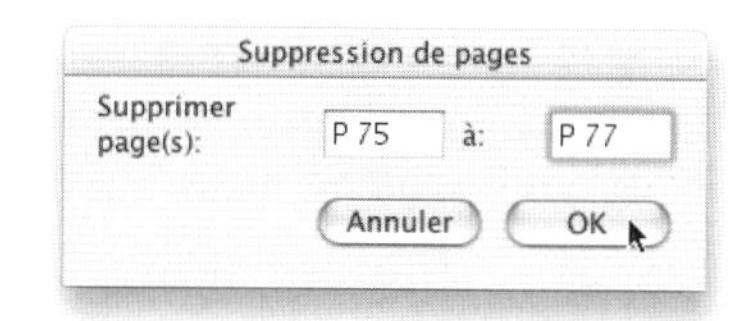

3. Validez la suppression en cliquant sur **OK**.

La suppression de pages ne peut pas être annulée.

La suppression d'une page ayant le statut de début de section ramène à la numérotation par défaut (à partir de 1) s'il n'existe aucun autre début de section en amont.

XPress favorise le texte placé dans le bloc de texte automatique et empêche la suppression d'une page si son bloc de texte automatique contient du texte. Pour supprimer une telle page, videz-la de son texte (attention, un seul caractère, même invisible, dans le bloc de texte automatique suffit à interdire la suppression de la page) ou désactivez le chaînage automatique au niveau de la maquette.

La suppression d'une ou de plusieurs pages est également possible au niveau du plan de montage (palette **Disposition de page**). Dans ce cas, la suppression s'obtient en cliquant sur l'icône de la page à supprimer (vous pouvez sélectionner plusieurs icônes en maintenant la touche [⇧Maj] enfoncée), puis sur le bouton **Supprimer** du plan de montage. En cas de suppression de pages depuis le plan de montage, vous devez confirmer la suppression depuis une zone de dialogue.

Figure 14.10

Une page étant sélectionnée, le bouton Supprimer est disponible.

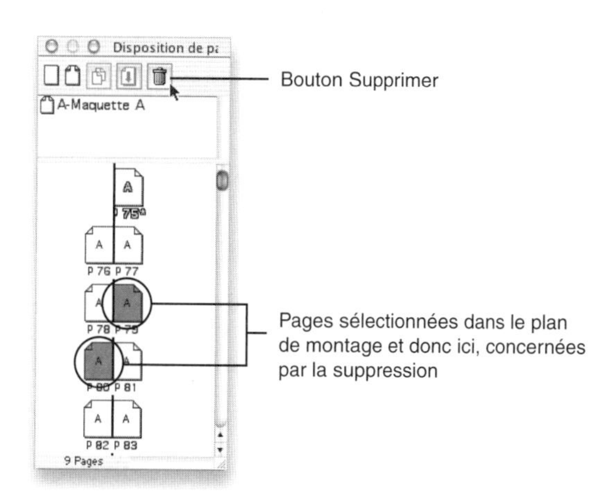

En cas de suppression de pages, les pages restantes sont automatiquement renumérotées en tenant compte des débuts de section encore disponibles (la suppression de pages peut, bien sûr, concerner une page utilisée comme début de section).

Déplacer des pages

Pour déplacer des pages au sein du document :

1. Sélectionnez l'article **Déplacer** du menu **Page**.
2. Placez dans les cases de saisie **Déplacer page(s)** le folio de la première page à déplacer, suivi s'il y a lieu dans la seconde case du folio de la dernière page de l'intervalle à déplacer (voir Figure 14.11).
3. Trois options déterminent la destination de ces pages. Vous devez saisir un numéro de page si vous choisissez **avant page** ou **après page** (l'option **à la fin du document** devient **à la fin de la mise en page** à partir de XPress 6).
4. Validez en cliquant sur **OK**.

Le plan de montage (palette **Disposition de page**) permet également le déplacement des pages (voir Figure 14.12). Il suffit pour cela d'y faire glisser leurs icônes (pour sélectionner plusieurs pages, cliquez sur leurs icônes en maintenant la touche [⇧Maj] enfoncée). Cette manipulation donne au pointeur l'un des aspects déjà évoqués dans le cadre de l'insertion de pages (voir Figure 14.4) et ce afin d'annoncer la réorganisation des pages que provoquera le déplacement.

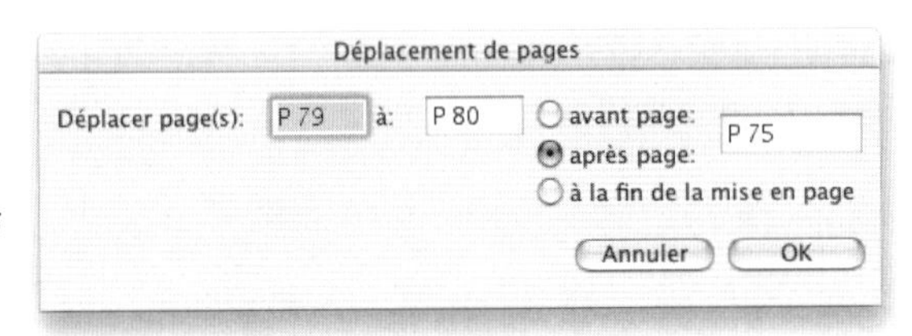

Figure 14.11

Les folios de la section seront réorganisés à l'issue du déplacement. Si la numérotation des pages emploie un préfixe ou un format particulier (définis par la zone de dialogue Section), ces derniers doivent être respectés.

L'insertion, la suppression ou le déplacement d'un nombre impair de pages fait passer de droite à gauche (et inversement) les pages fondées sur une maquette recto verso (pages en regard).

Pour déplacer une page d'un document vers un autre, ouvrez les deux documents concernés et affichez-les en mode **Chemin de fer** (article **Chemin de fer** du menu **Affichage**). A l'aide de l'outil Déplacement, faites glisser d'un document à l'autre la page à transférer. Vous pouvez sélectionner plusieurs pages en cliquant dessus tout en maintenant la touche [⇧Maj] enfoncée.

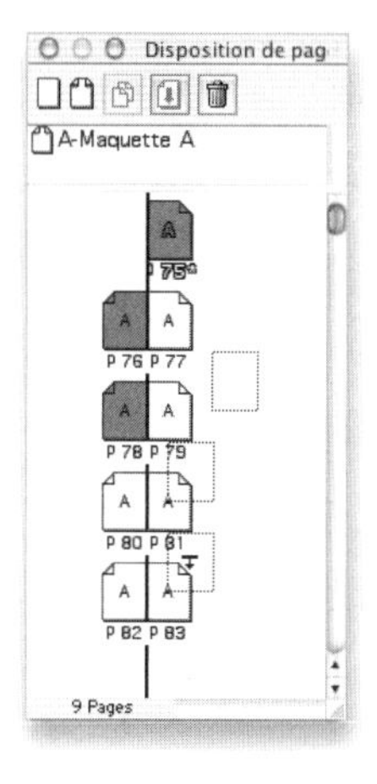

Figure 14.12
Les icônes des pages en cours de déplacement sont contrastées.

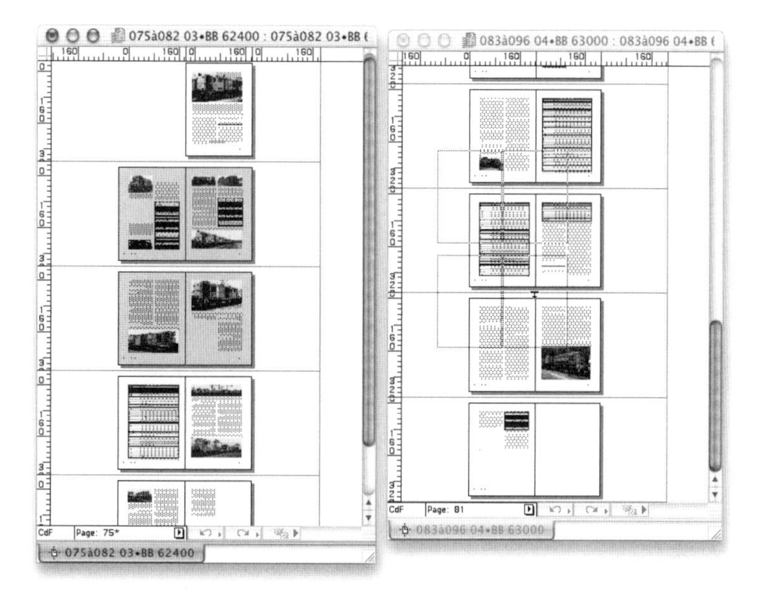

Figure 14.13
L'affichage en mode Chemin de fer permet de déplacer des pages d'un document à l'autre.

Aller vers une page

Pour afficher une page, vous pouvez au choix :

- Saisir puis valider son folio (en respectant le préfixe et le format) dans la zone de dialogue ouverte en sélectionnant l'article **Aller à la page** du menu **Page** (voir Figure 14.14), ou dans la case de saisie affichant le folio de la page courante dans l'angle inférieur gauche de la fenêtre (voir Figure 14.15). Pour valider, appuyez sur la touche ←Retour.

- Dans la palette **Disposition de page** représentant le plan de montage (voir Figure 14.16), double-cliquer sur l'icône de la page souhaitée, la page courante ayant un folio en relief (Mac OS) ou affiché en gras (Windows).
- Employer le menu de navigation (voir Figure 14.17) disponible à partir de l'angle inférieur gauche de la fenêtre.

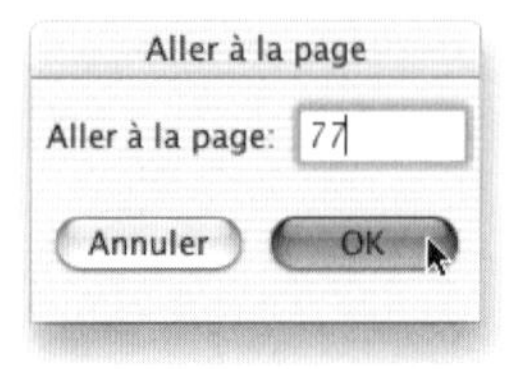

Figure 14.14
Pour accéder à une page, saisissez son folio dans la zone de dialogue Aller à la page...

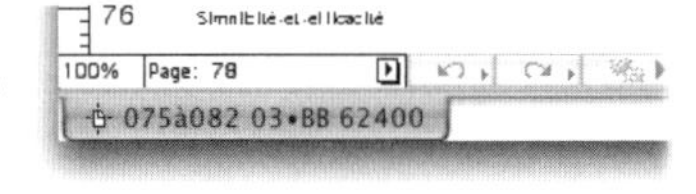

Figure 14.15
... Ou dans la case de saisie située en bas à gauche de la page.

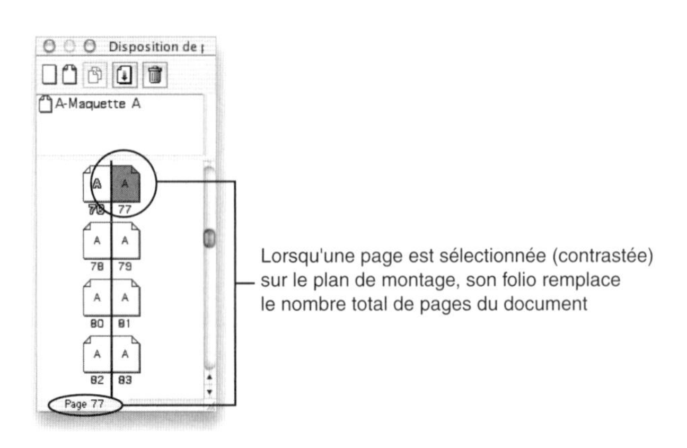

Figure 14.16
Le folio de la page courante apparaît en relief (Mac OS) ou en gras ou sur le plan de montage.

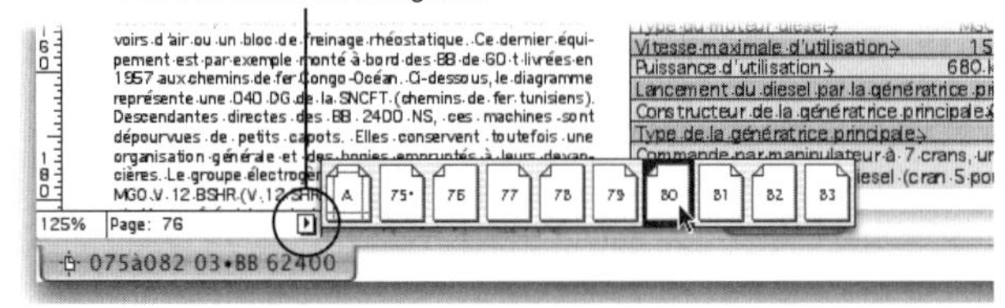

Figure 14.17
La sélection d'une maquette ou d'une page du document dans le menu local.

Pensez à utiliser les articles ***Précédente****,* ***Suivante****,* ***Première*** *et* ***Dernière*** *du menu* ***Page*** *qui donnent respectivement accès à la page précédant la page courante, à celle qui la suit, voire à la première ou à la dernière page du document.*

CHAPITRE 15

Les livres, les index et les listes

Au sommaire de ce chapitre

- Livres
- Index
- Listes et tables des matières

XPress sait réunir plusieurs de ses documents sous la forme d'un "livre" et ce afin de faciliter le partage d'informations telles que les couleurs personnalisées ou les feuilles de style. En complément de la réunion de plusieurs documents en un livre, des fonctions se chargent de la gestion automatique des index, des listes et autres tables des matières.

Livres

Un livre est un document particulier chargé de réunir d'autres documents appelés chapitres. Ces derniers ne sont d'ailleurs que des documents XPress au sens courant du terme. La création d'un livre permet le partage entre plusieurs "chapitres" d'un même lot d'informations : feuilles de style, tirets et rayures, couleurs, méthodes de C&J et listes. Par ailleurs, vous pouvez de la sorte gérer plus confortablement le foliotage de différents documents consécutifs.

Un livre est un intégrateur de documents (projets) XPress. Il permet d'automatiser certaines opérations entre les documents qu'il réunit (importation de feuilles de style, numérotation relative des pages, etc.). Cependant, les documents réunis conservent leur individualité et restent utilisables indépendamment du livre.

Pour créer un livre :

1. Déroulez le menu **Fichier** puis son sous-menu **Nouveau** avant de sélectionner l'article **Livre**.
2. Saisissez le nom du livre, définissez sa position dans l'arborescence des volumes et cliquez sur le bouton **Créer**. Vous créez ainsi un document ".qxb" dont l'icône est représentée à la Figure 15.1.
3. Une palette ayant fait son apparition (voir Figure 15.2), cliquez sur son bouton **Ajouter chapitre**, le seul disponible à ce stade.
4. Une zone de dialogue de catalogue vous permet d'insérer un document. Etant le premier document du livre, ce document a le statut de chapitre maître et tous les autres documents importés (chapitres) pourront se conformer automatiquement aux feuilles de style, tirets et rayures, couleurs, méthodes de C&J et listes définis pour ce chapitre maître. Votre choix étant fait, cliquez sur **Ajouter chapitre**.
5. Répétez l'opération précédente afin d'importer d'autres documents qui tiendront lieu de chapitres (voir Figure 15.3).

Il est judicieux de fonder sur un même gabarit tous les documents qui seront ensuite ajoutés à un livre.

Figure 15.1
L'icône d'un document de type livre.

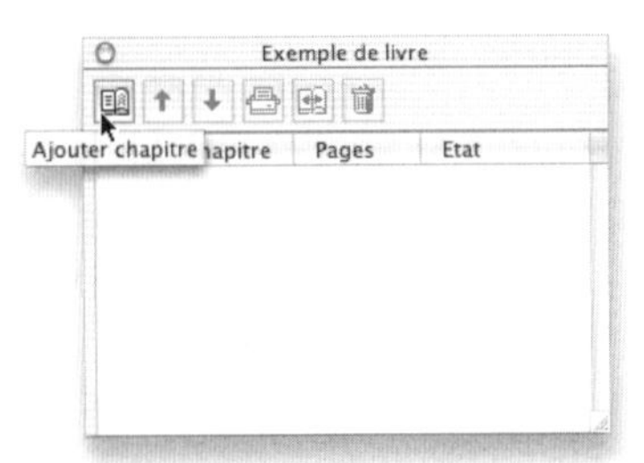

Figure 15.2
A ce stade, le livre est vide. Il faut donc y incorporer des documents qui deviendront des "chapitres" du livre.

Comme le montre la Figure 15.3, le premier document importé a le statut de chapitre maître (il est affiché en gras et précédé d'un M). Les autres chapitres pourront profiter de ses feuilles de style, de ses couleurs, etc. Dans la colonne **Pages** de la palette **Livre** (comme pour une bibliothèque) remarquez l'annonce des folios appliqués aux pages du livre (l'astérisque indique qu'un début de section a été créé). Vous pouvez ainsi vous assurer que les folios s'enchaînent correctement.

Dans la palette **Livre**, la colonne **Etat** renseigne sur la situation des chapitres qui composent le livre. Pour chaque chapitre, cette colonne indique l'état :

- **Disponible.** XPress sait où se trouve le document et confirme que ce chapitre pourra être ouvert en cas de double-clic sur la ligne associée dans la liste de la palette **Livre**.
- **Ouvert.** Une fenêtre présentant le chapitre est déjà ouverte.
- **Absent.** XPress ne trouve pas le document dans le dossier où il se trouvait lorsqu'il a été ajouté au livre. Un double-clic sur ce chapitre ouvre une zone de dialogue de catalogue qui permettra de sélectionner de nouveau le document dans l'arborescence des volumes.

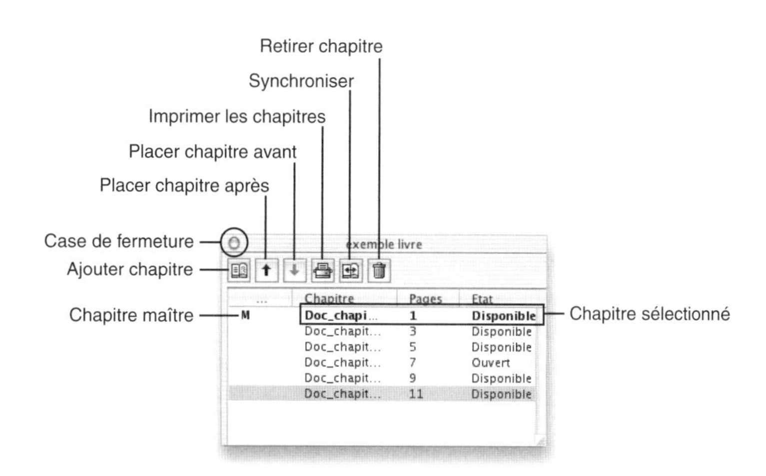

Figure 15.3

Après plusieurs ajouts de documents ("chapitres"), le livre est composé de plusieurs chapitres dont un seul a le statut de chapitre maître.

Dans la palette **Livre**, un clic sur un chapitre contraste celui-ci et le sélectionne (maintenir la touche ⇧Maj enfoncée permet de sélectionner plusieurs chapitres en même temps). Un clic sur une partie vierge de la liste désélectionne le chapitre et permet de manipuler le livre dans son ensemble, par exemple pour l'imprimer intégralement.

Le Tableau 15.1 résume les fonctions liées aux six boutons légendés à la Figure 15.3. A l'exception du bouton **Ajouter chapitre**, tous les boutons exigent la sélection préalable d'un chapitre dans la liste de la palette.

Tableau 15.1 : Boutons de la palette Livre

Boutons	Effets produits
Ajouter chapitre	Ouvre une zone de dialogue permettant la sélection d'un document qui sera ajouté au livre dont il deviendra un chapitre. Si ce document est le premier ajouté au livre, il en devient automatiquement le chapitre maître.
Placer chapitre avant	Déplace le chapitre vers le début du livre et permute donc sa position avec celle du chapitre précédent.
Placer chapitre après	Déplace le chapitre vers la fin du livre et permute donc sa position avec celle du chapitre suivant.
Imprimer les chapitres	Imprime le chapitre sélectionné, ou l'ensemble du livre si aucun chapitre n'est sélectionné.
Synchroniser	Met à jour les feuilles de style, couleurs et autres attributs du chapitre sélectionné en fonction des caractéristiques en vigueur pour le chapitre maître. **En cette fonction réside tout l'intérêt d'un livre puisqu'elle permet la mise en phase, notamment de l'index, avec le chapitre maître.**
Retirer chapitre	Dissocie le chapitre du reste du livre. Dissocié du livre, le chapitre redevient un simple document indépendant du chapitre maître.

*Depuis la palette **Livre**, si vous cliquez sur la corbeille (bouton Retirer chapitre) tandis le chapitre maître est sélectionné, vous transformez le chapitre placé immédiatement après en chapitre maître.*

Pour ouvrir un livre, double-cliquez sur son icône (voir Figure 15.1). Cette ouverture se traduit par l'apparition de la palette **Livre**. Notez qu'il est possible d'ouvrir plusieurs livres en même temps, ce qui entraîne l'ouverture d'autant de palettes **Livre**. Si un chapitre d'un livre est absent lors de l'ouverture d'un livre, une zone de dialogue de catalogue vous invite à localiser le document qui n'a pas été trouvé à son dernier emplacement connu par le livre.

L'ouverture d'un livre ne correspond pas à l'ouverture des chapitres qui le composent. Toutefois, l'ouverture d'un livre entraînant celle de sa palette, vous pouvez depuis celle-ci ouvrir l'un des chapitres du livre. Pour cela, double-cliquez sur le chapitre depuis la liste des chapitres présentée dans la palette **Livre**.

Un chapitre quelconque peut devenir le chapitre maître (voir Figure 15.4). Pour cela, cliquez dans la colonne **M**, en face du nom du chapitre à convertir.

L'enregistrement des modifications apportées à un livre est automatique. Cette caractéristique est partagée par les bibliothèques (voir Chapitre 17).

Figure 15.4

Pour faire d'un chapitre quelconque le chapitre maître, sélectionnez-le puis cliquez dans la colonne M.

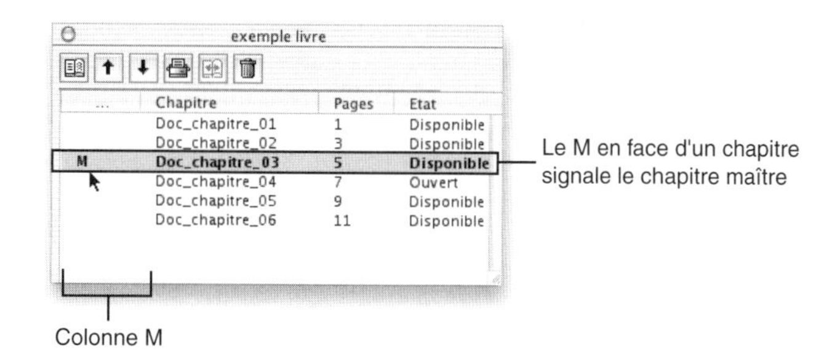

Index

Un index est une liste classée selon l'ordre alphabétique et dont les articles sont des mots extraits du texte. Ces mots sont appelés entrées d'index et sont associés au folio de la page qui les contient. L'index d'un document se présente sous la forme d'une palette (voir Figure 15.5) accessible en sélectionnant l'article **Afficher l'index** du menu **Ecran**.

La création d'un index est indépendante de celle d'un livre. Cependant, un livre permet de réunir en un seul index tous ceux définis pour ses chapitres.

Figure 15.5

La palette Index.

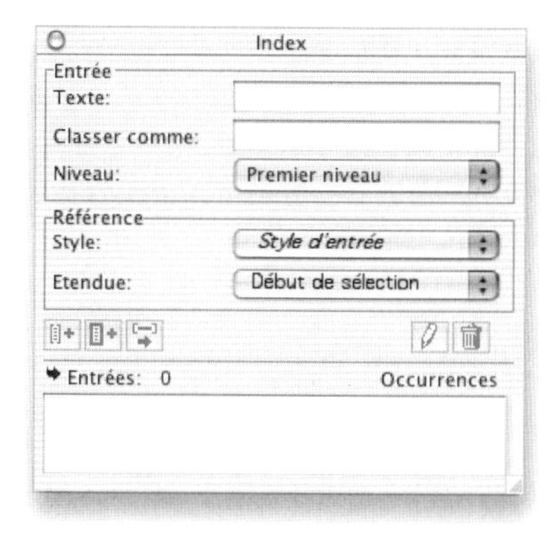

Ce que permet la palette **Index** :

- la création de listes hiérarchisées (un premier niveau et jusqu'à trois sous-niveaux) ;
- le classement alphabétique fondé sur un mot autre que l'entrée d'index ;
- la réunion des entrées issues des différents chapitres d'un livre ;
- l'association de feuilles de style aux différents niveaux d'entrées ainsi qu'aux lettres d'index.

Constitution d'un index

La Figure 15.6 montre que le simple fait de sélectionner un mot dans le texte fait apparaître celui-ci dans la case **Texte** de la palette **Index**.

Figure 15.6
La sélection d'un texte insère automatiquement celui-ci dans le champ de la palette Index.

astuce

Lorsque les mots sélectionnés dans le document apparaissent dans la case ***Texte*** *de la palette* ***Index****, vous pouvez, depuis cette case, modifier la nature de l'entrée d'index. Il s'agira par exemple d'ajouter une capitale ou d'apporter une précision entre parenthèses. Cliquez ensuite sur* ***Ajouter*** *pour que soit ajoutée à l'index une entrée ayant la forme du texte modifié dans la case* ***Texte****, mais associée au texte sélectionné dans le document.*

Pour créer une entrée d'index :

1. Si la palette **Index** est masquée, activez **Afficher l'index** dans le menu **Ecran**.
2. Sélectionnez, dans le document, le texte à utiliser comme entrée d'index.

a astuce

Employez le double-clic sur un mot pour le sélectionner facilement dans le texte.

3. Cliquez sur **Ajouter**.
4. Répétez les trois étapes précédentes pour toutes les entrées d'index à créer.

La Figure 15.7 présente les cinq boutons de la palette **Index** tandis que le Tableau 15.2 précise le rôle de chacun d'eux.

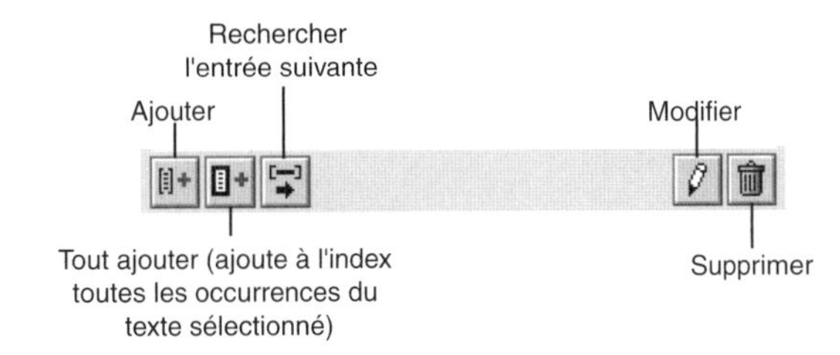

Figure 15.7
Les cinq boutons de la palette Index.

Tableau 15.2 : Boutons de la palette Index

Boutons	Effets produit
Ajouter	Ajoute à l'index le terme sélectionné dans le texte, et donc annoncé dans la case de saisie **Texte**.
Tout ajouter	Ajoute à l'index toutes les occurrences du texte sélectionné. Cette opération concerne tous les blocs du document, qu'ils soient chaînés ou non.
Rechercher l'entrée suivante	Sélectionne dans le texte la prochaine entrée d'index qui peut être l'occurrence suivante de l'entrée courante.
Modifier	Modifie le texte de l'entrée d'index sélectionnée dans la liste.
Supprimer	Supprime l'entrée d'index.

Depuis XPress 5.0, vous pouvez, en une seule opération, ajouter à l'index toutes les occurrences d'un terme rencontrées dans un document à l'aide du bouton **Tout ajouter** (voir Figure 15.7). Après avoir été ajouté à l'index, un mot est entouré dans le texte de crochets non imprimables qui indiquent son statut d'entrée d'index (voir Figure 15.8).

Figure 15.8
Les entrées d'index sont signalées dans le texte par des crochets non imprimables.

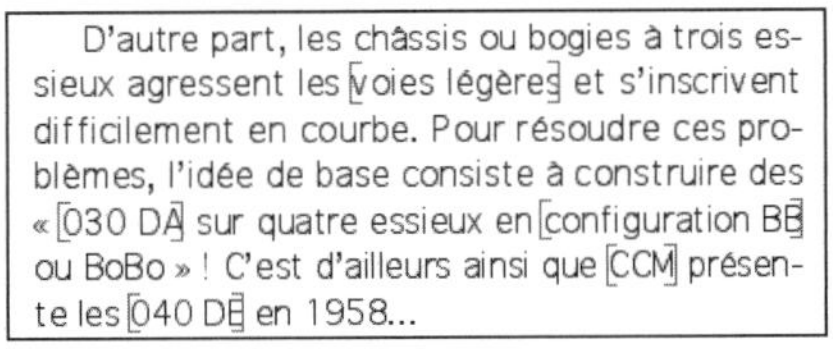

D'autre part, les châssis ou bogies à trois essieux agressent les voies légères et s'inscrivent difficilement en courbe. Pour résoudre ces problèmes, l'idée de base consiste à construire des « 030 DA sur quatre essieux en configuration BB ou BoBo » ! C'est d'ailleurs ainsi que CCM présente les 040 DE en 1958...

Vous pouvez classer une entrée d'index en fonction de l'ordre alphabétique d'un autre mot :

1. La palette **Index** étant affichée, sélectionnez dans le document le fragment de texte à utiliser comme entrée d'index.

2. Dans la case **Classer comme** de la palette **Index**, saisissez les mots à utiliser pour le classement dans l'index (voir Figure 15.9).

3. Cliquez sur **Ajouter**.

Figure 15.9

Les entrées d'index peuvent être classées selon la position alphabétique d'un autre terme.

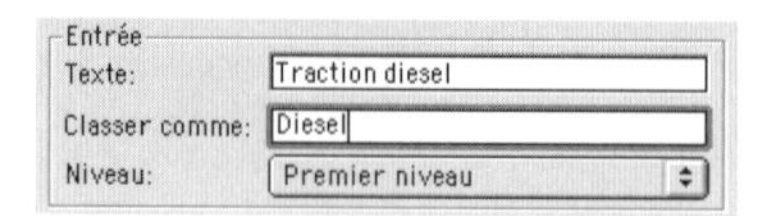

Pour qu'une entrée ne soit pas considérée comme une entrée de premier niveau (cas par défaut), mais comme une entrée de deuxième niveau :

1. Sélectionnez dans le document le texte correspondant à la nouvelle entrée.

2. Activez l'article **Deuxième niveau** du menu local **Niveau** (voir Figure 15.10).

Figure 15.10

La création d'une entrée de deuxième niveau suppose la présence d'une entrée de premier niveau à laquelle elle sera subordonnée.

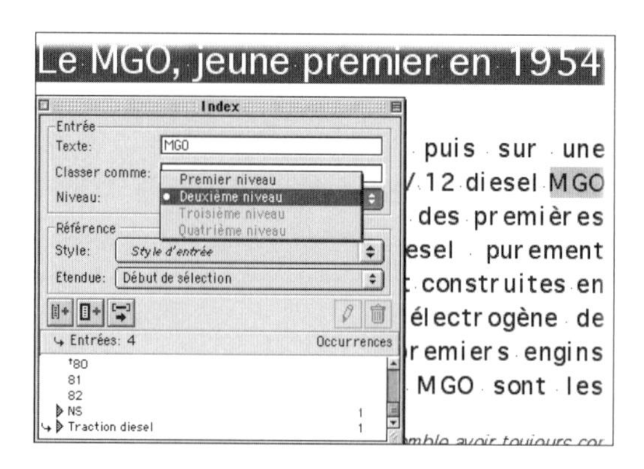

3. Dans la liste des entrées d'index présentée par la palette **Index**, cliquez à gauche de l'entrée de premier niveau à laquelle la nouvelle entrée doit être subordonnée.

4. Une flèche recourbée étant apparue (voir Figure 15.11), cliquez sur le bouton **Ajouter** (voir Figure 15.7). Remarquez l'indentation de l'entrée de deuxième niveau par rapport à l'entrée de premier niveau correspondante.

Figure 15.11

La liste des entrées d'index traduit leur hiérarchie.

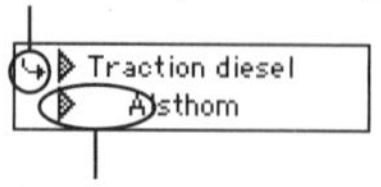

Il n'est possible de créer une entrée de deuxième niveau que s'il existe déjà au moins une entrée de premier niveau. De même, la création d'une entrée de troisième niveau exige la présence d'une entrée de deuxième niveau. Quant à une entrée de quatrième niveau, elle a besoin d'une entrée de troisième niveau.

Si vous sélectionnez dans le document un extrait de texte déjà défini comme entrée d'index, l'entrée déjà définie sera sélectionnée dans la palette **Index**.

En cas d'emploi de la fonction **Tout ajouter** (voir Figure 15.7 et Tableau 15.2), une entrée d'index est associée à plusieurs occurrences d'un même fragment de texte. Pour connaître les folios des pages où se trouvent ces occurrences, cliquez sur le triangle affiché à gauche de chaque entrée d'index (voir Figure 15.12). Un double-clic sur l'un de ces folios entraîne l'affichage de la page du document où se trouve l'entrée associée au folio.

Entrées: 6	Occurrences
NS	1
Traction diesel	1
76	
Alsthom	1
78	
électrogène	7
76	
76	

Figure 15.12
Un clic sur le triangle associé à une entrée déploie ou rétracte la liste des folios associés à chaque occurrence de l'entrée.

Une entrée d'index étant sélectionnée dans la liste de la palette **Index**, vous pouvez associer à cette entrée un style particulier grâce au menu local **Style** qui propose les feuilles de style de caractères définies pour le document (voir Figure 15.13). Quant au menu local **Etendue**, il permet de définir l'étendue du texte associé à l'entrée d'index. Dans le cas général, contentez-vous de l'article **Début de sélection** (voir Figure 15.14).

Récupération d'un index

Jusqu'à maintenant, nous avons créé des entrées d'index, mais nous n'avons pas encore mis l'index en place dans le document puisqu'il n'existe pour l'instant que sous la forme d'une liste dans la palette **Index**. Si la définition des entrées est réalisée avec la palette **Index** (accès depuis le menu **Ecran**), la concrétisation de l'index dans le document est confiée à l'article **Générer un index** du menu **Utilitaires**. Vous ouvrez ainsi la zone de dialogue illustrée à la Figure 15.15 :

- Choisissez **Imbriqué** pour placer les sous-niveaux sous leurs niveaux supérieurs respectifs ou **Continu** pour les placer à leur droite.
- Cochez **Livre entier** pour traiter en bloc tous les chapitres d'un livre.
- Cochez **Remplacer index existant** afin de faciliter une mise à jour de l'index déjà en place.

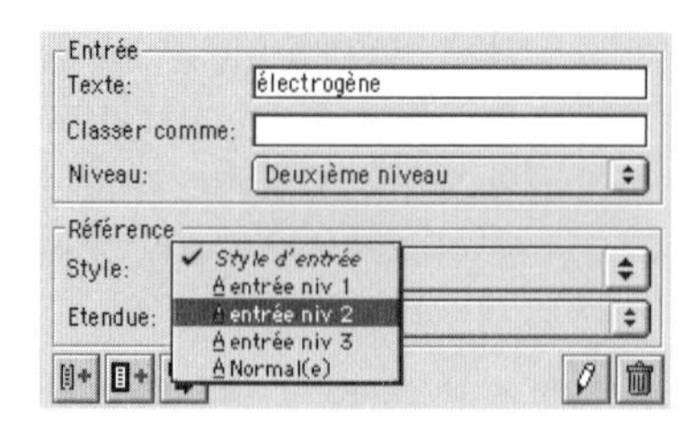

Figure 15.13

Le menu local Style définit la feuille de style de caractères appliquée à l'entrée sélectionnée.

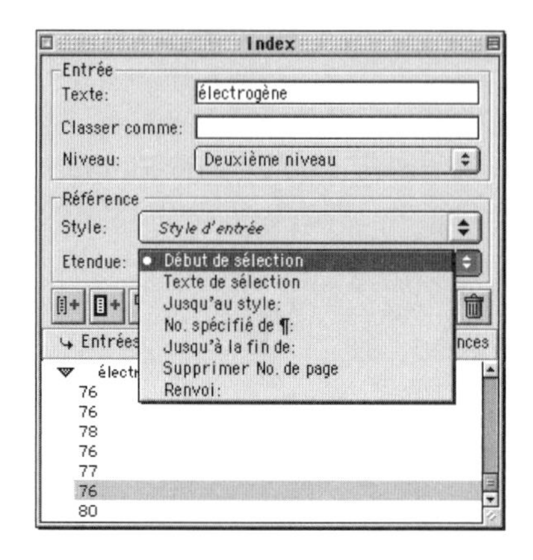

Figure 15.14

Le menu local Etendue définit l'étendue de la référence associée à l'entrée d'index.

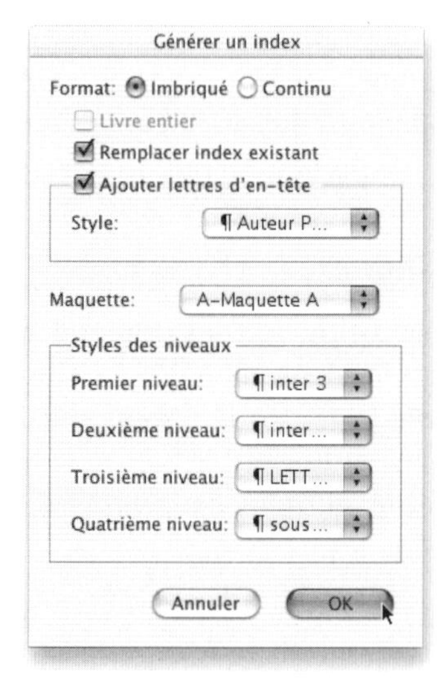

Figure 15.15

La zone de dialogue Générer un index.

- Cochez **Ajouter lettres d'en-tête** pour placer dans l'index les lettres employées comme premières lettres par les entrées. Ainsi, si des entrées commencent par la lettre C, celle-ci sera insérée dans l'index afin de faciliter la consultation de ce dernier.
- Le menu local **Maquette** détermine la maquette employée pour l'index (qui est une nouvelle page ajoutée en fin de document). Vous pouvez définir les feuilles de style des lettres d'en-tête et de chacun des quatre niveaux d'entrées. Employez plutôt des feuilles de style de paragraphe associées à des feuilles de style de caractères. N'oubliez pas d'ajouter un retrait à gauche (au niveau de la feuille de style) à partir du deuxième niveau.

L'index est créé dans une nouvelle page à la fin du document. Cette page n'est pas chaînée aux autres pages du document.

Listes et tables des matières

XPress est capable de générer automatiquement une liste à laquelle sont automatiquement ajoutés les fragments de chaînes de caractères enrichis avec des feuilles de style déterminées. Admettons que les titres des chapitres et des différents niveaux de sections fassent appel à des feuilles de style strictement réservées à cet usage. Dans ce cas, XPress est en mesure de générer automatiquement un sommaire, une table des matières et, par suite, toute autre liste hiérarchisée.

Les index sont créés à partir d'entrées sélectionnées une par une. Inversement, les listes sont générées automatiquement en se fondant sur les feuilles de style. Remarquez la possibilité de générer un index fondé sur une feuille de style (de paragraphe) en cochant la case ***Alphabétique*** *lors de la définition d'une liste.*

Pour créer une nouvelle liste :

1. Sélectionnez l'article **Listes** du menu **Edition**. Ainsi, vous accédez à une zone de dialogue qui fonctionne comme celles qui contrôlent les feuilles de style ou les méthodes de C&J. Grâce à elle, vous pouvez créer, ajouter, modifier, dupliquer ou supprimer une liste.
2. Pour créer une nouvelle liste, cliquez sur **Créer**.
3. Depuis la zone de dialogue illustrée à la Figure 15.16, saisissez le nom de la nouvelle liste.
4. Pour incorporer à la liste les fragments de texte employant une feuille de style de votre choix, cliquez sur son nom puis sur la flèche pointant vers la droite.

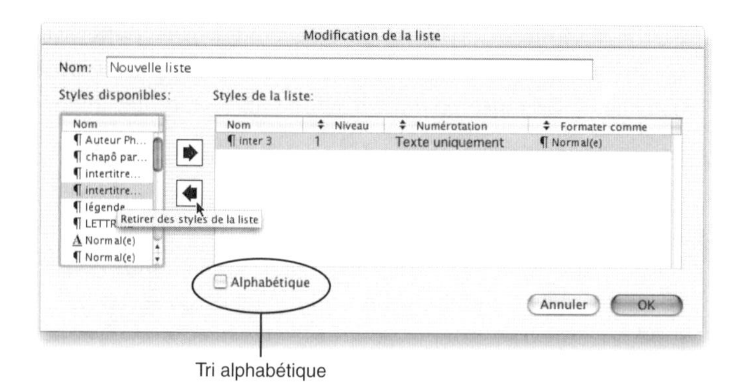

Figure 15.16

Grâce à cette zone de dialogue, une liste peut récupérer tous les fragments de texte enrichis avec telle ou telle feuille de style.

5. Chaque style ajouté à la liste peut y être sélectionné, il est alors contrasté. Pour le style sélectionné, choisissez le niveau du style dans la liste grâce à la têtière de la colonne **Niveau** (voir Figure 15.17).

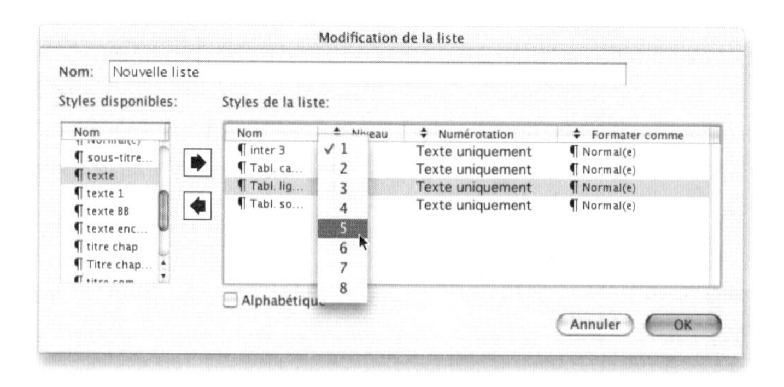

Figure 15.17

Choisissez le niveau du style contrasté dans la liste.

6. Vous avez la possibilité d'ajouter le folio à l'entrée de liste. Il sera séparé du texte correspondant par une tabulation (voir Figure 15.18).

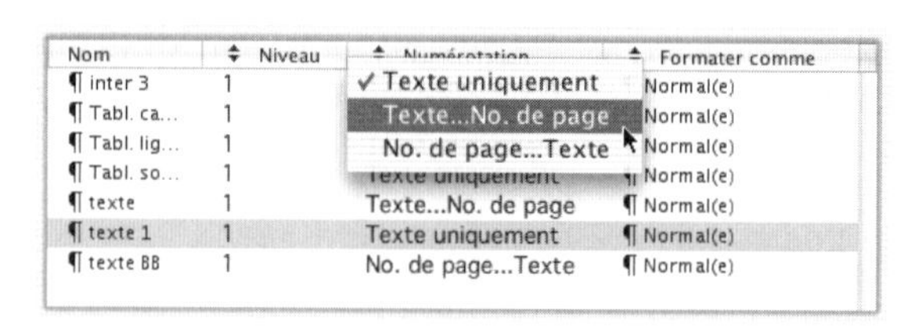

Figure 15.18

Insertion d'un folio associé aux articles de la liste.

7. Choisissez la feuille de style qui sera employée dans la liste. Ce n'est pas la feuille de style à rechercher (voir Figure 15.19).

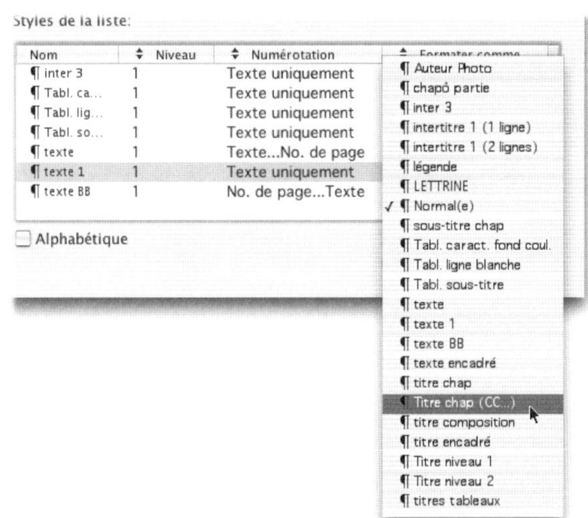

Figure 15.19

La feuille de style sélectionnée sera appliquée à la liste, celle-ci étant éventuellement utilisée comme table des matières.

8. Le tri alphabétique présente un intérêt pour certaines listes, mais pas pour les tables des matières, ni pour les sommaires. En revanche, si vous avez appliqué une feuille de style particulière à toutes les entrées d'index, l'option **Alphabétique** (voir Figure 15.16) permet de générer un index à partir d'une liste.

9. La nouvelle liste ne sera prise en considération que si vous validez la zone de dialogue **Modification de la liste** par **OK** et la zone de dialogue **Listes** en cliquant sur **Enregistrer**.

Une ou plusieurs listes étant définies, elles seront exploitées depuis la palette **Listes** (voir Figure 15.20) affichée après l'activation de **Afficher les listes** dans le menu **Ecran**.

Une liste étant sélectionnée dans le menu local (voir Figure 15.20), un clic sur **Mettre à jour** provoque l'insertion dans la liste des nouveaux extraits de texte enrichis avec l'un des styles associés à la liste. Si plusieurs niveaux ont été utilisés, une indentation des articles de la liste met en évidence cette hiérarchie.

Pour incorporer une liste (éventuellement utilisée comme table des matières) à un document :

1. Cliquez sur le document où devra s'insérer la liste. En pratique, vous pouvez par exemple cliquer avec l'outil Modification sur un bloc de texte encore vide.

2. Dans la palette **Listes**, sélectionnez, parmi les documents ouverts, celui dont vous voulez récupérer les listes, puis choisissez celle de ses listes à incorporer au document de premier plan.

Figure 15.20
La palette Listes.

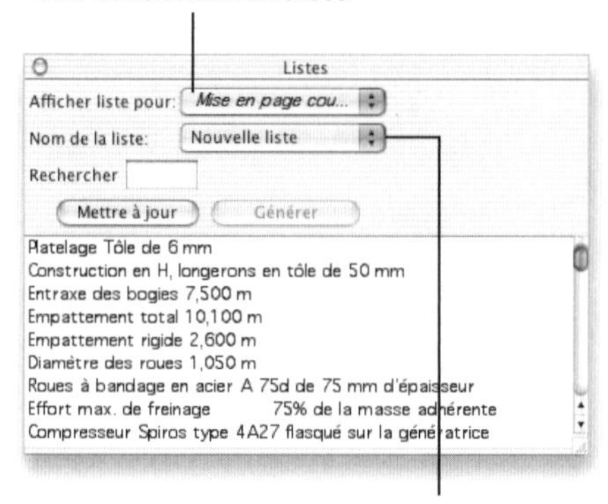

3. Le curseur étant en place où devra s'insérer la liste, cliquez sur **Générer** dans la palette **Listes**. La liste est alors insérée dans le document, chaque niveau étant présenté avec la feuille de style qui lui a été affectée. Les folios n'apparaissent que si vous n'avez pas choisi **Texte uniquement** dans la colonne **Numérotation** (voir Figure 15.18).

Les listes peuvent servir à constituer un index commun à plusieurs documents sans pour autant réunir ceux-ci en un livre. Pour cela, générez pour chaque document une liste correspondant à l'index de ce dernier. Bien entendu, vous aurez eu soin de choisir un type de numérotation pour chaque article (voir Figure 15.18). Vous disposez ainsi de listes dont chaque article est séparé de son folio par une tabulation. Faites un copier-coller de ces listes de manière à les placer les unes à la suite des autres dans deux colonnes contiguës d'un tableur (Excel, AppleWorks, etc.). Utilisez la fonction de tri de ce tableur pour réaliser un tri alphabétique. Copiez les deux colonnes triées, puis collez-les dans un bloc de texte XPress où elles redeviendront du texte tabulé. Vous disposez ainsi d'un index commun à tous les documents dont vous avez réuni les listes !

CHAPITRE 16

Les couleurs

Au sommaire de ce chapitre

- Créer une couleur
- Contrôler la défonce

Quel que soit leur type, tous les blocs peuvent être munis d'une couleur particulière. Il est même parfois possible d'associer une couleur à des caractères, à une image bitmap, aux intervalles entre les tirets ou entre les rayures.

Qu'il s'agisse de les appliquer à un bloc ou à des caractères, les couleurs et leur mise en œuvre ont déjà été abordées à travers les chapitres précédents. XPress dispose de quelques couleurs disponibles par défaut, mais cette palette est très insuffisante. C'est pourquoi nous allons présenter la création de couleurs personnalisées avant d'aborder la défonce.

Créer une couleur

*Par défaut, la palette **Couleurs** de XPress (voir Figure 16.6) se limite aux couleurs blanc, bleu, cyan, jaune, magenta, noir, repérage, rouge et vert.*

XPress propose différents moyens de création des couleurs fondés sur :

- la sélection dans un nuancier normalisé ou consacré par l'usage ;
- le dosage de couleurs fondamentales.

Si aucun document n'est ouvert, les définitions ou les modifications de couleurs seront disponibles par défaut pour tous les documents créés ultérieurement, car alors vous modifiez les couleurs par défaut. Si un document est ouvert lors de l'édition des couleurs, les choix formulés s'appliquent uniquement à ce document. Si plusieurs documents sont ouverts, les modifications ne s'appliquent qu'au document affiché dans la fenêtre de premier plan.

La couleur "repérage" a la particularité de s'imprimer sur toutes les sorties en cas d'impression en séparation. C'est donc la couleur à choisir pour mettre en place vos traits de coupe (hirondelles) personnels.

Par défaut, XPress ne propose en plus du blanc et de la couleur repérage que les couleurs fondamentales des synthèses additive et soustractive :

- cyan, magenta, jaune et noir (CMJN ou CMYK), également appelées couleurs de séparation ;
- bleu, rouge et vert (RVB ou RGB pour *red, green, blue*), également appelées couleurs d'accompagnement.

En marge de ces synthèses fondées sur des couleurs fondamentales, signalons la norme HSB (*Hue, Saturation, Brightness*, teinte, saturation, luminosité, également connue sous le sigle TSL) :

- La teinte traduit la longueur d'onde de la couleur.
- La saturation correspond, dans une certaine mesure, au degré de pureté de la couleur.
- La luminosité représente les doses de noir et de blanc que l'on retrouve dans la couleur.

XPress permet l'emploi de couleur multi-ink. Celles-ci sont obtenues par mélanges d'encres polychromes ou hexachromes.

Pour créer ou pour modifier une couleur qui viendra compléter la palette disponible pour le document courant ou celle disponible par défaut si aucun document n'est ouvert :

1. Sélectionnez **Couleurs** dans le menu **Edition**.
2. La zone de dialogue ainsi ouverte (voir Figure 16.1) fonctionne comme celles, déjà décrites, et consacrées aux feuilles de style, aux méthodes de C&J, etc. Cliquez sur

Créer pour créer une nouvelle couleur. Si vous souhaitez modifier une couleur existante, cliquez sur l'article qui la représente dans la liste, puis sur **Modifier**.

*La couleur Blanc est définie par XPress comme étant "la plus claire possible" et non par un dosage d'encre. Vérifiez-le en cliquant sur **Blanc** dans la liste des couleurs de l'éditeur de couleurs.*

*Le menu **Afficher** de la zone de dialogue (voir Figure 16.1) permet d'isoler les couleurs utilisées et les couleurs inutilisées par le document. Il est ainsi facile de supprimer les couleurs définies pour un document, mais non utilisées par ce dernier.*

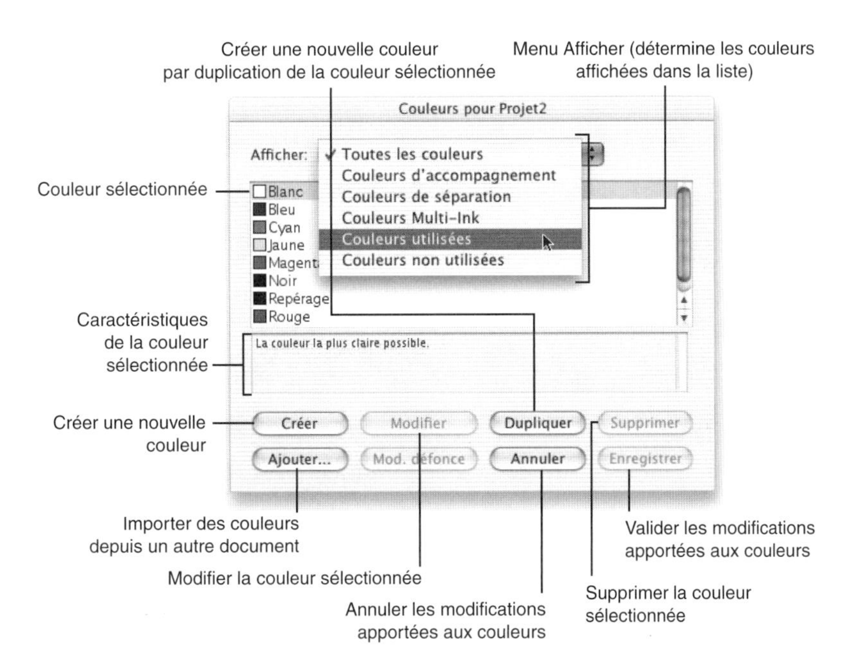

Figure 16.1
La première zone de dialogue de l'éditeur de couleurs.

3. Depuis la zone de dialogue **Définition de la couleur**, nommez la nouvelle couleur (case **Nom**) et choisissez un modèle colorimétrique (RVB, HSB, LaB, CMJN) ou un nuancier (Pantone, Focoltone, Trumatch, Toyo, etc.) dans le menu local **Modèle** (voir Figure 16.2) :
   – Si vous avez choisi un modèle colorimétrique, définissez la couleur à l'aide de la roue chromatique et des curseurs dont le rôle varie selon le modèle colorimétrique choisi (voir Figure 16.3).
   – Si vous avez sélectionné un nuancier, faites défiler ses couleurs, et cliquez sur l'une d'elles (voir Figure 16.4).

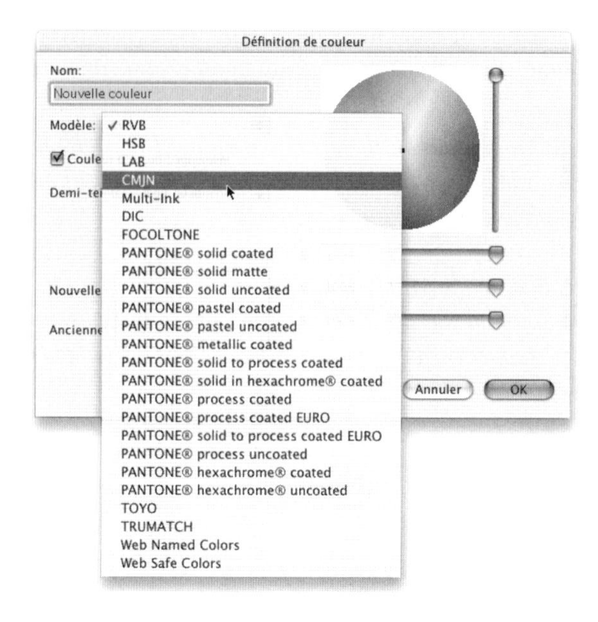

Figure 16.2

Avant tout, choisissez le modèle colorimétrique ou le nuancier.

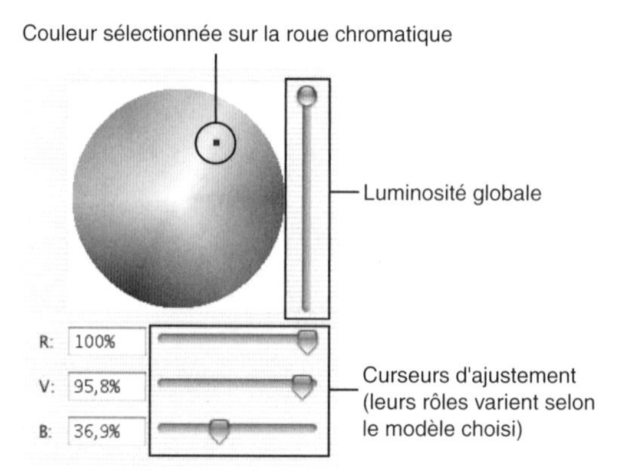

Figure 16.3

La roue chromatique de sélection des couleurs.

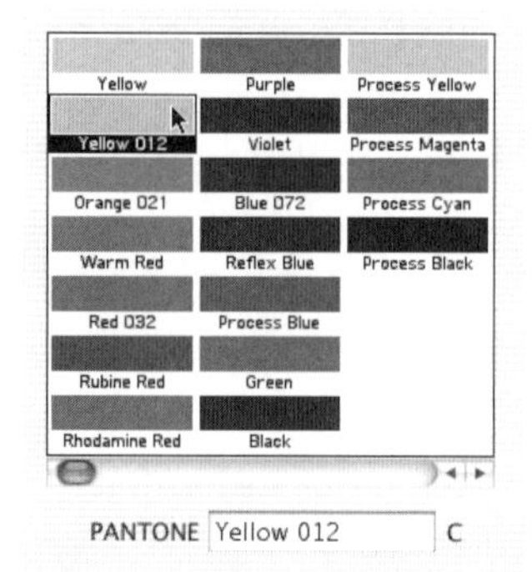

Figure 16.4

La sélection dans un nuancier (ici Pantone) s'opère en cliquant sur l'une des vignettes ou en saisissant le numéro de la couleur désirée.

Si vous disposez de la référence d'une couleur, pensez à saisir son numéro dans la case de saisie proposée pour chaque nuancier.

4. La couleur telle qu'elle est définie apparaît dans la case **Nouvelle**. Cliquez sur **OK** pour revenir à la zone de dialogue **Couleurs**.
5. La couleur étant définie, cliquez sur **Enregistrer** (voir Figure 16.1) pour qu'elle devienne disponible.
6. La nouvelle couleur est, dès lors, proposée dans le sous-menu **Couleur** du menu **Style** (voir Figure 16.5).

astuce

*Le sous-menu **Couleur** du menu **Style** propose un article **Créer** (anciennement **Autre**) qui donne accès à l'éditeur de couleurs (voir Figure 16.5).*

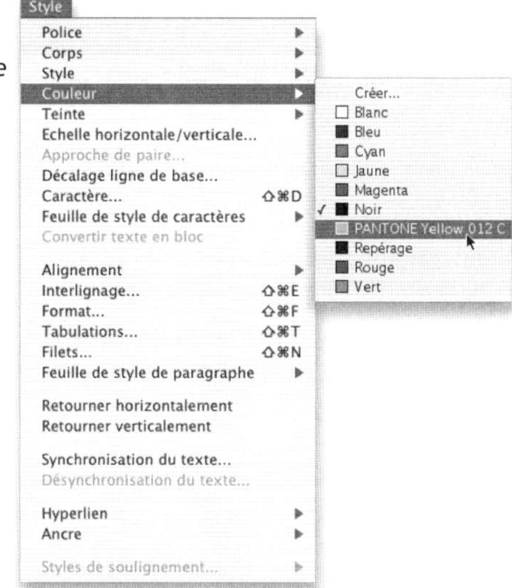

Figure 16.5

Le menu Style contient un sous-menu Couleur qui fixe la couleur de la sélection (trait, texte, etc.).

Les couleurs définies avec l'éditeur de couleurs sont disponibles depuis :

- Le sous-menu **Couleurs** du menu **Style** (voir Figure 16.5) applique une couleur à la sélection (cas de la sélection d'un filet, d'une courbe de Bézier, d'un texte, etc.). Ce menu propose également le sous-menu **Teinte** où vous réglerez la saturation de la couleur.
- La zone de dialogue **Modifier** accessible depuis le menu **Bloc** propose ses onglets **Bloc** et **Cadre** où sont choisies les couleurs du fond et du cadre du bloc.

- La zone de dialogue **Caractère** accessible depuis le menu **Style** détermine, pour sa part, la couleur du texte sélectionné.
- La palette **Couleurs**. Activée depuis le menu **Ecran**, elle détermine la couleur du texte, du bloc ou de son cadre (voir Figure 16.6).

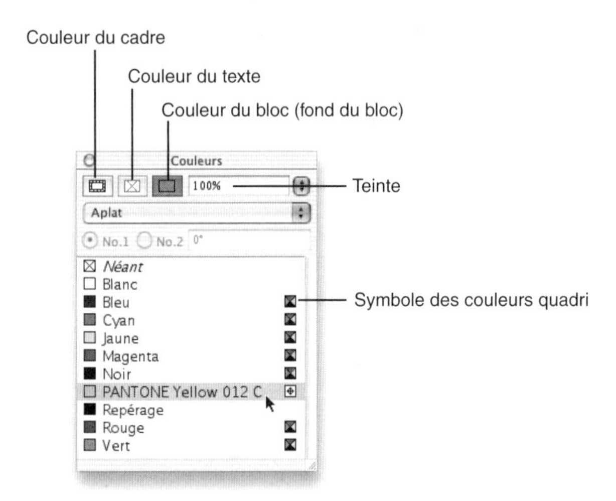

Figure 16.6
La palette Couleurs.

Un bloc étant sélectionné, cliquez sur le bouton de la palette **Couleurs** permettant de modifier la couleur de fond du bloc. Vous disposerez ainsi d'un menu local permettant de choisir entre un simple aplat et divers types de dégradés (voir Figure 16.7).

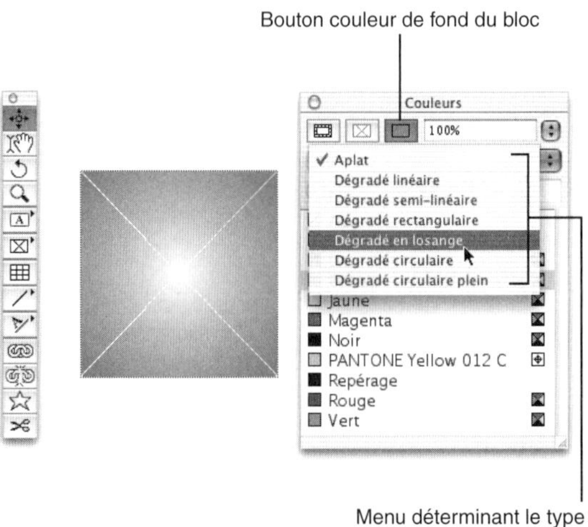

Figure 16.7
La palette Couleurs et son menu déterminant le type de fond du bloc.

astuce

La couleur Néant (anciennement couleur "Aucun") peut s'appliquer au fond d'un bloc afin de rendre ce fond transparent et laisser apparaître les blocs d'arrière-plan.

Contrôler la défonce

A la Figure 16.8, l'un des deux blocs est partiellement recouvert par l'autre. Doit-on ou non imprimer la partie masquée de ce bloc ? La réponse est dans la défonce.

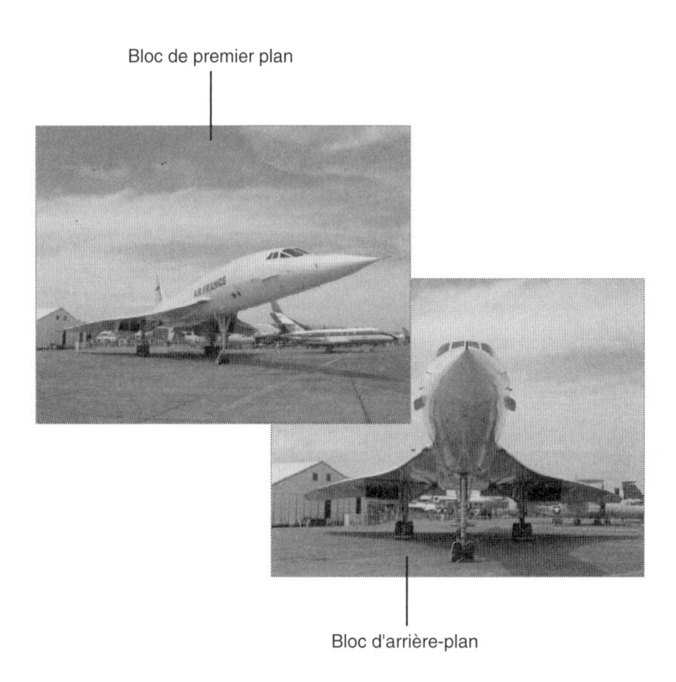

Figure 16.8
Deux blocs se chevauchent.

info

En cas d'impression de la partie masquée, on parle de surimpression car le bloc de premier plan devra être imprimé sur une zone déjà imprimée. Inversement, on parle de défonce si la partie masquée du bloc d'arrière-plan n'est pas imprimée.

Pour contrôler la défonce et, éventuellement, imposer la surimpression de plusieurs éléments du bloc sélectionné, choisissez l'article **Afficher les info. de défonce** dans le menu **Ecran**. Vous accédez ainsi à la palette **Info. de défonce** où, pour le bloc sélectionné, chaque composant de ce bloc (fond, cadre, etc.) pourra faire l'objet d'un ajustement de ses réglages de défonce. Cela peut notamment se traduire par une surimpression imposée.

Un clic sur le bouton **i** (voir Figure 16.9) donne accès à l'affichage des propriétés de défonce pour l'élément sélectionné (voir Figure 16.10).

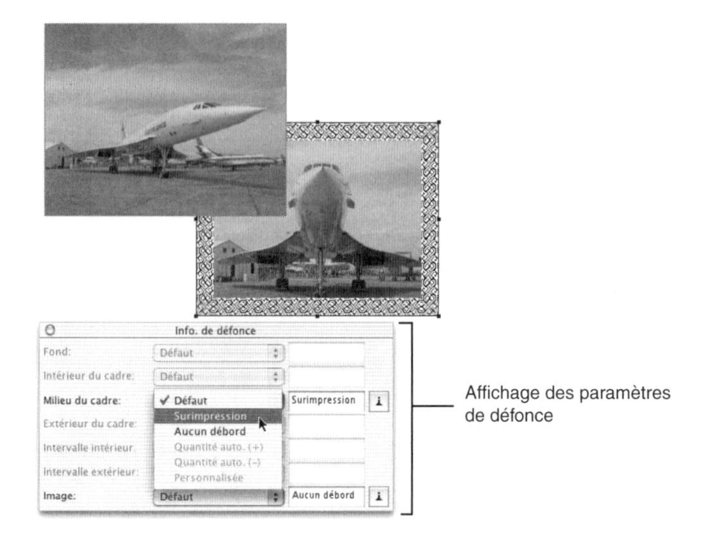

Figure 16.9

Tous les éléments du bloc sélectionné peuvent faire l'objet d'un ajustement de la défonce.

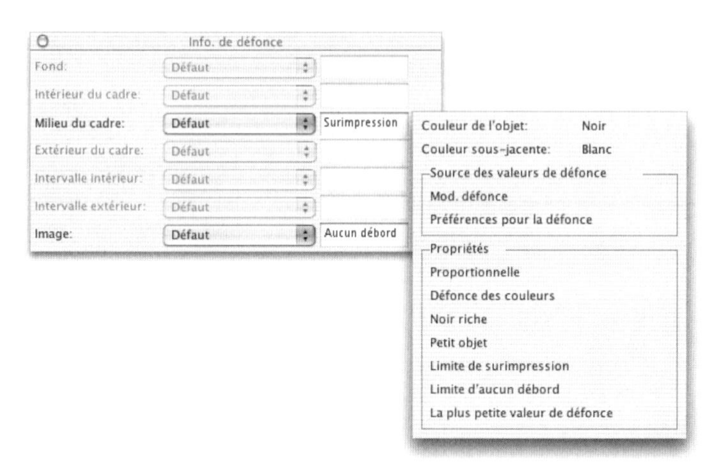

Figure 16.10

Informations relatives à la défonce de l'un des éléments du bloc sélectionné.

CHAPITRE 17

Les bibliothèques

Au sommaire de ce chapitre

- Créer et ouvrir une bibliothèque
- Exploiter une bibliothèque

Une bibliothèque est un document très particulier dont le seul rôle consiste à faciliter l'accès à des blocs couramment utilisés, indépendamment du document manipulé. Par exemple, on utilisera une bibliothèque pour y placer des symboles dont on fait usage pour baliser un texte (les blocs sont, dans ce cas, destinés à être ancrés dans le texte).

L'emploi des bibliothèques permet d'augmenter votre productivité si vous êtes amené à utiliser régulièrement les mêmes éléments (par exemple des logotypes).

Créer et ouvrir une bibliothèque

Une bibliothèque est un document particulier, sorte de classeur chargé de conserver des blocs. Pour la créer :

1. Sélectionnez l'article **Bibliothèque** dans le sous-menu **Nouveau** du menu **Fichier**.
2. Saisissez le nom de la bibliothèque, placez-vous dans le dossier qui devra accueillir le document correspondant, puis cliquez sur **Créer** (voir Figure 17.1). Vous créez ainsi un document ".qxl".

3. Une palette vide apparaît : c'est la bibliothèque (voir Figure 17.2).

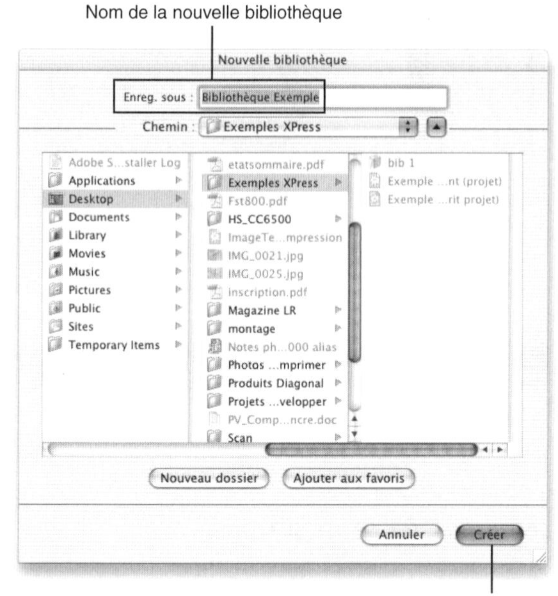

Figure 17.1

Pour créer une bibliothèque, précisez son nom et sa position dans l'arborescence des volumes. Ici, la fenêtre de catalogue est celle de l'environnement Mac OS X.

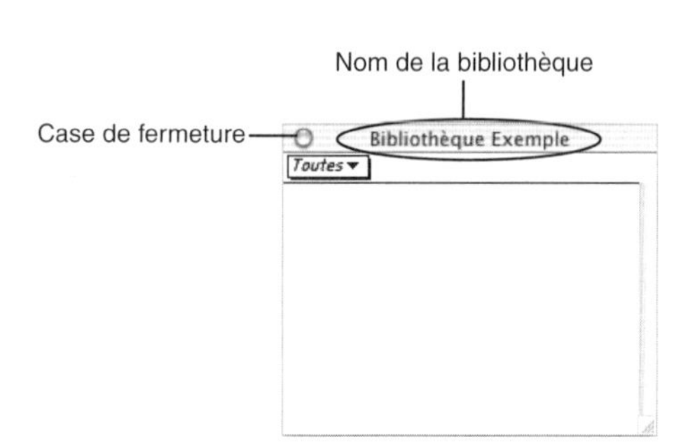

Figure 17.2

Juste après sa création, une bibliothèque a l'aspect d'une palette vide. Ce sera à vous de la remplir avec vos blocs. Remarquez la case de redimensionnement et la bande de défilement qui aident à l'affichage du futur contenu de la bibliothèque.

XPress affiche une palette pour chaque bibliothèque ouverte.

Comme n'importe quel autre document, une bibliothèque peut être ouverte à l'aide de la zone de dialogue **Ouvrir** (menu **Fichier**, article **Ouvrir**) ou par un double-clic sur son icône (voir Figure 17.3). Ce dernier a pour effet d'afficher la palette qui présente le contenu de la bibliothèque.

Figure 17.3
L'icône d'une bibliothèque.

Remarquez qu'une bibliothèque enregistre automatiquement ses dernières modifications. Vous pouvez donc cliquer à tout moment sur sa case de fermeture sans risquer de perdre son contenu.

Exploiter une bibliothèque

L'exploitation d'une bibliothèque se résume à l'organisation d'éléments dans ladite bibliothèque et à la copie des éléments de la bibliothèque dans de "vrais" documents (rebaptisés "projets" à partir de la version 6 de XPress). Pour cela, on procède par copier-coller, mais il est plus simple de se contenter de faire glisser les blocs échangés. On utilise pour cela l'outil Déplacement.

Pour ajouter un élément à la bibliothèque, faites glisser son bloc (avec l'outil Déplacement) jusqu'à la palette présentant la bibliothèque, comme à la Figure 17.4. Dès le relâchement du bouton, le bloc ou le groupe de blocs déplacés s'affiche dans la palette (voir Figure 17.5). Si la palette contient déjà d'autres blocs, la position du pointeur sur la palette détermine la façon dont le nouveau bloc va s'insérer par rapport aux blocs déjà en place.

Figure 17.4
Le bloc de gauche est déplacé vers la bibliothèque à l'aide de l'outil Déplacement. Avant le relâchement du bouton de la souris, un cadre contenant une paire de lunettes est affiché dans la palette de la bibliothèque.

Bibliothèque Exemple
Toutes

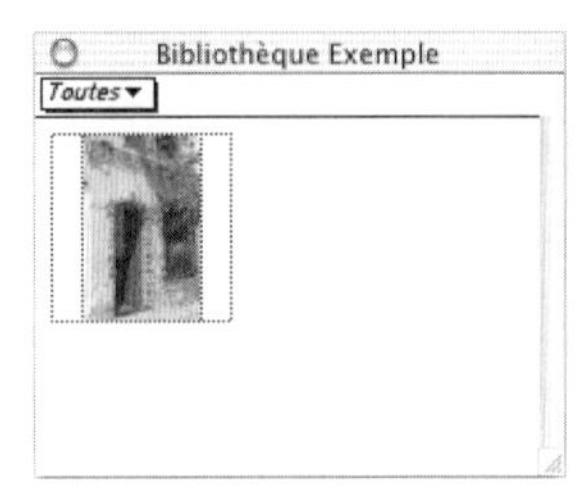

Figure 17.5
Le bloc déplacé vers la bibliothèque (voir Figure 17.4) y a maintenant pris place.

A noter :

- Déplacer un bloc (ou un groupe de blocs) vers une bibliothèque maintient les blocs déplacés à leurs positions initiales dans le document à condition toutefois que le bouton soit correctement relâché au-dessus de la palette de la bibliothèque.
- Vous pouvez ouvrir plusieurs bibliothèques simultanément puisqu'une bibliothèque XPress est indépendante de tout document (rebaptisé projet à partir de la version 6).
- Après avoir fait glisser un bloc d'un document à une bibliothèque (ou l'inverse), il n'existe pas de lien entre ces deux blocs. Modifier ou supprimer l'un d'eux est sans incidence sur l'autre.
- Une bibliothèque peut contenir tous les types de blocs.
- Une bibliothèque accueille des blocs ou des groupes de blocs (blocs groupés).

Pour récupérer dans votre document un élément d'une bibliothèque :

1. Si la bibliothèque n'est pas ouverte, ouvrez-la, par exemple avec un double-clic sur son icône.
2. La palette de la bibliothèque étant affichée, faites glisser le bloc de votre choix vers le document, comme à la Figure 17.6.

Figure 17.6
Pour récupérer un bloc placé dans une bibliothèque, il suffit de le faire glisser vers le document.

Figure 17.7

Après avoir été déplacé depuis la palette de la bibliothèque, le bloc se met en place sur le document.

3. Relâchez le bouton lorsque le contour du bloc occupe sur le document la position de votre choix, et constatez que le bloc est immédiatement mis en place.

Pour supprimer un bloc placé dans la bibliothèque :

1. Cliquez sur l'élément de bibliothèque à supprimer, l'élément doit alors se contraster (voir Figure 17.8).
2. Activez **Effacer** dans le menu **Edition**.
3. Validez par **OK** le message d'alerte.

Figure 17.8

La suppression d'un bloc placé dans une bibliothèque.

Bloc sélectionné

La suppression d'un élément de bibliothèque est une opération qui ne peut pas être annulée.

Double-cliquer sur un élément d'une bibliothèque ouvre une zone de dialogue où peut être saisie une étiquette. Cependant, cette dernière gagne à être sélectionnée parmi les étiquettes déjà utilisées (voir Figure 17.9) et rassemblées dans le menu local associé à la case de saisie. En effet, attribuer une étiquette à un bloc revient à associer ce dernier à l'ensemble des blocs portant déjà cette étiquette. Ensuite, sélectionner l'une des étiquettes dans le menu **Etiquettes** de la palette **Bibliothèque** (voir Figure 17.10) limitera l'affichage dans celle-ci aux seuls éléments associés à l'étiquette sélectionnée. Pour revenir à l'affichage de tous les éléments placés dans la bibliothèque, sélectionnez **Toutes** dans le menu **Etiquettes** de la palette.

Figure 17.9
La saisie ou la sélection de l'étiquette associée à un élément de bibliothèque.

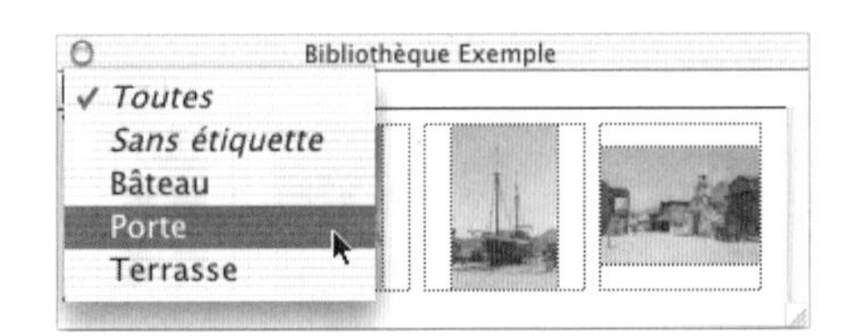

Figure 17.10
Sélectionner une étiquette dans le menu Etiquettes limite l'affichage dans la palette aux seuls éléments associés à l'étiquette choisie.

Les étiquettes permettent de créer des catégories parmi les blocs placés dans une bibliothèque. Grâce à elles, il est possible d'employer une seule bibliothèque pour les différentes utilisations que vous faites de XPress. Vous limiterez ensuite l'affichage du contenu de cette volumineuse bibliothèque au moyen des étiquettes, chacune d'elles étant associée à un type de projet.

CHAPITRE 18

Le Web, l'interactivité et la synchronisation

Au sommaire de ce chapitre

- Créer un document Web et l'exporter en HTML
- Contenu d'un document Web
- Synchronisation du texte

XPress 5.0 avait introduit les fonctions Web, mais XPress 6 permet de confondre dans un même projet des mises en page destinées à l'impression papier et des mises en page Web. Chacune d'elles correspond à un "espace de mise en page" (un projet pouvant en contenir jusqu'à 25).

Rappelons que tout document XPress, qu'il contienne ou non des ancres et des hyperliens, peut être enregistré au format PDF en sélectionnant **Mise en page en PDF** dans le sous-menu **Exporter** du menu **Fichier**. Au sujet des documents PDF, voir la section "Ancres et hyperliens".

La notion de document Web introduite par XPress 5 n'existe plus avec XPress 6, où on ne parle plus de document mais de projet. Chaque projet est susceptible de contenir différentes mises en page, chacune d'elles pouvant être destinée à l'impression papier ou au Web.

Confondues en un même projet, les mises en page Web et papier peuvent désormais bénéficier d'un texte synchronisé.

Une mise en page Web se compose à l'aide de blocs comme un document destiné au support imprimé et peut s'appuyer sur des maquettes. Pour être utilisable sur le Web, un tel document doit être exporté en HTML. Une telle exportation comprend non seulement la création de documents HTML, mais aussi celle d'images et de feuilles de style CSS.

Créer un document Web et l'exporter en HTML

Conçu à l'origine comme un logiciel de mise en page avec une logique table de montage, XPress est maintenant adapté au média en ligne. Il est donc possible de créer des documents destinés au Web à l'aide de XPress. Toutefois, précisons qu'un document Web tel que l'entend XPress n'est pas directement utilisable comme page Web. Il doit en effet être exporté au format HTML avant d'être mis en ligne sur un serveur Web. Nous allons donc décrire ici la création d'un document Web, puis son exportation au format HTML.

Créer un document Web

Pour créer une mise en page Web :

1. Si le projet auquel doit appartenir la nouvelle mise en page Web n'existe pas, commencez par créer un nouveau projet en sélectionnant **Projet** dans le sous-menu **Nouveau** du menu **Fichier**. Si la nouvelle mise en page Web doit être incorporée au projet en cours d'utilisation, sélectionnez **Créer** dans le menu **Mise en page**.

Il n'est possible de créer de nouvelles mises en page qu'à partir d'un document XPress 6. Par conséquent, si vous ouvrez un document dont le dernier enregistrement a été réalisé avec une version antérieure, commencez par activer ***Enregistrer sous*** *dans le menu* ***Fichier*** *pour associer à ce document un fichier au format XPress 6.*

2. Sélectionnez **Web** dans le menu local **Type de plan de montage**. Selon la procédure suivie à l'étape précédente, vous obtenez la zone de dialogue de la Figure 18.1 ou celle de la Figure 18.2, cette dernière correspondant à l'ajout d'une nouvelle mise en page à un projet existant.

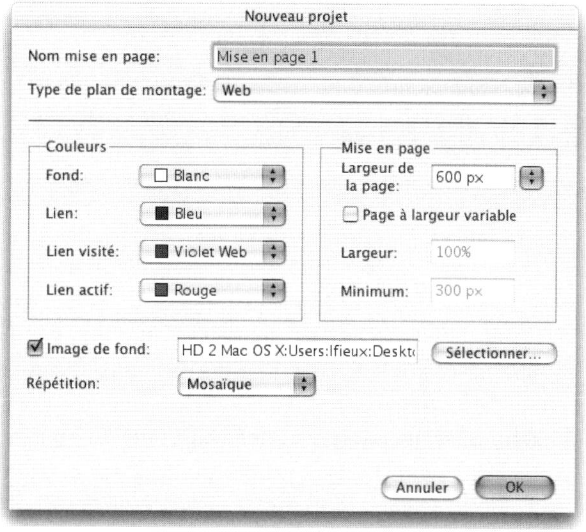

Figure 18.1

Contrairement à la version 5, XPress 6 ne distingue plus désormais les documents papier des documents Web.

Figure 18.2

Le paramétrage d'une nouvelle mise en page Web.

3. Validez par **OK**.

*Les choix formulés lors de la création de la mise en page pourront être modifiés ultérieurement en sélectionnant **Propriétés de la mise en page** dans le menu **Mise en page**.*

Par défaut, la rubrique **Couleurs** (voir Figures 18.1 et 18.2) propose les couleurs employées par défaut pour les pages Web :

- Le texte est noir.
- Le fond de la page est blanc.
- Les liens non encore activés sont bleus.
- Les liens déjà visités sont violets.
- Le lien actif est rouge.

Ces cinq menus locaux permettent de modifier ces choix par défaut. Ces menus locaux proposent les couleurs standard du Web ainsi qu'un article **Créer** (anciennement **Autre**) qui ouvre la zone de dialogue de définition de couleurs. Celle-ci propose un menu local **Modèle** où vous pourrez activer un modèle colorimétrique spécialement défini pour le Web (voir Figure 18.3) et proposant donc les deux cent seize couleurs standard du Web à travers les nuanciers *Web safe colors* et *Web named colors* (ce dernier se différenciant du précédent par la présentation des noms des couleurs).

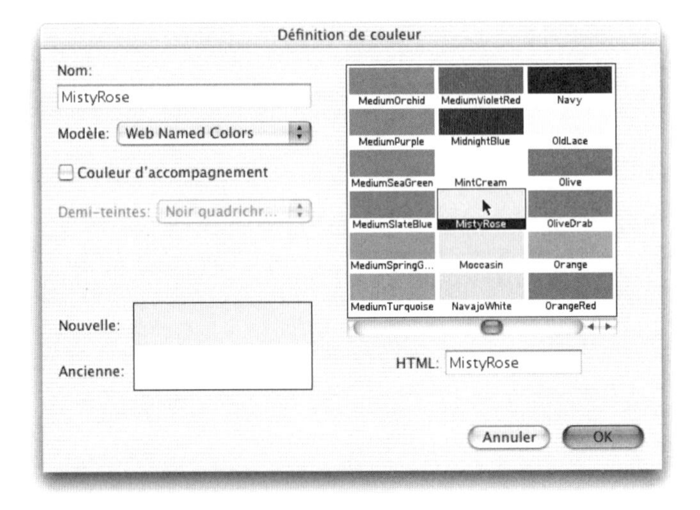

Figure 18.3
Le nuancier Web (Mac OS).

L'emploi du nuancier Web safe colors permet de limiter les problèmes d'interprétation des couleurs par les navigateurs Web.

Si vous souhaitez utiliser comme fond de page une image qui sera éventuellement répétée de façon à tapisser le fond de page :

1. Cochez **Image de fond** (voir Figure 18.1 ou 18.2).

2. Cliquez sur le bouton **Sélectionner** (Mac OS) ou sur **Parcourir** (Windows). Sélectionnez parmi vos dossiers l'image à importer, puis cliquez sur **Ouvrir**.
3. Dans le menu local **Répétition**, déterminez le type de répétition de l'image sur le fond de la page. **Néant** ne provoque aucune répétition, **Horizontale** et **Verticale** limitent la répétition à l'une des dimensions tandis que **Mosaïque** répète l'image verticalement et horizontalement.

Dans la rubrique **Mise en page** (voir Figure 18.1 ou 18.2) :

1. Définissez la largeur de la page (en général, 800 pixels).
2. Si vous acceptez que les dimensions de votre page soient modifiées, cochez **Page à largeur variable**. Saisissez ensuite un taux dans la case **Largeur** (par exemple 70 % ou 100 %) ainsi qu'une dimension en pixels dans la case **Minimum**. Tant que la largeur de la fenêtre est supérieure à la valeur saisie dans le champ **Minimum**, le contenu de la page adapte ses dimensions ou sa répartition aux dimensions de la fenêtre.

Tous les paramètres de la zone de dialogue **Mise en page** (voir Figure 18.1 ou 18.2) ayant été précisés, validez par **OK**. Une nouvelle fenêtre s'ouvre alors (voir Figure 18.4). Elle présente le nouveau document Web qui doit être associé à un fichier en sélectionnant **Enregistrer sous** dans le menu **Fichier**. Notez que la zone de dialogue **Enregistrer sous** vous laisse enregistrer le document en tant que **Projet** ou en tant que **Gabarit**. Dans ce second cas, vous créez un modèle de document (au sujet des gabarits, se reporter au Chapitre 2).

Composez le contenu de la mise en page Web comme vous auriez composé un document papier : en créant des blocs ainsi que nous l'avons vu aux Chapitres 9 à 14.

Vos mises en page Web ne doivent faire appel qu'à des polices (Times New Roman, etc.) et à des formats de fichiers graphiques (GIF, JPEG ou PNG) universellement reconnus. Si vous tenez à utiliser des polices ou des traitements typographiques particuliers, pensez à convertir les blocs de texte concernés en images au moment de l'exportation. La conversion du bloc sélectionné sera automatique lors de l'exportation si vous cochez ***Convertir en graphique à l'exportation*** *dans la zone de dialogue ouverte par la commande* ***Modifier*** *du menu* ***Bloc****.*

En plus des outils traditionnels, une mise en page Web dispose d'une seconde palette d'outils permettant de créer les éléments de page propres au Web et sur lesquels s'appuie l'interactivité d'une page Web (voir Figure 18.5). Ces outils seront mis en œuvre dans les sections suivantes. Si leur palette n'apparaît pas, sélectionnez **Afficher outils Web** dans le sous-menu **Outils** du menu **Ecran**. Notez que les outils Web ne peuvent pas être affichés lorsque la mise en page qui apparaît au premier plan est de type papier.

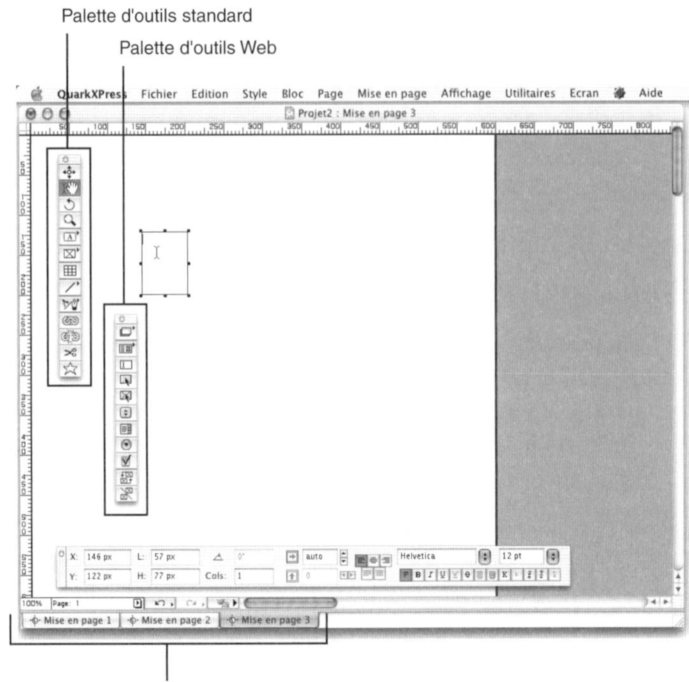

Figure 18.4

Cette fenêtre présente un nouveau document Web vierge.

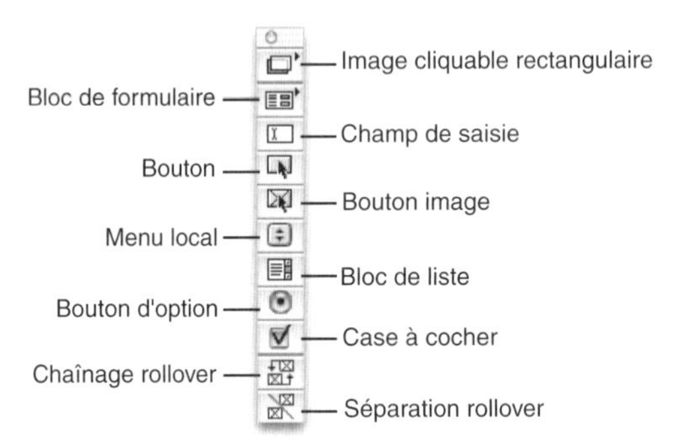

Figure 18.5

La palette d'outils Web.

Prévisualiser un document Web et exporter en HTML

Connaître et manipuler le langage HTML n'est pas nécessaire à la création de document Web avec XPress. Cependant, si vous souhaitez acquérir la maîtrise de ce langage, reportez-vous à l'ouvrage de Michel Dreyfus HTML 4 *dans la collection Student Edition de CampusPress.*

Prévisualisation d'un document Web

Pour obtenir dans votre navigateur Web une prévisualisation de la page en cours de création avec XPress :

1. Une mise en page Web étant affichée au premier plan (son onglet est contrasté), enregistrez ce document.
2. Cliquez en bas de la fenêtre du document sur le bouton **Aperçu HTML** (voir Figure 18.6). Ce bouton déploie un menu local où sont proposés les différents navigateurs choisis *via* les préférences de l'application.
3. Votre document Web est prévisualisé dans une fenêtre de votre navigateur Web.

Figure 18.6
Le bouton Aperçu HTML.

Chaque navigateur Web a ses spécificités quant à son interprétation du langage HTML (dont la normalisation officielle se heurte aux standards de fait). Il est donc judicieux de tester le comportement de votre page Web avec différents navigateurs : Explorer, Navigator, Safari, etc.

Votre document Web est ouvert dans le navigateur Web par défaut, mais vous pouvez en choisir un autre :

1. Votre document Web étant affiché dans la fenêtre de premier plan, déroulez le menu **Edition** (ou le menu **QuarkXPress** sous Mac OS X) et sélectionnez l'article **Préférences**.
2. Cliquez sur **Navigateur**.
3. Cliquez sur l'un des navigateurs proposés par la liste ou, si le navigateur désiré n'apparaît pas, cliquez sur **Ajouter** et sélectionnez un navigateur parmi l'arborescence des dossiers. Ce nouveau logiciel sera ensuite disponible *via* le menu local du bouton **Aperçu HTML** (voir Figure 18.6).

*Cliquer sur **Modifier** après avoir choisi un navigateur dans la liste présentée par les Préférences permet de personnaliser le nom sous lequel apparaît un navigateur dans le menu local du bouton **Aperçu HTML**.*

Un document Web peut être composé de plusieurs pages dont chacune correspondra à un fichier ".htm" lors de l'exportation en HTML. Comme pour un document "papier", l'ajout de pages au document s'obtient avec l'article **Insérer** du menu **Page** (chaque espace de mise en page peut contenir jusqu'à 2 000 pages). Lors de l'exportation en HTML, vous choisirez parmi les pages du document celles que vous souhaitez exporter. Cependant, ce n'est pas au moment de l'exportation que vous nommerez les documents HTML. Ceux-ci porteront les noms des pages. Pour préciser le nom d'une page :

1. Pour préciser le nom d'une page, faites de celle-ci la page courante (son folio doit apparaître en bas à gauche de la fenêtre). Pour sélectionner une page, vous pouvez par exemple double-cliquer sur son icône dans le plan de montage (palette **Disposition de page** affichée depuis le menu **Ecran**, voir Figure 18.7) où chaque page est présentée par son nom qui, par défaut, est "Exporter...".

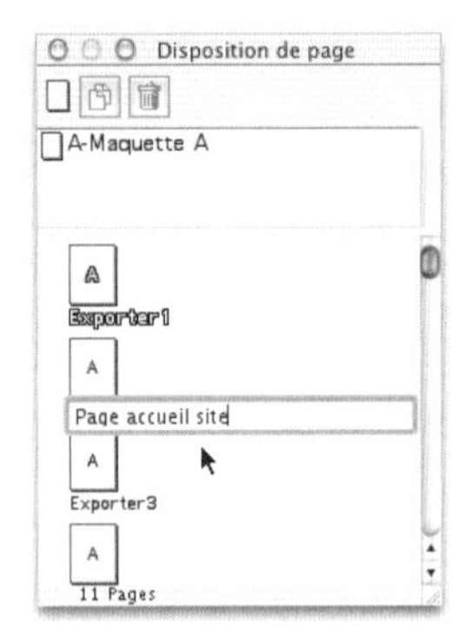

Figure 18.7

Le plan de montage (voir Chapitre 14) affiché pour un document Web rappelle que les pages d'un tel document sont, elles aussi, susceptibles de se fonder sur des maquettes (voir Chapitre 8).

2. Déroulez le menu **Page** et sélectionnez **Propriétés de la page**. Vous accédez ainsi à la zone de dialogue illustrée à la Figure 18.8 et qui permet de modifier les réglages pour la page déjà définis lors de la création de la mise en page Web (voir Figure 18.2), mais aussi de saisir le titre de la page dans la case prévue à cet effet, changer l'image de fond, la couleur des liens, la largeur de la page, etc.

*Dans la zone de dialogue **Propriétés de la page**, faites bien la différence entre le titre de la page et le nom du fichier d'exportation de cette page.*

Préparation de l'exportation graphique des blocs

L'exportation des images incorporées à une mise en page ainsi que l'exportation des textes exploitant des enrichissements non reconnus par les navigateurs justifient une conversion de ces éléments en graphiques Web. Pour les images, il s'agit de produire une image codée dans un format reconnu sur le Web (JPEG, GIF ou PNG). Pour les textes non interprétables par les navigateurs, XPress crée à l'exportation une image à partir du contenu du bloc.

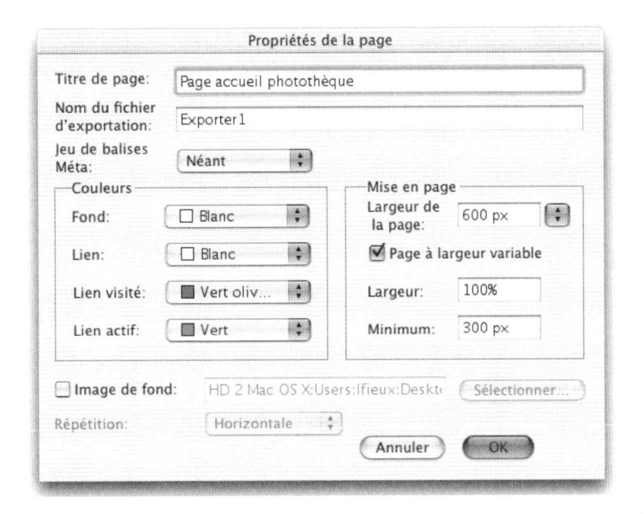

Figure 18.8
La zone de dialogue Propriétés de la page.

Pour activer la conversion en graphique d'un bloc de texte, sélectionnez ce bloc de texte, puis activez **Modifier** dans le menu **Bloc** et cochez **Convertir en graphique à l'exportation**. Cette option est active par défaut dans le cas des blocs images. Qu'il s'agisse d'un bloc de texte ou d'un bloc image, la zone de dialogue accessible par la commande **Modifier** du menu **Bloc** contient un onglet **Exporter**. Celui-ci permet de préciser le format du fichier graphique exporté (menu local **Exporter sous**), de paramétrer ce format (entrelacement et palette GIF ou PNG, qualité JPEG, etc.), mais aussi de préciser le nom du fichier exportant le bloc sélectionné et d'indiquer le nom du dossier où seront rangés les éléments exportés (menu local **Exporter vers**).

*Les choix formulés quant à l'exportation graphique des blocs peuvent s'appliquer à plusieurs blocs en même temps. Pour cela, sélectionnez les blocs à paramétrer, activez **Modifier** dans le menu **Bloc**, puis cliquez sur l'onglet **Exporter**.*

A propos des polices CSS

La définition de polices CSS (polices destinées aux "feuilles de style en cascade") permet de maîtriser les polices utilisées par le navigateur de l'utilisateur final si celui-ci ne dispose pas de la police d'origine. En pratique, vous hiérarchisez à travers les CSS le choix des polices si la police prévue n'est pas disponible. Pour créer une famille de polices :

1. Activez **Famille de polices CSS** dans le menu **Edition**.
2. Cliquez sur **Créer** dans la zone de dialogue **Familles de polices**.

3. La zone de dialogue **Modifier famille de polices** s'étant ouverte, sélectionnez dans la liste de gauche la police pour laquelle vous voulez créer une famille. Cette police étant alors contrastée, cliquez sur **Ajouter** (flèche dirigée vers la droite). La police ainsi choisie apparaît dans la rubrique **Nom**.

4. Sélectionnez une police dans le menu local **Police générique**. Cette police sera utilisée si aucune des polices de la famille n'est disponible pour le navigateur affichant votre page Web. Le menu local **Police générique** propose :

   – **Serif**, c'est-à-dire une police à empattement dont Garamond ou Times sont des exemples. Une telle police a pour avantage sa lisibilité.

   – **Sans Serif**, autrement dit une police sans empattement dont Arial ou Helvetica sont des exemples. Ce type de polices se distingue par son impact visuel, sa sobriété esthétique et son élégance. Elle est particulièrement adaptée à la titraille.

   – **Cursive** correspond à une police simulant l'écriture manuelle, par exemple Freestyle script ou Balmoral.

   – **Monospace** englobe toutes les polices à chasse fixe, par exemple Courier.

   – **Fantasy** rassemble toutes les polices qui ne correspondent à aucune des catégories précédentes.

5. Si vous souhaitez ajouter des polices à une famille, cliquez sur une police dans la liste **Polices disponibles**, puis cliquez sur **Ajouter** (flèche dirigée vers la droite). Vous adjoignez ainsi la police sélectionnée à la liste **Polices de la famille**. Vous pouvez de la sorte rassembler jusqu'à 29 polices dans une famille. Notez qu'il est possible de retirer des polices de la liste **Polices de la famille**. Pour cela, cliquez sur la police à ôter de cette liste, puis cliquez sur **Retirer** (flèche dirigée vers la gauche).

6. Il existe une hiérarchie entre les polices d'une même famille. Le niveau d'une police correspond à son degré de priorité. Ainsi, une police de niveau 1 sera recherchée par le navigateur avant la police de niveau 2, laquelle ne sera recherchée que si la police de niveau 1 est indisponible. L'ordre de la liste **Polices de la famille** traduit cette hiérarchie. Pour modifier le niveau priorité d'une police, cliquez sur celle-ci dans la liste **Polices de la famille**, puis cliquez sur **Monter** (ou **Déplacer vers le haut**), ou sur **Descendre** (ou **Déplacer vers le bas**).

7. Validez par **OK**, puis par **Enregistrer**.

Exportation en HTML

L'exportation HTML produit des fichiers HTML destinés à être ouverts par un navigateur Web. Vous pourrez les placer sur un serveur Web, notamment via une connexion FTP.

Pour générer un document HTML à partir de chaque page de votre mise en page Web :

1. Votre mise en page Web étant affichée dans la fenêtre de premier plan, sélectionnez **Enregistrer** dans le menu **Fichier** afin de placer dans le fichier associé au projet la dernière version de ce dernier.
2. Déroulez le menu **Fichier** et son sous-menu **Exporter** où vous activerez **HTML**.
3. Choisissez dans la zone de dialogue **Exporter HTML** (ou **Exportation HTML**) le dossier où devront prendre place les documents résultant de l'exportation. Par défaut, toutes les pages du document vont être exportées. Si vous souhaitez limiter l'exportation à certaines pages, saisissez leurs folios dans la case **Pages** (par exemple, "1-3" signifie que l'exportation concerne les pages 1 à 3 alors que "1,3" limite l'exportation aux pages 1 et 3).
4. Cochez **Fichier CSS externe** pour disposer d'un fichier indépendant des pages et chargé de conserver les feuilles des styles.
5. Cliquez sur **Exporter** pour générer autant de documents ".htm" que de pages exportées.

Il est conseillé de créer un dossier destiné à recevoir les documents résultant de l'exportation. Dans ce dossier prendront place :

- un fichier ".htm" pour chaque page exportée du document Web ;
- un dossier **Image** contenant des images (fichiers ".gif") qui correspondent aux éléments complexes de la page ;
- éventuellement, un document ".css" où sont rassemblées les feuilles de style.

Contenu d'un document Web

Comme un document destiné au support papier, un document Web peut recevoir des blocs images, des blocs ou des chemins de texte et des filets. Outre ces éléments de page non interactifs, un document Web peut être doté d'éléments interactifs que nous allons maintenant décrire.

Ancres et hyperliens

L'hypertexte est un moyen de naviguer à l'intérieur d'un document à l'aide d'ancres et d'hyperliens (également appelés liens). Une ancre est un élément marqué dans le document et destiné à devenir accessible en activant un des hyperliens qui lui est associé. Pour sa part, un hyperlien est l'élément d'un document sur lequel il faut cliquer pour accéder à un élément du document ayant le statut d'ancre ou pour accéder à une page du Web dont on précise l'adresse. Les ancres et les hyperliens peuvent être des extraits de texte ou des blocs quelconques.

Etablir un hyperlien vers une ancre du document

L'établissement d'un hyperlien vers une ancre placée dans le même document n'est pas une caractéristique propre aux documents Web. Il est en effet possible de créer des ancres et des hyperliens dirigés vers ces dernières dans une mise en page papier. Les ancres et les hyperliens seront alors disponibles en cas d'exportation du document en PDF (commande **Mise en page PDF** du sous-menu **Exporter** du menu **Fichier**).

Pour qu'un clic sur une partie du document ayant le statut d'hyperlien donne accès à un autre élément du document ayant le statut d'ancre :

1. Avant de créer l'hyperlien, il convient de créer l'ancre vers laquelle il doit pointer. L'ancre peut être un bloc ou un extrait de texte. Si l'ancre est un bloc, cliquez dessus avec l'outil Déplacement. Si l'ancre est un extrait de texte, sélectionnez-le avec l'outil Modification.

2. Déroulez le menu **Style** et son sous-menu **Ancre** où vous sélectionnerez **Créer**.

3. Dans la zone de dialogue **Nouvelle ancre** (voir Figure 18.9), personnalisez s'il y a lieu le nom de l'ancre. Par défaut, un bloc est nommé *Ancre 1*, *Ancre 2*, etc. Alors qu'un extrait de texte utilise ses premières lettres comme nom de l'ancre à laquelle il correspond.

4. Validez la zone de dialogue. Si l'ancre est un bloc, elle est signalée par le symbole "Ancre" (voir Figure 18.10). S'il s'agit d'un texte, une flèche rose la met en évidence (voir Figure 18.11).

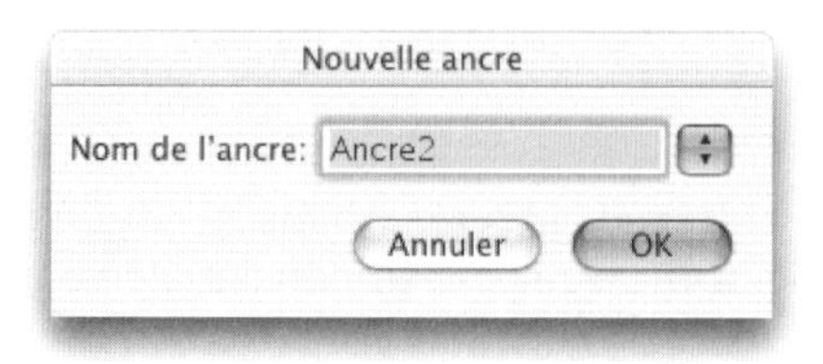

Figure 18.9

La zone de dialogue Nouvelle ancre.

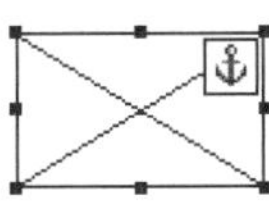

Figure 18.10
Ce bloc image (vide) a le statut d'ancre.

Figure 18.11
Un extrait de texte utilisé comme ancre.

Plusieurs hyperliens peuvent être dirigés vers une même ancre, créant ainsi plusieurs points d'accès à celle-ci. En revanche, un hyperlien n'est dirigé que vers une unique ancre. Pour créer un hyperlien donnant accès à une ancre placée dans le même document :

1. Si le document contient déjà au moins une ancre, vous pouvez créer un hyperlien dirigé vers celle-ci.
2. Sélectionnez le bloc ou la partie du texte qui tiendra lieu d'hyperlien.
3. Sélectionnez **Créer** dans le sous-menu **Hyperlien** du menu **Style**.
4. Choisissez **Ancre** dans le menu **Type** de la zone de dialogue **Nouvel hyperlien** (voir Figure 18.14).
5. Sélectionnez une **Ancre** existante dans le menu **Ancre** de la zone de dialogue.

Conformément aux usages du HTML, les noms d'ancres sont précédés par "#" dans le menu local ***Ancre****.*

6. Sur le document, l'hyperlien est matérialisé par un maillon de chaîne s'il s'agit d'un bloc (voir Figure 18.12) ou par un texte souligné en bleu si c'est un extrait de texte qui sert de lien (voir Figure 18.13).

Pour tester le fonctionnement d'un lien, reportez-vous à la section "Prévisualisation d'un document Web".

Dans le même esprit, un lien peut être établi vers une page de la mise en page Web. Pour cela, choisissez **Page** dans le menu local **Type** de la zone de dialogue **Nouvel hyperlien**, puis sélectionnez l'une des pages de la mise en page dans le menu local **Page** de cette zone de dialogue.

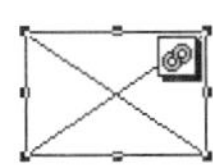

Figure 18.12
Ce bloc (vide) tient lieu d'hyperlien.

Figure 18.13
Le texte souligné en bleu est un hyperlien.

Etablir un hyperlien vers une page du Web

Nous avons vu qu'un hyperlien peut être dirigé vers une ancre située dans le même document, voire vers une page. Il peut aussi l'être vers une page du Web dont vous précisez l'adresse :

1. Sélectionnez le bloc ou la partie du texte qui tiendra lieu d'hyperlien.
2. Dans le sous-menu **Hyperlien** du menu **Style**, cliquez sur **Créer**.
3. Choisissez URL dans le menu local **Type**.
4. Dans la case **URL** de la zone de dialogue **Nouvel hyperlien** (voir Figure 18.14), saisissez l'adresse du lien (qui débute par `http://`, `https://`, `ftp://`, `mailto:`, etc.).

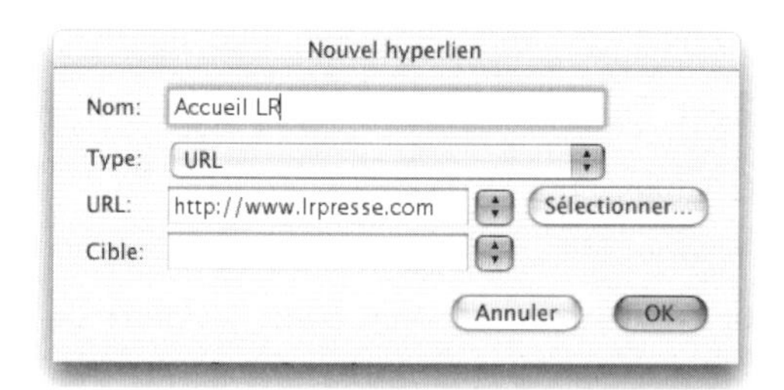

Figure 18.14
La zone de dialogue Nouvel hyperlien.

Modifier ou supprimer une ancre ou un hyperlien

Pour modifier ou pour supprimer une ancre ou un hyperlien, sélectionnez le bloc ou le texte utilisé comme ancre ou comme hyperlien puis, selon la nature de la sélection, déroulez le sous-menu **Ancre** ou le sous-menu **Hyperlien** du menu **Style**. Dans ces sous-menus, choisissez **Supprimer** ou **Modifier**. La modification d'une ancre se résume à celle de son nom alors que celle d'un hyperlien permet de modifier l'ancre ou l'adresse URL vers laquelle pointe l'hyperlien.

Affichée en activant **Afficher les hyperliens** dans le menu **Ecran**, la palette **Hyperliens** (voir Figure 18.15) dresse la liste des hyperliens et des ancres disponibles dans le document courant. Cette palette a l'intérêt de mettre en évidence les liens associés à chaque ancre. En outre, elle facilite la création d'ancres et d'hyperliens puisque la sélection peut facilement être convertie en ancre ou en hyperlien en cliquant sur les boutons **Nouvel hyperlien** ou **Nouvelle ancre**. Quant aux ancres et hyperliens présentés dans la palette, ils peuvent y être sélectionnés, puis modifiés ou supprimés à l'aide des deux boutons prévus à cet effet.

Figure 18.15
La palette Hyperliens.

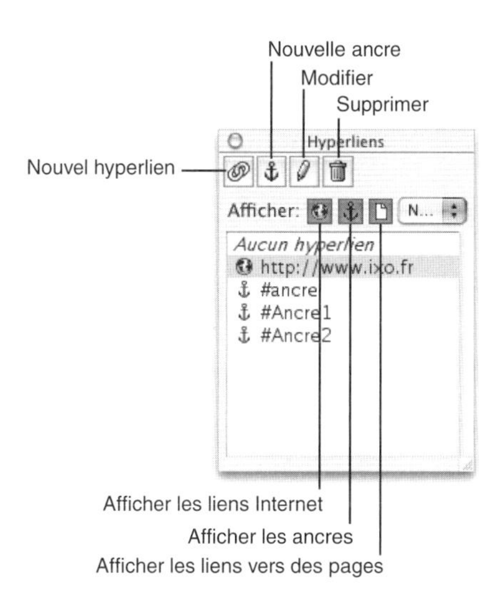

L'ancre ou l'hyperlien correspondant au bloc sélectionné (ou à la sélection de texte) se contraste dans la palette ***Hyperliens****. Ce repère visuel permet de savoir à quel élément est liée la sélection.*

Sélectionnez **Hyperliens** dans le menu **Edition** pour accéder à la zone de dialogue **Hyperliens** (à ne pas confondre avec la palette **Hyperliens** accessible depuis le menu **Ecran**). Depuis cette zone de dialogue, vous pouvez créer, mais surtout modifier, dupliquer, ajouter (c'est-à-dire importer depuis un autre document) ou supprimer des hyperliens.

Accessible par l'article ***Hyperliens*** *du menu* ***Edition****, la zone de dialogue* ***Hyperliens*** *permet, via son menu local* ***Afficher****, de limiter la présentation des hyperliens. Vous avez en effet le choix de lister les hyperliens utilisés ou non utilisés, cette dernière possibilité facilitant la suppression des éléments inutiles.*

Rollover simple

On appelle rollover un bloc qui change d'aspect en cas de survol par le pointeur de la souris et qui donne accès à une page en cas de clic.

Pour créer un rollover :

1. Dans un document Web, créez ou sélectionnez un bloc image vide.

2. Déroulez le menu **Bloc** et son sous-menu **Rollover simple** où vous sélectionnerez **Créer rollover**.
3. Dans la zone de dialogue illustrée à la Figure 18.16, vous êtes invité à préciser :
   - L'image par défaut à importer dans le document en cliquant sur **Sélectionner** (Mac OS) ou sur **Parcourir** (Windows).
   - L'image rollover affichée en cas de survol du bloc par le pointeur est également à importer dans le document en cliquant sur **Sélectionner** (Mac OS) ou sur **Parcourir** (Windows).
   - Saisissez dans la case **Hyperlien** l'adresse URL à laquelle le bloc rollover donnera accès en cas de clic sur ce dernier.
4. Validez la zone de dialogue.

Pour tester le fonctionnement d'un rollover, reportez-vous à la section "Prévisualisation d'un document Web".

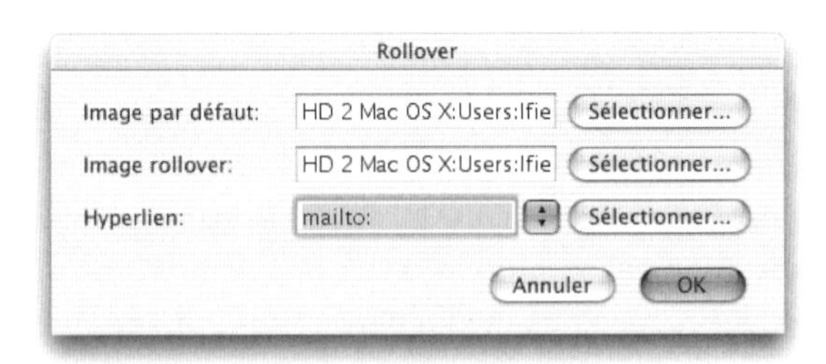

Figure 18.16
Cette zone de dialogue permet de définir un rollover à l'aide de deux images et d'un lien.

Dans un document Web, les images utilisées par un rollover peuvent être des GIF animés.

Rollover à deux positions

Dans le cas d'un rollover simple, c'est le bloc survolé par le pointeur qui change d'aspect au passage du pointeur. Avec les rollovers à deux positions, un bloc (bloc d'origine) est survolé par le pointeur, mais c'est l'aspect d'un autre bloc (bloc cible) qui est alors modifié. Il est même possible d'associer plusieurs blocs cibles à un bloc d'origine dans le cadre d'un rollover à deux positions.

Pour créer un rollover à deux positions :

1. Créez un bloc (bloc de texte ou bloc image) qui tiendra lieu de bloc d'origine. C'est donc le survol de ce bloc par le pointeur qui provoquera la modification d'aspect liée au rollover.

2. Si le bloc créé à l'étape précédente est un bloc de texte, cochez l'option **Convertir à l'exportation** dans la zone de dialogue accessible en sélectionnant **Modifier** dans le menu **Bloc**.

3. Depuis le menu **Fichier**, importez une image ou du texte dans le bloc. S'il s'agit d'un bloc de texte, le texte peut y être saisi directement.

4. Créez un autre bloc qui tiendra lieu de bloc cible. Autrement dit, c'est l'aspect de ce bloc qui sera modifié en cas de survol du bloc d'origine par le pointeur.

5. S'il s'agit d'un bloc de texte, procédez comme vous l'avez fait à l'étape 2 pour le bloc d'origine.

6. En vous reportant à l'étape 3, dotez le bloc cible d'un contenu.

7. Le bloc cible étant sélectionné, choisissez **Créer une cible 2 positions** dans le sous-menu **Rollover** du menu **Bloc**.

8. Importez une nouvelle image ou un nouveau texte (selon le type du bloc) dans le bloc cible. Ce nouveau contenu s'affichera lorsque le rollover sera actif. Notez que l'activation de **Créer une cible 2 positions** donne au bloc un contenu (vide) de type image. Vous pouvez cependant imposer un contenu de type texte à l'aide du sous-menu **Contenu** du menu **Bloc**. Si le rollover doit exploiter plusieurs blocs cibles, répétez les étapes 4 à 8 pour chacun des blocs cibles.

9. Il reste maintenant à associer le bloc d'origine au bloc cible. Pour cela, activez l'outil Chaînage de rollover à deux positions (voir Figure 18.5).

10. Avec l'outil Chaînage de rollover à deux positions, cliquez d'abord sur le bloc d'origine, puis sur le bloc cible. Vous liez ainsi le bloc d'origine au bloc cible. Notez que ce lien peut être rompu avec l'outil Séparation rollover en cliquant sur le bloc d'origine, puis sur le bloc cible. Si le rollover utilise plusieurs blocs cibles, répétez cette étape pour chaque cible.

11. Testez le rollover dans votre navigateur Web en sélectionnant ce dernier dans le sous-menu **Prévisualisation HTML** du menu **Page**.

Le bloc d'origine d'un rollover à deux positions peut lui-même être un rollover simple. Pour obtenir ce résultat, créez un rollover simple, puis considérez-le comme bloc d'origine en reprenant les étapes 4 à 11 de la manipulation précédente.

L'ajout ou la suppression de cibles d'un rollover à deux positions se réalisent, après sélection du bloc à modifier, en choisissant la commande appropriée du sous-menu **Rollover 2 positions** du menu **Bloc**.

Images cliquables

Egalement appelées images map, les images cliquables sont des images dont une partie seulement est une zone sensible qui, en cas de clic, se comporte comme un hyperlien. Notez qu'il est ainsi possible de créer plusieurs zones sensibles au-dessus d'un même bloc image.

Pour créer une zone cliquable par-dessus un bloc image :

1. Il est recommandé d'activer l'affichage des repères depuis le menu **Affichage**.
2. Votre document Web doit déjà contenir un bloc image doté d'une image importée (voir Chapitre 11).
3. Activez l'un des trois outils chargés de créer des zones cliquables sur les images (voir Figure 18.17). Le choix de l'outil est déterminé par la forme à donner à la zone sensible.

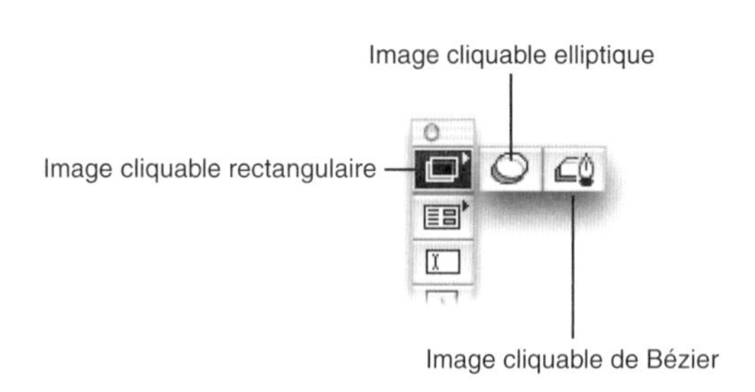

Figure 18.17
Les outils de création de zones cliquables.

4. A l'aide de l'outil activé à l'étape précédente, tracez au-dessus d'un bloc image la zone sensible (voir Figure 18.18). A l'issue du tracé, un indicateur visuel (à condition que l'affichage des indicateurs ait été activé dans le menu **Affichage**) annonce que l'image est devenue cliquable.
5. Pour la sélectionner, cliquez avec l'outil Modification sur la nouvelle zone sensible. Déroulez ensuite le menu **Style** et son sous-menu **Hyperliens** où vous choisirez **Créer**.
6. Dans la zone de dialogue **Nouvel hyperlien**, déterminez le type du lien (**URL** pour un lien vers une adresse sur le Web, **Page** ou **Ancre**). Si vous avez choisi le type URL, saisissez dans la case **URL** l'adresse URL à laquelle donnera accès un clic sur la zone sensible de l'image. Sinon, déterminez depuis la zone de dialogue la page ou l'ancre concernée par le lien établi depuis la zone sensible.
7. Validez par **OK**.

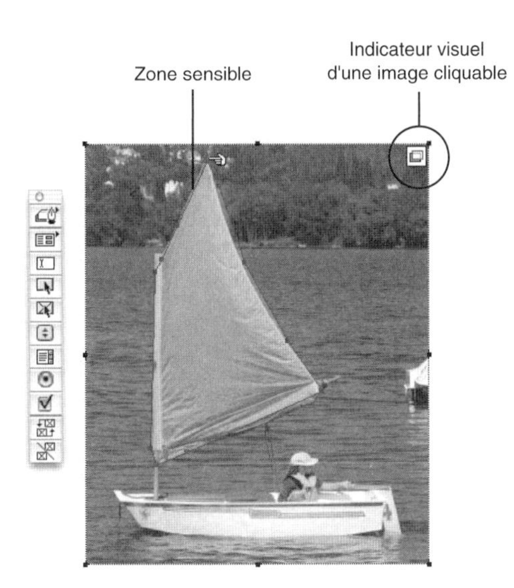

Figure 18.18
La création d'une zone sensible.

Pour tester le fonctionnement d'une image cliquable, sélectionnez un navigateur Web dans le sous-menu **Prévisualisation HTML** du menu **Page**.

Il est possible de créer plusieurs zones sensibles sur une même image. Pour supprimer les zones sensibles d'une image, sélectionnez le bloc à modifier et activez **Supprimer toutes zones sensibles** dans le menu **Bloc**.

Formulaires

On appelle formulaire une partie d'une page Web destinée à la saisie d'informations par l'utilisateur consultant la page Web.

Un formulaire est couramment composé de champs de saisie, de menus locaux, de listes, de boutons d'options ou de cases à cocher. Tous ces éléments d'interface peuvent être créés facilement à l'aide des outils de la palette Outils Web (voir Figure 18.5).

Pour créer un bloc de formulaire et lui ajouter des éléments d'interface :

1. Un document Web étant ouvert, activez l'outil Bloc de formulaire (voir Figure 18.19).
2. Faites glisser en diagonale l'outil Bloc de formulaire afin de créer le cadre délimitant le formulaire. Si, comme à la Figure 18.20, l'affichage des indicateurs visuels est activé (depuis le menu **Affichage**), le bloc de formulaire est signalé par une icône dans son angle supérieur droit.

*Un quelconque bloc rectangulaire peut être converti en bloc de formulaire. Pour cela, sélectionnez le bloc à convertir, puis activez **Formulaire** dans le sous-menu **Contenu** du menu **Bloc**.*

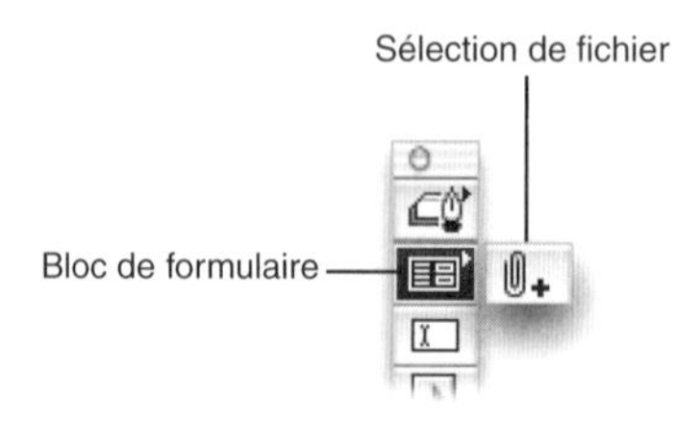

Figure 18.19
La partie supérieure de la palette Outils Web.

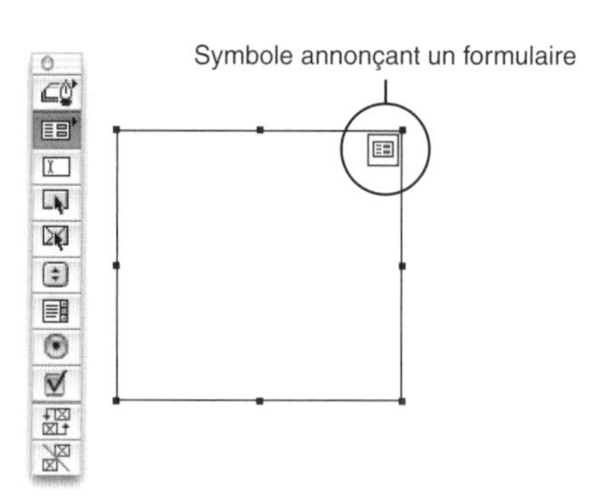

Figure 18.20
Un bloc de formulaire.

3. Le nouveau bloc de formulaire étant sélectionné (ses poignées apparaissent), sélectionnez **Modifier** dans le menu **Bloc**. Dans l'onglet **Formulaire** (voir Figure 18.21), précisez :
   - Dans la case **Nom**, saisissez le nom du formulaire.
   - Choisir **Post** dans le menu local **Méthode** provoquera l'envoi par e-mail du formulaire.
   - Laissez la case **Cible** vierge (choix équivalent à **Identique**).
   - Pour l'encodage du message, **Plain** laisse le texte brut, mais **Form-data** est un choix courant.
   - En cas de problème lors de la validation du formulaire, notamment lorsqu'un champ obligatoire n'est pas renseigné, déterminez le comportement à adopter en cliquant sur **Page d'erreur** (dans ce cas, précisez son adresse URL) ou sur **Message d'alerte** (dans ce cas, saisissez le message à afficher).
4. Le formulaire étant paramétré, validez la zone de dialogue par **OK**.

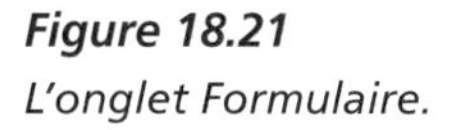

Figure 18.21
L'onglet Formulaire.

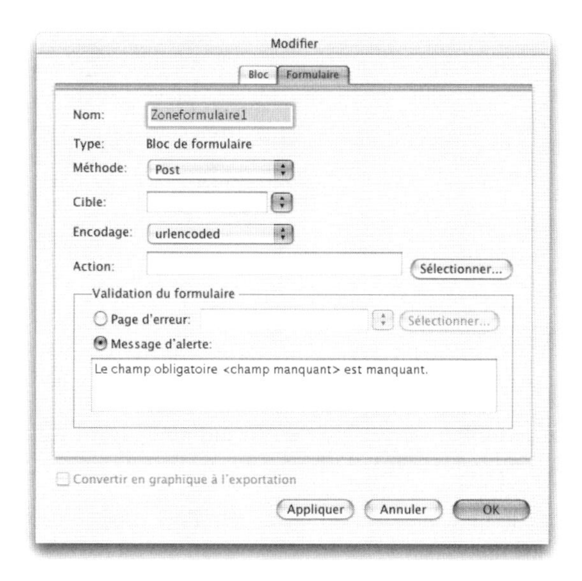

attention

Créer un élément d'interface (champ de saisie, bouton, bouton image, menu local, bloc de liste, bouton d'option ou case à cocher) hors d'un bloc de formulaire provoque la création d'un nouveau bloc de formulaire autour de l'élément créé.

5. Créez les éléments d'interface du formulaire en faisant appel aux outils Web (voir Figure 18.22).

   – Pour créer un champ de saisie, sélectionnez l'outil Champ de saisie (voir Figure 18.22) et faites-le glisser sur un bloc de formulaire. Activez ensuite **Modifier** dans le menu **Bloc**, puis, dans l'onglet **Formulaire**, précisez le nom du champ de saisie, le type de contenu (texte une ligne, texte multiligne, mot de passe, champ masqué), et précisez, si besoin est, le nombre maximal de caractères attendus. Si nécessaire, obligez l'utilisateur à renseigner ce champ en cochant la case **Obligatoire**. Validez par **OK**.

Figure 18.22
Les outils Web.

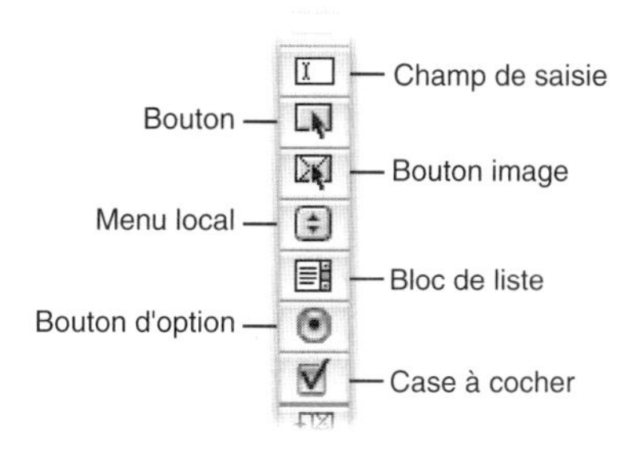

Figure 18.23
Le paramétrage d'un champ de saisie.

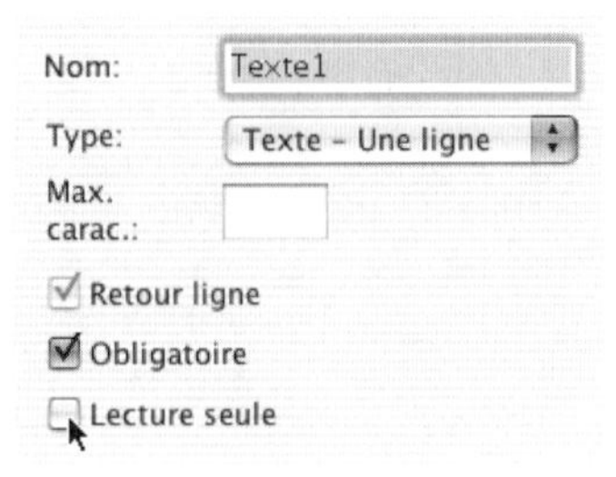

- Pour créer un autre type d'élément d'interface (Bouton, Bouton image, Menu local, Bloc de liste, Bouton d'option ou Case à cocher), le principe reste le même :
  - Faites glisser sur le bloc de formulaire l'outil associé à l'élément d'interface (voir Figure 18.22).
  - Uniquement dans le cas d'un Bouton image, importez une image depuis le menu **Fichier**.
  - Activez **Modifier** dans le menu **Bloc**, puis cliquez sur l'onglet **Formulaire** afin de paramétrer l'élément d'interface actuellement sélectionné dans le formulaire.
  - Dans le cas de l'outil Bloc de liste (voir Figure 18.22), le menu local **Menu** contient une commande **Créer** destinée à la création d'un menu *via* la zone de dialogue **Modifier le menu**.

6. Validez les zones de dialogue.

Pour tester le fonctionnement d'un formulaire, sélectionnez un navigateur Web dans le sous-menu **Prévisualisation HTML** du menu **Page**.

A partir de XPress 6, il est possible d'utiliser une cellule de tableau comme conteneur de formulaire. Pour cela, cliquez sur la cellule à convertir en formulaire, puis sélectionnez ***Formulaire*** *dans le sous-menu* ***Contenu*** *du menu* ***Bloc****.*

A noter :

- Il n'est pas possible de faire se chevaucher deux blocs de formulaire (aucune zone de recouvrement n'est autorisée entre eux).
- L'enregistrement au format XPress 5.0 d'une mise en page Web comprenant un tableau dont une ou plusieurs cellules contiennent un formulaire provoque la conversion de ces cellules en cellules à contenu "néant".

- Un formulaire peut prendre place sur un calque (voir Chapitre 9).
- Un bloc de formulaire peut être doté d'une couleur (depuis l'onglet **Bloc** accessible par l'article **Modifier** du menu **Bloc**), mais pas d'un dégradé de fond.
- Indépendamment de la création de formulaires, vous pouvez créer des menus associés au projet. Il s'agit en fait de listes d'articles qui ne seront pas, à ce stade, incorporées à une mise en page. Vous les composerez en sélectionnant **Menu** dans le menu **Edition**. Vous ouvrez ainsi une zone de dialogue depuis laquelle vous pouvez également importer (commande **Ajouter**) des listes d'articles depuis un autre projet. Les listes d'articles ainsi définies ou récupérées seront associées à un bloc de liste sélectionné en choisissant **Modifier** dans le menu **Bloc**, puis en sélectionnant une liste d'articles dans le menu local **Menu** de l'onglet **Formulaire**.

Balises méta

Parmi les balises méta, certaines facilitent le travail des moteurs de recherche. En effet, il existe des balises méta chargées de décrire une page Web, de mentionner son auteur, etc.

Un jeu de balises méta peut être affecté à un ou plusieurs documents Web. Pour créer un jeu de balises méta :

1. Dans le menu **Edition**, choisissez **Balises méta**.
2. La zone de dialogue illustrée à la Figure 18.24 étant ouverte, elle permet la création ou la modification de groupes de balises ainsi que la récupération par le document courant d'un jeu de balises défini pour un autre document (bouton **Ajouter**).
3. Pour créer un nouveau jeu de balises, cliquez sur **Créer**.
4. Cliquez ensuite sur **Ajouter** pour ajouter une balise au nouveau jeu.
5. La zone de dialogue **Nouvelle balise Méta** contient trois champs dont les deux premiers peuvent être renseignés à l'aide de menus locaux. Ainsi, vous choisirez **Name** dans le premier menu local, puis, par exemple **Keywords** dans le deuxième pour pouvoir, dans le troisième champ, introduire les mots-clés de la page auxquels devront réagir les moteurs de recherche.

Parmi les balises méta, citons *author* (auteur de la page) et *keywords* (mots-clés de la page), mais aussi *copyright*, *description*, *distribution*, *generator*, *resource-type*, *revisit-after* ou *ROBOTS*.

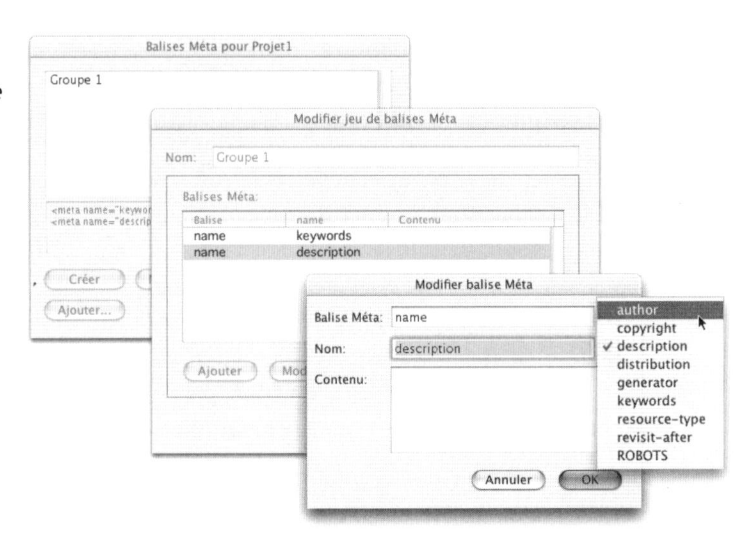

Figure 18.24

La gestion des balises méta rappelle celle des feuilles de style ou des méthodes de C&J.

Menus en cascade

Comme les rollovers à deux positions, les menus en cascade comptent parmi les nouveaux éléments de page Web que XPress 6 est en mesure de créer.

Les menus en cascade améliorent l'interface utilisateur des pages qui les utilisent. En effet, les articles du menu ne sont pas visibles tant que celui-ci n'a pas été survolé par le pointeur, mais en cas de survol, le menu se déploie. Il est ainsi possible d'offrir de très nombreux liens (vers d'autres pages ou des URL) sans encombrer la page, puisque les menus sont rétractés tant qu'ils ne sont pas sollicités.

Un menu en cascade ne peut prendre place que sur une mise en page Web. Pour le créer :

1. Activez **Menus en cascade** dans le menu **Edition**.
2. Dans la zone de dialogue **Menus en cascade**, cliquez sur **Créer**.
3. La zone de dialogue **Modifier menu en cascade** (voir Figure 18.25) étant affichée, saisissez le nom du menu dans la case **Nom de menu**.
4. Cliquez sur l'onglet **Propriétés du menu** et sélectionnez la couleur du menu en cascade dans le menu local **Couleur de fond** (où vous remarquerez la présence de l'option **Créer**).
5. Pour le texte du menu, choisissez une feuille de style (de caractères) dans le menu local **Feuille de style**. Le champ **Retrait texte** correspond à la distance séparant le texte du bord du menu.

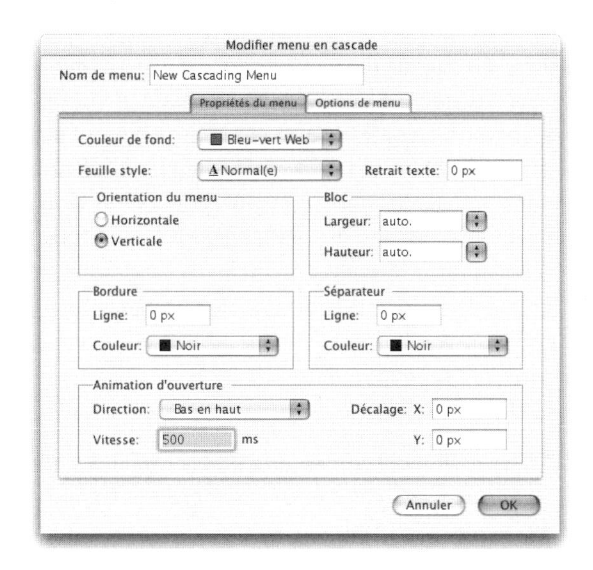

Figure 18.25

*L'onglet **Propriétés du menu** de la zone de dialogue Modifier menu en cascade.*

6. Le sens du menu (horizontal ou vertical) est déterminé par les cercles d'option de la rubrique **Orientation du menu**.
7. La largeur et la hauteur du menu en cascade sont définis dans la zone **Bloc**, dont les champs **Largeur** et **Hauteur** peuvent prendre la valeur **auto**. Dans ce cas, les dimensions du menu sont calculées à partir du nom du menu et de la taille des caractères qui le composent.
8. La zone **Bordure** spécifie l'épaisseur et la couleur de la ligne qui ceinture le menu. Aucune ligne n'apparaît autour du menu si le champ **Ligne** contient 0 px.
9. La zone **Séparateur** précise l'épaisseur et la couleur des lignes placées entre les articles du menu. Ici encore, 0 px dans le champ **Ligne** ne fait apparaître aucune ligne de séparation.
10. La zone **Animation d'ouverture** propose son menu **Direction**, où il convient de choisir le type de déploiement du menu (de haut en bas, de bas en haut, de gauche à droite ou de droite à gauche). La sélection dans ce menu d'un article autre que **Néant** provoque l'activation de la case **Vitesse**, qui accepte une valeur comprise entre 0 et 10 000. Exprimée en millisecondes, cette vitesse est celle du déploiement du menu quand il est sollicité. Par exemple, une vitesse réglée à 330 provoque le déploiement du menu en un tiers de seconde. Quant aux champs **X** et **Y** de la rubrique **Décalage**, ils correspondent à l'intervalle laissé entre le titre du menu et sa liste d'articles.
11. Cliquez maintenant sur l'onglet **Options de menu** (ou **Eléments de menu**) afin de définir les articles qui composeront le menu. Pour ajouter un article au menu, cliquez

sur **Créer** et sélectionnez **Option de menu** (voir Figure 18.26). Si un article de menu est déjà sélectionné dans la liste **Structure du menu**, un clic sur **Créer** donne le choix entre la création d'une nouvelle option de menu (qui sera associée à un hyperlien) ou la création d'une option de sous-menu (**Elément sous-menu**) à partir de l'option déjà sélectionnée. Dans ce cas, l'option de menu sélectionnée devient tout simplement un titre de sous-menu. Lorsque vous créez une option de menu (ou de sous-menu), son titre peut être modifié depuis le champ **Nom élément de menu** ; quant à l'hyperlien vers lequel dirige l'option de menu, il est déterminé depuis le champ **Hyperlien** (ou à l'aide de son menu local associé). Répétez les clics sur **Créer** pour composer le menu selon vos besoins, chaque option de menu étant à cette occasion nommée et complétée d'un hyperlien.

attention

*Choisir **Elément sous-menu** dans le menu local du bouton **Créer** associe le nouvel article de sous-menu à l'élément préalablement sélectionné dans la liste **Structure du menu**.*

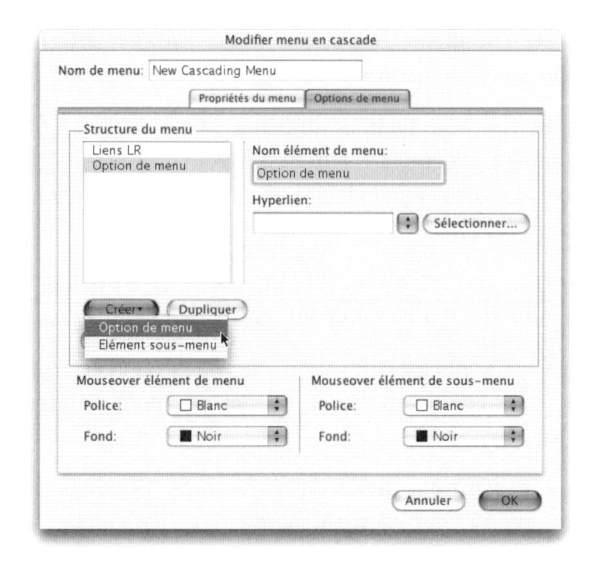

Figure 18.26

Le volet Options de menu de la zone de dialogue Modifier menu en cascade permet de définir les articles d'un menu et de les associer à des hyperliens.

12. Le comportement des articles du menu en cas de survol par le pointeur est déterminé depuis la zone **Mouseover élément de menu**, où vous précisez la couleur du texte (menu local **Police**) et celle du fond. De même, le comportement en cas de survol des éventuels articles de sous-menu est choisi depuis la zone **Mouseover élément de sous-menu**.

13. Validez par **OK** la zone de dialogue **Modifier menu en cascade**.

A ce stade, vous avez défini un menu en cascade, mais celui-ci n'apparaît pas sur le document parce qu'il n'est pas encore associé à un bloc. Pour ajouter un menu en cascade à un bloc :

1. Créez ou sélectionnez un bloc image (ou un autre type de bloc si son option **Convertir en graphique à l'exportation** est active). Pour qu'il soit visible lors de l'exportation HTML, dotez-le d'une couleur de fond ou remplissez-le avec une image.
2. Dans le sous-menu **Menu en cascade** du menu **Bloc**, sélectionnez l'un des menus en cascade définis pour le projet. Notez que l'article **Supprimer menu en cascade** de ce sous-menu permettra si nécessaire de rompre l'association du bloc sélectionné avec le menu en cascade.
3. Pour tester le fonctionnement d'un menu en cascade, sélectionnez un navigateur Web dans le sous-menu **Prévisualisation HTML** du menu **Page**. Survolez avec le pointeur le bloc auquel est associé le menu en cascade et constatez le déploiement de ce dernier. Quant aux éléments de sous-menu, ils apparaissent en cas de sélection de l'option de menu à laquelle ils sont associés.

*Pour qu'un bloc (par exemple un bloc de texte) puisse être associé à un menu en cascade, son option **Convertir en graphique à l'exportation** doit être cochée dans la zone de dialogue accessible en sélectionnant **Modifier** dans le menu **Bloc**.*

Déjà abordée, la zone de dialogue **Menus en cascade** (voir Figure 18.27) permet non seulement la création de nouveaux menus en cascade pour le projet courant (bouton **Créer**), mais aussi :

- la suppression d'un menu sélectionné dans la liste (bouton **Supprimer**) ;

Figure 18.27

Comme les feuilles de style, les méthodes de C&J ou les couleurs, les menus en cascade peuvent être importés depuis un autre projet grâce à cette zone de dialogue.

- la création d'un nouveau menu par duplication d'un menu sélectionné dans la liste (bouton **Dupliquer**) ;
- la modification du menu sélectionné (bouton **Modifier**) ;
- et surtout, l'importation vers le projet courant de menus en cascade définis pour d'autres projets (bouton **Ajouter**).

Texte synchronisé

La réunion en un même projet de plusieurs mises en page – papier ou Web – trouve l'un de ses intérêts dans la possibilité de synchroniser du texte entre deux mises en page, voire entre deux blocs de texte d'une même mise en page (celle-ci étant également appelée "espace de mise en page"). Considérons par exemple que vous deviez réaliser une plaquette et une page Web pour présenter une entreprise. S'il est admis que les textes – ou au moins certains d'entre eux – seront communs à ces deux documents, vous avez tout intérêt à réaliser les deux mises en page dans le cadre d'un même projet et à synchroniser le texte. Ainsi, le même texte sera exploité puis mis à jour dans les différents blocs qui l'utilisent, que ces derniers appartiennent ou non à la même mise en page (ils doivent toutefois faire partie du même projet). Rappelons qu'il n'est pas possible de créer plusieurs espaces de mise en page à partir d'un document XPress issus d'une version antérieure à XPress 6, sauf si vous enregistrez au préalable ces anciens documents au format XPress 6.

Remarquez que la synchronisation concerne le texte, mais pas sa mise en forme. Ainsi, l'application d'un style ou d'un attribut de paragraphe à un texte synchronisé est sans effet sur les autres occurrences de ce texte synchronisé. Vous pouvez dès lors utiliser le même texte, mais avec des mises en forme très différentes, dans un document Web et dans une mise en page papier.

Un texte ne peut pas être synchronisé – converti en entrée de texte (ou article) – s'il contient des entrées d'index. Si vous tentez de le synchroniser, XPress vous proposera de supprimer ses entrées d'index.

Principe de la synchronisation :

1. Un texte quelconque devant servir de base à de futures occurrences de texte synchronisé est sélectionné puis ajouté à la palette **Texte synchronisé** où il devient un article (c'est-à-dire une entrée de texte synchronisé).
2. Par défaut, le bloc où a été sélectionné le texte converti à l'étape précédente en entrée de texte synchronisé reçoit une occurrence de l'article. Cependant, l'article

est désormais indépendant de toute mise en page et il n'a pas besoin d'exister sous la forme de l'une de ses occurrences dans une des mises en page pour demeurer disponible dans la palette **Texte synchronisé**. Vous pouvez donc le cas échéant supprimer le bloc où a été copié le texte converti en article pour la palette **Texte synchronisé**.

3. Cliquez sur un bloc de texte quelconque avec l'outil Modification, puis placez-y une occurrence de l'article.
4. Répétez l'étape précédente de manière à créer autant d'occurrences que nécessaire dans différents blocs de texte répartis entre les mises en page du projet.
5. Modifiez le texte de l'une de ces occurrences. Vous constatez que la modification est immédiatement transmise aux autres occurrences du texte synchronisé, sans qu'il existe une hiérarchie entre celles-ci et sans altérer leurs propres enrichissements typographiques et mises en forme de paragraphe.

Afin de vous présenter simplement comment se comporte le texte synchronisé, nous allons développer un petit exemple très simple :

1. Ouvrez ou créez un projet XPress. Si vous souhaitez expérimenter le texte synchronisé entre deux mises en page – cela n'est pas indispensable –, créez une nouvelle mise en page avec la commande **Créer** du menu **Mise en page**.
2. Sur l'une des mises en page du projet, créez un bloc de texte.
3. Pour remplir rapidement ce bloc de texte, utilisez le générateur de faux texte (commande **Jabber** du menu **Utilitaires**) que vous pourrez éventuellement paramétrer avec l'article **Jabberwocky Sets** du menu **Edition**. Notez que la commande **Jabber** n'est disponible que si un bloc de texte est sélectionné avec l'outil Modification.
4. Activez l'affichage de la palette **Texte synchronisé** (voir Figure 18.28) depuis le menu **Ecran**.
5. Sélectionnez le texte à ajouter à l'espace de mise en page. Si ce texte ne correspond qu'à la sélection partielle du contenu d'un bloc de texte, XPress vous proposera d'incorporer l'ensemble du contenu de ce bloc à l'article.
6. Cliquez sur le bouton de synchronisation du texte (voir Figure 18.29).
7. Vous pouvez nommer la nouvelle entrée de texte depuis le champ **Nom de l'élément** de la zone de dialogue **Synchroniser contenu**.
8. Après cette création d'entrée de texte dans la palette **Texte synchronisé**, le bloc qui contenait le texte initialement sélectionné pour tenir lieu de base au nouvel article reçoit maintenant une occurrence du texte synchronisé. Notez le changement d'aspect du bloc (voir Figure 18.31).

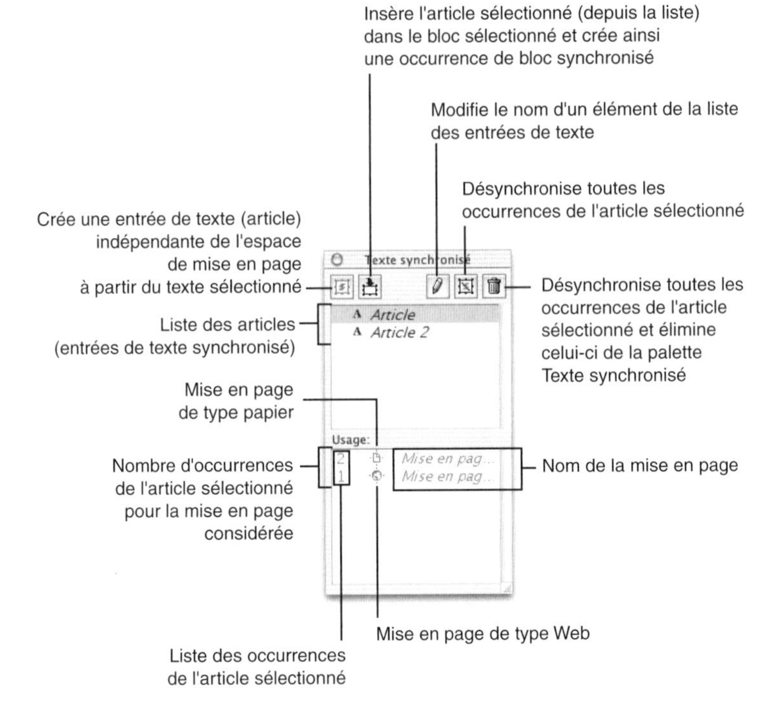

Figure 18.28
La palette Texte synchronisé.

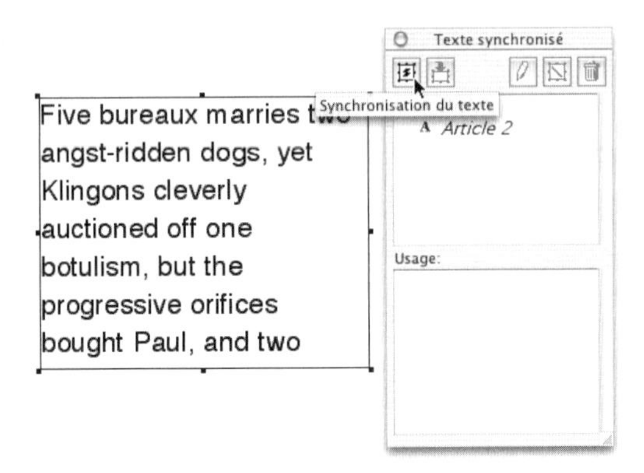

Figure 18.29
Le texte du bloc sélectionné va devenir une nouvelle entrée de texte dans la palette Texte synchronisé.

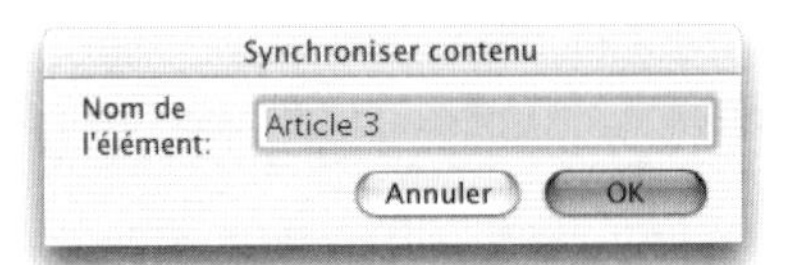

Figure 18.30
Par défaut, les entrées de texte sont nommées Article...

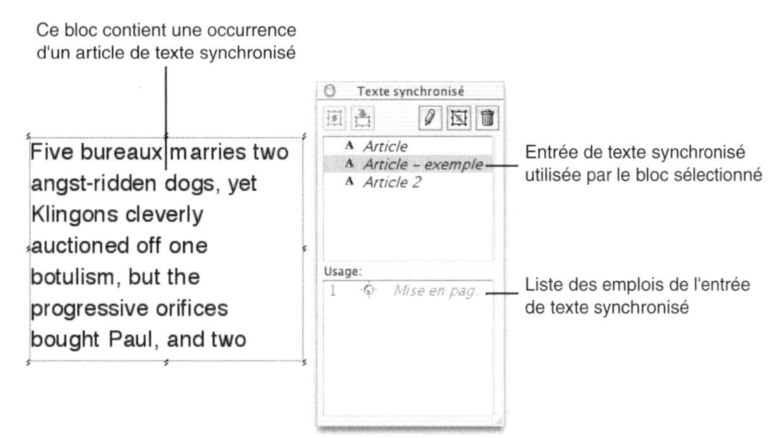

Figure 18.31
Une occurrence d'une entrée de texte synchronisé.

9. Créez un nouveau bloc de texte (celui-ci peut éventuellement se trouver sur une autre mise en page du même projet). Sélectionnez-le avec l'outil Modification de manière à y placer le curseur.

10. Dans la palette **Texte synchronisé**, sélectionnez l'entrée de texte synchronisé dont une occurrence doit prendre place dans le nouveau bloc. Cliquez sur **Insérer texte dans bloc** (voir Figure 18.32).

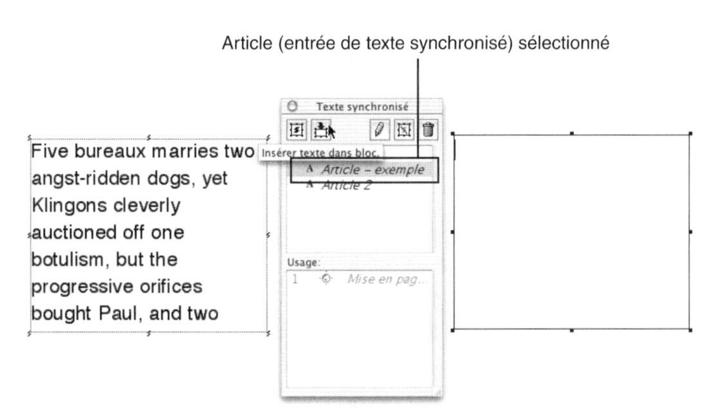

Figure 18.32
Création d'une nouvelle occurrence de texte synchronisé.

11. Constatez que le nouveau bloc a reçu une occurrence de l'article sélectionné (voir Figure 18.33). Répétez les étapes 9 et 10 pour créer autant d'occurrences que nécessaire.

12. Dès lors, modifier le texte de l'une des occurrences du texte sélectionné reporte la modification sur toutes les autres occurrences.

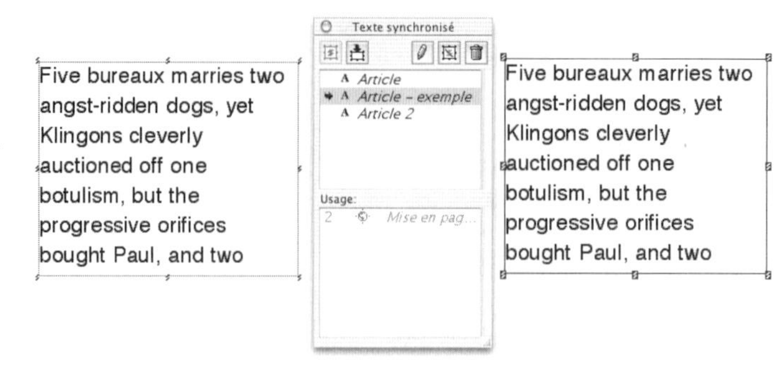

Figure 18.33

Le nouveau bloc a reçu une occurrence du texte synchronisé.

13. Si cela est nécessaire, il est ensuite possible de désynchroniser toutes les occurrences d'une entrée, ou seulement l'une d'elles.

A noter :

- Supprimer un bloc contenant une occurrence de texte synchronisé est sans effet sur les autres occurrences de cette entrée de texte.
- Les attributs de style (attributs de caractères et de paragraphe) sont récupérés par l'entrée de texte au moment de sa création. Néanmoins, les modifications ultérieures des enrichissements typographiques de l'une des occurrences de l'article ne provoqueront pas l'actualisation des autres occurrences. Par conséquent, chaque nouvelle occurrence reprend, au moment de sa création, la dernière version du texte corrigé, tandis que les enrichissements demeurent ceux en vigueur au moment de la création de l'article dans la palette **Texte synchronisé**.

Dupliquer un bloc contenant du texte synchronisé crée un nouveau bloc dans lequel figure une nouvelle occurrence du même article.

Pour désynchroniser un bloc de texte, sélectionnez son contenu, puis activez **Désynchronisation du texte** dans le menu **Style**. Inversement, vous pouvez resynchroniser le texte en le sélectionnant, en cliquant sur l'entrée de texte correspondante dans la palette **Texte synchronisé**, puis en choisissant **Synchronisation du texte** dans le menu **Style**. Les boutons de la palette **Texte synchronisé** (voir Figure 18.28) permettent en outre une désynchronisation de toutes les occurrences, voire une suppression de l'entrée de texte synchronisé.

CHAPITRE

19

Excel et FileMaker Pro au service de XPress

Au sommaire de ce chapitre

- Fusionner dans XPress une base de données récupérée sous forme de liste Excel
- Récupérer des tableaux Excel dans XPress
- Automatiser l'attribution de styles à une base FileMaker Pro

Mettre Excel au service de XPress, voilà qui peut sembler inattendu ! Et, pourtant, le plus célèbre et le plus répandu des tableurs va nous aider à fusionner des bases de données dans XPress et à créer des tableaux. Dans le même esprit, FileMaker Pro et XPress vont collaborer afin d'automatiser l'affectation de feuilles de style aux rubriques d'une base de données exportée vers un document XPress.

Fusionner dans XPress une base de données récupérée sous forme de liste Excel

XPress ne sait normalement pas fusionner une base de données. Aidé en amont par Excel, XPress génère assez simplement des documents qui sont personnalisés par la récupération des enregistrements d'une base de données. C'est par exemple le cas des mailings, de la création automatique de cartes de visite pour les membres d'une même entreprise, etc.

Créer un exemplaire d'un document type pour chacun des enregistrements d'une base de données paraît *a priori* impossible avec XPress qui ne dispose pas de fonctions de fusion. Cependant, au prix de quelques astuces, nous allons réaliser la fusion d'une base de données dans XPress.

On appelle fusion d'une base de données dans un document la récupération du contenu des rubriques d'une base de données dans des champs du document. On crée ainsi un document personnalisé pour chaque enregistrement de la base de données.

Principe de la fusion

Fusionner une base de données dans un document XPress :

1. Disposant d'une base de données exportée sous forme de texte tabulé (ce qui correspond à une tabulation entre chaque champ et à un retour à la ligne après chaque enregistrement), on copie ce texte tabulé avant de le coller dans Excel où il constitue une "liste" selon la terminologie d'Excel.
2. La réorganisation de la base a lieu dans Excel où l'on insère entre chaque champ des balises qui deviendront dans XPress des espaces, des sauts de paragraphe ou des sauts de colonnes.
3. Récupérée dans XPress sous forme de texte tabulé, la base de données subit des recherches-remplacements afin de remplacer les balises provisoires par des caractères spéciaux de XPress.
4. Ce texte est injecté dans le bloc de texte automatique d'un document dont tous les éléments (hors données fusionnées) ont été créés au niveau de la maquette.

Utilisé pour marquer la fin d'un enregistrement, un saut de colonne (ou un saut de bloc) provoque pour chaque enregistrement la création d'une nouvelle page qui reprend les éléments de maquette. On obtient donc une page personnalisée pour chaque enregistrement : c'est sur cette astuce que tout repose.

Ayant créé un document (futur document type) dont tous les éléments invariables sont des blocs de maquette, on injecte dans le bloc de texte automatique un texte contenant les enregistrements de la base de données à fusionner. Chacun de ces enregistrements étant séparé du suivant par un saut de colonne (ou un saut de bloc), l'importation de ce texte dans le bloc de texte automatique provoque la création d'une nouvelle page pour chaque enregistrement, d'où la fusion.

Récupération d'une base de données exportée

Tous les logiciels manipulant des bases de données sont capables d'exporter celles-ci au format "texte tabulé" (la plupart des logiciels de gestion de bases de données proposent dans leur menu **Fichier** un article **Exporter** ou une commande équivalente telle que **Exporter des fiches** avec FileMaker Pro 6). Chaque enregistrement est alors séparé du suivant par un retour à la ligne tandis que les champs sont séparés par une tabulation. Cette exportation de la base de données crée un fichier de texte brut qui sera ensuite ouvert avec n'importe quel traitement de texte.

La Figure 19.1 montre un exemple de base de données manipulée dans FileMaker Pro. L'exportation des fiches (une fiche est un enregistrement) crée un document en texte brut qui peut ensuite être ouvert avec Word (voir Figure 19.2) à condition de choisir **Tous les documents lisibles** dans le menu local **Type de fichier** de la zone de dialogue **Ouvrir** de Word. A la Figure 19.2, l'affichage des caractères invisibles a été activé dans Word afin de mettre en évidence les caractères de tabulation et les retours à la ligne.

Figure 19.1
Un exemple de base de données (manipulée avec FileMaker Pro).

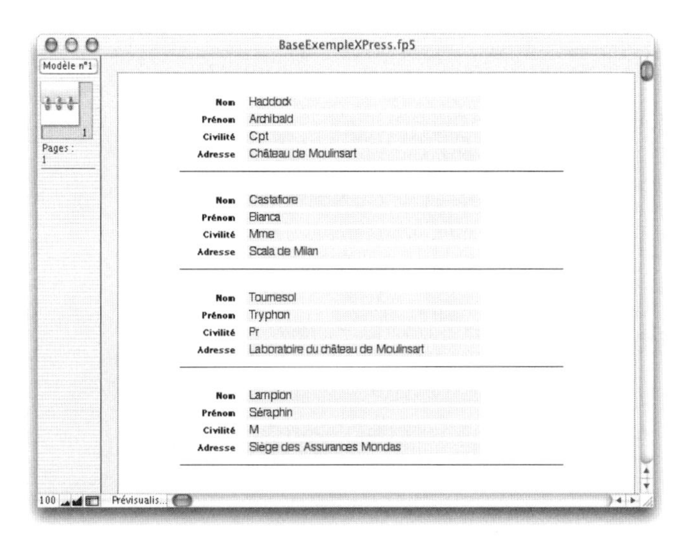

Le texte brut de la base exportée ayant été ouvert dans Word, enregistrez-le depuis ce logiciel en choisissant le type (ou le format) **Texte seulement**. Vous obtenez ainsi un fichier qu'Excel reconnaîtra peut-être plus facilement que celui généré par la base de données. Cependant, dans bien des cas il est possible d'ouvrir dans Excel la base exportée en texte tabulé sans qu'il soit nécessaire de passer par Word.

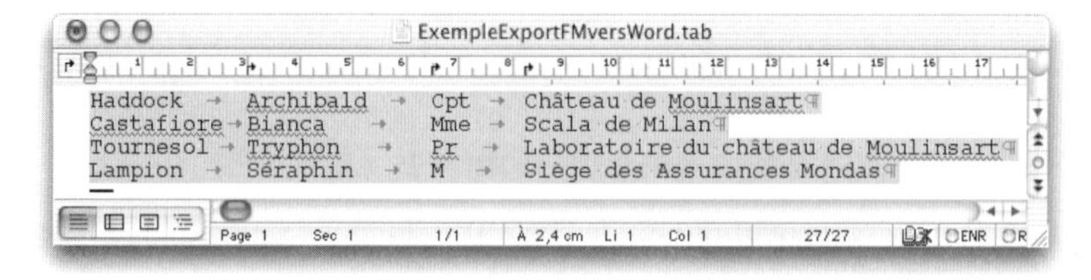

Figure 19.2

Les champs de la base de données exportée en tant que texte tabulé sont séparés par des tabulations, les enregistrements le sont par des caractères de retour à la ligne.

Dans Excel, activez **Ouvrir** dans le menu **Fichier** et choisissez **Tous les fichiers** (ou **Fichiers lisibles** ou équivalent, selon les versions d'Excel) dans le menu local **Type de fichier** (ou dans le menu local **Afficher** ou équivalent) de la zone de dialogue **Ouvrir**. Après avoir validé l'ouverture d'un document en texte brut, vous êtes pris en main par l'assistant d'importation (voir Figure 19.3) qui vous demande de préciser la façon dont sont délimités les champs (futures colonnes d'Excel) et les enregistrements (futures rangées d'Excel). Notre manipulation ayant créé un texte brut conforme au cas par défaut, vous pouvez vous contenter de cliquer sur **Fin**. Le texte tabulé est alors distribué dans les colonnes d'une feuille Excel où chaque rangée horizontale correspond à un enregistrement tandis que chaque colonne est associée à un champ (voir Figure 19.4).

Figure 19.3

L'assistant d'importation de texte d'Excel dont voici le premier volet. Le second volet permet de confirmer le type de caractère séparant les champs (par exemple, un caractère de tabulation).

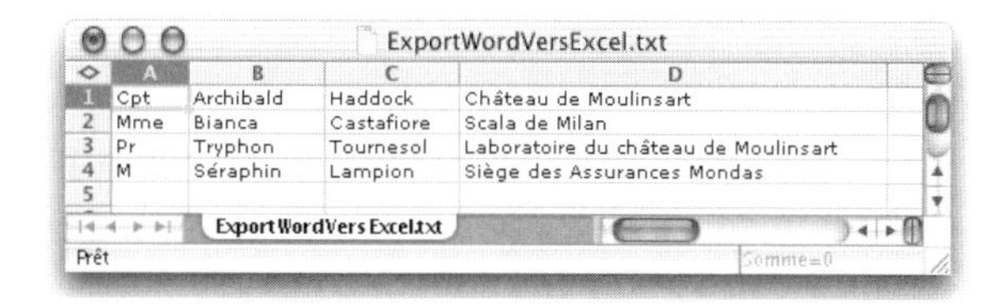

ExportWordVersExcel.txt

	A	B	C	D
1	Cpt	Archibald	Haddock	Château de Moulinsart
2	Mme	Bianca	Castafiore	Scala de Milan
3	Pr	Tryphon	Tournesol	Laboratoire du château de Moulinsart
4	M	Séraphin	Lampion	Siège des Assurances Mondas
5				

Figure 19.4

Ouvert dans Excel, le texte tabulé résultant de l'exportation de la base de données devient une liste : chaque colonne correspond à une catégorie de champ tandis que chaque rangée correspond à un enregistrement.

Préparation dans Excel

Dans Excel, on appelle "liste" un bloc rectangulaire de cellules où chaque rangée serait assimilable à un enregistrement d'une base de données. En conséquence, toutes les cellules d'une même colonne contiennent des informations de même nature.

Collé dans une feuille de calcul Excel, le texte tabulé prend naturellement la forme d'une liste (voir Figure 19.4). A chaque rangée correspond donc un enregistrement de la base de données.

Réorganisez la liste selon vos besoins :

1. Supprimez les colonnes inutiles (par exemple, les numéros de téléphone inutiles dans le cadre d'un mailing par voie postale).
2. Supprimez les enregistrements inutiles (doublons, etc.).
3. Réorganisez l'ordre des champs (par exemple, placez la civilité – M., Mme, Mlle, etc. – avant le prénom et le nom).
4. Triez la base de données selon l'ordre désiré (tri par rangées).

Pour ces manipulations dans Excel, rappelons qu'un clic sur un nom de colonne ou de rangée sélectionne la rangée ou la colonne dans son ensemble. L'article **Supprimer** du menu **Edition** supprime la colonne ou la rangée sélectionnée.

Ajout de balises dans Excel

Ici, c'est l'utilisateur qui crée son propre langage de balises et détermine donc l'interprétation qu'Excel et XPress devront faire de ces balises.

Afin d'y placer des balises, insérez des colonnes vierges entre toutes les colonnes utiles du tableau.

Pour insérer une colonne avec Excel (version 97) :

1. Cliquez sur le nom de la colonne située à droite de la position de la future colonne (par exemple cliquez sur B pour insérer une nouvelle colonne vierge entre les colonnes A et B).
2. Sélectionnez l'article **Colonnes** du menu **Insertion**.
3. Une nouvelle colonne vierge (et sélectionnée par défaut) apparaît (voir Figure 19.5).

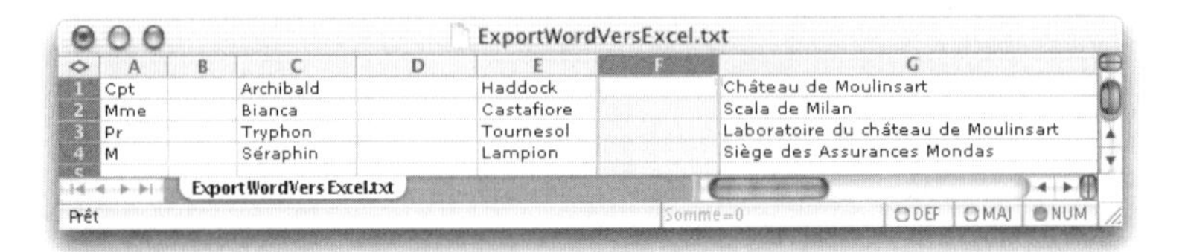

Figure 19.5
Une nouvelle colonne insérée est sélectionnée par défaut.

Les nouvelles colonnes seront remplies avec trois types de balises :

- Placez le texte "`bal_esp`" dans une colonne si les deux champs entre lesquels elle se trouve doivent être séparés par une espace.
- Placez "`bal_par`" dans les colonnes situées entre deux champs à séparer par un retour à la ligne (marque de fin de paragraphe).
- Placez "`bal_col`" dans la colonne qui suit le dernier champ.

Par exemple, une liste comprenant les champs Prénom, Nom et Adresse sera dotée de balises de façon à obtenir : `Prénom bal_esp Nom bal_par Adresse bal_col`. Rappelons que, en tirant vers le bas l'angle inférieur droit d'une cellule, vous étendez son contenu aux cellules inférieures, ce qui permet de remplir rapidement les colonnes chargées des balises. Ainsi, saisissez par exemple "`bal_esp`" dans la cellule B1, puis faites glisser vers le bas l'inférieur droit de cette cellule jusqu'à la cellule B5 si cette dernière correspond à la dernière rangée utilisée dans le tableau (voir Figure 19.6). Finalement, vous devez obtenir un tableau tel que celui de la Figure 19.7 où des colonnes de balises déterminent la séparation des champs (ici placés dans des cellules) par des espaces, par des marques de paragraphes ou par des sauts de colonne.

Figure 19.6
Faire glisser l'angle inférieur droit d'une cellule étend son contenu aux cellules inférieures.

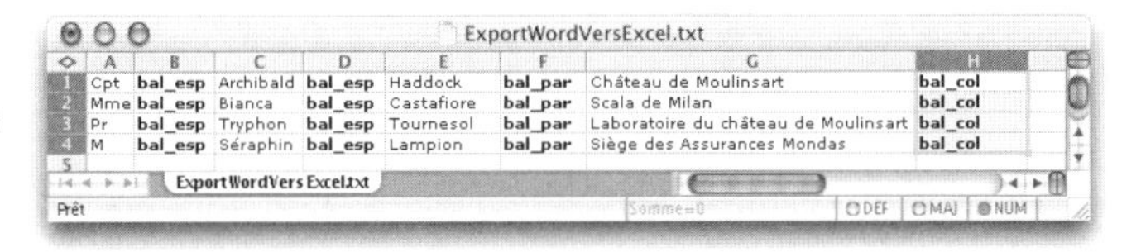

ExportWordVersExcel.txt

	A	B	C	D	E	F	G	H
1	Cpt	bal_esp	Archibald	bal_esp	Haddock	bal_par	Château de Moulinsart	bal_col
2	Mme	bal_esp	Bianca	bal_esp	Castafiore	bal_par	Scala de Milan	bal_col
3	Pr	bal_esp	Tryphon	bal_esp	Tournesol	bal_par	Laboratoire du château de Moulinsart	bal_col
4	M	bal_esp	Séraphin	bal_esp	Lampion	bal_par	Siège des Assurances Mondas	bal_col
5								

Figure 19.7

Les balises ont été insérées entre les colonnes de façon à séparer les champs à l'aide d'espaces, de sauts de ligne ou de sauts de colonne (ces derniers sont équivalents aux sauts de bloc lorsque le bloc ne contient qu'une colonne).

Exportation du tableau en texte tabulé

Excel ayant permis la réorganisation des données et l'insertion de balises, la base de données va de nouveau être transformée en texte tabulé afin de migrer vers XPress. Dans Excel :

1. Sélectionnez **Enregistrer sous** dans le menu **Fichier** d'Excel.
2. Dans le menu local **Type du fichier** (ou **Format** ou équivalent), choisissez **Texte (séparateur:tabulation)**.
3. Nommez le document et validez l'enregistrement.
4. Choisissez **Fermer** dans le menu **Fichier** et ignorez l'alerte d'Excel lorsque celui-ci considérera que vos données n'ont pas été enregistrées puisqu'elles ne l'ont pas été au format Excel.
5. Vous venez de créer un nouveau fichier en texte brut. Il correspond à l'exportation en texte tabulé d'un tableau Excel (voir Figure 19.8).

Figure 19.8

La base de données, d'abord exportée en texte tabulé, l'est à nouveau après sa préparation dans Excel, préparation au cours de laquelle des balises ont été insérées.

Création du document type dans XPress

Pour créer dans XPress le document type qui va fusionner avec la base préparée dans Excel :

1. Dans XPress, créez un nouveau document doté d'un bloc de texte automatique (voir à ce sujet le Chapitre 2).
2. Déroulez le menu **Page** et son sous-menu **Afficher**, puis activez l'article **Maquette**.

3. La maquette étant affichée, adaptez les dimensions du bloc de texte automatique à l'encombrement du plus long enregistrement à fusionner (à la création du document, le bloc de texte automatique se voit affecter des dimensions définies par les marges). Créez sur la maquette tous les éléments communs aux différents exemplaires du document type. Il s'agira par exemple d'un en-tête de lettre, d'un texte de lettre type, d'une illustration, etc. La Figure 19.9 présente la réalisation de la maquette.

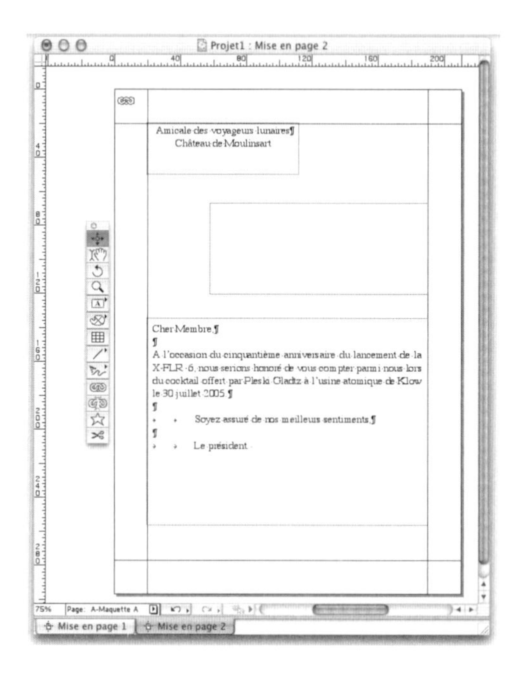

Figure 19.9
Voici la maquette du document tenant lieu de document type. Sur cette maquette, les blocs de texte remplis se retrouveront sur toutes les pages. Remarquez par ailleurs le bloc de texte vide : il s'agit du bloc de texte automatique où sera injecté le texte issu d'Excel.

Importation du texte et conversion de ses balises dans XPress

Pour importer le texte issu de la base de données et convertir ses balises :

1. Dans le sous-menu **Afficher** du menu **Page**, choisissez **Mise en page** pour quitter la maquette et revenir à la manipulation du document.

2. Avec l'outil Modification, cliquez sur le bloc de texte automatique du document afin d'y placer le curseur symbolisant le point d'insertion du texte.

3. Choisissez **Importer texte** dans le menu **Fichier** et importez ainsi dans le bloc de texte automatique le fichier texte créé depuis Excel et contenant la base exportée. Normalement, de nouvelles pages se créent pour contenir le texte importé qui s'étend ensuite dans les occurrences chaînées du bloc de texte automatique. Si vous voyez apparaître l'indice de dépassement en bas à droite du bloc de texte automatique de la

dernière page, ne vous inquiétez pas car la recherche-remplacement concerne aussi le texte masqué.

4. Ce texte étant importé, placez-vous avant son premier caractère (Cmd+Alt+↑ sous Mac OS ou Ctrl+Alt+↑ sous Windows) et lancez successivement trois recherches-remplacements avec l'article **Rechercher/Remplacer** du menu **Edition**. Pour chaque recherche-remplacement, cliquez sur **Rechercher** après avoir saisi le texte à rechercher et le texte de remplacement, puis, la première occurrence étant détectée, cliquez sur **Tout remplacer**. Le Tableau 19.1 indique les fragments de texte à rechercher et ceux à utiliser pour leur remplacement. Cette manipulation est illustrée à la Figure 19.10. N'oubliez pas de vous replacer au début du texte (avec Cmd+Alt+↑ sous Mac OS ou Ctrl+Alt+↑ sous Windows) avant chaque nouvelle demande de recherche/remplacement.

Tableau 19.1 : Recherche et remplacement des balises

Texte à rechercher	Texte de remplacement	Effet produit
`\tbal_esp\t`	Espace	Insertion d'une espace
`\tbal_par\t`	`\p`	Insertion d'une marque de fin de paragraphe (passage à la ligne suivante)
`\tbal_col\p`	`\c`	Insertion d'un saut de colonne

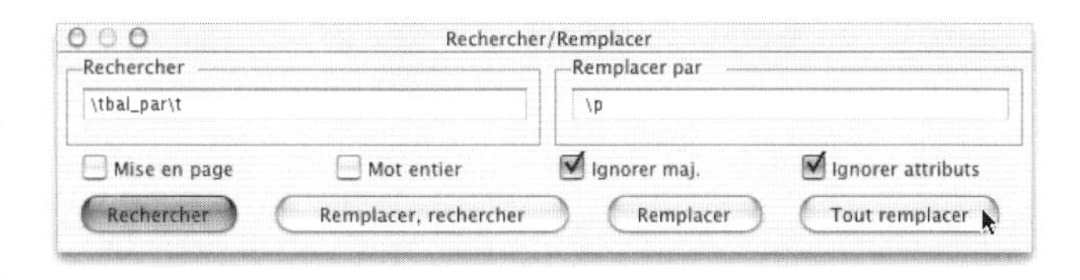

Figure 19.10

La recherche-remplacement recherche la balise "bal_...". Elle est encadrée par des tabulations "\t", celles-ci traduisent le passage d'une colonne à l'autre dans Excel.

Si vous avez doté votre bloc de texte automatique de plusieurs colonnes, la création d'une nouvelle page fondée sur la maquette suppose l'emploi de `\b` *au lieu de* `\c`*. Vous insérez ainsi un saut vers le prochain bloc sans être obligé de placer au moins un caractère dans chaque colonne du bloc de texte automatique.*

N'oubliez pas de vous replacer au début de la chaîne de caractères (sur la première page) avant de lancer chaque recherche-remplacement (Cmd+Alt+↑ sous Mac OS ou Ctrl+Alt+↑ sous Windows). A défaut, la recherche-remplacement ne concernera que le texte placé en aval du curseur.

Rappelons que \p et \c signifient respectivement "fin de paragraphe" et "saut de colonne". Le premier provoque donc un passage à la ligne suivante alors que le second entraîne le passage à la colonne suivante ou, à défaut, au prochain bloc chaîné. On exploite donc ici le chaînage implicite des différentes occurrences du bloc de texte automatique. Rappelons que le caractère "\" s'obtient avec Alt+⇧Maj+: (Mac OS) ou Alt Gr+8 (Windows).

Chaque saut de colonne (ou saut de bloc, les deux types de sauts étant équivalents sur les blocs de texte limités à une seule colonne) ayant provoqué la création d'une nouvelle page fondée sur la maquette, vous disposez maintenant d'une page par enregistrement de la base de données (voir Figure 19.11). Si les pages ne se créent pas automatiquement (XPress est parfois capricieux…), cliquez sur le bloc de texte automatique, choisissez **Insérer** dans le menu **Page** sans oublier de cocher **Relier à la chaîne courante**.

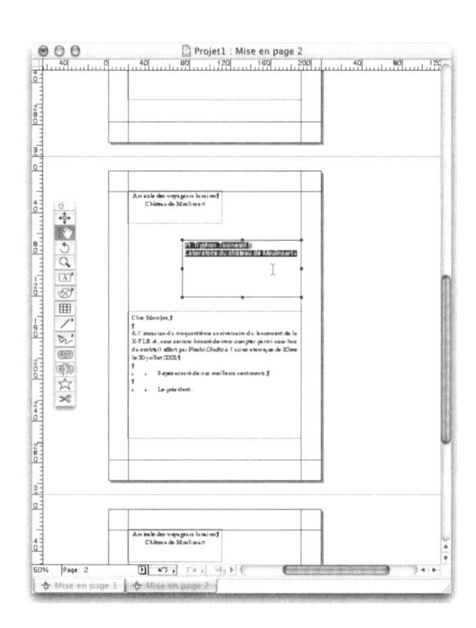

Figure 19.11

On obtient une page par enregistrement de la base de données : nous venons de fusionner une base de données dans un document XPress.

Pour modifier les attributs typographiques de tout le texte que vous venez d'importer :

1. Cliquez sur le bloc de texte automatique de l'une des pages du document.
2. Sélectionnez tout (Cmd+A sous Mac OS, Ctrl+A sous Windows).
3. Tout le texte importé étant sélectionné, enrichissez-le selon les besoins de votre document.

Il ne reste plus alors qu'à imprimer le document dont chaque page sera personnalisée pour l'un des enregistrements de la base de données exportée au début de la manipulation.

Récupérer des tableaux Excel dans XPress

En jonglant entre XPress, Excel, Illustrator et – pourquoi pas ? – Photoshop, nous découvrons que nous pouvons récupérer dans XPress des tableaux profitant de toutes les capacités de mise en forme du spécialiste des tableaux : Excel.

A priori, on considère qu'une feuille de calcul Excel ne sait s'exporter que sous la forme de texte tabulé destiné à une mise en page fastidieuse associant dans XPress des taquets de tabulation à des filets de paragraphe. Toutefois, il nous semble beaucoup plus intéressant de mettre en forme un tableau dans Excel et de le récupérer dans XPress en tant qu'image vectorielle au format EPS. Ce document EPS pourra ensuite être utilisé directement en PAO, ou être "pixellisé" par importation dans Photoshop d'où il repartira en GIF ou en JPEG en vue d'une publication sur le Web.

Copier dans Excel

Créez votre tableau dans Excel et dotez-le de tous les enrichissements souhaitables : typographie, cadre de cellule, couleur de fond, etc. Votre mise en forme étant achevée, sélectionnez les cellules à exporter et copiez-les.

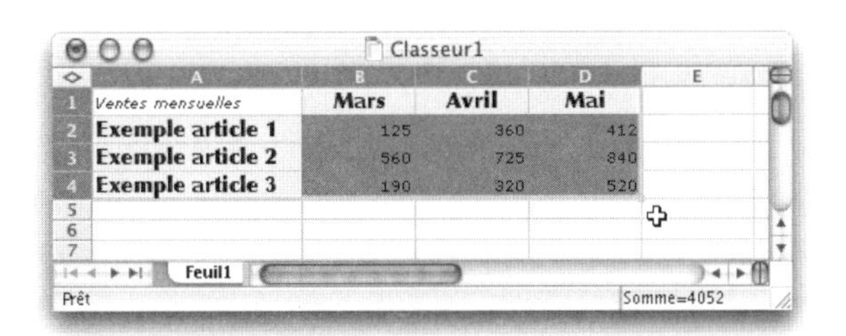

Figure 19.12
Ici, la partie du tableau Excel dûment mise en forme est sélectionnée avant d'être copiée dans le Presse-papiers.

Coller dans XPress

Le Presse-papiers contient pour l'instant des cellules copiées dans Excel. Pour transformer ce bloc de cellules en une image vectorielle, il est tentant de la coller dans Illustrator. Cela fonctionne à peu près entre Excel 97 et Illustrator 10, mais on constate des problèmes d'interprétation de certaines polices de caractères. Par conséquent, collez plutôt vos cellules dans un bloc image de XPress après avoir créé à cette fin un nouveau document (voir Figure 19.13). Néanmoins, si le collage dans Illustrator fonctionne correctement à ce niveau, passez directement à la section "Ouvrir dans Illustrator".

Rappelons qu'un bloc image de XPress peut contenir une image non associée à un fichier à condition que cette image soit collée directement dans le bloc image. On exploite ici un import-export en PICT vectoriel qu'effectuent de façon transparente Excel et XPress sous Mac OS, une relation comparable étant établie entre les applications sous Windows.

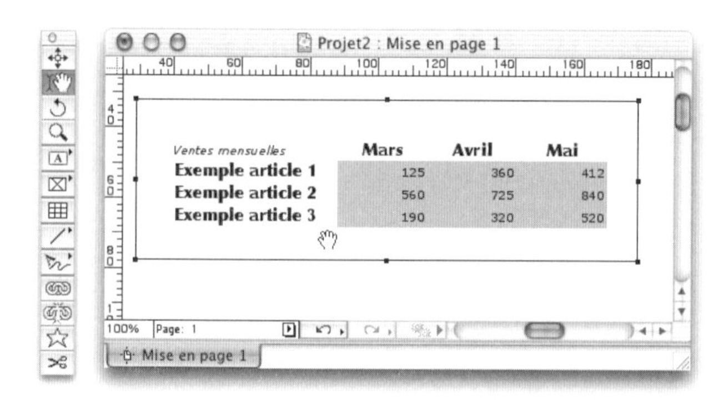

Figure 19.13

Copiées depuis Excel, les cellules ont ensuite été collées dans un bloc image de XPress.

Sous Windows, nous avons constaté des pertes de données lorsque le bloc de cellules copié dépasse une certaine dimension.

Jusqu'à XPress 4, le collage des cellules conservait les noms des colonnes et des rangées. Nous n'avons pas rencontré ce problème lors de nos essais réalisés avec Excel 98 et XPress 5.0 sous Mac OS 9.2.1 (ouvert depuis Mac OS X 10.1.4), Excel 97 et XPress 5.0 sous Windows XP, ainsi qu'Excel v.X et XPress 6.0 sous Mac OS X 10.2.8.

Enregistrer la page en EPS

Enregistrez la page en EPS depuis le menu **Fichier** de XPress (article **Enregistrer page en EPS**). Vous générez ainsi un document qui n'est autre que votre page traitée comme une image vectorielle au format EPS (voir Figure 19.14). Normalement, cette page ne contient que le bloc image où vous avez collé les cellules Excel.

Ouvrir dans Illustrator

Depuis Illustrator, ouvrez le document ".eps" que vous venez de créer avec XPress. Si des éléments parasites sont à supprimer, commencez par séparer les objets vectoriels en choisissant **Dissocier** dans le menu **Objet**. Vous pourrez ainsi éliminer les objets vectoriels indésirables. Enregistrez ensuite le document au format Illustrator EPS (et non au format Illustrator simple) en incluant les polices au document. Parmi les options d'enregistrement d'un document au format Illustrator EPS, pensez à inclure les polices en cochant la case d'option correspondante. Pour acquérir une maîtrise totale d'Illustrator, reportez-vous au livre *Studio Graphique Illustrator* paru aux éditions CampusPress.

Votre tableau n'est maintenant plus qu'un document EPS que vous pourrez importer dans XPress ou tout autre logiciel de PAO. Le tableau est alors à importer en tant qu'image EPS dans un bloc image de XPress.

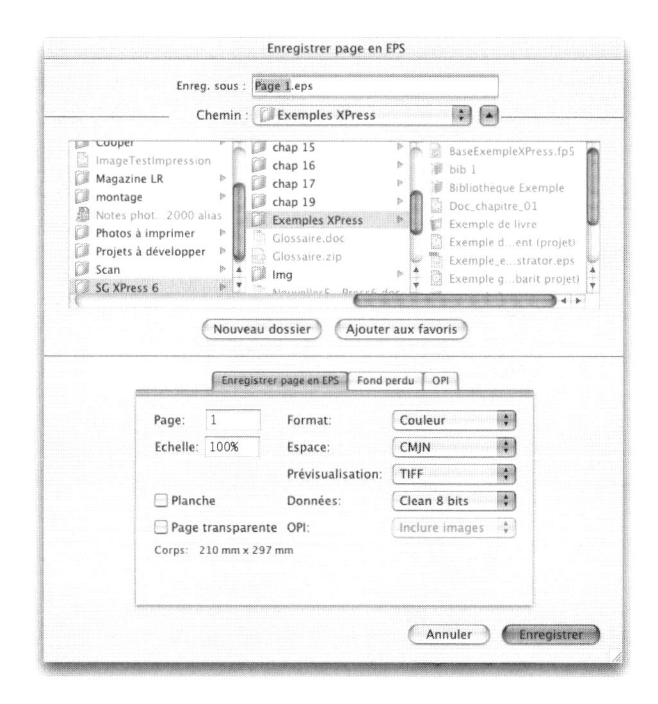

Figure 19.14

La zone de dialogue Enregistrer page en EPS de XPress enregistre la page comme une image vectorielle que l'on ouvrira ensuite dans Illustrator.

Automatiser l'attribution de styles à une base FileMaker Pro

Nous vous invitons maintenant à effectuer la mise en page automatique d'une base de données traitée avec FileMaker Pro. Toute la manipulation repose sur la création par FileMaker Pro d'une base de données dont l'exportation en texte tabulé pourra être importée par XPress en tant que XPress Tags. En d'autres termes, la base de données FileMaker va se charger de générer un fichier incluant des balises de style XPress qui pourront être récupérées lors de l'importation par XPress de la base exportée par FileMaker.

Créer les styles

Créez un nouveau document XPress, puis définissez les feuilles de style qui devront être appliquées aux rubriques de la base de données exportée.

Dans le cadre de l'exemple illustré à la Figure 19.15, chaque ligne est enrichie avec une feuille de style de paragraphe. Nous en avons défini quatre : article_p, description_p, référence_p et prix_p. Elles sont respectivement liées aux feuilles de style de caractères article_c, description_c, référence_c et prix_c. Afin d'illustrer l'application d'une feuille de style de caractères indépendante d'une feuille de style de paragraphe, nous utiliserons également une feuille nommée description_c_italique. Lier une feuille de style de caractères à une feuille de style de paragraphe permet d'appliquer le style de caractère à tout le texte concerné par le style de paragraphe. C'est pourquoi vous ne verrez pas apparaître les styles article_c, description_c, référence_c et prix_c dans la formule créée avec FileMaker Pro.

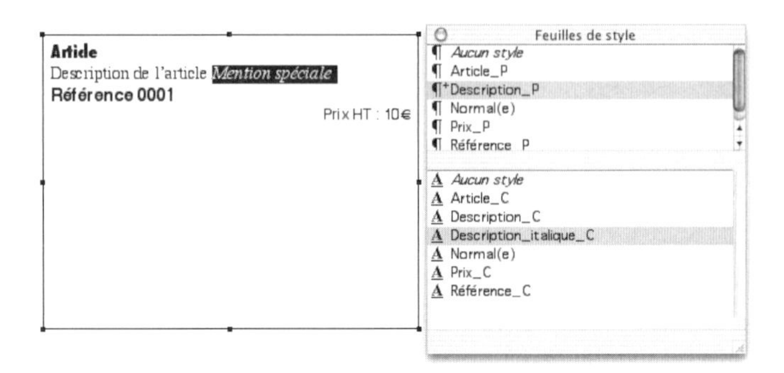

Figure 19.15
Nous avons créé les feuilles de style qui seront appliquées à la mise en page d'un catalogue.

*Pour créer facilement une feuille de style, dotez une partie du texte des attributs qui seront ceux de la feuille de style. Sélectionnez le texte enrichi, activez **Feuilles de style** dans le menu **Edition**, puis cliquez sur **Créer** et constatez que les attributs de la sélection sont automatiquement repris par la nouvelle feuille de style. Précisons que cette manipulation n'affecte pas la nouvelle feuille de style à la sélection sur laquelle cette nouvelle feuille se fonde.*

*En créant des feuilles de style à partir de la sélection, vous ne les lui appliquez pas pour autant ! Pour obtenir ce résultat, vous devez cliquer ensuite sur le nouvel item dans la palette **Feuilles de style**. Rappelons également que les feuilles de style de paragraphe et de caractères sont indépendantes. Il faut donc les appliquer respectivement.*

Format XPress Tags

Après avoir appliqué à des extraits d'un texte quelconque les feuilles de style que vous venez de créer, sélectionnez tout ce texte enrichi, puis :

1. Sélectionnez **Enregistrer texte** dans le menu **Fichier** de XPress.
2. Dans le menu local **Format** (Mac OS) ou **Type** (Windows), choisissez le format **XPress Tags** (voir Figure 19.16). Selon le cas, choisissez d'exporter la sélection seulement (option **Texte sélectionné**) ou toute la chaîne de caractères dont elle fait partie (option **Tout l'article**).

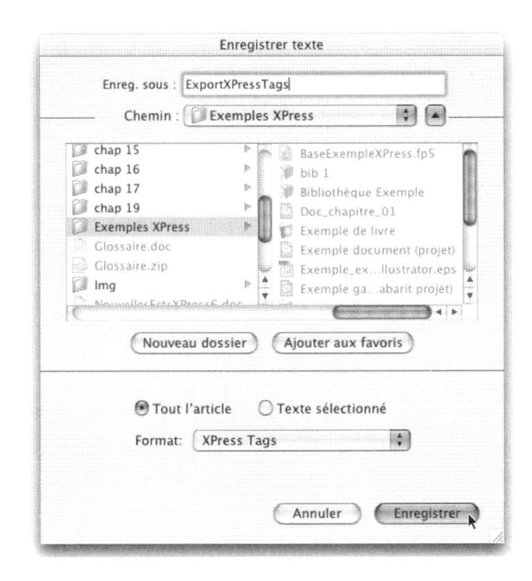

Figure 19.16

Le texte sélectionné dans un bloc XPress va être exporté sous forme d'un texte brut comprenant les balises de style XPress.

3. Cliquez sur **Enregistrer** pour créer un fichier ".xtg".
4. Depuis Word, activez la commande **Ouvrir** du menu **Fichier**. Après avoir choisi **Tous les fichiers** dans le menu local **Type** ou **Format**, sélectionnez le document que vous venez d'exporter depuis XPress, puis validez son ouverture avec Word.
5. Vous découvrez dans Word la façon dont XPress code ses styles (voir Figure 19.17).

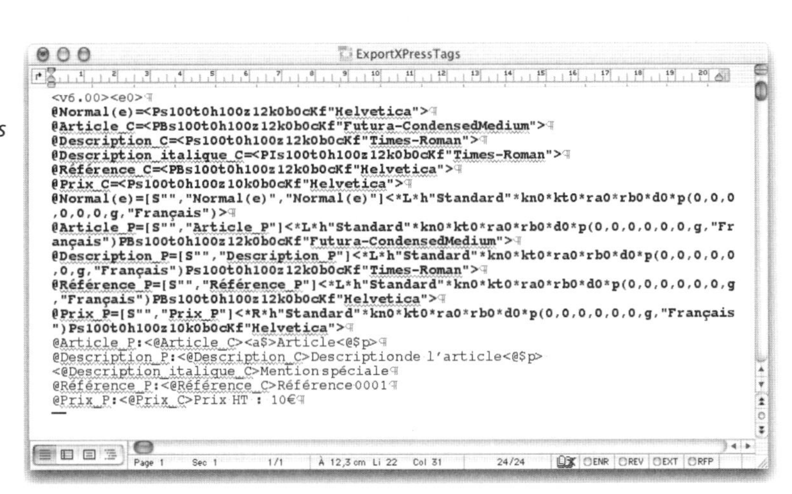

Figure 19.17

Comparé au texte tel qu'il apparaissait dans un bloc XPress, celui-ci met en évidence la définition des styles et les balises chargées de son application.

La Figure 19.17 montre dans une fenêtre Word ce qu'est un texte exporté au format XPress Tags.

Remarquez :

- Sur la première ligne, <v6.00> indique que le texte a été exporté depuis XPress 6.0 (<v3.00> ou <v2.05> correspondraient respectivement à un texte exporté depuis XPress 5.0 ou XPress 4). Ensuite, <e0> signale que l'exportation a eu lieu depuis XPress sous Mac OS (à l'inverse, <e1> annoncerait une exportation depuis Windows).
- En gras à la Figure 19.17 figure la liste des styles et leurs définitions. Ne vous en préoccupez pas puisque nous récupérerons les styles définis dans XPress. Il ne s'agit pas pour nous de définir des styles hors de XPress, mais d'imposer l'application de styles déjà définis à un texte importé.
- Enfin, le dernier bloc de lignes montre comment une feuille de style de paragraphe (son nom est précédé par "@" et suivi par ":") est appliquée à un texte. Notez que <@$p> marque la fin de l'application d'une feuille de style de caractères (dont le nom est précédé par "<@" et suivi par ">"). Par exemple, @Référence_P:<@Référence_C>Référence 0001 correspond à l'application d'une feuille de style de paragraphe (@Référence_P:) et d'une feuille de style de caractères (<@Référence_C>) au texte qui suit (Référence 0001). Les feuilles de style de paragraphe et de caractères étant indépendantes, il est possible de faire se succéder deux feuilles de style de caractères, par exemple avec @Description_P:<@ Description_C>Description de l'article<@$p><@Description_italique_C>Mention spéciale. Dans ce cas, l'ensemble du texte (Description de l'article et Mention spéciale) est enrichi avec la même feuille de style de paragraphe (@Description_P:), mais seul Description de l'article est enrichi avec la feuille de style de caractères Description_C, Mention spéciale étant enrichi par Description_italique_C.

Créer une rubrique de transfert

Il s'agit pour nous de créer avec FileMaker Pro une rubrique capable de générer automatiquement un code XPress Tags (voir Figure 19.17). Ce code ne contiendra pas la définition des feuilles de style, mais se chargera d'appliquer automatiquement des feuilles de style au contenu de chaque rubrique.

Nous allons maintenant ouvrir FileMaker Pro 6, mais ses versions 4 et 5 permettent également de réaliser cette manipulation :

1. FileMaker étant ouvert, vous pouvez soit générer une nouvelle base de données (option **Créer un fichier vide**) qu'il vous faudra immédiatement nommer et enregistrer, soit compléter une base de données existante (dans ce cas, activez **Définir les rubriques** dans le menu **Fichier**). Dans le cadre de cet exemple, nous considérons que la base de données correspond à un catalogue de produits et qu'elle contient six rubriques cinq de type Texte nommées article, description, mention spéciale, référence, prix et une de type Calcul nommée transfert.

2. Depuis la zone de dialogue **Définir les rubriques**, créez une nouvelle rubrique de type **Calcul**, vous la nommerez `transfert` (voir Figure 19.18). Lors de la rédaction de cette formule, il convient d'être extrêmement rigoureux dans le respect de l'orthographe des noms de feuilles de style et des noms de rubriques (sélectionnez ces derniers par un double-clic dans la liste affichée en haut à gauche sur la zone de dialogue illustrée à la Figure 19.19).

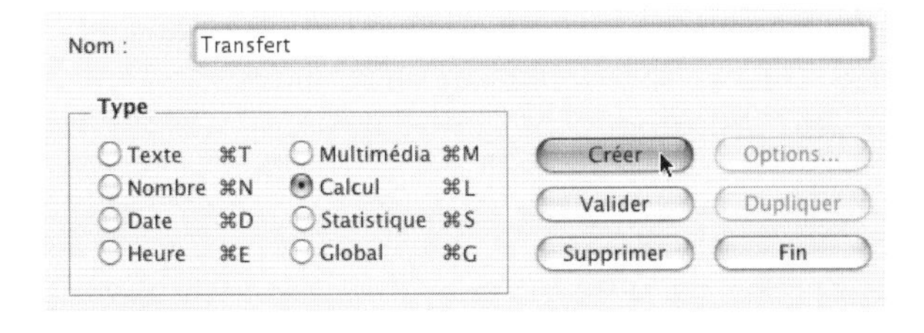

Figure 19.18
Saisissez le nom de la nouvelle rubrique, cliquez sur Calcul, puis sur Créer.

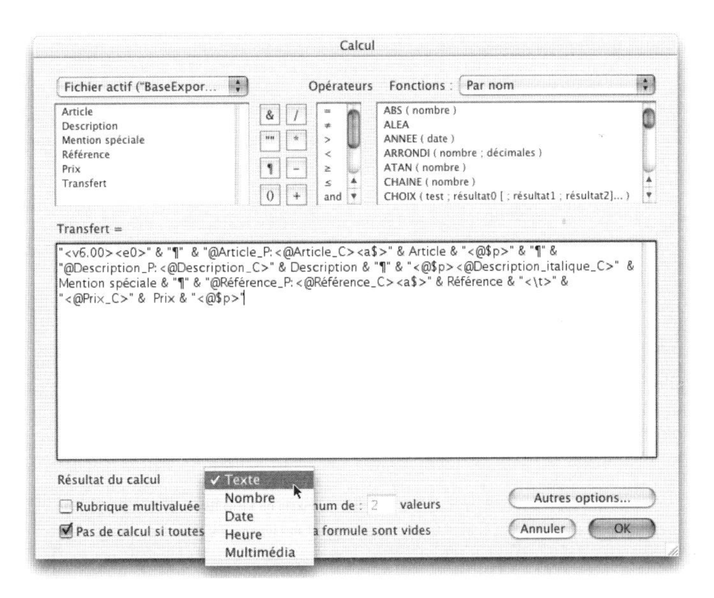

Figure 19.19
La définition d'une rubrique de calcul.

Voici la formule que nous vous proposons :

```
6.00><e0>" & "¶"  & "@Article_P:<@Article_C><a$>" & Article & "<@$p>" &
"¶" & "@Description_P:<@Description_C>" & Description & "¶" & "<@$p>
<@Description_italique_C>"  & Mention spéciale & "¶" & "@Référence_P:
<@Référence_C><a$>" & Référence & "<\t>" &  "<@Prix_C>" & Prix & "<@$p>"
```

... Où `Article`, `Description`, `Mention spéciale`, `Référence` et `Prix` sont des noms de rubriques, alors que `Article_P`, `Article_C`, `Description_P`, `Description_C`, `Description_italique_C`, `Référence_P`, `Référence_C` et `Prix_C` sont des noms de feuilles de style XPress placés entre `@`, :, < ou > pour respecter la syntaxe des XPress Tags.

La formule qui définit le traitement opéré par la rubrique `transfert` *n'est autre que la mise bout à bout de fragments de texte. Entre chaque fragment de texte à associer, on place le caractère* `&`*. Si le fragment de texte à insérer est à récupérer dans une rubrique de la base de données, c'est le nom de cette rubrique qui figure dans le texte, par exemple* `Article`*. Si le fragment de texte est indépendant de toute rubrique, il est simplement saisi entre guillemets, par exemple* `"<v6.00><e0>"`*. La relative complexité de la formule tient au mélange de deux syntaxes : celle d'une formule FileMaker (par exemple à travers les* `&`*) et celle des balises XPress (XPress tags) que l'on encapsule entre des guillemets au sein de la formule FileMaker.*

A noter :

- `<e0>` indique l'emploi de Mac OS alors que `<e1>` correspond à Windows.
- Le texte de la formule doit être saisi sans y insérer un passage à la ligne suivante (n'appuyez pas sur [↵Retour] !).
- Tous les caractères & sont placés entre des espaces (une espace avant, une autre après).
- Le caractère ¶ est obtenu en cliquant sur le bouton qui lui est associé (voir Figure 19.19). Placé entre guillemets, il générera une marque de fin de paragraphe.
- `"@description_p:"` insère le texte entre guillemets (ici, le nom d'une feuille de style de paragraphe) dans le résultat produit par la formule.
- Une feuille de style de caractères se distingue d'une feuille de style de paragraphe par les caractères < et > qui l'entourent et l'absence de ":" à la suite de son nom. On rencontrera donc par exemple `"<@prix_c>"`. En outre, on place `"<@$p>"` pour marquer la fin des caractères auxquels s'applique la feuille de style de caractères.
- `description` n'est pas placé entre guillemets car c'est le nom d'une rubrique dont la valeur sera incorporée au code généré.
- Vous pouvez ajouter n'importe quel texte entre guillemets, ce texte sera inséré dans chacun des enregistrements exportés. Par exemple, `& "<\t>" &` insère un caractère de tabulation. On peut ainsi insérer des tabulations, des sauts de ligne, de colonne ou de bloc pour créer autant de pages que d'enregistrements (cas de sauts de blocs chargés de générer des pages à partir du bloc de texte automatique).

3. Validez la zone de dialogue d'édition de formule (cliquez sur **OK**), puis celle de définition des rubriques (cliquez sur **Fin**).
4. S'il y a lieu, complétez la base de données (voir Figure 19.20).

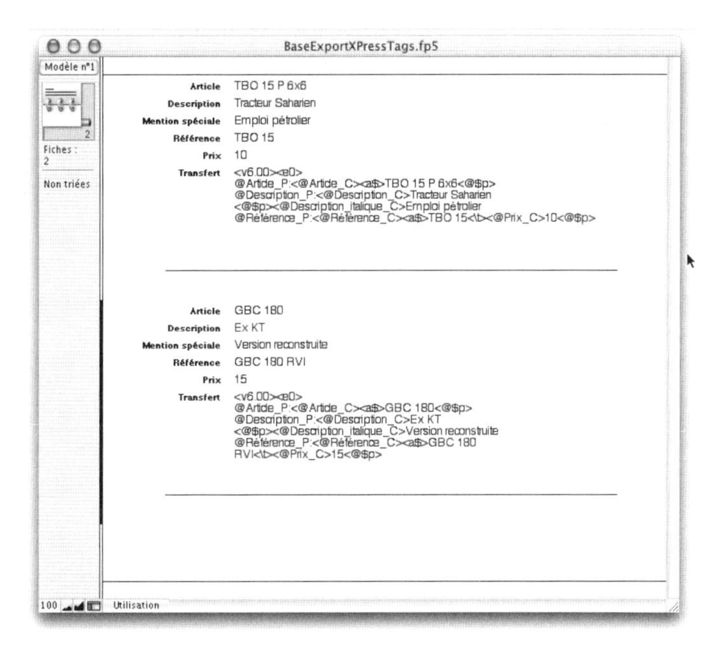

Figure 19.20

Notre exemple de base de données affiché en mode Utilisation.

Exporter la base de données

Il s'agit maintenant d'exporter la base de données de façon à disposer d'un fichier texte correspondant au résultat produit par la formule de la rubrique transfert pour chacun des enregistrements de la base de données :

1. Depuis FileMaker Pro, activez l'article **Exporter des fiches** dans le menu **Fichier**.
2. Nommez le fichier généré par l'exportation, choisissez **Tabulations** (ou **Texte séparé par des tabulations**) dans le menu **Type** (ou **Format**), puis cliquez sur **Enregistrer** (voir Figure 19.21).

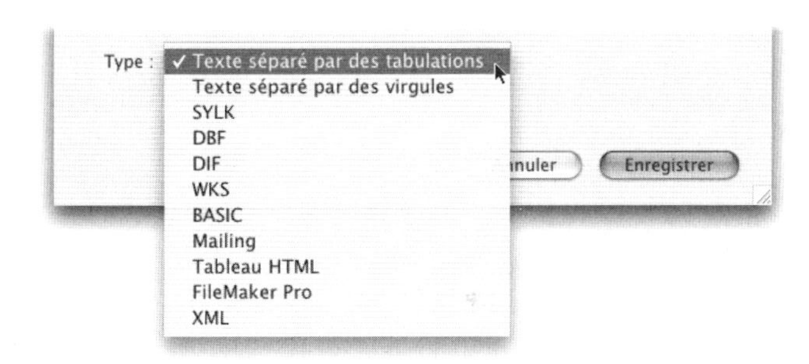

Figure 19.21

L'exportation suppose la saisie du nom et la définition du format d'exportation.

3. Dans la zone de dialogue **Ordre d'exportation** (voir Figure 19.22), assurez-vous que la colonne de droite est vide. Si ce n'est pas le cas, cliquez sur **Tout effacer**. Cliquez ensuite sur la rubrique `transfert`, puis sur **Ajouter**. Cochez l'option **Ne pas formater à l'arrivée**, puis cliquez sur **Exporter**.

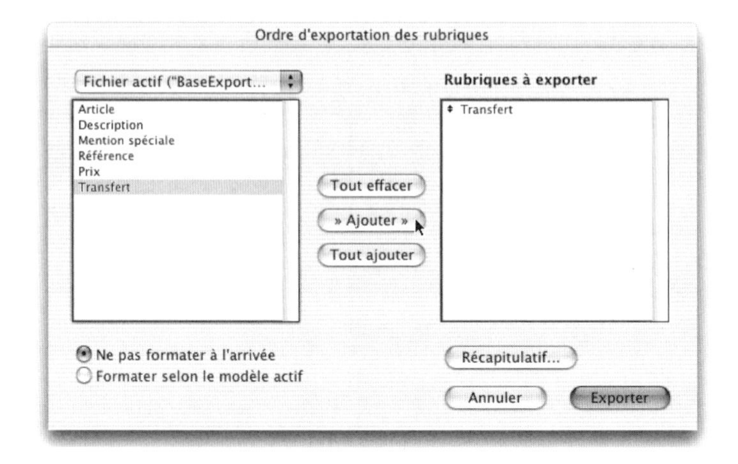

Figure 19.22
Seule la rubrique transfert va être exportée.

Retoucher dans Word

Pour modifier le saut de ligne de la première ligne du fichier exporté et créer un document ".txt" :

1. Word étant ouvert, sélectionnez **Ouvrir** dans son menu **Fichier**. Choisissez **Tous les fichiers** (ou **Tous les documents lisibles**) dans le menu local **Type** (ou **Format** ou **Afficher**) de la zone de dialogue d'ouverture, puis sélectionnez le fichier résultant de l'exportation que vous venez de réaliser et validez son ouverture.
2. Activez l'affichage des caractères invisibles (voir Figure 19.23).

Figure 19.23
Dans la barre d'outils de Word, ce bouton active l'affichage des caractères invisibles.

3. A la fin de la première ligne, sélectionnez le saut de ligne (voir Figure 19.24) et appuyez sur la touche [←Retour] (à ne pas confondre avec la touche [Entrée] du pavé numérique) afin de remplacer le saut de ligne par une marque de fin de paragraphe (voir Figure 19.25).

Figure 19.24
Sélectionnez le saut de ligne...

<v6.00><e0>↵

Figure 19.25
... Et remplacez-le en appuyant sur la touche ↵Retour.

<v6.00><e0>¶

4. Le document étant modifié, activez **Enregistrer sous** dans le menu **Fichier**. Choisissez **Texte seulement** dans le menu local **Type de fichier** ou **Format**. Si elle apparaît, supprimez l'extension ".tab" du nom de fichier. Remplacez-la par ".txt". A défaut, XPress, notamment sous Windows, refusera d'importer le document en tant que texte.
5. Créez un nouveau fichier en cliquant sur **Enregistrer**.
6. Fermez la fenêtre du document Word (à défaut XPress annoncera à l'étape suivante qu'il ne peut pas ouvrir le document).

Importer le texte dans XPress

Revenons à XPress et faites passer au premier plan la fenêtre du document où nous avons, au début de cette manipulation, défini les feuilles de style dont les noms ont été manipulés par la formule de la rubrique `transfert`. Nous allons maintenant laisser XPress appliquer les feuilles de style dont les noms ont été injectés entre les données d'une base FileMaker Pro :

1. Cliquez avec l'outil Modification sur un bloc de texte appartenant au document pour lequel nous avons défini des feuilles de style au début de cette manipulation.
2. Activez **Importer texte** dans le menu **Fichier**.
3. Cochez impérativement l'option **Importer feuilles de style** (voir Figure 19.26).
4. Sélectionnez le document Word que vous venez de créer, puis cliquez sur **Ouvrir**.
5. Constatez que l'application des styles au texte importé est automatique ! En effet, XPress interprète les XPress Tags du texte importé et lui applique en conséquence les feuilles de style définies pour le document XPress.

Rappelons que, dans la maquette, le bloc de texte automatique peut être un ensemble de blocs de texte chaînés entre eux. Puisque vous pouvez insérer des caractères de saut entre les champs ou à la fin d'un enregistrement exporté, il est possible d'automatiser le saut d'un bloc à l'autre pour, par exemple, placer un enregistrement exporté par bloc tout en générant les pages nécessaires à ces blocs grâce au bloc de texte automatique de la maquette.

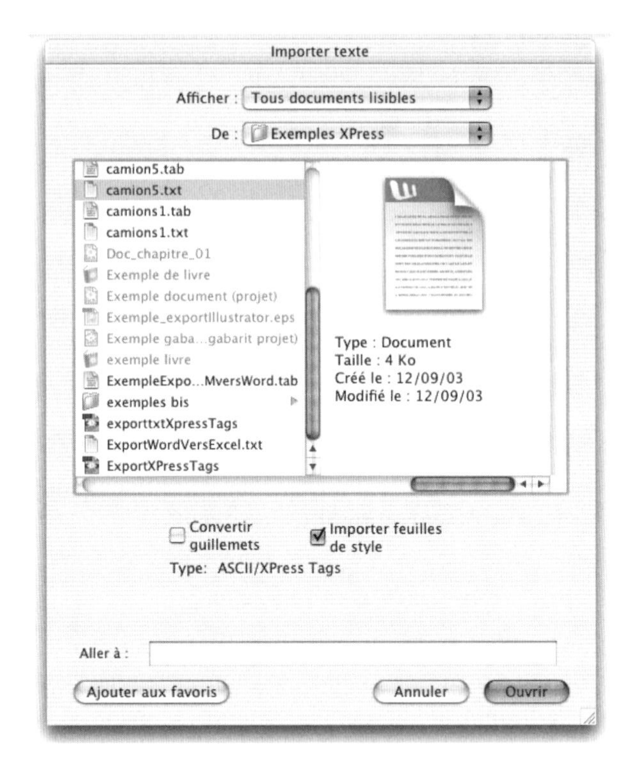

Figure 19.26

Si vous ne validez pas l'importation des feuilles de style, l'ensemble de cette manipulation est inutile !

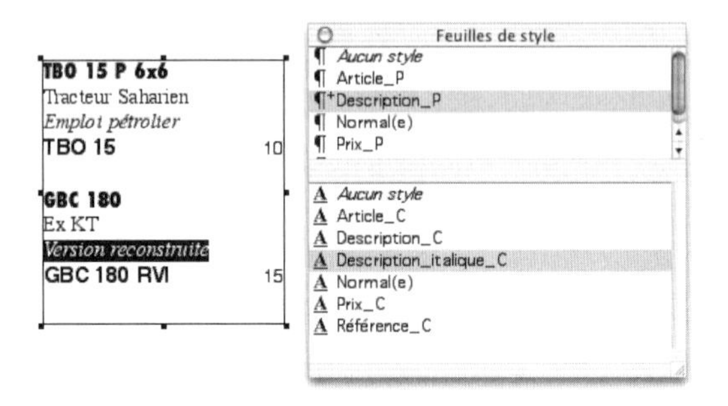

Figure 19.27

Le texte importé prend place dans le bloc de texte et reçoit automatiquement ses feuilles de style juste après son importation.

ANNEXE

A

Les équivalents clavier

Improprement appelés raccourcis, les équivalents clavier permettent d'éviter le recours à un menu ou à une zone de dialogue. Clés d'une productivité augmentée, les équivalents clavier méritent d'être appris. Bien entendu, il ne s'agit pas de tous les retenir, mais il est quand même très utile de connaître et d'employer ceux qui correspondent aux fonctions auxquelles vous faites le plus souvent appel.

Dans la plupart des cas, les équivalents clavier correspondent à des combinaisons de touches qui doivent être pressées en même temps. Appuyez d'abord sur les touches de bascule [Cmd] (touche "Pomme" de Mac OS), [⇧Maj], [Alt] (appelée touche Option sous Mac OS) ou [Ctrl] (touche Contrôle) avant d'enfoncer les autres touches de la combinaison. Il arrive également qu'un équivalent clavier comprenne une combinaison de touches et un déplacement de la souris.

Sous Windows, les chiffres des touches placées au-dessus du clavier alphabétique ne sont pas équivalents à ceux du pavé numérique. Par exemple, sous Windows, l'insertion du folio s'obtient avec [Ctrl]+[3], le [3] étant celui placé au-dessus du clavier alphabétique.

Les feuilles de style sont susceptibles d'être associées à des équivalents clavier. Si celui que vous choisissez pour une feuille de style correspond déjà à une fonction de XPress, cette dernière ne sera plus accessible au moyen de l'équivalent clavier, qui ne sera alors réservé qu'à la mise en œuvre de la feuille de style.

Les touches entrant dans la composition des équivalents clavier sont séparées par "+". Ainsi, "Ctrl+N" signifie "maintenez la touche Ctrl enfoncée et appuyez sur la touche N". Dans nos listes, le symbole "/" représente le passage d'un sous-menu à un article. Ainsi, dans le cas du menu **Fichier**, "Nouveau/Projet" signifie que **Projet** est un article du sous-menu **Nouveau**. Comme le montre la Figure A.1, de nombreux articles des menus sont suivis de leurs équivalents clavier.

Figure A.1
A la suite de la plupart des articles sont annoncées les combinaisons de touches équivalentes.

Sous Mac OS "Classic", les équivalents clavier utilisant les touches F1 à F15 ne sont utilisables que si leur emploi par Mac OS est désactivé. Pour cela, ne cochez pas **Activer les touches de fonctions raccourcis** dans le tableau de bord **Frappe clavier**.

Noms des touches et des abréviations employées dans nos tableaux et sur les claviers

Abréviation	Touche correspondante
Alt	Touche Alt ou ⌥ (appelée touche Option sous Mac OS)
BackSpace ou Retour arrière	←Retour Ar., touche d'effacement vers l'arrière située immédiatement au-dessus de la touche ↵Retour
Cap	Touche ⇧Maj
Cmd ou Commande	Touche Cmd (touche "pomme" sous Mac OS)
Control ou Ctrl	Touche Ctrl ou Control
Esc, Escape ou Echappe	Touche Echap (pour quitter une zone de dialogue sans la valider)
Enter ou Entrée	Entrée
Maj ou Majuscules	⇧Maj

Noms des touches et des abréviations employées dans nos tableaux et sur les claviers *(suite)*

Abréviation	Touche correspondante
Retour ou Return	↵Retour, touche de passage à la ligne suivante située à droite de la partie alphabétique du clavier
Tab	Tab ⇆ (symbolisée par une flèche limitée par une barre verticale)

Articles des menus

Les articles sont présentés selon leur ordre d'apparition dans les menus. Certains articles ne sont disponibles que dans certains contextes. D'autres articles changent de nom selon le contexte. Par exemple, l'article **Importer texte** du menu **Fichier** est indisponible lorsqu'un bloc de texte n'est pas sélectionné à l'aide de l'outil Modification. Cet article devient **Importer image** lorsque c'est un bloc image qui est sélectionné.

Articles du menu Fichier (et du menu QuarkXPress sous Mac OS X)

Articles	Windows	Mac OS
Nouveau/Projet	Ctrl+N	Cmd+N
Nouveau/Bibliothèque	Ctrl+Alt+N	Cmd+Alt+N
Nouveau/XML	Ctrl+⇧Maj+X	Cmd+⇧Maj+X
Ouvrir	Ctrl+O	Cmd+O
Fermer	Ctrl+F4	Cmd+W
Enregistrer	Ctrl+S	Cmd+S
Enregistrer sous	Ctrl+Alt+S	Cmd+Alt+S
Importer texte ou Importer image	Ctrl+E	Cmd+E
Enregistrer texte	Ctrl+Alt+E	Cmd+Alt+E
Ajouter	Ctrl+Alt+A	Cmd+Alt+A
Enregistrer page en EPS	Ctrl+Alt+⇧Maj+S	Cmd+Alt+⇧Maj+S
Réglages du document	Ctrl+Alt+⇧Maj+P	Cmd+Alt+⇧Maj+P
Réglages de page	Ctrl+Alt+P	Cmd+Alt+P

Articles du menu Fichier (et du menu QuarkXPress sous Mac OS X) *(suite)*

Articles	Windows	Mac OS
Imprimer	Ctrl+P	Cmd+P
Masquer les autres	-	Cmd+Alt+H
Quitter	Ctrl+Q	Cmd+Q

Articles du menu Edition (et du menu QuarkXPress pour les préférences sous Mac OS X)

Articles	Windows	Mac OS
Annuler	Ctrl+Z	Cmd+Z
Recommencer	Ctrl+⇧Maj+Z	Cmd+⇧Maj+Z
Couper	Ctrl+X	Cmd+X
Copier	Ctrl+C	Cmd+C
Coller	Ctrl+V	Cmd+V
Coller à la place	Ctrl+Alt+⇧Maj+V	Cmd+Alt+⇧Maj+V
Tout sélectionner	Ctrl+A	Cmd+A
Rechercher-remplacer	Ctrl+F	Cmd+F
Rechercher-remplacer (fermeture de la palette)	Ctrl+Alt+F	Cmd+Alt+F
Préférences/Application (premier volet)	Ctrl+Alt+⇧Maj+Y	Cmd+Alt+⇧Maj+Y
Préférences/Mise en page/Paragraphe	Ctrl+Alt+Y	Cmd+Alt+Y
Préférences/Mise en page/ Défonce (papier) ou Calque (Web)	Ctrl+⇧Maj+F12	Alt+⇧Maj+F12
Préférences/ Mise en page /Outil	Double-clic sur l'outil concerné dans la palette d'outils	Double-clic sur l'outil concerné dans la palette d'outils
Feuilles de style	⇧Maj+F11	⇧Maj+F11
Couleurs	⇧Maj+F12	⇧Maj+F12
C & J	Ctrl+⇧Maj+F11	Alt+⇧Maj+F11

Articles du menu Style appliqué au texte

Articles	Windows	Mac OS
Corps/Autre	Ctrl+⇧Maj+8	Cmd+⇧Maj+A
Style/Standard	Ctrl+⇧Maj+P	Cmd+⇧Maj+P
Style/Gras	Ctrl+⇧Maj+B	Cmd+⇧Maj+B
Style/Italique	Ctrl+⇧Maj+I	Cmd+⇧Maj+I
Style/Souligné	Ctrl+⇧Maj+U	Cmd+⇧Maj+U
Style/Mot souligné	Ctrl+⇧Maj+W	Cmd+⇧Maj+W
Style/Mot barré	Ctrl+⇧Maj+:	Cmd+⇧Maj+V
Style/Relief	Ctrl+⇧Maj+O	Cmd+⇧Maj+O
Style/Ombré	Ctrl+⇧Maj+S	Cmd+⇧Maj+S
Style/Tout majuscules	Ctrl+⇧Maj+K	Cmd+⇧Maj+K
Style/Petites majuscules	Ctrl+⇧Maj+H	Cmd+⇧Maj+H
Style/Exposant	Ctrl+⇧Maj+Y	Cmd+⇧Maj+Y
Style/Indicé	Ctrl+⇧Maj+Z	Cmd+⇧Maj+Z
Style/Supérieur	Ctrl+⇧Maj+V	Cmd+⇧Maj+G
Caractère	Ctrl+⇧Maj+D	Cmd+⇧Maj+D
Alignement/Gauche	Ctrl+⇧Maj+L	Cmd+⇧Maj+L
Alignement/Centré	Ctrl+⇧Maj+C	Cmd+⇧Maj+C
Alignement/Droite	Ctrl+⇧Maj+R	Cmd+⇧Maj+R
Alignement/Justifié	Ctrl+⇧Maj+J	Cmd+⇧Maj+J
Alignement/Forcé	Ctrl+Alt+⇧Maj+J	Cmd+Alt+⇧Maj+J
Interlignage	Ctrl+⇧Maj+E	Cmd+⇧Maj+E
Format	Ctrl+⇧Maj+F	Cmd+⇧Maj+F
Tabulations	Ctrl+⇧Maj+T	Cmd+⇧Maj+T
Filets	Ctrl+⇧Maj+N	Cmd+⇧Maj+N

Articles du menu Style appliqué à une image

Articles	Windows	Mac OS
Négatif	Ctrl+⇧Maj+G	Cmd+⇧Maj+Y
Contraste	Ctrl+⇧Maj+O	Cmd+⇧Maj+C
Demi-teintes	Ctrl+⇧Maj+H	Cmd+⇧Maj+H
Centrer l'image dans son bloc	Ctrl+⇧Maj+M	Cmd+⇧Maj+M
Recadrer l'image aux dimensions du bloc	Ctrl+⇧Maj+F	Cmd+⇧Maj+F
Recadrer l'image aux dimensions du bloc en conservant les proportions	Ctrl+Alt+⇧Maj+F	Cmd+Alt+⇧Maj+F

Articles du menu Style appliqué aux filets et aux courbes de Bézier

Articles	Windows	Mac OS
Epaisseur/Autre	Ctrl+⇧Maj+8	Cmd+⇧Maj+A

Articles du menu Bloc

Articles	Windows	Mac OS
Modifier	Ctrl+M	Cmd+M
Cadre	Ctrl+B	Cmd+B
Détourage	Ctrl+Alt+T	Cmd+Alt+T
Habillage	Ctrl+T	Cmd+T
Dupliquer	Ctrl+D	Cmd+D
Dupliquer et déplacer	Ctrl+Alt+D	Cmd+Alt+D
Supprimer	Ctrl+K	Cmd+K
Grouper	Ctrl+G	Cmd+G
Dégrouper	Ctrl+U	Cmd+U
Verrouiller ou Déverrouiller	F6	F6

Articles du menu Bloc *(suite)*

Articles	Windows	Mac OS
Premier plan	F5	F5
Rapprocher	Ctrl+F5	Alt+**Premier plan**
Arrière-plan	⇧Maj+F5	⇧Maj+F5
Eloigner	Ctrl+⇧Maj+F5	Alt+**Arrière-plan**
Espacer ou Aligner	Ctrl+,	Cmd+,
Editer/Forme	F10	⇧Maj+F4
Editer/Habillage	Ctrl+F10	Alt+F4
Editer/Chemin de détourage	Ctrl+⇧Maj+F10	Alt+⇧Maj+F4
Type de point/Point angulaire	Ctrl+F1	Alt+F1
Type de point/Point lisse	Ctrl+F2	Alt+F2
Type de point/Point symétrique	Ctrl+F3	Alt+F3
Type de segment/Segment droit	Ctrl+⇧Maj+F1	Alt+⇧Maj+F1
Type de segment/Segment courbe	Ctrl+⇧Maj+F2	Alt+⇧Maj+F2

Articles des menus Page et Mise en page

Articles	Windows	Mac OS
Aller à la page	Ctrl+J	Cmd+H
Propriétés de la mise en page (mise en page Web uniquement)	Ctrl+⇧Maj+Alt+A	Cmd+⇧Maj+Alt+A
Afficher/Maquette (document affiché)	⇧Maj+F4	⇧Maj+F10
Afficher/Mise en page (maquette affichée)	⇧Maj+F4	⇧Maj+F10
Afficher/Maquette (page suivante)	Ctrl+⇧Maj+F4	Alt+F10
Afficher/Maquette (page précédente)	Ctrl+⇧Maj+F3	Alt+⇧Maj+F10

Articles des menus Affichage et Ecran

Articles	Windows	Mac OS
Taille écran	Ctrl+0	Cmd+0
Taille de la planche la plus grande à l'écran	Ctrl+Alt+0	Cmd+Alt+0
Taille réelle (100 %)	Ctrl+&	Cmd+1
Chemin de fer	⇧Maj+F6	⇧Maj+F6
Afficher ou Masquer les repères	F7	F7
Afficher ou Masquer la grille	Ctrl+F7	Alt+F7
Magnétiser les repères	⇧Maj+F7	⇧Maj+F7
Afficher ou Masquer les règles	Ctrl+R	Cmd+R
Afficher ou Masquer les caractères invisibles	Ctrl+I	Cmd+I
Afficher ou Masquer les outils	F8	F8
Afficher ou Masquer les spécifications	F9	F9
Afficher ou Masquer la disposition de page (plan de montage)	F4	F10
Afficher ou Masquer les feuilles de style	F11	F11
Afficher ou Masquer les couleurs	F12	F12
Afficher ou Masquer les info. de défonce	Ctrl+F12	Alt+F12
Afficher ou Masquer les listes	F11	Alt+F11

Articles du menu Utilitaires

Articles	Windows	Mac OS
Vérifier l'orthographe/Mot	Ctrl+W	Cmd+L
Vérifier l'orthographe/Article*	Ctrl+Alt+W	Cmd+Alt+L
Vérifier l'orthographe/Document	Ctrl+Alt+⇧Maj+W	Cmd+Alt+⇧Maj+L

Articles du menu Utilitaires *(suite)*

Articles	Windows	Mac OS
Césure proposée	Ctrl+H	Cmd+J
Utilisées/Polices	-	F13
Utilisées/Images	-	Alt+F13
Contrôler les lignes/Ligne suivante	Ctrl+!	Cmd+!

* Par article, il faut comprendre la chaîne de caractères où se trouve le curseur.

Palettes

Palette d'outils

Actions	Windows	Mac OS
Afficher la palette d'outils	F8	F8
Sélectionner l'outil suivant	Ctrl+Tab	Cmd+Tab
Sélectionner l'outil précédent	Ctrl+⇧Maj+Tab	Cmd+⇧Maj+Tab
Conserver un outil sélectionné	Alt+clic sur l'outil	Alt+clic sur l'outil
Préférences pour un outil	Double-clic sur l'outil dans la palette d'outils	Double-clic sur l'outil dans la palette d'outils

Palette des spécifications

Actions	Windows	Mac OS
Afficher la palette des spécifications	F9	F9
Sélectionner le premier champ	Ctrl+Alt+M	Cmd+Alt+M
Sélectionner le champ **Police**	Ctrl+Alt+⇧Maj+M	Cmd+Alt+⇧Maj+M
Sélectionner le champ suivant	Tab	Tab
Sélectionner le champ précédent	⇧Maj+Tab	⇧Maj+Tab
Valider le champ en cours d'édition	Entrée ou ←Retour	Entrée ou ←Retour
Sortir ou Annuler une modification	Echap	Echap ou Cmd+⇧Maj+.

Palette Disposition de page (plan de montage)

Actions	Windows	Mac OS
Afficher le plan de montage	F4	F10
Accès à la zone de dialogue **Section** pour la page sélectionnée	Clic dans l'angle inférieur gauche de la palette **Disposition de page**	Clic dans l'angle inférieur gauche de la palette **Disposition de page**
Accès à la zone de dialogue **Insertion de pages**	Alt+faire glisser la page de maquette vers la section pages du document dans la palette **Disposition de page**	Alt+faire glisser la page de maquette vers la section pages du document dans la palette **Disposition de page**

Palette des feuilles de style

Actions	Windows	Mac OS
Afficher la palette des feuilles de style	F11	F11
Accès à la zone de dialogue **Editer feuille de style**	Ctrl+clic sur un nom de feuille de style dans la palette **Feuille de style**	Ctrl+clic sur un nom de feuille de style dans la palette **Feuille de style**
Appliquer **Aucun style**, puis une feuille de style	Alt+clic sur un nom de feuille de style dans la palette **Feuille de style**	Alt+clic sur un nom de feuille de style dans la palette **Feuille de style**

Palette des couleurs

Actions	Windows	Mac OS
Afficher la palette des couleurs	F12	F12
Accès à la zone de dialogue **Couleurs**	Ctrl+clic sur un nom de couleur dans la palette **Couleurs**	Cmd+clic sur un nom de couleur dans la palette **Couleurs**

Palette des info. de défonce

Actions	Windows	Mac OS
Afficher la palette des info. de défonce	Ctrl+F12	Alt+F12

Palette des listes

Actions	Windows	Mac OS
Afficher la palette des listes	Ctrl+F11	Alt+F11

Palette des index

Actions	Windows	Mac OS
Afficher la palette des index	Ctrl+Alt+I	Cmd+Alt+I
Clic sur le bouton **Ajouter**	Ctrl+Alt+⇧Maj+I	Cmd+Alt+⇧Maj+I
Editer une entrée d'index	Double-clic sur une entrée	Double-clic sur une entrée

Palette Rechercher/Remplacer

Actions	Windows	Mac OS
Afficher la palette **Rechercher/Remplacer**	Ctrl+F	Cmd+F
Fermer la palette **Rechercher/Remplacer**	Ctrl+Alt+F	Cmd+Alt+F
Remplacer le bouton **Rechercher** par le bouton **Début**	Alt+clic sur **Rechercher**	Alt+clic sur **Rechercher**

Affichage

Modes d'affichage

Actions	Windows	Mac OS
Passer en **Taille réelle**	Ctrl+&	Cmd+1
Passer en **Taille écran**	Ctrl+à	Cmd+0
Agrandir sur une zone	Ctrl+Bar. espace+faire glisser le pointeur	Cmd +faire glisser le pointeur
Réduire	Ctrl+Alt+Bar. espace+faire glisser le pointeur	Cmd +Alt+faire glisser le pointeur

Rafraîchissement de l'écran

Actions	Windows	Mac OS
Interrompre le rafraîchissement	Echap	Cmd+⇧Maj+.
Forcer le rafraîchissement	⇧Maj+Echap	Cmd+Alt+R

Suppression des repères de règles

Actions	Windows	Mac OS
Suppression des repères horizontaux	Alt+clic sur la règle horizontale	Alt+clic sur la règle horizontale
Suppression des repères verticaux	Alt+clic sur la règle verticale	Alt+clic sur la règle verticale

Zones de dialogue

Transitions entre les volets d'une zone de dialogue

Actions	Windows	Mac OS
Volet suivant	Ctrl+Tab↹	Cmd+Alt+Tab↹
Volet précédent	Ctrl+⇧Maj+Tab↹	Cmd+⇧Maj+Alt+Tab↹

Transitions entre les cases de saisie (champs)

Actions	Windows	Mac OS
Champ suivant	Tab↹	Tab↹
Champ précédent	⇧Maj+Tab↹	⇧Maj+Tab↹
Sélection du contenu du champ	Double-clic	Double-clic
Couper le contenu sélectionné du champ	Ctrl+X	Cmd+X
Copier le contenu sélectionné du champ	Ctrl+C	Cmd+C
Coller le contenu sélectionné du champ	Ctrl+V	Cmd+V
Annuler/Recommencer (une modification d'un champ)	Ctrl+Z	Cmd+Z
Rétablir les valeurs originales des champs	Ctrl+⇧Maj+Z	Cmd+⇧Maj+Z

Cases (boutons)

Actions	Windows	Mac OS
Annuler	Echap	Echap ou Cmd+⇧Maj+.
Appliquer	Alt+A	Cmd+A
Définir (rubrique **Tabulations**)	Ctrl+S	Cmd+S
OK	Entrée ou ↵Retour	Entrée ou ↵Retour
Oui	Y	Cmd+O
Non	N	Cmd+N

Listes*

Actions	Windows	Mac OS
Sélection d'éléments consécutifs dans une liste	⇧Maj+clic	⇧Maj+clic
Sélection d'éléments non consécutifs dans une liste	Ctrl+clic	Cmd+clic

* Couleurs, C & J, Couleurs, Feuilles de style, Menus, Balises méta, Familles de polices CSS, etc. Ces listes sont accessibles depuis la partie inférieure du menu **Edition**.

Blocs

Sélection ou désélection de blocs

Actions	Windows	Mac OS
Sélection d'un bloc recouvert par un autre	Ctrl+Alt+⇧Maj +clic au point de superposition*	Cmd+Alt+⇧Maj +clic au point de superposition*
Sélection de plusieurs blocs ou de plusieurs points sur une courbe de Bézier	⇧Maj+clic	⇧Maj+clic
Désélectionner tous les blocs ou tous les points sélectionnés	Tab ⇆	Tab ⇆**

* Répétée, cette manipulation permet d'atteindre successivement différents blocs empilés.

** L'outil Déplacement étant sélectionné.

Contraindre

Actions	Windows	Mac OS
Contraindre un rectangle à un carré ou une ellipse à un cercle	⇧Maj+faire glisser l'outil concerné	⇧Maj+faire glisser l'outil concerné
Contraindre une rotation à des angles multiples de 45°	⇧Maj maintenue enfoncée pendant la rotation	⇧Maj maintenue enfoncée pendant la rotation
Contraindre l'angle d'un segment à un multiple de 45°	⇧Maj maintenue enfoncée pendant le tracé	⇧Maj maintenue enfoncée pendant le tracé
Contraindre un bloc au déplacement horizontal ou vertical	Ctrl+⇧Maj+faire glisser le bloc	Cmd+⇧Maj+faire glisser le bloc

Courbes de Bézier

Actions	Windows	Mac OS
Supprimer un point sur une courbe	Alt+clic sur le point	Alt+clic sur le point
Supprimer un point sur une courbe pendant la création de celle-ci	←Retour Ar.	←Retour Ar.
Ajouter un point à une courbe	Alt+clic sur un segment	Alt+clic sur un segment
Convertir un point angulaire en point lisse (et inversement)	Ctrl+⇧Maj+faire glisser la poignée de courbe	Ctrl+faire glisser la poignée de courbe
Convertir un point lisse en point angulaire pendant le tracé	Ctrl+clic sur le point, puis Ctrl+F1	Cmd+Ctrl+faire glisser la poignée de courbe
Editer une courbe de Bézier pendant sa création	Ctrl	Cmd
Rétracter des poignées de courbes	Ctrl+⇧Maj+clic sur le point	Ctrl+clic sur le point
Exposer des poignées de courbes	Ctrl+⇧Maj+faire glisser sur le point	Ctrl+faire glisser sur le point
Sélectionner tous les points de la courbe de Bézier sélectionnée	Ctrl+⇧Maj+A	Cmd+⇧Maj+A ou triple clic sur un point
Sélectionner tous les points du chemin actif	Double-clic sur le point	Double-clic sur le point
Contraindre un point actif à un mouvement de 45°	⇧Maj+faire glisser le point	⇧Maj+faire glisser le point
Contraindre une poignée de courbe à un mouvement de 45°	⇧Maj+faire glisser la poignée	⇧Maj+faire glisser la poignée

Epaisseur des lignes

Actions	Windows	Mac OS
Augmenter d'une valeur prédéfinie	Ctrl+⇧Maj+;	Cmd+⇧Maj+$
Augmenter de 1 point	Ctrl+Alt+⇧Maj+;	Cmd+Alt+⇧Maj+$
Réduire d'une valeur prédéfinie	Ctrl+⇧Maj+,	Cmd+⇧Maj+=
Réduire de 1 point	Ctrl+Alt+⇧Maj+,	Cmd+Alt+⇧Maj+=

Déplacement de blocs

Actions	Windows	Mac OS
Déplacement de 1 point vers la gauche*	←	←
Déplacement de 0,1 point vers la gauche*	Alt+←	Alt+←
Déplacement de 1 point vers la droite*	→	→
Déplacement de 0,1 point vers la droite*	Alt+→	Alt+→
Déplacement de 1 point vers le haut*	↑	↑
Déplacement de 0,1 point vers le haut*	Alt+↑	Alt+↑
Déplacement de 1 point vers le bas*	↓	↓
Déplacement de 0,1 point vers le bas*	Alt+↓	Alt+↓

* L'outil Déplacement doit être sélectionné, ainsi que le bloc à déplacer.

Texte

Police d'un caractère

Actions	Windows	Mac OS
Sélection du champ **Police** de la palette des spécifications	Ctrl+Alt+⇧Maj+M	Cmd+Alt+⇧Maj+M
Police précédente	Ctrl+⇧Maj+F9	Cmd+⇧Maj+F9
Police suivante	Ctrl+F9	Cmd+F9
Caractère en police Symbol	Ctrl+⇧Maj+M	Cmd+⇧Maj+Q
Caractère en police Zapf Dingbats	Ctrl+Alt+⇧Maj+M	Cmd+Alt+⇧Maj+Q

Corps d'un caractère

Actions	Windows	Mac OS
Augmenter d'une valeur prédéfinie	Ctrl+⇧Maj+$	Cmd+⇧Maj+$
Augmenter de 1 point	Ctrl+Alt+⇧Maj+$	Cmd+Alt+⇧Maj+$
Réduire d'une valeur prédéfinie	Ctrl+⇧Maj+=	Cmd+⇧Maj+=
Réduire de 1 point	Ctrl+Alt+⇧Maj+=	Cmd+Alt+⇧Maj+=
Redimensionnement proportionnel*	Ctrl+Alt+⇧Maj+faire glisser une poignée	Cmd+Alt+⇧Maj+faire glisser une poignée
Redimensionnement avec contrainte*	Ctrl+⇧Maj+faire glisser une poignée	Cmd+⇧Maj+faire glisser une poignée
Redimensionnement non proportionnel*	Ctrl+faire glisser une poignée	Cmd+faire glisser une poignée

* Il s'agit ici de modifier les dimensions des caractères en faisant glisser les poignées du bloc de texte.

Echelles horizontale et verticale d'un caractère

Actions	Windows	Mac OS
Augmenter de 5 %	Ctrl+⇧Maj+;	Cmd+;
Augmenter de 1 %	Ctrl+Alt+⇧Maj+;	Cmd+Alt+;
Réduire de 5 %	Ctrl+⇧Maj+,	Cmd+,
Réduire de 1 %	Ctrl+Alt+⇧Maj+,	Cmd+Alt+,

Approche de paire ou de groupe

Actions	Windows	Mac OS
Augmenter de 1/20e de cadratin	Ctrl+⇧Maj+*	Cmd+⇧Maj+;
Augmenter de 1/200e de cadratin	Ctrl+Alt+⇧Maj+*	Cmd+Alt+⇧Maj+;
Réduire de 1/20e de cadratin	Ctrl+⇧Maj+%	Cmd+⇧Maj+,
Réduire de 1/200e de cadratin	Ctrl+Alt+⇧Maj+%	Cmd+Alt+⇧Maj+,

Ligne de base

Actions	Windows	Mac OS
Décalage de 1 point vers le haut	Ctrl+⇧Maj+<	Cmd+⇧Maj+<
Décalage de 1 point vers le bas	Ctrl+Alt+⇧Maj+<	Cmd+Alt+⇧Maj+<

Interlignage

Actions	Windows	Mac OS
Augmenter de 1 point	Ctrl+*	Cmd+⇧Maj+%
Augmenter de 0,1 point	Ctrl+Alt+*	Cmd+Alt+⇧Maj+%
Réduire de 1 point	Ctrl+%	Cmd+⇧Maj+:
Réduire de 0,1 point	Ctrl+Alt+%	Cmd+Alt+⇧Maj+:

Copie des attributs de paragraphe

Actions	Windows	Mac OS
Application des attributs du paragraphe sélectionné	Alt+⇧Maj+clic sur le paragraphe à enrichir	Alt+⇧Maj+clic sur le paragraphe à enrichir

Caractères de recherche-remplacement

Actions	Windows	Mac OS
Caractère quelconque (recherche uniquement)	Ctrl+?	Cmd+⇧Maj+?
Tabulation	Ctrl+Tab ⇆	Cmd+⇧Maj+Tab ⇆
Marque de fin de paragraphe	Ctrl+↵Retour	Cmd+↵Retour
Saut de ligne	Ctrl+⇧Maj+↵Retour	Cmd+⇧Maj+↵Retour
Saut de colonne	\+c	Cmd+Entrée
Saut de bloc	\+b	Cmd+⇧Maj+Entrée
Numéro de page du bloc précédent	Ctrl+2	Cmd+2
Numéro de page du bloc courant	Ctrl+3	Cmd+3

Caractères de recherche-remplacement *(suite)*

Actions	Windows	Mac OS
Numéro de page du bloc suivant	Ctrl+4	Cmd+4
Espace de ponctuation	Ctrl+.	Cmd+⇧Maj+.
Espace variable	Ctrl+⇧Maj+F	Cmd+⇧Maj+F
Barre oblique	Ctrl+\	Cmd+⇧Maj+/

Caractères spéciaux

Actions	Windows	Mac OS
Alignement sur l'alinéa	Ctrl+Alt+⇧Maj+!	Cmd+:
Saut de ligne optionnel	Ctrl+←Retour	Cmd+←Retour
Nouveau paragraphe	←Retour	←Retour
Saut de ligne	⇧Maj+←Retour	⇧Maj+←Retour
Saut de colonne	Entrée	Entrée
Saut de bloc*	⇧Maj+Entrée	⇧Maj+Entrée
Tabulation de retrait droit calée sur la marge de droite	⇧Maj+Tab ⇆	Alt+Tab ⇆

* Saut vers le prochain bloc de texte chaîné au bloc courant.

Insertion des numéros de page

Actions	Windows	Mac OS
Bloc de texte précédent	Ctrl+2	Cmd+2
Bloc de texte courant*	Ctrl+3	Cmd+3
Bloc de texte suivant	Ctrl+4	Cmd+4

* Cas général : donne le numéro de la page où se trouve le bloc qui accueille ce caractère spécial.

Traits d'union, tirets et espaces*

Actions	Windows	Mac OS
Trait d'union standard sécable	-	-
Trait d'union standard insécable	Ctrl+⇧Maj+!	Cmd+=
Trait d'union optionnel	Ctrl+!	Cmd+-
Tiret court insécable	Ctrl+7	Alt+⇧Maj+-
Tiret long sécable	Ctrl+⇧Maj+7	Alt+-
Tiret long insécable	Ctrl+Alt+⇧Maj+7	Cmd+Alt+=
Espace standard sécable	Bar. espace	Bar. espace
Espace standard insécable	Ctrl+5	Cmd+5
Espace demi-cadratin sécable	Ctrl+⇧Maj+6	Alt+Bar. espace
Espace demi-cadratin insécable	Ctrl+Alt+⇧Maj+6	Cmd+Alt+5
Espace variable sécable	Ctrl+⇧Maj+5	Alt+⇧Maj+Bar. espace
Espace variable insécable	Ctrl+Alt+⇧Maj+5	Cmd+Alt+⇧Maj+Bar. espace
Espace de ponctuation sécable	⇧Maj+Bar. espace ou Ctrl+6	⇧Maj+Bar. espace
Espace de ponctuation insécable	⇧Maj+⇧Maj+Bar. espace ou Ctrl+Alt+6	Cmd+⇧Maj+Bar. espace

* Un trait d'union sépare deux parties d'un mot alors que les tirets encadrent une périphrase, marquent des entrées d'énumération, etc. Un caractère sécable peut se trouver à l'extrémité d'une ligne physique, ce qui est interdit avec son homologue insécable.

Déplacement du curseur dans la chaîne de caractères

Actions	Windows	Mac OS
Caractère précédent	←	←
Caractère suivant	→	→
Ligne précédente	↑	↑
Ligne suivante	↓	↓
Mot précédent	Ctrl+←	Cmd+←

Déplacement du curseur dans la chaîne de caractères *(suite)*

Actions	Windows	Mac OS
Mot suivant	Ctrl+→	Cmd+→
Paragraphe précédent	Ctrl+↑	Cmd+↑
Paragraphe suivant	Ctrl+↓	Cmd+↓
Retour vers le début de ligne	Ctrl+Alt+←	Cmd+Alt+←
Déplacement vers la fin de ligne	Ctrl+Alt+→	Cmd+Alt+→
Retour vers le début d'article*	Ctrl+Alt+↑	Cmd+Alt+↑
Déplacement vers la fin d'article*	Ctrl+Alt+↓	Cmd+Alt+↓

* L'article correspond à la chaîne de caractères courant sur l'ensemble des blocs chaînés.

Sélection de caractères

Actions	Windows	Mac OS
Sélection du caractère précédent	⇧Maj+←	⇧Maj+←
Sélection du caractère suivant	⇧Maj+→	⇧Maj+→
Sélection de la ligne précédente	⇧Maj+↑	⇧Maj+↑
Sélection de la ligne suivante	⇧Maj+↓	⇧Maj+↓
Sélection du mot précédent	Ctrl+⇧Maj+←	Cmd+⇧Maj+←
Sélection du mot suivant	Ctrl+⇧Maj+→	Cmd+⇧Maj+→
Sélection du paragraphe précédent	Ctrl+⇧Maj+↑	Cmd+⇧Maj+↑
Sélection du paragraphe suivant	Ctrl+⇧Maj+↓	Cmd+⇧Maj+↓
Sélection jusqu'au début de ligne	Ctrl+Alt+⇧Maj+←	Cmd+Alt+⇧Maj+←
Sélection jusqu'à la fin de ligne	Ctrl+Alt+⇧Maj+→	Cmd+Alt+⇧Maj+→
Sélection jusqu'au début d'article*	Ctrl+Alt+⇧Maj+↑	Cmd+Alt+⇧Maj+↑
Sélection jusqu'à la fin d'article*	Ctrl+Alt+⇧Maj+↓	Cmd+Alt+⇧Maj+↓
Positionner le curseur (et annuler l'éventuelle sélection)	Clic	Clic

Sélection de caractères *(suite)*

Actions	Windows	Mac OS
Sélectionner un mot	Double-clic sur le mot	Double-clic sur le mot
Sélectionner un symbole de ponctuation et le mot qui le précède	Double-clic sur le symbole de ponctuation ou l'espace qui le suit	Double-clic sur le symbole de ponctuation ou l'espace qui le suit
Sélectionner une ligne physique	Triple clic	Triple clic
Sélectionner une ligne logique (paragraphe)	Quadruple clic	Quadruple clic
Sélectionner l'article	Quintuple clic	Quintuple clic

* L'article correspond à la chaîne de caractères courant sur l'ensemble des blocs chaînés.

Suppression de caractères

Actions	Windows	Mac OS
Suppression du caractère précédent*	← Retour Ar.	← Retour Ar.
Suppression du caractère suivant*	⇧ Maj+← Retour Ar.	⇧ Maj+← Retour Ar.
Suppression du mot précédent*	Ctrl+← Retour Ar.	Cmd+← Retour Ar.
Suppression du mot suivant*	Ctrl+⇧ Maj+← Retour Ar.	Cmd+⇧ Maj+← Retour Ar.
Suppression de la sélection	← Retour Ar.	← Retour Ar.

* La position de référence est celle du curseur. S'il existe une sélection, c'est elle qui est éliminée.

Correcteur orthographique

Actions	Windows	Mac OS
Bouton **Liste**	Alt+L	Cmd+L
Bouton **Passer**	Alt+S	Cmd+S
Bouton **Ajouter**	Alt+A	Cmd+A
Ajouter tous les mots douteux au dictionnaire	Alt+⇧ Maj+**Fermer**	Alt+⇧ Maj+**Terminé**

Images

Importation d'images

Actions	Windows	Mac OS
A l'ouverture, convertir une image TIFF couleur en niveaux degris	Ctrl+**Ouvrir***	Cmd+**Ouvrir***
A l'ouverture, convertir en noir et blanc une image TIFF en niveaux de gris	Ctrl+**Ouvrir***	Cmd+**Ouvrir***
Importer une image EPS sans ajouter de couleurs d'accompagnement	Ctrl+**Ouvrir***	Cmd+**Ouvrir***
Réimporter toutes les images d'un document	Ctrl+**Ouvrir***	Cmd+**Ouvrir***

* Dans la zone de dialogue **Importer image** accessible depuis le menu **Fichier**.

Redimensionnement des blocs et des images

Actions	Windows	Mac OS
Augmenter de 5 %	Ctrl+⇧Maj+;	Cmd+Alt+⇧Maj+$
Réduire de 5 %	Ctrl+⇧Maj+,	Cmd+Alt+⇧Maj+=
Redimensionner le bloc en conservant sa forme	⇧Maj+faire glisser l'une de ses poignées	⇧Maj+faire glisser l'une de ses poignées
Redimensionner le bloc en conservant ses proportions	Alt+⇧Maj+faire glisser l'une de ses poignées	Alt+⇧Maj+faire glisser l'une de ses poignées
Redimensionner le bloc en modifiant l'échelle de l'image	Ctrl+faire glisser l'une de ses poignées	Cmd+faire glisser l'une de ses poignées
Redimensionner le bloc en modifiant l'échelle de l'image et en conservant la forme du bloc	Ctrl+⇧Maj+faire glisser l'une de ses poignées	Cmd+⇧Maj+faire glisser l'une de ses poignées
Redimensionner le bloc en modifiant l'échelle de l'image et en conservant les proportions du bloc	Ctrl+⇧Maj+faire glisser l'une de ses poignées	Cmd+⇧Maj+faire glisser l'une de ses poignées

Positionnement des images

Actions	Windows	Mac OS
Centrer l'image dans son bloc	Ctrl+⇧Maj+M	Cmd+⇧Maj+M
Recadrer l'image aux dimensions du bloc	Ctrl+⇧Maj+F	Cmd+⇧Maj+F
Recadrer l'image aux dimensions du bloc en conservant les proportions	Ctrl+Alt+⇧Maj+F	Cmd+Alt+⇧Maj+F

Déplacement des images dans leur bloc*

Actions	Windows	Mac OS
Déplacement de 1 point vers la gauche	←	←
Déplacement de 0,1 point vers la gauche	Alt+←	Alt+←
Déplacement de 1 point vers la droite	→	→
Déplacement de 0,1 point vers la droite	Alt+→	Alt+→
Déplacement de 1 point vers le haut	↑	↑
Déplacement de 0,1 point vers le haut	Alt+↑	Alt+↑
Déplacement de 1 point vers le bas	↓	↓
Déplacement de 0,1 point vers le bas	Alt+↓	Alt+↓

* Le bloc image étant sélectionné avec l'outil Modification.

Modification des images

Actions	Windows	Mac OS
Négatif	Ctrl+⇧Maj+G	Cmd+⇧Maj+Y
Contraste*	Ctrl+⇧Maj+C	Cmd+⇧Maj+C
Demi-teintes*	Ctrl+⇧Maj+H	Cmd+⇧Maj+H

* Accès à la zone de dialogue correspondante.

Sélection des cellules d'un tableau*

Actions	Windows	Mac OS
Passage à la cellule suivante selon l'ordre de tabulation	Ctrl+Tab	Ctrl+Tab
Retour à la cellule précédente selon l'ordre de tabulation	Ctrl+Maj+Tab	Ctrl+Maj+Tab

* Ces cellules doivent avoir pour contenu une image, "néant" ou un formulaire.

ANNEXE B

Les XTensions

XPress peut être complété par de petits programmes modulaires appelés directement depuis XPress. Ces petits programmes chargés d'ajouter des fonctions à XPress s'appellent des XTensions. On en trouve dans tous les domaines, de l'imposition à la création de codes à barres.

Principe des XTensions

Chargées d'ajouter des fonctions à XPress, les XTensions sont hébergées par le dossier **XTensions** (voir Figure B.5) placé dans le dossier **QuarkXPress** au même niveau d'arborescence que l'application du même nom. Il existe un choix très étendu d'XTensions susceptibles de répondre aux besoins les plus spécialisés. On en trouvera par exemple pour assurer l'importation automatique d'une base de données vers un document XPress (si les méthodes décrites au Chapitre 19 ne vous suffisent pas). Si certaines XTensions sont gratuites (freeware), d'autres, en revanche, sont très onéreuses.

Certaines fonctions de XPress ont en fait été développées indépendamment du logiciel et sont livrées sous forme d'XTensions actives par défaut. C'est par exemple le cas des images cliquables (images map). A moins de consulter le gestionnaire d'XTensions, rien ne distingue ces fonctions des autres fonctions de l'application.

Le Web de Quark

Quark met à notre disposition quelques XTensions freeware ou en version bêta. Connectez-vous donc au site **www.quark.com** ou **www.quark.fr**. Le site comprend une page dédiée aux XTensions accessibles depuis le menu **Support technique** ou par les liens **XTensions** ou **Téléchargement**. La Figure B.1 présente la liste des liens permettant le téléchargement de documents PDF dressant la liste des XTensions. Dans sa rubrique **Téléchargement**, le site de Quark propose des liens (voir Figure B.2) dont l'activation ouvre une page présentant l'XTension sélectionnée et permettant son téléchargement (voir Figure B.3).

Figure B.1

Les XTensions sont classées par langue et système d'exploitation sur le Web de Quark.

Le téléchargement (download) va entraîner la création d'un nouveau fichier qui peut être une archive autodécompactante. Celle-ci n'attend qu'un double-clic pour se décompresser et pour restituer les fichiers formant l'XTensions (voir Figure B.4). Pour que l'XTension soit disponible, faites glisser les fichiers de l'XTension vers le dossier XTension (voir Fichier B.5) placé dans le dossier Quark XPress. L'XTension sera disponible à l'occasion après le prochain démarrage de XPress.

Figure B.2

Chaque lien de cette page correspond à une XTension.

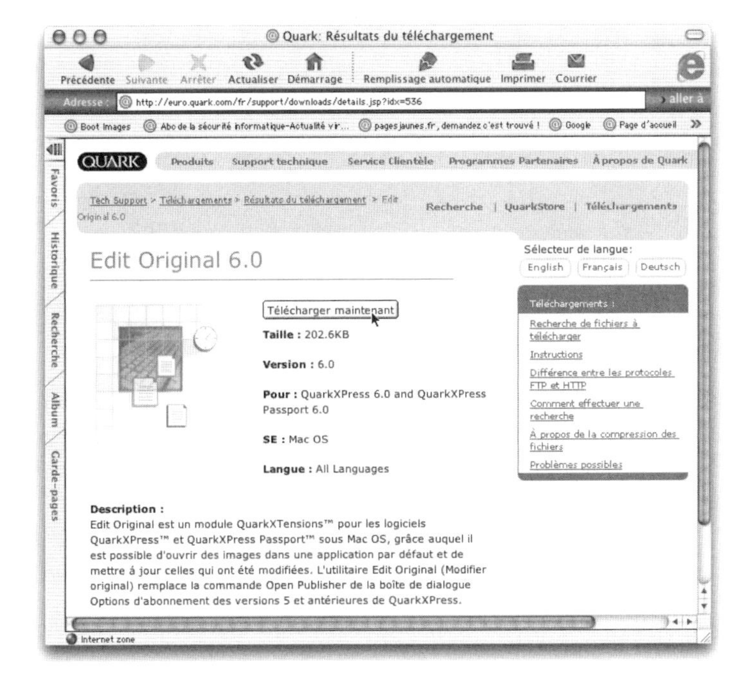

Figure B.3

Ici, on a choisi l'XTension Edit Original qui permet d'ouvrir un élément importé (image) dans son application d'origine.

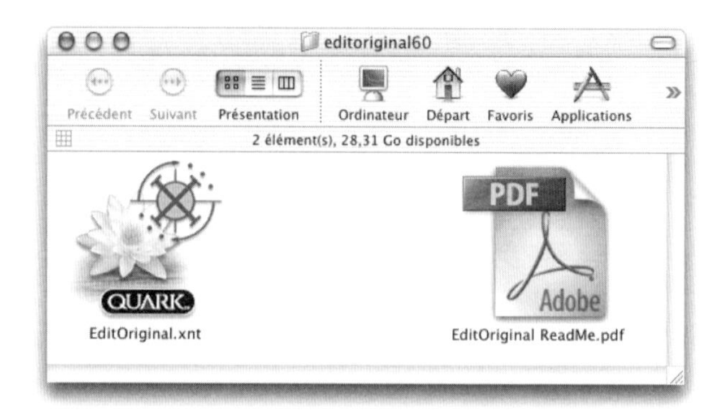

Figure B.4

Les fichiers correspondant à l'XTension Shape of Things.

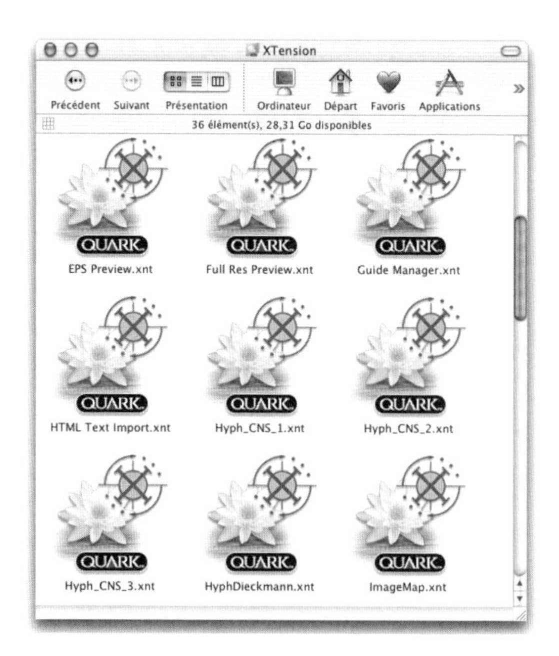

Figure B.5

Le contenu du dossier XTension.

Les XTensions constituent un domaine où l'incompatibilité entre les versions PC et Mac est une règle. Il n'est donc pas question de faire passer une XTension d'une plate-forme à l'autre, bien qu'un tel échange soit possible au niveau des documents. Par ailleurs, dans le cas du Macintosh, une XTension peut ou non être optimisée pour Mac OS X. Il est vivement conseillé de ne pas tenter d'installer une XTension non compatible avec votre version de XPress (par exemple, tenter d'utiliser une XTension pour XPress 3.1 sous Windows 3.1 avec XPress 6.0 sous Windows XP).

Votre dossier *Program Files* (Windows) ou *Applications* (Mac OS) contient un dossier QuarkXPress où se trouve notamment le fichier exécutable de l'application, les dictionnaires, les nuanciers, mais aussi :

- le dossier XTension où sont rangées les Xtensions qui seront exécutées au démarrage de XPress,
- le dossier XTension disabled où sont rangées les XTensions qui ne seront pas exécutées au démarrage.

Pour qu'une nouvelle XTension soit incorporée à l'environnement de travail XPress, faites-la glisser vers le dossier XTension, puis ouvrez XPress.

Le gestionnaire d'XTensions

Certaines fonctions de XPress livrées en standard sont en fait d'authentiques XTensions. Cette modularité présente différents avantages. Non seulement la mise à jour d'une XTension est aisée, mais encore l'utilisateur qui souhaite alléger sa configuration afin de limiter les besoins en mémoire vive peut le faire en limitant le nombre des XTensions aux seuls modules qui lui sont utiles. Par ailleurs, le gestionnaire d'XTensions permet de connaître facilement l'état, la nature et les caractéristiques d'une XTension. Pour ouvrir le gestionnaire d'XTensions (voir Figure B.6), déroulez le menu **Utilitaires** puis sélectionnez son article **Gestionnaire d'XTensions.**

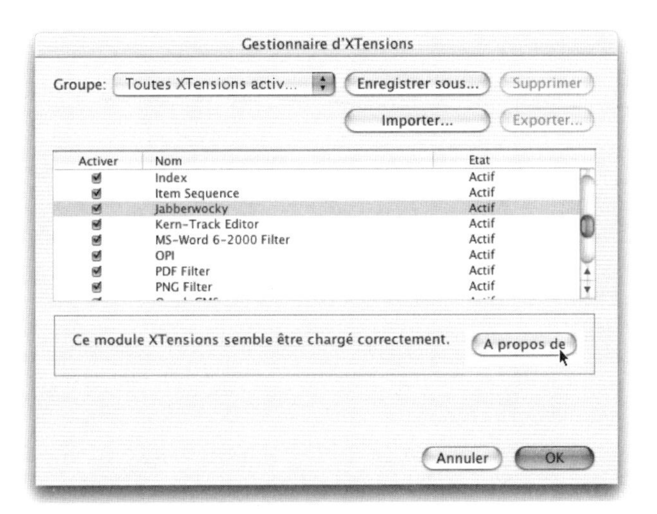

Figure B.6
Le gestionnaire d'XTensions.

Le gestionnaire d'XTensions étant ouvert, le menu local **Groupe** permet de sélectionner un lot d'XTensions. Les XTensions étant présentées sous forme de liste, un clic à gauche d'un nom d'XTension (dans la colonne **Activer**) affiche ou masque la coche signalant l'activation de l'XTension à la prochaine ouverture de XPress. Un double-clic sur un nom d'XTension affiche toutes les informations connues de XPress au sujet du module (voir Figure B.7).

Figure B.7

Les informations à propos d'une XTension.

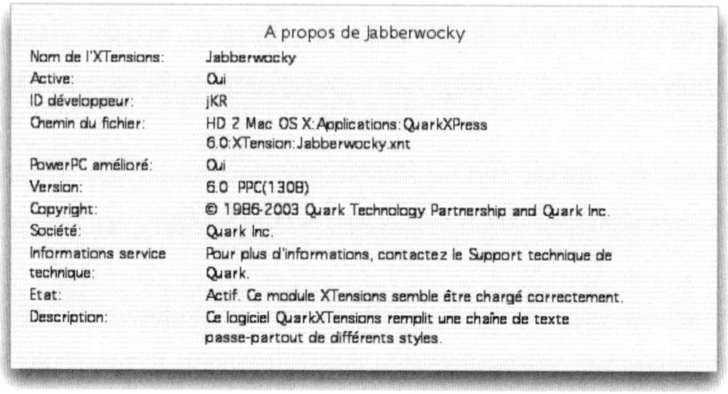

A propos de Jabberwocky

Nom de l'XTensions:	Jabberwocky
Active:	Oui
ID développeur:	jKR
Chemin du fichier:	HD 2 Mac OS X:Applications:QuarkXPress 6.0:XTension:Jabberwocky.xnt
PowerPC amélioré:	Oui
Version:	6.0 PPC(130B)
Copyright:	© 1986-2003 Quark Technology Partnership and Quark Inc.
Société:	Quark Inc.
Informations service technique:	Pour plus d'informations, contactez le Support technique de Quark.
Etat:	Actif. Ce module XTensions semble être chargé correctement.
Description:	Ce logiciel QuarkXTensions remplit une chaîne de texte passe-partout de différents styles.

Glossaire

La publication assistée par ordinateur (PAO) fait appel à un vocabulaire issu non seulement des techniques de l'imprimerie et des arts graphiques, mais aussi de l'informatique. Enfin, la PAO a créé ses propres termes.

A

Aliasing. *Voir* Crénelage.

Alignement. Organisation des lignes de texte les unes après les autres. Les lignes peuvent être alignées à gauche (fer à gauche), alignées à droite (fer à droite), centrées (au milieu) ou justifiées (pleine colonne, le texte occupant toute la justification).

Alinéa. Début d'un nouveau paragraphe. Nom de l'éventuel retrait vers la droite en début de paragraphe.

Anti-aliasing. Technique de "lissage" des contours des objets pour limiter les effets d'une résolution insuffisante.

Antique. *Voir* Bâton.

Aplat. Surface imprimée d'une couleur unie (sans trame si elle est obtenue avec un ton direct).

Application. Programme informatique permettant la production d'un document.

Approche. Distance horizontale séparant deux caractères, espace proportionnel entre les lettres (synonyme de crénage). L'ajustement de l'approche modifie le blanc entre deux caractères.

Ascendante. Partie supérieure d'une lettre minuscule.

ASCII (*American Standard Code for Information Interchange*). Norme de conversion des caractères en octets. L'ASCII 7 bits ne comprend pas les caractères accentués, contrairement à l'ASCII 8 bits. Aujourd'hui, le codage ASCII est progressivement délaissé au profit de l'Unicode dont les 16 bits permettent de coder tous les alphabets de toutes les langues du monde. L'Unicode inclut cependant l'ASCII.

B

Barbe. Bord extérieur d'un livre, opposé au pli.

Bas de casse. Lettres minuscules ainsi appelées en raison de leur rangement en bas de la casse (casier de rangement des caractères en plomb).

Baseline. *Voir* Ligne de base.

BAT. *Voir* Bon à tirer.

Bâton. Caractères sans empattement.

Ben-Day. Procédé de photogravure utilisé pour colorer un document par superposition des couleurs primaires auxquelles sont associés des pourcentages de trame.

Bézier Pierre. Ingénieur français employé par Renault et ayant créé une modélisation mathématique des courbes permettant de décrire tout type de tracé par des arcs de parabole, des segments de droite, etc. La description vectorielle d'une illustration ou d'une police de caractères a recours à ce type de courbes. Pour plus de précisions, se reporter à l'introduction du livre *Studio Graphique Illustrator 10* paru chez CampusPress en avril 2002.

Bit (*Binary digIT*). Chiffre binaire, unité du système de calcul binaire. En informatique, les informations sont traduites sous forme de nombres (numérisation) représentés par des bits (chiffres composant les nombres binaires).

Bitmap. Matrice de points. Une image dite "bitmap" est en fait une grille rectangulaire de points (ou pixels), chaque point étant caractérisé par sa position sur la grille et par sa couleur.

Blanc. Désigne tous les espaces qui interviennent dans un texte (interlignage, interlettrage, blanc intermot, blanc aux alinéas, etc.).

Blanc de pied. Blanc proportionnel à la maquette situé en dessous de celle-ci.

Blanc de tête. Blanc proportionnel à la maquette situé au-dessus de celle-ci.

Bleed. *Voir* Fond perdu.

Blonde. Photogravure dont la densité du point est devenue transparente et risque d'être à l'origine d'un mauvais tirage.

Bodoni Giambattista. Imprimeur et graveur italien, travaillant pour le grand-duc de Parme. A l'origine d'un caractère qui porte son nom et appartenant à la famille didot. Il fut l'auteur d'un *Manuel typographique* et publia d'importantes éditions de classiques grecs, latins, français et italiens.

Bon à tirer. Document signé par le client prouvant qu'il a donné son accord à l'imprimeur pour un tirage identique aux épreuves montrées.

Byte. Octet, ne pas confondre avec bit.

C

Cabochon. Petite vignette séparant deux textes.

Cadratin. Unité de mesure des blancs équivalant à un carré dont les côtés ont la valeur du corps des caractères employés.

Cahier. Correspond à une feuille sortant de la machine à imprimer et devant être pliée. Selon le cas, un cahier peut contenir quatre, huit, douze, seize, vingt-quatre, trente-deux, quarante-huit ou soixante-quatre pages.

Calibrage. Estimation de la longueur d'un texte en vue de sa composition.

Capitales. Lettres majuscules. Ce type de caractères est rarement accentué. Les petites capitales le sont plus couramment.

Carré. Ancien format de papier (45 × 56 cm).

Cartouche. Encadrement chargé de mettre en valeur un texte court.

CCD (*Coupled Charged Device*). Diodes à transfert de charge utilisées à l'intérieur des scanners et des photoscopes pour l'analyse des couleurs et leur numérisation.

Césure. Désigne de façon impropre la coupure d'un mot en fin de ligne.

Chaînage. Remplissage successif de blocs par un texte.

Chapeau. Texte court placé en dessous du titre et chargé d'annoncer ou de résumer l'article qui le suit.

Chapitre. Ensemble de plusieurs feuilles mises en page.

Chasse. Largeur d'un caractère augmentée de son approche. Avec les polices dites proportionnelles, la chasse varie d'un caractère à l'autre.

Chemin de fer. Description schématique de toutes les pages d'un document en cours de préparation.

Cicéro. Unité de mesure typographique équivalant à 4,51 mm et à 12 points didot.

Cliché. Reproduction de texte ou d'illustration prête pour le tirage.

CMJN (*Cyan magenta jaune noir*). Couleurs primaires en quadrichromie.

CMYK (*Cyan Magenta Yellow blacK*). *Voir* CMJN.

Colombier. Ancien format de papier (63 × 90 cm).

Colombier affiche. Ancien format de papier (60 × 90 cm).

Colonne. Partie verticale d'une page définissant la justification du texte qu'elle contient.

Copie. Manuscrit.

Coquille. Ancien format de papier (44 × 56 cm).

Corps. Taille d'un caractère allant de la base des jambages au sommet des lettres montantes. Plus précisément, il s'agit de la hauteur de l'œil du caractère augmentée des talus de tête et de pied, autrement dit des espaces utiles du haut et du bas. Notez que l'œil est le même pour tous les symboles d'une police donnée.

Couleur d'accompagnement. *Voir* Ton direct.

Coupure des mots. *Voir* Césure.

Couronne écriture. Ancien format de papier (36 × 46 cm).

Couronne édition. Ancien format de papier (37 × 47 cm).

Crénage. Rapprochement horizontal de deux caractères afin d'améliorer l'aspect du texte.

Crénelage. Effet d'escalier apparaissant sur les contours des objets en raison d'une résolution insuffisante (notamment sur un écran).

Cromalin. Marque déposée d'un procédé d'épreuve permettant de contrôler avant impression le rendu des couleurs d'un document en quadrichromie.

Cul-de-lampe. Vignette typographique triangulaire utilisée pointe vers le bas pour occuper le bas d'une page courte.

D

DCS (*Desktop Color Separation*). Format de fichier pour la séparation des couleurs (quadrichromie).

Débord. Mise en place de la première lettre d'une première ligne de paragraphe en deçà de la marge.

Deckle Edge. *Voir* Barbe.

Déliés. Partie la plus fine du tracé d'un caractère.

Demi-teinte. Image tramée en dégradés de gris.

Descendante. Partie inférieure d'un caractère minuscule. Cette partie se situe au-dessous de la ligne de base.

Desktop Publishing. *Voir* PAO.

Dessin vectoriel. Dessin à partir d'un assemblage d'entités mathématiques complexes (courbes de Bézier) indépendantes de la résolution.

Détourage. Pour le photograveur, il s'agit de découper une image selon un contour donné. On peut le faire aussi en PAO.

Didot François Ambroise. Editeur et imprimeur français, à l'origine du caractère et du point didot (mesure typographique). En outre, il introduisit en France la fabrication du papier vélin.

Digitalisation. Employé improprement pour numérisation. *Voir* Numérisation.

Document au trait. Document qui utilise une seule encre et toujours à 100 %.

Dots Per Inch. *Voir* Points par pouce.

Double page. Affichage de deux pages simultanément à l'écran.

Douze. Unité de mesure valant 4,51 mm.

Dpi. *Voir* Points par pouce.

Drapeau. Colonne dont le texte ne s'aligne que d'un côté (fer à droite ou fer à gauche).

Driver. Fichier permettant le pilotage de périphériques.

E

Ecolier. *Voir* Pot.

Edition électronique. *Voir* PAO.

Egyptienne. Famille de caractères à ligne régulière et empattement rectangulaire.

Elzévir. Famille de caractères à empattement triangulaire.

Empattement. Epaisseur du trait constituant la base des caractères. On distingue les caractères sans empattement (antiques, etc.) de ceux qui en sont munis. Le type de l'empattement entraîne alors une nouvelle distinction de familles (égyptienne, didot, elzévir, etc.).

Encadré. Texte court, entouré d'un filet, qui développe et met en valeur un élément de l'article à l'intérieur duquel il est placé.

Epreuve. Première sortie permettant de voir le résultat de son travail et de porter des corrections éventuelles.

EPS ou EPSF (*Encapsulated PostScript File*). Format de description de fichier en langage PostScript. On l'utilise notamment pour les images vectorielles.

Espace. Blanc séparant les mots dans une même ligne.

F

Famille. Caractères typographiques issus d'un même tracé.

Fer. *Voir* Alignement et Drapeau.

Fer à droite. Texte calé à droite.

Fer à gauche. Texte calé à gauche.

Feuille de style. Ensemble de paramètres de composition (police, corps, graisse, etc.) pouvant être appliqué en bloc à un paragraphe, voire à un caractère isolé.

Filet. Ligne d'épaisseur variable pouvant s'organiser dans le plan horizontal ou vertical pour structurer ou décorer la page.

Flashage. Opération au cours de laquelle le document mis en page sur ordinateur est produit par une composeuse chargée de transcrire sur film ou sur bromure les données informatiques.

Flasheuse. *Voir* Photocomposeuse.

Folio. Numéros des pages d'un document.

Foliotage. Série de numéros dans une pagination.

Fond perdu. Image couvrant la marge d'un document, au-delà des traits de coupe. Les fonds perdus disparaissent donc à la coupe.

Fond tramé. Zone régulièrement tramée et dépourvue de dégradé pouvant donc être utilisée comme fond.

Fonte. Police de caractères pour un corps donné.

Force de corps. Hauteur du caractère exprimée en points typographiques.

Format. Taille, mais aussi orientation du document reproduit ("portrait" ou "à la française" si le document est plus haut que large, "paysage", "à l'italienne" ou encore "oblong" si le document est plus large que haut).

Format de papier. Normalisation européenne : A1 (59,4 × 81,4 cm), A2 (42 × 59,4 cm), A3 (29,7 × 42 cm), A4 (21 × 29,7 cm), A5 (14,8 × 21 cm), A6 (10,5 × 14,8 cm) et ainsi de suite, les formats se déduisant du précédent par division par deux de la plus grande dimension.

Française (à la). *Voir* Format.

G

Gabarit. Grille de construction de la page représentant les espaces à allouer au texte et aux images sur la page à monter.

Gaillarde. Nom du caractère de corps 8.

Garamond Claude. Fondeur et graveur français qui, sous François Ier, créa le caractère qui porte son nom (ce caractère est assimilé aux didot).

Gouttière. Espace blanc entre deux colonnes.

Graisse. Epaisseur d'une lettre (maigre, normal, demi-gras, gras, extragras, etc.).

Grand fond. Blanc proportionnel à la maquette situé à gauche de celle-ci pour une page de gauche et à droite pour une page de droite.

Grébiche. Numéro d'ordre de l'ouvrage chez l'imprimeur.

Grille de base. Ensemble des lignes de base. *Voir* Ligne de base.

Gutenberg. De son vrai nom Johannes Gensfleisch. Réalisa à Strasbourg vers 1440 une presse à caractères métalliques mobiles considérée comme à l'origine de l'imprimerie moderne et de la typographie.

H

Habillage. Organisation du texte de façon à lui permettre d'épouser les contours d'un bloc (image, etc.).

Habillage carré. Texte positionné selon les bords rectilignes de la figure.

Habillage irrégulier. Texte épousant les formes irrégulières de la figure.

Half-Tone. *Voir* Demi-teinte.

Hampe. *Voir* Ascendante.

Hauteur de page. Hauteur de la feuille moins les blancs de tête et de pied.

Hirondelles. *Voir* Traits de coupe.

Hors-texte. Se dit d'un document (texte ou image) imprimé sur un papier autre que celui du tirage de l'ouvrage et intercalé dans le livre lors du façonnage.

HSB (*Hue Saturation Brightness*). Pour teinte, saturation, luminosité.

I

Imageur. Dispositif créant des diapositives à partir de données numériques.

Imposition. Organisation des pages sur la feuille imprimée (cahier) de façon à obtenir des pages correctement ordonnées une fois le cahier plié.

In-folio. Fabrication d'un livre à partir de feuilles pliées une fois (une feuille correspond ici à quatre pages).

In-octavo. Fabrication d'un livre à partir de feuilles pliées trois fois (une feuille correspond ici à seize pages).

In-plano. Fabrication d'un livre à partir de feuilles non pliées (une feuille correspond ici à deux pages).

In-quarto. Fabrication d'un livre à partir de feuilles pliées deux fois (une feuille correspond ici à huit pages).

In-seize. Fabrication d'un livre à partir de feuilles pliées quatre fois (une feuille correspond ici à trente-deux pages).

Infographie. Méthodes et techniques de traitement informatique des images.

Insécable. Qualifie un mot ou un espace dont la coupure en fin de ligne est interdite (le mot en question passe donc à la ligne suivante).

Inter. *Voir* Intertitre.

Interlettrage. Espace ménagé entre les lettres d'un mot.

Interlignage. Distance entre le haut des lettres majuscules de deux lignes placées l'une à la suite de l'autre.

Intertitre. Court titre placé entre deux paragraphes.

Inversé. Qualifie les caractères imprimés en blanc sur un fond de couleur (le plus souvent noir).

Italienne (à l'). *Voir* Format.

Italique. Caractère penché vers la droite.

J

Jambage. *Voir* Descendante.

Jaquette. Sorte de seconde couverture enveloppant la première.

Jésus. Ancien format de papier (56 × 76 cm).

JPEG (*Joint Photographic Experts Group*). Norme de compression et de décompression d'images non animées.

Justification. Texte calé à droite et à gauche. Désigne également la largeur de la feuille moins les grand et petit fonds ou la largeur de la colonne utilisable par le texte.

Justification verticale. Répartition des blancs afin d'obtenir un alignement en tête et en pied. La justification verticale module donc l'interligne.

Justifier. Répartir les blancs entre les mots et les symboles afin d'obtenir un alignement à la fois à droite et à gauche.

K

Kerning. *Voir* Crénage, Approche.

Ko (*Kilo-octet*). Unité de capacité mémoire de l'ordinateur égale à 1 024 octets.

L

Légende. Commentaire placé en marge ou sous une illustration.

Lettrine. Lettre de grande taille et généralement ornée. Elle marque le début d'un paragraphe (ou le début d'un chapitre) et est habillée par le texte.

Ligature. Association de plusieurs caractères pour n'en former qu'un.

Ligne de base. Ligne théorique sur laquelle reposent tous les caractères. La descendante des caractères minuscules passe sous la ligne de base.

Ligne en sommaire. Fait de placer plusieurs lettres dans la marge.

Lissage. Technique permettant de réduire l'effet d'escalier résultant d'une trop faible résolution.

Longueur de ligne. *Voir* Justification.

Lower Case. *Voir* Bas de casse.

Lpi. Nombre de lignes par pouce.

M

Maquette. Modèle d'une page servant de base à la mise en page.

Marge. Espace blanc qui entoure la page imprimée. On les trouve sur les quatre côtés. On parle de marges intérieure et extérieure en cas de mise en page recto verso.

MatchPrint. *Voir* Cromalin.

Microédition. *Voir* PAO.

Mise en page. Organisation sur une page du texte, des images et des titres en tentant de respecter une certaine cohérence.

Mo (*Mégaoctet*). Unité de capacité mémoire de l'ordinateur égale à 1 048 576 octets.

Mode Point. *Voir* Bitmap.

Moine. Zone non touchée par le rouleau encreur et donc non imprimée.

Moirage. Effet visuel déformant dû à la superposition de deux trames, dont l'orientation est incorrecte, quand on veut reproduire une photo.

N

Niveaux de gris. Nombre de valeurs demi-teintes reconnues par un scanner ou affichées sur écran, soit deux cent cinquante-six niveaux de gris.

Noir au blanc. Caractères imprimés en blanc sur fond noir. *Voir* Inversé.

Nuance. Teinte, tonalité ou différence de ton.

Nuancier. Catalogue de teintes dont le plus connu est le Pantone.

Numérisation. Pour une image, conversion de celle-ci en une matrice de points dont la couleur est codée par un nombre déterminé de bits.

O

Oblong. *Voir* Format.

OCR (*Optical Characters Recognition*, reconnaissance optique de caractères). Technique permettant de manipuler, à l'aide d'un traitement de texte, un texte imprimé puis numérisé.

Octet. Groupe de huit bits entre autres chargé de représenter un caractère.

Offset. Procédé d'imprimerie dérivant de la lithographie et fondé sur le fait que de l'eau acide repousse les encres grasses.

OPI (*Open Pre-press Interface*). Système d'échange permettant de remplacer des images en basse résolution par des images en haute résolution. La mise en page profite ainsi de fichiers moins lourds tandis que l'image haute résolution est employée lors du flashage.

Orpheline. *Voir* Veuve.

P

Pagination. Numérotation des pages.

Pages en regard. Type de maquette où l'on distingue les pages au recto des pages au verso.

PAO (*Publication assistée par ordinateur*). Ensemble des techniques permettant de remplacer la typographie et la composition traditionnelles au moyen d'ordinateurs.

Parangonnage. Relevage, abaissement ou alignement de caractères par rapport à la ligne de base.

Paysage. *Voir* Format.

Petit fond. Blanc proportionnel à la maquette situé à gauche de celle-ci pour une page de droite et à droite pour une page de gauche.

Petite capitale. Capitale ayant une hauteur égale à celle d'une bas de casse de même corps.

Photocomposeuse. Machine chargée de la reproduction des textes et des images sur film ou sur papier bromure.

Photogravure. Ensemble des techniques qui permettent d'obtenir des clichés en vue de la reproduction de ceux-ci.

Pica. Mesure typographique employée aux Etats-Unis et en Grande-Bretagne.

Pixel. Point élémentaire d'une image en mode **Point** (bitmap).

PMS (*Pantone Matching System*). Nuanciers proposés par la firme Pantone.

Point didot. Unité de mesure valant 0,3759 mm.

Point pica. Unité de mesure valant 0,351 mm.

Points par pouce. Mesure de résolution correspondant au nombre de pixels (à l'affichage) ou au nombre de points (à l'impression) sur un pouce (2,54 cm).

Police. Ensemble cohérent de dessins de caractères.

Portrait. *Voir* Format.

PostScript. Langage de description vectorielle d'une page (ou d'une image, ou d'un caractère, etc.). PostScript étant vectoriel, il n'est pas dépendant de la résolution d'un périphérique de visualisation ou d'impression.

Pot. Ancien format de papier (31 × 40 cm).

Ppp. *Voir* Points par pouce.

Q

Quadrichromie. Reproduction des documents en couleurs à partir de cyan, magenta, jaune et noir.

R

Ragged Setting. *Voir* Drapeau.

Raisin. Ancien format de papier (60 × 65 cm).

Recto. Page de droite d'un document. Le recto porte toujours un numéro impair (la première page étant toujours un recto).

Recto verso. Impression qui se fait de chaque côté d'une feuille, le plus souvent simultanément.

Regard. *Voir* Pages en regard.

Réserve. *Voir* Inversé.

Résolution. Nombre de points par pouce. La qualité est directement liée à la résolution.

RGB (*Red Green Blue*). *Voir* RVB.

RIP PostScript (*Raster Image Processor*). Système électronique convertissant la description en langage PostScript d'un document en une image en mode **Point** destinée à une photocomposeuse ou à tout autre périphérique de sortie.

Romain. Caractère droit.

Rough. Avant-projet d'une maquette.

RVB (*Rouge, vert et bleu*). Couleurs primaires à partir desquelles un tube cathodique restitue toutes les autres couleurs.

S

Saut de colonne. Caractère invisible entraînant le saut vers la colonne suivante (ou le prochain bloc chaîné).

Saut de page. Caractère invisible entraînant le saut vers la page suivante (ou le prochain bloc chaîné).

Scanner. Appareil chargé de la numérisation des images.

Serif. *Voir* Empattement.

Shooting. Impression depuis un ordinateur sur film positif et en couleurs au moyen d'un imageur.

Signe. Symbole employé en composition (caractères alphabétiques, chiffres, ponctuation, symboles divers, espaces, etc.).

Size. *Voir* Corps.

Style de caractère. Italique (penché) ou romain (droit).

Surtitre. Groupe de mots placé au-dessus du titre.

SyQuest. Marque de disques durs amovibles extrêmement répandus dans le milieu de la PAO.

T

Tellière. Ancien format de papier (34 × 44 cm).

TIFF (*Tagged Image File Format*). Format employé pour le codage des images en mode **Point** (bitmap).

Tint. *Voir* Fond tramé.

Titraille. Ensemble des éléments d'un titre (surtitre et parfois sous-titre ou sommaire).

Titre. Groupe de mots mis en valeur par son corps et/ou sa graisse et présentant l'information qui le suit.

Titre courant. Titre reporté sur chaque haut de page d'un document (il s'agit en général du titre du chapitre, de la partie ou du livre).

Ton direct. Couleur pure ou obtenue par mélange d'encres de base sur une surface limitée.

Traits de coupe. Marques imprimées dans la marge et délimitant la page.

Trame. Décomposition de l'image en un ensemble de points de surface variable (effets de Ben-Day de différentes intensités).

Typesetting. *Voir* Flashage.

Typographie. Assemblage des caractères. Comprend également tout ce qui concerne la présentation d'un texte imprimé (mise en page, etc.).

Typon. Cliché typographique tramé sur film employé pour l'impression offset.

U

Unicode. Type de codage des caractères sur 16 bits permettant à une police de contenir les lettres de tous les alphabets de toutes les langues du monde.

Unité d'exposition. *Voir* Photocomposeuse.

V

Verso. Page de gauche d'un document ou d'une publication, foliotée d'un numéro pair.

Veuve. Désigne la première ligne d'un paragraphe isolée en bas d'une colonne. La dernière ligne d'un paragraphe isolée en haut d'une colonne est appelée orpheline.

W

Width. *Voir* Chasse.

WYSIWYG (*What You See Is What You Get*). Ce que vous voyez à l'écran est ce que vous obtiendrez (à l'impression).

Z

Zip. Système de mémoire de masse largement répandu depuis la seconde moitié des années 90, mais en perte de vitesse depuis la banalisation du CD-RW. Désigne également un format de compression très courant et associé aux logiciels UnZip (Mac OS), Winzip ou ZipCentral (Windows).

Index

Symboles

A

B

C

D

E

F

G

H

I

J

L

M

N

O

P

Q

R

S

T

U

V

W

X

Y

Z

louisjeanimprimeur
59, Avenue Émile DIDIER - 05003 GAP Cedex - Tél. 04 92 53 17 00 • Dépôt légal : 631 – octobre 2004
Imprimé en France